THE HOUSE OF
ROTHSCHILD

罗斯柴尔德家族（上）

[英] 尼尔 · 弗格森◎著
顾锦生◎译

中信出版集团 | 北京

图书在版编目（CIP）数据

罗斯柴尔德家族（上）/（英）弗格森著；顾锦生译. —北京：中信出版社，2012.5(2024.5重印)

书名原文：The House of Rothschild

ISBN 978-7-5086-3289-6

I. 罗… II. ①弗… ②顾… III. ①金融－经济史－世界 ②金融家－家族－史料－世界 IV. ①F835.09 ②K835.160.9

中国版本图书馆CIP数据核字（2012）第049535号

罗斯柴尔德家族（上）

LUOSICHAI'ERDE JIAZU（SHANG）

著　　者：[英] 尼尔 · 弗格森

译　　者：顾锦生

出版发行：中信出版集团股份有限公司（北京市朝阳区东三环北路27号嘉铭中心　邮编　100020）

承 印 者：北京通州皇家印刷厂

开　　本：787mm × 1092mm　1/16　　**印　　张：**24　　**字　　数：**450千字

版　　次：2012年5月第2版　　**印　　次：**2024年5月第22次印刷

京权图字：01–2008–3954

书　　号：ISBN 978–7–5086–3289–6 /F · 2596

定　　价：69.00元

服务热线：400–600–8099

投稿邮箱：author@citicpub.com

献给

苏珊、费利克斯和弗雷亚

THE HOUSE OF ROTHSCHILD

目录

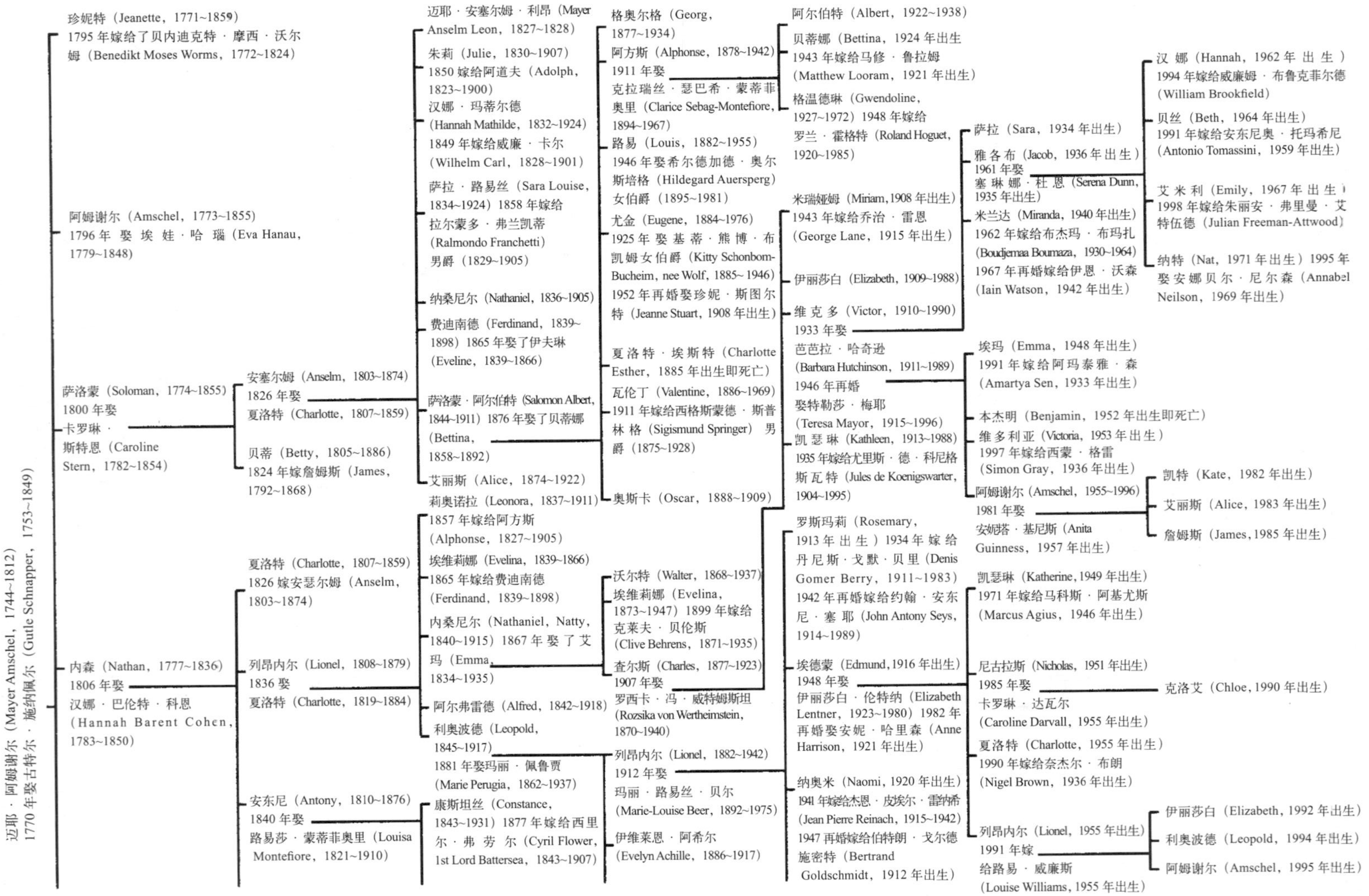

迈耶·阿姆谢尔（Mayer Amschel，1744~1812）
1770 年娶古特尔·施纳佩尔（Gutle Schnapper，1753~1849）
珍妮特（Jeanette，1771~1859）1795 年嫁给了贝内迪克特·摩西·沃尔姆（Benedikt Moses Worms，1772~1824）
阿姆谢尔（Amschel，1773~1855）1796 年娶埃娃·哈瑙（Eva Hanau，1779~1848）
萨洛蒙（Soloman，1774~1855）1800 年娶卡罗琳·斯特恩（Caroline Stern，1782~1854）
内森（Nathan，1777~1836）1806 年娶汉娜·巴伦特·科恩（Hannah Barent Cohen，1783~1850）
安塞尔姆（Anselm，1803~1874）1826 年娶夏洛特（Charlotte，1807~1859）
贝蒂（Betty，1805~1886）1824 年嫁詹姆斯（James，1792~1868）
夏洛特（Charlotte，1807~1859）1826 嫁安瑟尔姆（Anselm，1803~1874）
列昂内尔（Lionel，1808~1879）1836 娶夏洛特（Charlotte，1819~1884）
安东尼（Antony，1810~1876）1840 年娶路易莎·蒙蒂菲奥里（Louisa Montefiore，1821~1910）
迈耶·安塞尔姆·利昂（Mayer Anselm Leon，1827~1828）
朱莉（Julie，1830~1907）1850 嫁给阿道夫（Adolph，1823~1900）
汉娜·玛蒂尔德（Hannah Mathilde，1832~1924）1849 年嫁给威廉·卡尔（Wilhelm Carl，1828~1901）
萨拉·路易丝（Sara Louise，1834~1924）1858 年嫁给拉尔蒙多·弗兰凯蒂（Ralmondo Franchetti）男爵（1829~1905）
纳桑尼尔（Nathaniel，1836~1905）
费迪南德（Ferdinand，1839~1898）1865 年娶了伊夫琳（Eveline，1839~1866）
萨洛蒙·阿尔伯特（Salomon Albert，1844~1911）1876 年娶了贝蒂娜（Bettina，1858~1892）
艾丽斯（Alice，1874~1922）
莉奥诺拉（Leonora，1837~1911）1857 年嫁给阿方斯（Alphonse，1827~1905）
埃维莉娜（Evelina，1839~1866）1865 年嫁给费迪南德（Ferdinand，1839~1898）
内桑尼尔（Nathaniel，Natty，1840~1915）1867 年娶了艾玛（Emma，1834~1935）
阿尔弗雷德（Alfred，1842~1918）
利奥波德（Leopold，1845~1917）1881 年娶玛丽·佩鲁贾（Marie Perugia，1862~1937）
康斯坦丝（Constance，1843~1931）1877 年嫁给西里尔·弗劳尔（Cyril Flower，1st Lord Battersea，1843~1907）
格奥尔格（Georg，1877~1934）
阿方斯（Alphonse，1878~1942）1911 年娶克拉瑞丝·瑟巴希·蒙蒂菲奥里（Clarice Sebag-Montefiore，1894~1967）
路易（Louis，1882~1955）1946 年娶希尔德加德·奥尔斯培格（Hildegard Auersperg）女伯爵（1895~1981）
尤金（Eugene，1884~1976）1925 年娶基蒂·熊博·布凯姆女伯爵（Kitty Schonbom-Bucheim，nee Wolf，1885~1946）1952 年再婚娶珍妮·斯图尔特（Jeanne Stuart，1908 年出生）
夏洛特·埃斯特（Charlotte Esther，1885 年出生即死亡）
瓦伦丁（Valentine，1886~1969）1911 年嫁给西格斯蒙德·斯普林格（Sigismund Springer）男爵（1875~1928）
奥斯卡（Oscar，1888~1909）
沃尔特（Walter，1868~1937）
埃维莉娜（Evelina，1873~1947）1899 年嫁给克莱夫·贝伦斯（Clive Behrens，1871~1935）
查尔斯（Charles，1877~1923）1907 年娶罗西卡·冯·威特姆斯坦（Rozsika von Wertheimstein，1870~1940）
列昂内尔（Lionel，1882~1942）1912 年娶玛丽·路易丝·贝尔（Marie-Louise Beer，1892~1975）
伊维莱恩·阿希尔（Evelyn Achille，1886~1917）
阿尔伯特（Albert，1922~1938）
贝蒂娜（Bettina，1924 年出生 1943 年嫁给马修·鲁拉姆（Matthew Looram，1921 年出生）
格温德琳（Gwendoline，1927~1972）1948 年嫁给罗兰·霍格特（Roland Hoguet，1920~1985）
米瑞娅姆（Miriam，1908 年出生）1943 年嫁给乔治·雷恩（George Lane，1915 年出生）
伊丽莎白（Elizabeth，1909~1988）
维克多（Victor，1910~1990）1933 年娶芭芭拉·哈奇逊（Barbara Hutchinson，1911~1989）1946 年再婚娶特勒莎·梅耶（Teresa Mayor，1915~1996）
凯瑟琳（Kathleen，1913~1988）1935 年嫁给尤里斯·德·科尼格斯瓦特（Jules de Koenigswarter，1904~1995）
罗斯玛莉（Rosemary，1913 年出生）1934 年嫁给丹尼斯·戈默·贝里（Denis Gomer Berry，1911~1983）1942 年再婚嫁给约翰·安东尼·塞耶（John Antony Seys，1914~1989）
埃德蒙（Edmund，1916 年出生）1948 年娶伊丽莎白·伦特纳（Elizabeth Lentner，1923~1980）1982 年再婚娶安妮·哈里森（Anne Harrison，1921 年出生）
纳奥米（Naomi，1920 年出生）1941 年嫁给杰恩·皮埃尔·雷纳希（Jean Pierre Reinach，1915~1942）1947 再婚嫁给伯特朗·戈尔德施密特（Bertrand Goldschmidt，1912 年出生）
萨拉（Sara，1934 年出生）
雅各布（Jacob，1936 年出生）1961 年娶塞琳娜·杜恩（Serena Dunn，1935 年出生）
米兰达（Miranda，1940 年出生）1962 年嫁给布杰玛·布玛扎（Boudjemaa Boumaza，1930~1964）1967 年再婚嫁给伊恩·沃森（Iain Watson，1942 年出生）
埃玛（Emma，1948 年出生）1991 年嫁给阿玛泰雅·森（Amartya Sen，1933 年出生）
本杰明（Benjamin，1952 年出生即死亡）
维多利亚（Victoria，1953 年出生）1997 年嫁给西蒙·格雷（Simon Gray，1936 年出生）
阿姆谢尔（Amschel，1955~1996）1981 年娶安妮塔·基尼斯（Anita Guinness，1957 年出生）
凯瑟琳（Katherine，1949 年出生）1971 年嫁给马科斯·阿基尤斯（Marcus Agius，1946 年出生）
尼古拉斯（Nicholas，1951 年出生）1985 年娶卡罗琳·达瓦尔（Caroline Darvall，1955 年出生）
夏洛特（Charlotte，1955 年出生）1990 年嫁给奈杰尔·布朗（Nigel Brown，1936 年出生）
列昂内尔（Lionel，1955 年出生）1991 年嫁给路易·威廉斯（Louise Williams，1955 年出生）
汉娜（Hannah，1962 年出生）1994 年嫁给威廉姆·布鲁克菲尔德（William Brookfield）
贝丝（Beth，1964 年出生）1991 年嫁给安东尼奥·托玛希尼（Antonio Tomassini，1959 年出生）
艾米利（Emily，1967 年出生）1998 年嫁给朱丽安·弗里曼·艾特伍德（Julian Freeman-Attwood）
纳特（Nat，1971 年出生）1995 年娶安娜贝尔·尼尔森（Annabel Neilson，1969 年出生）
凯特（Kate，1982 年出生）
艾丽斯（Alice，1983 年出生）
詹姆斯（James，1985 年出生）
克洛艾（Chloe，1990 年出生）
伊丽莎白（Elizabeth，1992 年出生）
利奥波德（Leopold，1994 年出生）
阿姆谢尔（Amschel，1995 年出生）

罗斯柴尔德家族8代的简化谱系

说明：

1. 未与家族成员通婚的女性成员的后代未列入。省略部分用星号标出。
2. 所列的名字只要可以确定，即使用可以区分个人的名字（通常采用他们的名，但不是全部）。

- 伊莎贝拉（Isabella，1781~1861）1802年嫁给伯恩哈德·朱达·西歇尔（Bernard Judah Sichel，1780~1862）
- 芭贝特（Babette，1784~1869）1808年嫁给西格蒙德·贝弗斯（Sigmund Beyfus，1786~1845）
  - 内桑尼尔（Nathaniel，1812~1870）1842年娶夏洛特（Charlotte，1825~1899）
    - 纳塔丽（Nathalie，1843出生即死亡）
    - 詹姆斯·爱德华（James Edouard，1844~1881）1871年娶劳拉·泰蕾兹（Laura Therese，1847~1931）
      - 亨利（Henri，1872~1947）1895年娶玛蒂尔德·威斯威勒尔（Mathilde Weisweiller，1874~1926）
        - 詹姆斯（James，1896~1984）1923年娶克劳迪·杜邦（Claude Dupont，1904~1964）1966年再婚娶伊维特·肖凯（Yvette Choquet，1939年出生）
          - 尼古拉（Nicole，1924年出生）
          - 莫尼克（Monique，1925年出生）1945年嫁给让-弗朗索瓦·德拉克（Jean-Francois Drach，1924年出生）1950年再婚嫁给乔治·阿尔芳（Georges Halphen，1912年出生）
        - 纳迪娜（Nadine，1898~1958）1919嫁给阿德里恩·蒂埃里（Adrien Thierry，1885~1961）
        - 菲利普（Phillippe，1902~1988）1935年娶伊丽莎白·德·尚比尔（Elisabeth de Chambure，1902~1945）1954年再婚娶波利娜·菲尔法克斯·波特（Pauline Fairfax Potter，1908~1976）
          - 菲利皮内（Philippine，1935年出生）1961年嫁给雅克·塞雷斯（Jacques Sereys，1928年出生）
          - 查尔斯（Charles b.&d.1937）
    - 汉娜·迈耶（Hannah Mayer，1815~1864）1839年嫁亨利·菲苏罗伊（Henry Fitzroy，1807~1859）
    - 迈耶·阿尔伯特（Mayer Albert，1846~1850）
    - 阿瑟（Arthur，1851~1903）
      - 珍妮（Jeanne，1874~1929）1896年嫁给戴维·勒翁宁诺（David Leonino，1867~1911）
  - 迈耶（Mayer，1818~1874）1850年娶朱利安娜·科恩（Juliana Cohen，1831~1877）
    - 汉娜（Hannah，1851~1890）1878年嫁给阿奇博尔德·普利姆罗斯（Archibald Primrose），即罗斯伯里伯爵（Rosebery，1847~1929）
  - 路易丝（Louise，1820~1894）1842年娶迈耶·卡尔（Mayer Carl，1820~1886）
- 卡尔（Carl，1788~1855）1818年娶阿德尔海德·赫茨（Adelheid Herz，1800~1853）
  - 夏洛特（Charlotte，1819~1884）1836嫁列昂内尔（Lionel，1808~1879）
    - 阿德勒（Adele，1843~1922）1862年嫁给萨洛蒙·詹姆斯（Salomon James，1835~1864）
    - 爱玛（Emma，1844~1935）1867年嫁给内桑尼尔（Nathaniel，1840~1915）
      - 安妮（Annie，1844~1926）1873年嫁给艾略特·约克（Eliot Yorke，1843~1878）
        - 安东尼（Antony，1887~1961）1926年娶伊万妮·卡恩·德安维尔丝（Yvonne Cahen d'Anvers，1899~1977）
          - 利奥波德（Leopold，1927年出生）
          - 勒妮（Renee，1927年出生）1955嫁给彼得·罗宾逊（Peter Robeson，1929年出生）
          - 安妮（Anne，1930~1971）
          - 伊维莱恩（1931年出生）1966年娶珍妮特·毕晓普（Jeanette Bishop，1940~1982）1973年再婚娶维多利亚·斯科特（Victoria Schott，1949年出生）
            - 杰西卡（Jessica，1974年出生）
            - 安东尼（Antony，1977年出生）
            - 戴维（David，1978年出生）
    - 克莱门蒂娜（Clementine，1845~1865）
    - 劳拉·泰蕾兹（Laura Therese，1847~1931）1871年嫁给詹姆斯·爱德华（James Edouard，1844~1881）
  - 迈耶·卡尔（Mayer Carl，1820~1886）1842年娶路易丝（Louise，1820~1894）
    - 汉娜·路易丝（Hannah Louise，1850~1892）
    - 玛格瑞塔（Margaretha，1855~1905）1878年嫁给格拉蒙特（Gramont）公爵阿吉诺尔（Agenor，1851~1925）
    - 贝莎·克拉拉（Bertha Clara，1862~1903）1882年嫁给瓦格拉姆（Wagram）王子亚历山大·贝尔蒂埃（Alexandre Berthier，1836~1911）
  - 阿道夫（Adolph，1823~1900）1850年娶朱莉（Julie，1830~1907）
- 朱莉（Julie，1789~1815）1811年嫁迈耶·贝弗斯（Meyer Beyfus，1779~1860）
- 亨丽埃塔（Henrietta，1791~1866）1815年嫁给亚伯拉罕·蒙蒂菲奥里（Abraham Montefiore，1788~1824）

- 詹姆斯（James，1792~1868）1824 年娶贝蒂 · 冯 · 罗斯柴尔德（Betty von Rothschild，1805~1886）
  - 威廉 · 卡尔（Wilhelm Carl，1828~1901）1849 年娶汉娜 · 玛蒂尔德（Hannah Mathilde，1832~1924）
    - 乔晶 · 萨拉（Georgine Sara，1851~1869）
    - 阿德尔海德（Adelheid，1853~1935）1877 年嫁给埃德蒙（Edmond，1845~1934）
    - 米娜 · 卡罗琳（Minna Caroline，1857~1903）1878 年嫁给马克斯 · 戈尔德施密特（Max Goldschmidt，1843~1940）
  - 安塞尔姆 · 亚历山大（Anselm Alexander，1835~1854）
  - 夏洛特（Charlotte，1825~1899）1842 年嫁内桑尼尔（Nathaniel，1812~1870）
  - 阿方斯（Alphonse，1827~1905）1857 年娶利奥诺拉（Leonora，1837~1911）
    - 贝蒂娜（Bettina，1858~1892）1876 年嫁给萨洛蒙 · 阿尔伯特（Salomon Albert，1844~1911）
    - 勒内（Rene，1861 年出生即死亡）
    - 比阿特丽斯（Beatrice，1864~1934）1883 年嫁给莫里斯 · 艾弗吕西（Maurice Ephrussi，1849~1916）
    - 爱德华（Edouard，1868~1949）1905 年娶吉曼 · 阿尔方（Germaine Halphen，1884~1975）
      - 阿方斯（Alphonse，1906~1911）
      - 盖伊(Guy，1909 年出生）1937 年娶阿里克斯 · 沙伊 · 冯 · 科洛姆拉（Alix Schey von Koromla，1911~1982）1957 年再婚娶玛丽 · 海伦（Marie Helene），即尼古拉（Nicolay，Nee van Zuylen de Nyevelt）女伯爵（1931~1996）
        - 戴维（David，1942 年出生）1974 年娶奥林匹娅 · 阿尔多布兰蒂妮（Olimpia Aldobrandini，1955 年出生）
          - 拉维尼亚（Lavinia，1976 年出生）
          - 斯蒂芬妮（Stephanie，1977 年出生）
          - 亚历山大（Alexandre，1980 年出生）
          - 路易丝（Louise，1989 年出生）
        - 爱德华（Edouard，1957 年出生）1981 年娶玛蒂尔德 · 阿布迪（Mathilde Abdy，1952 年出生）1991 年再婚娶阿里耶勒 · 玛丽 · 马拉尔（Arielle Marie Malard，1963 年出生）
      - 杰奎琳（Jacqueline，1911 年出生）1930 年嫁给罗伯特 · 卡拉曼 · 利维（Robert Calmann-Levy，1899 年出生），1937 年再婚嫁给格里高尔 · 皮亚迪高尔斯基（Grigor Piatigorsky，1903~1976）
      - 贝萨碧（Bethsabee，1914 年出生）1948 年嫁给唐纳德 · 布卢明代尔（Donald Bloomingdale，1913~1954）
  - 居斯塔夫（Gustave，（1829~1911）1859 年娶塞西尔 · 安斯波（Cecile Anspach，1840~1912）
    - 奥克塔夫（Octave，1860 年出生即死亡）
    - 佐伊 · 露西（Zoe Lucie，1863~1916）1882 年嫁给勒翁 · 兰博特（Leon Lambert）男爵（1851~1919）
    - 艾　琳（Aline，1863~1909）1887 嫁给爱德华 · 萨逊（Edward Sassoon）勋爵（1855~1912）
    - 贝莎 · 朱丽叶（Bertha Juliette，1870~1906）1892 年嫁给伊曼纽尔 · 勒翁宁诺（Emmanuel Leonino）男爵（1864~1936）
    - 安德烈（Andre，1874~1877）

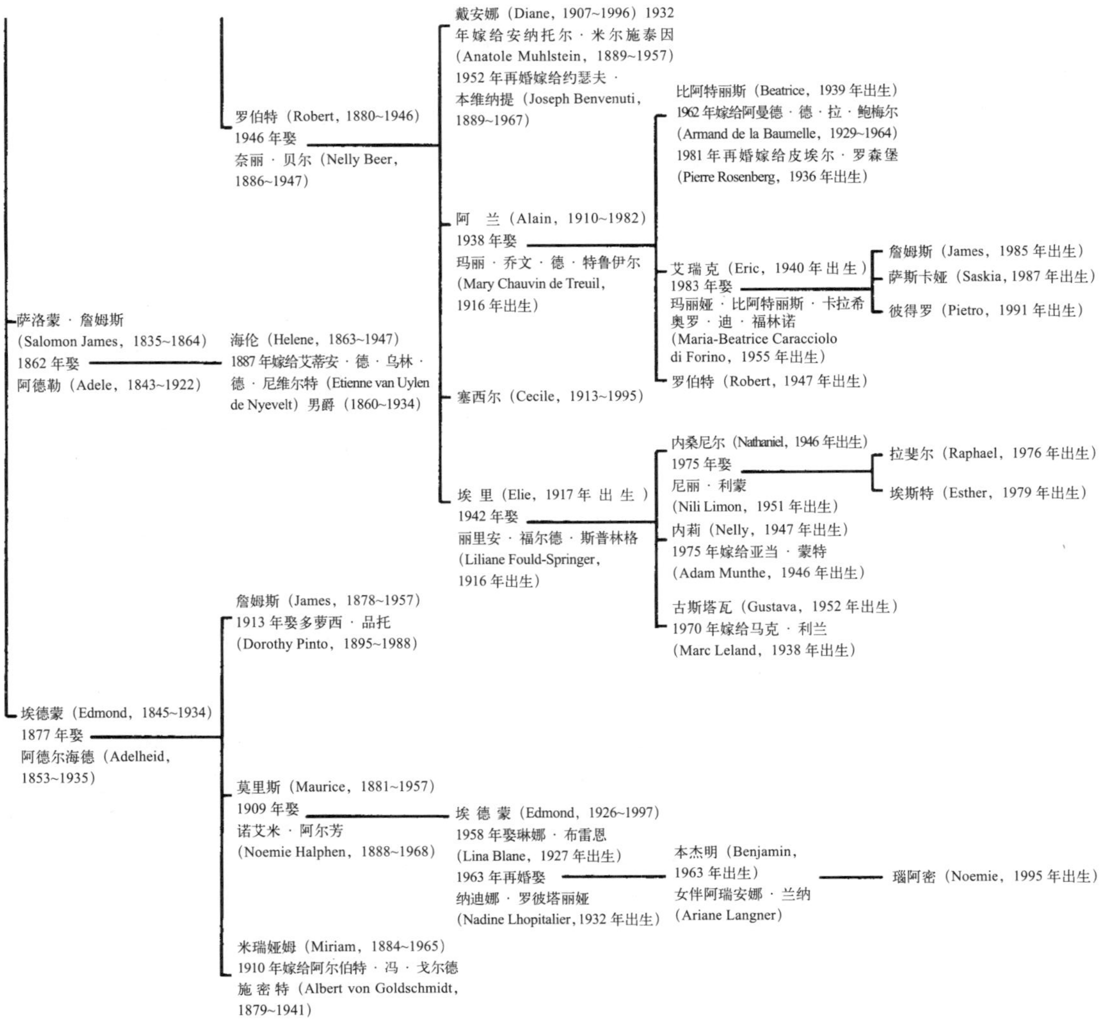
萨洛蒙·詹姆斯（Salomon James，1835~1864）1862 年娶 阿德勒（Adele，1843~1922）
埃德蒙（Edmond，1845~1934）1877 年娶 阿德尔海德（Adelheid，1853~1935）
罗伯特（Robert，1880~1946）1946 年娶 奈丽·贝尔（Nelly Beer，1886~1947）
海伦（Helene，1863~1947）1887 年嫁给艾蒂安·德·乌林·德·尼维尔特（Etienne van Uylen de Nyevelt）男爵（1860~1934）
詹姆斯（James，1878~1957）1913 年娶多萝西·品托（Dorothy Pinto，1895~1988）
莫里斯（Maurice，1881~1957）1909 年娶 诺艾米·阿尔芳（Noemie Halphen，1888~1968）
米瑞娅姆（Miriam，1884~1965）1910 年嫁给阿尔伯特·冯·戈尔德施密特（Albert von Goldschmidt，1879~1941）
戴安娜（Diane，1907~1996）1932 年嫁给安纳托尔·米尔施泰因（Anatole Muhlstein，1889~1957）1952 年再婚嫁给约瑟夫·本维纳提（Joseph Benvenuti，1889~1967）
阿　兰（Alain，1910~1982）1938 年娶 玛丽·乔文·德·特鲁伊尔（Mary Chauvin de Treuil，1916 年出生）
塞西尔（Cecile，1913~1995）
埃　里（Elie，1917 年出生）1942 年娶 丽里安·福尔德·斯普林格（Liliane Fould-Springer，1916 年出生）
埃德蒙（Edmond，1926~1997）1958 年娶琳娜·布雷恩（Lina Blane，1927 年出生）1963 年再婚娶 纳迪娜·罗彼塔丽娅（Nadine Lhopitalier，1932 年出生）
比阿特丽斯（Beatrice，1939 年出生）1962 年嫁给阿曼德·德·拉·鲍梅尔（Armand de la Baumelle，1929~1964）1981 年再婚嫁给皮埃尔·罗森堡（Pierre Rosenberg，1936 年出生）
艾瑞克（Eric，1940 年出生）1983 年娶 玛丽娅·比阿特丽斯·卡拉希奥罗·迪·福林诺（Maria-Beatrice Caracciolo di Forino，1955 年出生）
罗伯特（Robert，1947 年出生）
内桑尼尔（Nathaniel，1946 年出生）1975 年娶 尼丽·利蒙（Nili Limon，1951 年出生）
内莉（Nelly，1947 年出生）1975 年嫁给亚当·蒙特（Adam Munthe，1946 年出生）
古斯塔瓦（Gustava，1952 年出生）1970 年嫁给马克·利兰（Marc Leland，1938 年出生）
本杰明（Benjamin，1963 年出生）女伴阿瑞安娜·兰纳（Ariane Langner）
詹姆斯（James，1985 年出生）
萨斯卡娅（Saskia，1987 年出生）
彼得罗（Pietro，1991 年出生）
拉斐尔（Raphael，1976 年出生）
埃斯特（Esther，1979 年出生）
瑙阿密（Noemie，1995 年出生）

THE HOUSE OF ROTHSCHILD

前言

现实与神话

I

“银行业，”罗斯柴尔德家族第三代勋爵曾经这样评价说，“说到底就是让金钱流动得更为顺畅，使其从所在地A点便捷地流动到需要它的B点。”尽管这短短的一句话确实反映出维克托·罗斯柴尔德对金融不甚热情，但也道出了一定的真理。不过，如果他的高祖200年前创立公司的历史，其内容仅仅是把钱从A点弄到B点，那么它定然乏善可陈，读来味同嚼蜡，事实上它也不应是这样的。

所有银行都有各自的历史，尽管它们并非都有人研究或记文相传；不过，在这些银行中，只有罗斯柴尔德家族银行拥有一个神话。自19世纪20年代起，有关这个家族的神话就已开始流传：他们的财富起源以及规模，急速蹿升的社会地位，他们的政治影响力——不仅仅在设有罗斯柴尔德银行的五国，而且在全世界的影响力，以及他们恪守的犹太主义。这一神话也已被证明几乎与罗斯柴尔德父子公司（N. M. Rothschild & Sons）一样历久不衰。

“罗斯柴尔德”这个名字（德文原意是“红盾”）在今天可能没有100年前那么广为人知。那时，就如契诃夫所写的那样，一个过时的俄罗斯棺材铺老板都会用这个名字作为绰号来嘲笑一个贫穷的犹太音乐家。不过，仅从它仍经常在媒体上“露面”这点来看，相信大多数读者对这个名字也已有所了解。

罗斯柴尔德银行可能不再是1815年之后那个世纪的“金融巨人”，这个家族的成员可能已如散沙般散落在世界各地，但是“罗斯柴尔德”这个名字仍然吸引着世人的目光——其中一些人对它极为关注。即使那些对金融一无所知或知之甚少的人，一生中也可能遇到这个名字至少一次。因为，这个家族对动物学和园艺学的世代痴迷，使得自然界多达153种或次种类的昆虫顶上了“罗斯柴尔德”这个名字；此外还有58种鸟、18种哺乳动物（包括巴林戈长颈鹿），以及14种植物（包括一种罕见的拖鞋兰和一种火焰百合），当然了，还有3种鱼、3种蜘蛛和两种爬行动物也同样拥有这个名字。而罗斯柴尔德家族对美食几乎同等热爱，也使得这个名字烙在一种苏芙哩（由蜜饯、白兰地和香草制成）和一种开胃酥（明虾、白兰地和奶酪放在面包上烤制而成）。而在以色列，以这个家族成员的名字命名的城镇和街道数不胜数；在法国，罗斯柴尔德家族名下的武当王庄以及拉菲葡萄庄园所产名酒畅销全球；从英国的艾尔斯伯里谷到意大利的里维耶拉，罗斯柴尔德家族建造了无数栋房屋——在南极洲，甚至有一个岛也叫做“罗斯柴尔德”。

肖邦和罗西尼为这个家族谱写过乐曲，巴尔扎克和海涅为他们写过书。这个家族以它的众多收藏（其中一些可以从展览馆里看到）享誉艺术界，也以赛马的显赫“德比”战绩名震赛马圈。在写这本书期间，我几乎没碰到一个没听说过这个家族的逸闻的人——最常听到的是内森·迈耶·罗斯柴尔德投机滑铁卢战役获得巨额利润的神话，以及购买苏伊士运河股份的故事，英国作家迪斯雷利以自己的小说使之广为流传。对那些缺乏历史知识的人来说，不妨看看《犹太人幽默集》，书里面仍然有罗斯柴尔德家族的笑话。此外，还有两部关于罗斯柴尔德家族的电影，一部话剧以及一部剧情怪诞、表演不怎么成功的百老汇音乐剧。

需要立刻说明的是，本书讲述的并不是长颈鹿、百合、苏芙哩、葡萄佳酿或南极洲岛屿的故事。它主要还是一部关于银行业方面的书，在这里特别解释一下，确保有些读者不至于产生错觉，因为这些读者对富豪家族如何挥霍财富的兴趣远大过他们如何积累财富。

实际上，罗斯柴尔德父子公司从技术上讲并不是一家银行——至少，根据维多利亚时代的金融记者沃尔特·巴杰特在其《伦巴德街》（*Lombard Street*）一书中的定义来看，它不能算是银行。巴杰特在书中写道，“如果被问到谁是银行家，一个外国人通常会认为他们（罗斯柴尔德家族）就是。但是这恰恰说明了我们英国对银行业的定义与欧洲大陆的定义存在差异”：

几位罗斯柴尔德先生都是大资本家，手中掌握着大量借入资本。但是他们不会接受100英镑的汇票，然后以5英镑一张的支票兑现，而这恰恰是我们英国的银行业务。他们掌握的借入资本数额庞大，归还的期限相对较长。英格兰银行家处理的都是小额资本，都是短期或随时需要归还的。两者在运用资金方面也存在差异：外国人认为“交易所业务”——即买卖外国债券——是银行业的一个主要组成部分……但是绝大部分英格兰银行家不知道如何操作“交易所业务”……他们宁可想转变为丝绸商人。交易所交易掌控在很小而且很特别的外国债券经纪团体手中，在这些人中几位罗斯柴尔德先生是佼佼者——这个家族的成员不是英国的银行家，无论从他们借入资金的定义上来看，还是从他们利用资金的方式来看，都不符合英格兰银行家的定义。

内森·迈耶·罗斯柴尔德在英国的职业生涯起步于纺织品出口，因此他从技术上来说是一个商人，后来逐渐精通各种金融业务。他自己在1817年曾说过：“我的业务……由政府交易以及银行运作组成”——后者他可能是指与英格兰银行的业务往来，而不是存款之类的银行业务，这些业务被巴杰特称作是“我们英国的银行业务”，而且也是今天许多街头大银行的主要业务。

罗斯柴尔德父子公司当时也不能被看做是一个家族公司，直到1905~1909年之间的某个时刻，它才成为罗斯柴尔德“银行”集团中的一员，这个集团由几个家族成员掌控——其中，唯一经营到今天的只有伦敦分行（尽管法国目前也有罗斯柴尔德父子银行，但它不是由最初的巴黎分行直接衍生而来，1981年巴黎分行被法国收归国有）。在19世纪20年代至60年代的鼎盛时期，这个集团拥有5个分设在各地的银行。除了内森在伦敦的分行，在德国法兰克福有最原始的罗斯柴尔德父子公司（M. A. Rothschild & Sohne，1817年后改名为M. A. von Rothschild & Sohne），这家公司在老迈耶·阿姆谢尔·罗斯柴尔德死后，由长子阿姆谢尔接手；在法国巴黎，五子詹姆斯创立了罗斯柴尔德兄弟公司（de Rothschild Frres）；此外还有法兰克福总行的两个分行，即四子卡尔掌管的意大利那不勒斯罗斯柴尔德银行（C. M. von Rothschild）和次子萨洛蒙执掌的奥地利维也纳罗斯柴尔德银行（S. M. von Rothschild）。一直到19世纪60年代，五家银行合作都非常紧密，因此讲述其中一家银行的历史必定要提及其余四家：无论从哪方面来说，它们都是一个跨国银行的组成部分。甚至一直到20世纪第一个10年，这种合伙人体系仍在运转，“英国”的罗斯柴尔德成员与巴黎分行有着休戚与共的金融联系，“法国”的罗斯柴尔德成员与伦敦分行也是一样的关系。与现代的跨国公司不同的是，它一直是一个家族公司，所有经营决策都严格控制在合伙人的手里，而（一直到1960年）合伙人只能由罗斯柴尔德家族的男性成员担任。

要透彻理解这种跨国合伙人体系，可能最重要的一点就是：1815~1914 年一个世纪的大部分时间里，这个家族公司非常轻易地占据了世界最大银行的宝座。以他们资金相互交错的情况来说，在 19 世纪 80 年代初期之前，罗斯柴尔德五兄弟一直生活在自己的联盟里。20 世纪没有可以与之媲美的公司和人物：即便今天最大的银行业国际公司，也享受不到罗斯柴尔德公司鼎盛时的“霸权”；今天，也没有任何人拥有的资产占世界财富的份额能够与 19 世纪 20 年代中期到 60 年代的内森以及詹姆斯匹敌（见《罗斯柴尔德家族（中）》附录 1）。

如果不研究罗斯柴尔德家族如何积聚起天文数字般的财富，那么资本主义的经济史就是不完整的。他们的空前成功有什么“秘密”吗？这个家族头上戴着无数个商业财富的光环：比如，掌握了证券业 1/3 的财富、房地产业 1/3 的财富，以及珠宝和艺术品业 1/3 的财富，将证券交易所当成“冷水浴”（快进，快出），或者说，只给别人留了 10%的财富——不过所有这些都不足以解释他们为何成功。

罗斯柴尔德家族从事的到底是什么样的生意？他们是如何利用手中的经济杠杆的？要正确地回答这些问题，我们必须了解一点 19 世纪的国家财政状况，因为正是借款给政府，或投机已有的政府债券，使得罗斯柴尔德家族获得了巨额利润，这也是他们庞大财富最重要的组成部分。

II

整个 19 世纪，所有国家都会偶尔出现财政赤字，一些国家几乎一直入不敷出——这就是说，它们的税收收入通常不足以应付所有开支。当然，这些国家的情况与 18 世纪时的情况差异不大。1800 年之前，各国都处在战争之中或在为战争做准备，这自然带来了巨额的开支；而农产品歉收（或贸易锐减）也导致税收减少，从而使得国家收入大幅下跌。

尽管这些赤字的数额与国家收入比起来相对较小，但是却不容易在财政上实现填补。国内资本市场尚不发达，而国际资本市场的整合初见雏形，首次形成了以阿姆斯特丹为中心的金融体系。对大多数国家来说，借贷代价昂贵——即它们为贷款所付的利息相对过高——因为它们被投资者认为是不可靠的债务人。因此，预算赤字通常以这样的方式填补：要么出售皇家资产（土地或办公场所），要么通过通货膨胀（国家贬值流通货币）来实现。当然，还有第三个可能的解决方法，就是征收新的税项，但是鉴于 17 世纪已发生，并将贯穿 19 世纪的事例来看，税收制度的重大变化通常需要通过代表机构作出某种政治承诺；法国大革命也正是因为如此才加速到来，当时为了从三级会议（Estates General）中的权贵们手中获取新收入，国王作出了一定的承诺，但所有其他财政变革未能跟上国王的军事行动需求，因而引发了大革命。这条法则有一个例外，即当时的英国，它自17世纪晚期就形成了一套相对精密的公共借贷（国债）和货币管理（英格兰银行）体系。另外一个例外是德国的一个小公国黑森—卡塞尔（Hessen-Kassel），它的统治者一直保持着一定的收入盈余，他雇用属地中的人给别国当雇佣兵获取收入。参与管理该国统治者的庞大投资组合，也是迈耶·阿姆谢尔·罗斯柴尔德从一个硬币交易商（他最初的业务）转变为一个银行家迈出的第一步。

1793~1815年期间，再次发生的战争主宰了一切，它对财政带来的副作用非常复杂。首先，所有参战国的经济都因为空前的开支而陷入通货膨胀的泥沼，最极端的例子是法国的纸币体系崩溃。欧洲的货币——包括1797年之后的英镑——均处在风雨飘摇之中。其次，战争的破坏（比如，法国占领了阿姆斯特丹以及拿破仑的大陆经济封锁计划）带来了一些机会，一些商人可以通过高风险的交易获得巨额利润，比如走私纺织品、金银等以及帮助流亡的统治者管理已有的投资。第三，英国对欧洲大陆盟友的巨额经济援助推进了跨国界支付系统的变革，因为此前这个系统从未处理过数额如此庞大的款项。正是在这种动荡不堪的局势下，罗斯柴尔德家族实现了关键性的飞跃，他们从两家规模不大的公司——位于法兰克福的小型商业银行以及位于曼彻斯特的一个布料出口公司——一跃成为一个跨国金融合伙人公司。

拿破仑被打败以后，世界对国际金融服务的需求并没有终结；恰恰相反，战争带来的债务和赔款业务几乎一直贯穿着整个19世纪20年代。而且，新的财政体系需要快速摆脱政治危机。这段期间，西班牙以及奥斯曼帝国一直被这种危机困扰。与此同时，英国财政紧缩以及货币体系的稳定带来了一种新的投资需求，即那些在战争期间将资金投入到高收益英国债券上的人已适应高风险的考验，仍希望有类似的投资机会。这种需求在内森以及他的兄弟们那里得到了很好的满足。他们建立的体系能够让英国的投资者（以及西欧其他富有的“资本家”）通过购买具备国际兑换能力、固定利率的无记名债券（即可以转手），来实现对别国债券的投资。这种体系对19世纪历史的意义不能被过于强调。这个日益扩张的国际债券市场将欧洲真正的“资本家”聚集到了一起：那些身家足够显赫的人能够在这样的资产中“冻结”一部分财富，并足够精明地意识到这种资产相对于传统持有财富方式（土地，贪污受贿）所具备的优势。债券是流动的。它们一周内在欧洲证券交易所买卖的时间长达五天半（节假日除外），还可以在其他时间、其他地点私下交易。这些债券能够带来巨额的资本利润。当然，唯一的缺点就是：它们同时也会带来巨额损失。

什么决定了19世纪债券市场的涨落起伏？这个问题的答案也是理解罗斯柴尔德

银行历史的关键所在。很显然，经济因素在其中扮演了重要的角色——尤其在短期贷款的条件以及可选私募证券的要求方面尤为突出。但是最重要的因素是政治信心：投资者（尤其是诸如罗斯柴尔德家族这样的大型做市投资商）对发行债券的国家偿付能力的信心。实际上只有两个因素可能导致这些国家不再履行自己的义务：战争，这会导致其开支增加以及税收的减少；国内局势动荡，从政府更迭到全面爆发的革命，这不仅会导致收入锐减，而且还可能导致权力更迭，新的政府可能不会承认之前的债务。这些危机的任何一个迹象都是市场极为关注的，因为它们带来的可能是债务的终止，而罗斯柴尔德家族比任何人都更关注这些迹象。

这也解释了他们每天总是密切关注政治和经济新闻的原因所在。三方面可以让一个投资者取得对于竞争对手的优势：接近政治生活以及消息来源的中心；得到各国消息的速度，无论这些国家离他多远；控制这些消息传给其他投资者的能力。这也是为什么罗斯柴尔德家族花费大量时间、精力和金钱尽可能与当时上层政治人物维持紧密关系的原因。它同时也解释了他们为什么精心构建一个网络，在其他核心金融市场中安插代理人，并向其支付薪酬的原因，这些代理人的工作不仅仅是代表他们开展业务，同时还负责替他们收集最新的金融和政治消息。此外，它还解释了他们为什么想方设法地提升消息从代理人那里传递到他们手里的速度的原因。早期，他们依赖的是自己的信使系统，也享受到了超越欧洲外交机构的果实。他们有时也用信鸽在不同市场间传递最新的股票价格和汇率等信息。电报问世后，信息趋向“大众化”，能够迅速地传递到各个角落；而在电报（以及后来的电话）问世之前，罗斯柴尔德家族的通信网络使得他们比对手拥有了更多优势。即便丧失了这些优势，他们仍然对金融媒体拥有一定的影响力，通过这些媒体，相关消息传递给了更多的受众。

有关国际或国内局势可能出现动荡的信息对债券市场的影响最为直接，它带动市场价格和投资收益的跌宕起伏，而这些又是投资者所密切关注的。但是，政治与债券市场还存在着另外一种模式的关系。已有的政府证券——过去财政政策的产物的价格波动对现在以及将来的财政政策有着重要的影响。简单地说，如果政府希望通过发行更多的债券来借入更多的资金，现有债券价格的下跌将是一个极为不利的因素。出于这样的原因，债券价格具有重要的意义，这一点历史学家很少提及。它们是对某一政权信心的一种表达方式，或者说是一种每日民意调查。当然，用现代、民主的标准来衡量的话，它们确实是一种基于无代表性对象的民意调查。当时只有富裕阶层，即“资本家”拥有投票权。19 世纪的政治生活本身并不是民主的。实际上，持有政府债券的人，非常粗略地说，都是有政治背景的人，即使那些传统富豪（即主要以土地房产为财富形式的人）与持有债券的资本家（即掌握纸质证券的人）不时会爆发一些小冲突，这些资本家当时在很大程度上构成了欧洲的政治阶层，他们的观点在等级森严、不民主的社会中有着举足轻重的作用。如果投资者抬升一个政府的证券价格，这个政府便会感到高枕无忧；而如果他们抛售股票，这个政府可能很快就会财源枯竭，根基受损。

债券市场这一独特的“美丽”之处，最终被每个国家（包括所有新兴国家和殖民地）所认识；绝大多数国家都有一定数量的可兑换债券在流通。政府债券带来的不同程度的财富为透视这段历史提供了一个重要的视角。它们也是理解诸如罗斯柴尔德这种银行的关键因素，罗斯柴尔德家族银行在19世纪大部分时间里是此类债券的主要做市商。实际上，通过调整现有的政府借贷制度，让债券更便捷地流通，罗斯柴尔德家族等于是创立了现代形式的国际债券市场。早在1830年，一个德国作家就注意到，由于罗斯柴尔德家族从1818年引入了债券这种新发明：

> 每个持有国家债券的人（都可以）……根据自己的方便程度在几个不同的地方，无须舟车劳顿就能就近收取利息。法兰克福的罗斯柴尔德银行可以在伦敦、那不勒斯或者巴黎支付奥地利金属货币的利息、法国的定期存款利息以及英法联盟的债务利息。

本书的核心是罗斯柴尔德家族花费大量心血建立并发展的国际债券市场，尽管他们同时也在其他许多金融业务上投注了大量的精力：金银块交易中介和金银提炼，接收和贴现商业票据，直接买卖商品，国外交易所交易和套汇，甚至涉足了保险业务。这些活动无可避免地会出现存款和借贷业务，于是罗斯柴尔德家族也向一些经过选择的客户——通常是罗斯柴尔德家族希望拉拢的皇室和贵族成员——提供一系列的“个人银行服务”，从大额个人贷款（奥地利首相梅特涅王子）到最高等级的私人邮递服务（如维多利亚女王）。与巴杰特的印象相反的是，罗斯柴尔德家族有时也会接受这些独一无二的客户的存款。他们同时也是主要的工业投资商，虽然他们在这方面的重要性通常被低估了。

随着铁路的发展，19世纪三四十年代，欧洲交通系统的转型成为可能，罗斯柴尔德家族也是众多支持铁路修建的财团之一，当时的铁路从法国、奥地利和德国境内开始修建。实际上，到19世纪60年代，詹姆斯·罗斯柴尔德已经建成了泛欧铁路网，北至法国、比利时，南至西班牙，东到德国、瑞士、奥地利和意大利。从很早的时候开始，罗斯柴尔德家族就涉足了采矿业。从19世纪30年代兼并西班牙的阿尔马登汞矿开始，他们在19世纪八九十年代又急速扩大了在矿业方面的产业规模，投资黄金、铜、钻石、宝石和石油矿业。与他们最初的金融业务一样，他们的矿业也是在全球范围内运作的，从南非到缅甸，从蒙大拿（美国西北部一州）到巴库[1]。

本书的主要目的便是要阐述现代资本主义历史上最大、最不寻常的一家企业的起源及其发展历程。不过，它并不仅局限于狭窄的经济史。因为，这个公司的历史与这个家族的历史是相互交织、难以分割的：之前的历史学家（以及电影制片人）经常使用“罗斯柴尔德家族”这个词，也被许多与这个家族同时代的人使用，包括罗斯柴尔德家族成员本身，以彰显团结。罗斯柴尔德家族通过定期修改和更新合伙协议来掌控家族的商业活动以及日益庞大的利润分配；在罗斯柴尔德家族获得成功的秘密中，与合伙协议同等重要的便是它的婚姻协议，他们一直恪守“族内通婚”的规则——即罗斯柴尔德与罗斯柴尔德结合，这样就能保证整个家族资产的完整——也能够防止“外人”分占。当罗斯柴尔德家族的女性成员嫁给家族外的人时，她们的丈夫就被禁止直接参与家族业务，这些女性成员同样被剔除在外。家族合伙的理念也通过世代相传来确保家族企业的永存和增长。不可避免的是，家族的整体野心与“不幸”使罗斯柴尔德成员的个人意愿之间也存在着冲突。老迈耶·阿姆谢尔去世之前强势维持着整个家族，强调整体的野心，但他去世之后的罗斯柴尔德成员却几乎没人具备这种奠基人对工作和利润无休止追求的热情。父亲们对儿子们失望之极，兄弟们相互憎恨；爱似乎并不需要，甚至是被禁止的。表亲通过婚姻强扭在一起，丈夫、妻子经常反目。所有这些，是罗斯柴尔德家族与那些享誉 19 世纪以及 20 世纪早期的小说中描绘的大家族共通的地方；如萨克雷刻画的纽科姆家族、特罗洛普笔下的帕利泽家族、高尔斯华绥描写的福赛特家族、托尔斯泰呈现的罗斯托夫家族，以及托马斯·曼笔下的布登勃洛克家族（幸好陀思妥耶夫斯基的卡拉马佐夫家族不在此列）。当然，19 世纪时的大家族比比皆是——出生率高，而且对于富人来说，死亡率又低——可能仅从这方面来说，罗斯柴尔德家族并不是一个“例外的家族”（海涅曾这样评价过这个家族）。

因为如此富裕，所以罗斯柴尔德家族能够轻易地得到与欧洲贵族同等的物质条件；他们在克服各种法律、文化阻碍，得到上层地位方面获得的成功，是 19 世纪社会历史研究中最受关注的课题之一。由于老迈耶·罗斯柴尔德被禁止拥有自己的住宅（现法兰克福犹太博物馆）以外的任何资产，所以很容易理解他的 5 个儿子对土地以及大房子的渴望；尽管罗斯柴尔德家族的宏伟“宫殿”和住宅是其第三代修筑的，这些也成为这个家族让人景仰的“纪念碑”。与此同时，罗斯柴尔德家族也在致力于追逐和获得名誉、头衔与其他荣耀，进而获得最终的“奖品”——1885 年被授予英

---

[1] 阿塞拜疆共和国首都，产石油。——译者注

国贵族地位。这个家族的第三代还涉足了狩猎和赛马，这些都是典型的贵族消遣项目。他们在融入社会方面也有着相似的过程，这方面能够从他们在文化领域的活动中探寻到：詹姆斯和他的侄子们对艺术品、装饰品以及家具的收藏有着很大的热情，他们也将大部分收藏传给了自己的后代；他们还在自己的关系网中揽入了许多作家（本杰明·迪斯雷利、奥诺雷·德·巴尔扎克和海因里希·海涅）、音乐家（最著名的是弗雷德里克·肖邦和焦阿基诺·罗西尼），以及建筑师和艺术家。从很多方面看，罗斯柴尔德家族都是19世纪的“美第奇家族”①。

但是如果你将他们视为“封建”中产阶级家庭的原型，代表的是以土地为资产的精英阶层，那就错了。罗斯柴尔德家族带到贵族阶层中的许多行为方式的动机都是出于商业考虑。起初，他们购买土地用于投资，希望能借此获得经济回报；他们修建大房子，至少部分原因是出于运营考虑，作为向企业界展示自己好客作风的私人酒店；内森的儿子和孙子们甚至将购买赛马当做是一种有趣的投机性投资，他们赌马的方式与股票市场中的操作手法有许多相似的地方。直白地说，混杂在权贵阶层之间是极为重要的，因为这些人手握大权，掌控一切，而且从非正式社交场合获得的信息并不比与大臣们的正式会议获得的少。

与此同时，罗斯柴尔德家族给人一种感觉，即他们比任何贵族或中产阶级家庭都更忠诚地团结在一起。这并不仅仅是因为他们有意识地维系自己头上的“王冠”。与那些走出众多欧洲国王的庞大家族一样，罗斯柴尔德家族对族内通婚的偏爱近乎极端。他们一直沉浸在一种自我感觉当中，即他们是“独一无二的”——至少在欧洲犹太精英阶层中是这样的。从这方面讲，同时期人们称呼他们的，诸如“犹太人之王”这样的词语包含着重要的真实成分。其实，罗斯柴尔德家族也正是这样看待自己以及行事处世的——如他们的信中出现的“我们神圣的家族”，这也是许多没那么富裕的犹太人看待罗斯柴尔德家族的方式。

与欧洲和中东犹太教以及犹太社区的这种关系，毫无疑问是罗斯柴尔德家族历史最迷人的主题之一。对他们以及19世纪移民到西方社会的众多犹太家庭来说，融入定居国的社会生活为他们的信仰带来了挑战，尽管有关歧视的立法比较松散，使得他们不仅能获得大量金钱，而且也能用钱买到许多他们渴望的东西。不过，无论他们的房子如何奢华，他们的孩子接受多么好的教育，他们仍经常遇到排斥犹太人的现象——从法兰克福暴徒的攻击到贵族们不经意间的蔑视，以及异教徒银行家为“犹太

---

① Medicis，15世纪掌握整个佛罗伦萨的意大利贵族，家族成员多是实力强大的商人和银行家。——译者注

佬”提供的服务。其他许多富庶的犹太家族迫于这些压力，改变了信仰，变成了基督徒。但是罗斯柴尔德家族却没有，他们仍然坚定地保持着自己的犹太教信仰，在自己所参加的犹太社团的各种事务中扮演着重要的角色。除此之外，他们从很早的时候就寻求利用自己在各个国家金融体系中的地位，来改善这些国家中犹太人的政治和法律地位。他们不仅在自己的家乡法兰克福进行着这样的努力，而且还一直在许多他们有业务的国家以及没有经济利益存在的国家（如罗马尼亚和叙利亚）中，为犹太人的权益奔走着。至少这个家族的一些成员认为这些无私的活动是与整个家族的成功密切相关的：坚持祖先的信仰，牢记自己“同一信仰的贫穷同胞”，罗斯柴尔德家族就不仅能证明自己对好运的感激之情，也能够确保这种好运持续下去。

最后，可能也是最重要的一点，这个家族的历史既是政治史也是金融史：19世纪重要的政治人物几乎无一例外地囊括在本书中。早期，罗斯柴尔德家族就意识到接近政治家的重要性，那些人不仅仅能够决定预算赤字的额度，而且还能决定国内以及对外政策，而这些都是影响金融市场的关键因素。与此同时，政治家们也很快意识到与罗斯柴尔德家族保持紧密关系的重要性，这个家族有时在增强国家的偿付能力方面举足轻重，而且政治家还可以一直依赖他们的情报系统，这些情报几乎每分钟就能更新一次。迈耶·阿姆谢尔与黑森–卡塞尔的首席财务顾问卡尔·布德鲁斯，以及后来的卡尔·泰奥多尔·安东·冯·达尔贝格（拿破仑莱茵同盟中的大主教）等人建立的紧密关系，是他的儿子们接近欧洲政治家的典范，他的5个儿子与全欧洲政坛人物的交往事例数不胜数。从1813年开始，内森与大英帝国的全权代表约翰·查尔斯·赫里斯确立了牢固的私人关系，后者资助了威灵顿当年入侵法国的行动。罗斯柴尔德家族早期在英国的另一个“朋友”是查尔斯·斯图尔特，他是英国外交大臣卡斯尔雷勋爵的一个兄弟，同时也是英国驻维也纳、特罗保（今捷克共和国奥帕瓦）、莱巴赫（今南斯拉夫卢布尔雅那）以及维罗纳议会的代表。内森在19世纪20年代早期，与英国首相利物浦勋爵以及财政大臣尼古拉斯·万西塔特保持着直接联系；在1830~1832年的改革危机期间，还给威灵顿公爵提供了重要的财政建议。

罗斯柴尔德家族的影响也深入到了皇室内部。内森首先与英国皇室成员确立了直接联络的关系，这得归功于老迈耶精明的“投资”：他购买了摄政王乔治（后来成为了乔治四世国王）和他兄弟们的未偿债务。与英国皇室的这种紧密关系后来又通过与萨克森–科堡家族的交往得到了进一步巩固，萨克森–科堡家族的利奥波德娶了乔治四世的女儿夏洛特，他后来成为统治比利时的利奥波德一世国王。而且，利奥波德的侄儿阿尔伯特成为维多利亚女王的丈夫之后，也向罗斯柴尔德家族寻求财政援助。

作为回报，维多利亚的长子继承王位成为爱德华七世的前后，与罗斯柴尔德家族的许多成员都保持了友好的关系。维多利亚时代，大量政治家与罗斯柴尔德家族保持着紧密关系：19 世纪四五十年代，列昂内尔 · 罗斯柴尔德竞选英国下院议员时，不仅获得了辉格党人约翰 · 罗素勋爵和庇尔党格拉德斯通的支持，同时也得到了保守党人迪斯雷利和乔治 · 本廷克的支持。后来，列昂内尔的儿子们与格拉德斯通的关系变得疏远，但他们与迪斯雷利、伦道夫 · 丘吉尔勋爵以及约瑟夫 · 张伯伦和亚瑟 · 鲍尔弗却是越走越近。19 世纪八九十年代，索尔兹伯里侯爵以及格拉德斯通的继任者、自由党首相罗斯贝里都在帝国事务方面向他们寻求建议。实际上，罗斯贝里的妻子就是罗斯柴尔德家族的成员：迈耶的女儿汉娜。

在法国的罗斯柴尔德家族成员也直接参与了政治活动。19 世纪 20 年代早期，他们与维莱尔伯爵建立了紧密的关系；19 世纪 30 年代，他们又将自己的忠诚心转移到了路易 · 菲利普身上；1848 年，通过接近共和党上层人士，他们成功地“熬过了”大革命；再后来，因为他们不喜欢拿破仑三世的对外冒险主义政策，又暗中与拿破仑三世进行了一番斗争。他们在第三共和国里也有一个坚定的盟友：莱昂 · 赛，他曾四次担任法国财政大臣。在德国和奥地利，萨洛蒙 · 罗斯柴尔德与梅特涅的紧密关系，在 1818~1848 年间极其重要，但是这远不是唯一的例子。复辟时代的其他朋友还包括奥地利驻巴黎大使奥波尼伯爵以及埃斯泰尔哈吉家族的成员；同时还有（普鲁士）首相哈登贝格亲王，教育改革家、外交官威廉 · 冯 · 洪堡以及普鲁士皇家银行行长克里斯蒂安 · 罗特尔。与俾斯麦之间建立联系被证明是非常艰难的，尽管 19 世纪 70 年代时，迈耶 · 卡尔 · 罗斯柴尔德已能够充当“老俾”和伦敦、巴黎政府间的外交沟通渠道。威廉二世授予阿尔弗雷德 · 罗斯柴尔德一枚奖章，表彰他在外交方面的业绩，并视阿尔弗雷德的兄弟纳迪为“一个值得尊敬的老熟人”。

本书的中心目标之一便是要理清这些关系。弗里茨 · 斯特恩在针对俾斯麦与格尔松 · 布雷克劳德关系的开创性研究中指出，历史学家通常羞于承认金融因素在俾斯麦政策中扮演的角色，毕竟他是 19 世纪非常伟大的政治人物。奇怪的是，许多信仰马克思主义学说、一度影响力颇大的历史学家对于这点也几乎没采取任何行动来予以修正，他们更喜欢武断地认定而不是通过论证来证明统治阶级的利益本质上与“金融资本家”的利益是一致的（或是其附属物）。近年来，研究大英帝国的历史学家已经做了大量工作，改变了我们对于伦敦与帝国关系的认识。但是凯恩与霍普金斯改进的“绅士资本主义”理论模型，并不适用于罗斯柴尔德家族。而且，鉴于罗斯柴尔德家族在 19 世纪金融史中扮演着极罕见的重要角色，对于这个模型来说，这个家族是一个例外，其对历史的意义远远超出了证明理论规则成立的范围。罗斯柴尔德家族第二代之后的成员，在西区剧院或在英国变得确实颇有绅士风度，但是在“账房”中，他们仍是不折不扣的资本家，他们所用的法则和戒律都发源自法兰克福的犹太街——他们的“老家”。

III

上面提及的是这本书将要详述的内容，即可以称之为“罗斯柴尔德家族历史原貌”的东西。故事本身已经引人入胜，再加上这个家族本身与日俱增的神话般的传说，更加深了故事的吸引力，罗斯柴尔德家族头上的神秘光环自他们被同时代人看做是个“例外”的时候便已存在。

这个家族神话的起源——现存的已出版的史料中能够找到的——可以追溯到1813年，即老迈耶·罗斯柴尔德去世的那一年。尽管S·J·科恩的著作《不朽银行家迈耶·阿姆谢尔·罗斯柴尔德先生的杰出一生》从书名及语调来看，很像是老迈耶授权写成的传记，但是实际情况并非如此。不过，这本书确定了描述罗斯柴尔德家族成功的基准（如果不是官方的）语调，即这个家族是因道德高尚而获得财富的垂青。科恩认为，迈耶·阿姆谢尔不仅仅是位虔诚、精明的犹太人，而且他的一生“毫无疑问地证明了一个犹太人既可以保持自己的宗教信仰，同时也能够成为一位杰出的人和一个好市民”。与后来许多在书中表达敬意的作者一样，科恩对迈耶·阿姆谢尔的从业生涯评述甚少，但是他强烈地暗示：老迈耶作为银行家获得的成功是某种神圣的嘉奖。

13年后，另一本著作问世，它的解释更为准确，但仍未摆脱道德的框架，由莱比锡布罗克豪斯出版社出版的《受教育阶层的德意志百科全书》是毕德迈时代杰出著作的一个典范。它极受欢迎，卖出了大约8万本，但是，尽管其形式上与法国百科全书（内容涉及了启蒙运动之前的时代）相像，但它的内容仍受到了保守当局的严格审查。实际上，罗斯柴尔德词条首次出现是在1827年版的百科全书中，而撰写这个词条的是梅特涅的秘书弗里德里希·冯·根茨；词条内容的积极评述反映了罗斯柴尔德家族对奥地利出版业以及根茨本人日益增长的影响力。这个词条不仅是罗斯柴尔德家族首肯的，而且还提供了报酬：在出版之前，根茨向罗斯柴尔德维也纳分行的高级秘书利奥波德·冯·魏瑟姆斯坦大声朗读了词条的内容。10天之后，他从萨洛蒙·冯·罗斯柴尔德那里得到了“实质性的回报”。

尽管根茨在布罗克豪斯出版的4卷百科全书中，对罗斯柴尔德家族发迹于法兰克福犹太人聚居区的背景几乎只字未提——实际上，他根本没提及他们的宗教信仰——根茨暗示称，罗斯柴尔德家族最近才成为“所有商业公司的佼佼者”。他暗示道，这种成功根源于迈耶·阿姆谢尔的“辛劳工作和节俭……他的知识以及真诚”。同样，他的5个儿子“（各方面）要求合理……对待自己的职责时精心细致……他们的计划简单明确，他们也总是以聪明的方式来经营自己的业务”。除了五兄弟作为商人的技巧之外，根茨还着重强调了“他们各自的个人道德”是“他们事业获得成功的决定性因素”：

> 一个人组建一个政党并不困难，只要这个人拥有足够的实力，能够吸引许多对他的想法感兴趣的人即可。但是团结所有政党并赢得各阶层的尊敬，需要的不仅仅是足够的物质资源，还需要精神品质，而后者通常并不会与财富与权力自然共存。各方面都乐善好施，从不拒绝向需要帮助的人施以援手；永远乐意满足祈求帮助的愿望，而不管这个人的出身如何；以最慷慨的方式提供最重要的服务。通过这些方式，这个家族的五个分支获得了应有的荣耀和支持，这些并不是通过精心计算来实现的，而且出于自然的善心和仁慈。

当然，这些评价自身带着一种微弱的标准化特质，即从远古时代开始，雇佣文人就一直以这种“谄媚的”笔触来刻画钱的“主人”。私下里，根茨其实很矛盾，他针对罗斯柴尔德家族的第一次评价与词条恰好相反。（1818年，他的朋友亚当·穆勒写的一篇有关罗斯柴尔德家族的文章提出了一些想法，根茨针对这些想法作出了评价。）他赞成穆勒的说法，即罗斯柴尔德家族是“拥有自身特质的特有物种”，准确一点说，他们是“普通、无知的犹太人，他们做生意的方式颇为自然（也就是说，全凭直觉），对事物间的联系没有更深入的想法”。但另一方面，他们也“具备了非凡的直觉，使得他们通常能够选择正确的东西或在两个正确的东西中选择更好的一个”。他们庞大的财富“全部是直觉的产物，人们习惯称之为运气”。在他去世后出版的《罗斯柴尔德家族的传记性注释》的一章里，根茨以马基雅弗利式的①语调详尽地描述了能力（品德）与环境（运气）之间的关系。

> 有一个事实，它尽管并不新鲜，但通常被人们所误解。“运气”这个词通常被用在描述名人或著名家族的历史中，而如果我们将其与个人或情感因素割裂开，那么它就会失去所有的含义。在人的一生中，运气在一些环境和事件中或许起着决定性的作用，尽管它并不是决定人类命运的唯一因素。但是，持续的成功和经常性的失败通常可归结于受人赞美的个人品德或遭人谴责的自身过失

① Machiavellian，意即狡猾的。——译者注

或缺点。无论如何，最优秀的个人品质有时可能需要特定的环境或通过世界性的事件来“开花结果”。也正是这样，我们看到了开疆拓土的帝王为自己争得了王冠，看到了罗斯柴尔德成为伟大的家族。

布罗克豪斯出版社出版的《百科全书》的读者，也会将这些看做某种谄媚的词句。但实际上，根茨的编辑在脚注中插入的一句话给我们提供了一段具体的、未公开过的故事，而这段故事恰好能够明确地表明根茨所说的品德与运气的关系：

1806年，当法国军队逼近黑森时，其统治者选帝侯威廉仓皇逃命，他的巨额私人财产眼看就要成为拿破仑的战利品。迈耶·阿姆谢尔凭借着自己的勇气和机智，保住了威廉大部分财产，并一直周全地照应着它们。

在1836年的版本中，这个故事的细节更为丰满。此时，故事是这样的：

选帝侯将保全自己财产的希望寄托在罗斯柴尔德身上，财产总值高达数百万古尔登[①]。为了不负重托，罗斯柴尔德只有通过牺牲自己的财产并冒一定的风险保住这笔财产。外界所知的事实是罗斯柴尔德所有的财产均被法国人劫掠一空，这也让流亡的选帝侯认为自己的财产也已化为乌有。实际上，当他向罗斯柴尔德询问自己的财产时，他甚至都没估算过自己财产的价值。

但是他低估了品德高尚的迈耶·阿姆谢尔：

当局势再次平息后，罗斯柴尔德立刻用手里的财产重新开业，当选帝侯于1813年回到故土时，罗斯柴尔德家族不仅立刻归还了他当年托付的所有资产，而且他们还以收到财产的日期算起，向他支付了利息。选帝侯被如此诚实、守信的举动惊呆了，他将自己所有的资产在罗斯柴尔德公司中继续存放了好几年，并拒绝接受前几年的利息，利息自他归国时算起，而且他将利率定得非常低。通过将罗斯柴尔德家族介绍给别人，尤其在维也纳议会中，选帝侯也帮助这个家族扩大了他们的关系网络。

这也是“（迈耶·阿姆谢尔的）生意取得重要进展的决定性因素”。金融史上几乎没有什么故事被反复传颂，而罗斯柴尔德家族则通过口口相传，将自己的家族故事传播开来。1834年，内森在餐桌上，向英国自由党首相托马斯·福韦尔·巴克斯顿

① gulden，古金币。——译者注

讲述了一个删节本的家族起源故事；卡尔·冯·罗斯柴尔德则阅读了布罗克豪斯出版社 1836 年版《百科全书》，而且词条的内容可能还由他儿子的导师施莱默博士进行了扩充；这个故事甚至还是莫里茨·丹尼尔·奥本海姆两幅小型画作的主题，1861 年罗斯柴尔德家族委托奥本海姆绘制了这两幅画。

不过，根茨并没有将选帝侯财富的故事刻画成罗斯柴尔德家族后来成功的核心要素：他对罗斯柴尔德家族（获得成功）的经营方法还有一些别的见解。"所有重大交易中的成功，"他说，"并非纯粹依赖于选择和对有利时机的利用，更多的是靠利用谨慎选择的基本箴言。"除了他们"精明的管理和有利的周围环境"，帮助罗斯柴尔德家族获得绝大部分成功的还有一些"原则"。其中一条是：

> 五兄弟需在利益互通的氛围中开展自己的联合业务……任何动议，无论它来自哪个人，都需要经过集体讨论；每项业务活动，即使无足轻重，都必须在一致同意的基础上实施，并且需要每个人都出力参与；每项业务的成果由五兄弟平分。

在选帝侯的财富故事中，选帝侯与罗斯柴尔德家族兄弟般的故事情节似乎正是受到了罗斯柴尔德五兄弟彼此关系的启发。1817 年（即在奥地利国王授予他们爵位之后），他们公布了自己的家族盾徽，其中一个图案是一只手臂握着五支箭，象征着五兄弟的团结——N·M·罗斯柴尔德公司至今仍在其信纸上印有这个徽章。五兄弟后来采用的箴言——"和睦，团结，勤勉"——更精确地描述了布罗克豪斯《百科全书》中罗列的品德。

根茨是众多作家中第一个用非常友好的（如果不是阿谀奉承的话）笔调描写罗斯柴尔德家族的人。而有关这个家族的更富感情色彩的故事能够在本杰明·迪斯雷利的小说中找到，他对这个家族非常熟悉（而且与根茨一样，对他们的财富也甚有兴趣）。例如，在迪斯雷利的《科宁斯比》（*Coningsby*，1844 年）一书中，主角西多尼亚与列昂内尔·德·罗斯柴尔德非常像（尽管并非完全一致）。书中，西多尼亚的父亲在半岛战争中挣了一笔钱，然后他"决定移民英国，也将自己数年中形成的商界网络带去了哪里。他在巴黎恢复平静后抵达英国，一同抵达的还有他的巨额资产。他将所有的资金押在了滑铁卢贷款上，而这次战役让他变成欧洲最大的资本家之一"。战争结束后，他和他的弟兄们将自己的钱借给了欧洲诸国，他也因此"变成了世界资本市场的主人和大师"。年轻的西多尼亚也具备了作为银行家的一切技巧：他是一个善于社交的数学家，并且"娴熟地掌握了主要的欧洲语言"。在《坦克雷德》（*Tancred*，1847 年）一书中，以罗斯柴尔德家族人物为原型的犹太女孩埃娃问："谁是巴黎最富有的人？”坦克雷德回答说：“我认为是伦敦最富有的那个人的兄弟。”当然，他们和埃娃拥有一样的“种族和信仰”。显然，迪斯雷利以罗斯柴尔德家族成员为原型的书中人物，经常充当了作者的传声筒，反映了迪斯雷利对犹太人在现代社会中所处地位的看法。我们不能将小说中的人物看做是“活生生”的罗斯柴尔德家族成员，不过，这些“模特儿”在书中留下了无数可以追寻的踪迹，也使得这些小说具备了历史学家梦寐以求的真实价值。

其他“正面的”小说式表述则不具备同样的重要性。比如，19世纪50年代，奥地利的一部小说将萨洛蒙·冯·罗斯柴尔德刻画成了维也纳版的“圣诞老人”。他非常仁慈地帮助一个木匠的女儿达成了自己的心愿，这个女孩希望嫁给她那富翁父亲的学徒，这个学徒天资聪明但家境贫寒。另一个相似的故事是奥斯卡·王尔德的短篇小说《穷模特儿与百万富翁，钦佩的注解》（1887年），故事描述了一个落魄的富家公子在一个名为“豪斯贝格男爵”的富翁的慷慨相助下，最终娶回了自己心爱的姑娘。在此类虚构故事中，以罗斯柴尔德家族成员为原型的主角通常被刻画成慷慨大方的救世主，这在20世纪有关这个家族的一些流行小说中也能见到，尤其是巴拉、罗斯、莫顿、考尔斯以及威尔逊的著作中更是常见。这类作品有意识的（有时让人生腻的）正面腔调甚至从其书名中就能看出来：《罗斯柴尔德家族的罗曼史》、《伟大的罗斯柴尔德家族》、《一个家族的画像》、《财富家族》以及《财富与权力的故事》。1969年上演的描写迈耶·阿姆谢尔和5个儿子的音乐剧间接地反映了这种阿谀风格的延续。在这些作品中，罗斯柴尔德家族早期的历史被描述成善良的犹太男孩反抗掠夺的故事，最终堕落成了南德意志版的《地狱厨房》（*Hell's Kitchen*），用一个词来概括这些就是：庸俗。

不过，这种正面的描述在“罗斯柴尔德神话”中只占据了一小部分。实际上，我们可以这样说，如果一个作家将罗斯柴尔德家族的成功至少部分地归结为他们的高尚品德，就会有2~3个作家持相反的观点。

最初的时候，即在19世纪二三十年代，攻击罗斯柴尔德家族并不像后来那么容易，尤其是在德国；弗里德里希·根茨为他的“朋友”做的另外一件事便是向诸如《汇报》这样的报社下达指令：不准批评罗斯柴尔德家族。即使是在1843年，激进共和党人弗里德里希·施泰因曼仍然发现，找不到一家出版社来出版他的历史学著作《罗斯柴尔德家族，它的历史和交易》，因为这本书中描写的细节众多而且充斥着批评词句，又过了15年，它才得以问世。允许出版的最大尺度题材是1826年德国经济学家、记者弗里德里希·李斯特撰写的软性文章，他当时报道了罗斯柴尔德巴黎分行的一起偷窃案，在其中他有些“多余地”将詹姆斯·德·罗斯柴尔德形容成“万能的上帝和大师，掌握着东半球所有铸成钱币的白银和黄金，国王和帝王们需要谦卑地从他的钱箱里借钱，他是万能之王”。即使在相对自由的英格兰，早期针对罗斯柴尔德家族的批评也只能以讽刺漫画的形式出现，比如克鲁克香克的《犹太人和医生》；或者在议会授予的特权保护下发表，比如 1828 年托马斯·邓库姆针砭时弊的发言：“一个新的、可怕的力量，直到今天仍不为欧洲所知，他是无限财富的主人，他吹嘘自己是战争与和平的决断人，而且国家信用都需要看他的脸色。”

这种方式并不罕见，在法国，最初批评罗斯柴尔德家族的出版物也是以小说的形式出现的。巴尔扎克在小说《纽沁根银行》（*The House of Nucingen*，1837~1838 年）中，讲述了一个无赖式的德国银行家的发迹史，纽沁根通过一系列的虚假破产积聚了自己的财富，迫使他的债权人接受贬值的纸币作为偿还的款项。纽沁根的蛮横、无情以及粗俗与詹姆斯·德·罗斯柴尔德有非常多的巧合之处；在另一部小说《情妇们的辉煌与哀伤》（*Splendours and Sorrows of Courtesans*，1838~1847 年）中，巴尔扎克得出了一个著名的结论，它不仅适用于纽沁根，按照巴尔扎克的暗示，也适用于詹姆斯：“所有迅速积聚起来的财富，要么是运气或偶然发现的产物，要么是‘合法’的偷窃。”

巴尔扎克的创作至少起到了散播作用，一则故事迅速成为反对罗斯柴尔德浪潮中最受欢迎的段子：在《纽沁根银行》中，巴尔扎克描写了纽沁根第二大商业阴谋便是利用滑铁卢战役的结果，进行大规模的投机活动。9 年后这个故事在乔治斯·戴恩瓦尔的通俗小说《醒世离奇的历史：罗斯柴尔德一世，犹太人之王》（1846 年）中再现，戴恩瓦尔称，凭借第一时间内得到的拿破仑兵败滑铁卢的消息，内森在股票交易所通过投机捞取了大量金钱。在之后的版本中，内森被描述成目睹了战役的进行，冒着风暴，赶在威灵顿获胜的官方消息公布之前抵达伦敦，并以此将 2 000 万~1. 35 亿英镑的财富收入囊中。另外一些传说则称，内森贿赂了法军将领格鲁希，从而确保了威灵顿的胜利，然后在伦敦故意散播截然相反的战争消息，以便引发恐慌性的卖出浪潮。

当然，现代作家可以重新演绎有关滑铁卢战役的传说来作为内森商业嗅觉敏锐的证据之一——实际上，这似乎正是绝大多数人从奇闻轶事中推断出来的一个结论。而美国一个银行家伯纳德·巴鲁克甚至受这个传说的启发，赚到了第一笔百万美元的财富。但是，与内森同时代的许多人则认为，抢在战争结果公布之前进行巨额投机的想法让人非常震惊：实际上，这种行为当时被认为是“不道德”、“不健康的”，无论保守派还是激进派控制着股票交易所，都不喜欢看到这样的行为。在拒绝格拉德斯通授予列昂内尔·德·罗斯柴尔德爵位的请求时，维多利亚女王直截了当地问道：“是否某人拥有巨大的财富，能够与外国政府签订合约提供贷款，或成功地在股票交易所进行投机，就能申领一个英国爵位？”似乎对女王来说，“投机仍然是种赌博行为，它的规模极其巨大——而且离她乐意授勋的合法交易太远……”

当时有关滑铁卢战役的另外一种演绎则证明了罗斯柴尔德家族的政治中立立场：如果拿破仑赢了，内森在英国债券上就会成为彻底的输家。一些作家将这次投机看做是内森对反法联盟积极支持的证据。法国的评论则认为，滑铁卢的故事标志着罗斯柴尔德家族缺乏爱国热情（一时是德国人，一时又是英国人）。对此，戴恩瓦尔解释道：“罗斯柴尔德家族是从我们的灾难中赚了一笔，但如果法国胜利了，他们就赔了。”罗斯柴尔德家族对拿破仑对手的财政资助，也可以被认为是他们保守政治立场的表现；他们向奥地利、普鲁士以及1815年之后波旁王族控制的法国提供贷款也可以作同样的解释。事实上，当奥地利正统王朝的激进反对派在国会中卷土重来时，罗斯柴尔德家族被冠上了“神圣同盟首要盟友”的骂名。而在德国作家路德维希·博恩看来，罗斯柴尔德家族是“国家最大的敌人。他们在破坏自由根基方面比任何人做的都多，如果他们没有向那些独裁者提供资金支持，毫无疑问，欧洲人民早享受到自由的欢乐了”。

但是，也不能轻易地坚持认为罗斯柴尔德家族政治上偏爱保守政权。早在1823年，拜伦在《唐璜》第12章问道：“谁左右着世界的平衡？谁控制了所有的议会，无论是保皇派还是自由派的议会？”答案是：“犹太人罗斯柴尔德，以及他的伙伴克里斯蒂安·巴林。”这里面关键的一点是，拜伦认为“罗斯柴尔德”对王族政权以及自由政权都拥有影响力，他的势力触角甚至伸到了拉丁美洲的共和国。即使在1830年革命之前，一些传言也已经流传开，即罗斯柴尔德家族不仅仅资助王族政权，而且还有意无意地寻求属于自己的权力，这些权力能够与统治阶层和国王的权力相抗衡，甚至可以取而代之。1830年，查理十世从法国王位上被赶下台时，詹姆斯·德·罗斯柴尔德却毫发无伤，这似乎证明了新金融王朝的说法。“如果所有国王都被推翻，罗斯柴尔德家族取而代之戴上王冠，”博恩在1832年嘲讽地问道，“对全世界来说，它会不会是一个巨大的福音呢？”威廉·梅克皮斯·萨克雷戏谑地说：“内森·迈耶·罗斯柴尔德先生对待新国王，就如富家小姐对待自己的玩具娃娃一样。”海因里希·海涅形容内森坐下来就如坐在王位上一样，说话“像个国王，身边围满了官宦朝臣”。同样的观点也能在海涅的文章里看到，他当时描述了萨洛蒙举办的一个儿童化装舞会：

> 孩子们的着装非常可爱，他们表演的是如何贷款。他们穿得像国王，头上戴着王冠；其中一个大孩子的穿着几乎与内森·罗斯柴尔德一模一样。他表演

> 得非常投入，双手插在裤兜里，拨弄着自己的钱，当一个小“国王”试图向他借钱时，他恶狠狠地摇头拒绝……

在另一些文章中，海涅更具体地分析了罗斯柴尔德权势自相矛盾的本质。他认为，从短期来看，这个家族充当了反动政权的“庇护人”角色，因为“革命通常是由于金钱匮乏而产生的”，而“罗斯柴尔德系统……弥补了金钱方面的不足”。但是，他也坚持认为罗斯柴尔德“系统”自身也蕴涵着可能进行的变革：

> 在推动革命进程方面，没有人比罗斯柴尔德家族做得更多……尽管这听起来比较奇怪。这个家族的成员都是国王的银行家，掌管国王财政的“要人”，如果欧洲帝制分崩离析，他们自身就可能被卷进万劫不复的深渊之中。但是尽管如此，他们的思想中，对自己革命任务仍保持着清醒的认识。

“我认为罗斯柴尔德，”海涅接着说，“是最伟大的革命者之一，是现代民主的奠基人之一”：

> 罗斯柴尔德通过将国家债券体系推至最高位，消灭了土地的统治地位，这样就赋予了财产与收入更多的流动性，同时也把之前土地的优势赋予了金钱。他也因此带来了一个新的权贵阶层，这是确凿的事实，但是这个阶层所依赖的一个基本要素是极不稳定的——金钱，因此绝不能像之前的权贵那样能够容忍退化和没落。

罗斯柴尔德家族不仅取代了旧权贵阶层，他们还带来了一种新的拜物信仰。“金钱是我们这个时代的上帝，”海涅在 1841 年 3 月宣称，“而罗斯柴尔德则是他的先知。”

罗斯柴尔德家族对于革命的重要性，在开发铁路方面的成绩便是最好的证明。1843 年，由罗斯柴尔德家族提供财政支持、通往奥尔良和鲁昂的铁路开通时，海涅诧异地描述了这个让社会“震动”的事件，不过字里行间渗透着某种短视性的暗示。此时，从他的作品中能够发现他的一些疑虑，他暗示日益强大的“金钱统治阶层”与以前那些土地贵族在本质上有很多重合的地方。19 世纪 40 年代，对于罗斯柴尔德家族，越来越多的记者开始表现出比海涅更为明显的敌意——海涅据传受惠于罗斯柴尔德家族（而且希望将这种关系一直保持下去）。最典型的例子就是詹姆斯促成的连接巴黎与比利时的铁路协议遭到了“七月王朝”的猛烈抨击，而且带有非常强烈的种族色彩。阿方斯·图斯内尔的《犹太人，新时代的帝王：金融封建主义的历史》（1846 年）一书主要针对的便是詹姆斯在金融方面的举措，这些举措保证了铁路协议的签署。

在某一层次上来讲，图斯内尔是一个社会主义者，他认为法国铁路网应该归国家所有，由国家管理。但是，他批评罗斯柴尔德家族成员是“资本家”的同时，却没忘提及他们作为犹太人的种族背景——法国被“卖给了犹太人”，法国铁路直接或间接地控制在“罗斯柴尔德男爵手里，（他是）金融之王，基督教国王授勋的犹太人”。也正是图斯内尔这本书的论点激发了诸多效仿言论。与图斯内尔相像的是，《针对罗斯柴尔德和乔治斯·戴恩韦尔》一书的匿名作者将犹太主义与资本主义画上等号：詹姆斯是“犹太人罗斯柴尔德，世界之王，因为今天整个世界都是犹太人的”。罗斯柴尔德这个名字“代表了整个种族——它是一种权势的象征，这种权势已经笼罩着全欧洲”。与此同时，在“利用一切可以利用的东西”方面，罗斯柴尔德家族则是“所有中产阶级以及商业阶层的典范”。此类言论之间的联系以及后来发展成型的马克思主义学说都为世人所熟知。1884 年，卡尔·马克思在他著名的文章《针对犹太问题》中发表他对“真正犹太人”的看法，他所指的犹太人是指资本家，并不考虑宗教信仰背景。在 1848~1849 年的革命浪潮中，尽管大部分政权被短暂地推翻，但是罗斯柴尔德家族却依旧稳如泰山，这其中隐含的寓意对于马克思来说，再明显不过：“每个暴君背后都有一个犹太人，就如每个教皇背后都有一个犹太信徒一样。”

到 19 世纪 50 年代时，海涅的论断——即罗斯柴尔德某种意义上是革命的盟友，似乎受到了广泛的质疑，并被一种新的批判言论替代，即罗斯柴尔德家族不仅是旧有体制的卫道士，还是原始资本家以及经济剥削者。19 世纪 40 年代，更多的革命“左派”作家更倾向于将新的批判与罗斯柴尔德家族的犹太人身份等同起来——尽管这种论调从没有真正解释过为何在经济活动方面，犹太人应该拥有与异教徒不同的态度。（如果只是出于好奇和增添见识的原因需要一个更清晰的解释，说明罗斯柴尔德事业上的成功归功于他们的宗教信仰与种族，我们需要再次翻翻迪斯雷利的《科宁斯比》以及《坦克雷德》。）

进一步的甄别是有可能的。在第二帝国时期的法国，人们将罗斯柴尔德家族与其他犹太人分离开——即上流银行，分别是以罗斯柴尔德家族银行为代表的“新兴”银行，以及以圣西蒙教派的佩雷尔兄弟为代表所创立的动产信托公司。这样一来，动产信托公司被许多作家刻画成法国财政方面挑战罗斯柴尔德家族统治地位的“斗士”——即在拿破仑三世期望摆脱罗斯柴尔德家族控制方面，挑战罗斯柴尔德家族的权威。与大多数公开批评罗斯柴尔德家族的种族言论不同的是，这次刻画的论据让人尊敬：动产信托公司今天有时仍被描绘成是一种革命性的新式银行，追求的是将工业化作为发展战略，这一点与那些“陈旧的”、以罗斯柴尔德银行为首的寄生式私人银行截然不同。但是当时许多人——最著名的是金融家胡莱斯·伊萨克·米雷利斯——有时将这种特色上的差异归结为两个家族不同的文化背景（佩雷尔家族是西班牙系犹太人，而罗斯柴尔德家族是阿什肯纳兹人，即中欧犹太人）。其他一些人则以更传统的政治术语来看待这种差异：罗斯柴尔德代表的是“金钱贵族”和“金融封建主义”，而他的对手代表的则是“金融民主”和经济界的“1789”（当年最大的事件是《人权宣言》的发表）。以这些观点来看，19 世纪 60 年代动产信托公司的衰落似乎远不只是一个金融事件：它是第二帝国崩溃的预兆。即使在现代历史学中，詹姆斯著名的警句“国王，已是明日黄花”，也经常被引用为波拿巴政权的丧钟，以及彰显上流银行在法国优越政治地位的论断。

不过，1870 年一个共和国的诞生与法国反罗斯柴尔德的文学潮流没有任何关系。只是此时，针对罗斯柴尔德家族的批评声音更多的来自革命“右派”，而不是“左派”。对那些势利的学院派保守人士如龚古尔兄弟来说，罗斯柴尔德家族成员似乎是“被放逐的国王……垂涎一切，控制着一切”。在共和的幌子下，专制主义卷土重来，不过与之前消亡的帝王和帝国版本的专制不同，这次是腐败的联合专制。1882 年，联合银行倒闭，这一事件也成为另一批攻击罗斯柴尔德家族的出版物出现的导火索，联合银行的创始人尖刻地谴责了“犹太金融”和它的“政府共济会”盟友。在埃米尔 · 佐拉的小说《金钱》（*L'Argent*）中，他将这起事件描述成贡德曼（以罗斯柴尔德家族成员为原型的书中人物）的一次大胜，“（他是）银行家之王，证券交易所和全世界的主宰……这个人了解所有秘密，市场涨跌依赖他的个人喜好，就如上帝摆弄电闪雷鸣一样……他是黄金之王”。但是佐拉至少承认，那些反犹太人的天主教徒曾经试图推翻贡德曼。而爱德华 · 德吕蒙在他的《犹太人法国》（1886 年）一书中，表达了一种非常扭曲的想法，即联合银行本身也是犹太人建立起来劫掠天主教徒血汗钱的。“上帝罗斯柴尔德，”德吕蒙总结称，“是法国真正的‘主人’。”抛出类似言论的另一个人是奥古斯特 · 希拉克，他在《共和国的帝王们》（1883 年）和《1870~1884 年间的投机》（1887 年）中，公开抨击共和国向“一个名叫罗斯柴尔德的国王”屈服，而且“这个国王带着一个名叫‘犹太金融’的情妇或女仆”。

这些针对罗斯柴尔德家族掌握的社会、政治权力的“论战”可能在法国出现的次数最为频繁，但在别的地方同样也不乏这样的情形。比如，在德国，罗斯柴尔德家族也遭到了许多著作的攻击，如 1880 年格马尼库斯出版社出版的《法兰克福犹太人和欺诈民众福利的行为》，马克斯 · 鲍尔粗鄙的种族主义著作《俾斯麦和罗斯柴尔德》（1891 年）以及弗里德里希 · 冯 · 舍尔布 1893 年出版的《罗斯柴尔德家族史》。这类作品也找到了“志同道合”者，即那些排犹的“人民”党和“基督教社会”党，这些政党在德国以及奥地利的竞选中取得了一定程度的成功；社会民主党人有时也会持有这种腔调。实际上，针对罗斯柴尔德家族影响力的思潮变得如此普遍，以至于学术上颇有地位的维尔纳·桑巴特也在他的《犹太人和现代资本主义》（1911年）一书中断定："现代证券交易所是罗斯柴尔德的（也是犹太人的）。"

在英国，这方面的事例也能够找到。与欧洲大陆一样，英国"反罗斯柴尔德主义"来自于"左右"两派。一个很好的例子就是约翰·里夫斯在其《罗斯柴尔德家族：欧洲国家金融统治者》（*The Rothschilds：The Financial Rulers of Nations*，1887年）一书中，重现了一个经典的论断："罗斯柴尔德家族不归属于任何一个单一国家，他们是世界性的……也不属于任何一个政党，他们准备踩着朋友和敌人积累自己的财富。"

里夫斯有关罗斯柴尔德家族掌握着国际、国内政治权力的论断并不新鲜。早在19世纪30年代，一家美国杂志就曾惊讶地说道："没有一个内阁动议中没有他们的建议。他们非常自如地发挥着自己的影响力，从彼得堡到维也纳，从维也纳到巴黎，从巴黎到伦敦，从伦敦到华盛顿。"按照英国日记作家托马斯·雷克斯的说法，罗斯柴尔德家族是"欧洲至高无上的元首"。亚历山大·威尔的文章《罗斯柴尔德和欧洲金融》（1841年）在这方面渐行渐远（以下是里夫斯的译文）：

> 欧洲仅有的一个实权人物便是罗斯柴尔德。他身边围绕着数十个其他银行业公司；他的士兵和侍从都是赫赫有名的业界人士和商人；而他的剑则是投机。罗斯柴尔德是一个注定会出现的人物，如果没有他的出现，也会有别的某个人出现。但是，这并不是说他的出现是一个偶然事件，实际上，这是一个非常必然的事件，也是1815年起主导欧洲诸国的法则带来的一个结果。罗斯柴尔德需要把这些国家变成一个"罗斯柴尔德国"，而诸国也需要罗斯柴尔德。现在，他不再需要这个国家了，但这个国家却仍然记挂着他。

1845年，一个匿名的德国漫画家也表达了相同的观点（尽管更为生动），他画了一个怪诞的、名为"大水泵"的犹太人——很明显这是一个综合式的罗斯柴尔德——正以巨大的水泵驱动着全世界的金钱，它用巨大的触角控制着各国国王和大臣们，而且一直延伸到了西班牙和埃及。类似的风格也出现在威廉·马尔的画作中，1850年问世的《诱惑者》画中，"罗斯柴尔德"身边围满了欧洲国王，他们都伸出双手乞求金钱。同样，在1870年，列昂内尔在漫画《时代》中进行了类似的刻画。24年后，美国平民论者哈维将"罗斯柴尔德家族"想象成了一只巨大的黑章鱼，触须伸向全世界。法国漫画家莱昂德尔也将阿方斯·德·罗斯柴尔德描绘成了一个巨大的吸血鬼，将世界牢牢地抓在手里。

不过，最核心的问题是，罗斯柴尔德家族如何利用这种无处不在的金融霸权？它会因为病态地追逐利息和佣金让自己消亡吗？当时这个问题最常见的答案可能是，这种霸权使得罗斯柴尔德家族能够发动战争。早在1828年，皮克勒-穆斯考王子就曾说过，“除了罗斯柴尔德之外，当下欧洲再没有人能够制造战争”。3年后，路德维希·博恩明确地指出，罗斯柴尔德卖出奥地利政府债券，阻止了梅特涅干预意大利与比利时革命的计划。博恩还强烈地暗示，罗斯柴尔德家族非常希望法国对奥地利采取更为和平的政策。类似的言论也能从政府内部人士那里听到，比如1830年12月奥地利外交官格拉夫·普罗克施·冯·奥斯滕说：“问题的方法和罗斯柴尔德所说的话都具有决定性，而他不愿意为战争提供任何资助。”1863年的波兰危机之后，迪斯雷利称“世界和平得到了保证，不过这不是政治家的功劳，而是资本家的作用”。即使图斯内尔这样怀有敌意的作家也有相同的看法：“犹太人投机和平，这种行为还在增多，这也解释了为何欧洲的和平已经持续了15年的原因。”后来的作家们也不时地会发出此类言论。希拉克大略地引述罗斯柴尔德家族某位成员的说法：“不会有战争出现的，因为罗斯柴尔德家族不希望它发生。”根据莫顿的说法，迈耶·阿姆谢尔的5个儿子是“有史以来最不好战的和平主义者。”几乎所有作家都没有遗漏有关居特林·罗斯柴尔德的逸闻：“不会爆发战争的，因为我的儿子们不会提供资金。”

对于现代读者来说，避免战争是件好事，这也是不言自明的；即使我们怀疑银行家是否有能力来做到这一点。不过，在那个以军事冲突为潮流的年代里——以克里米亚战争（1853~1856年）为起点，法国普鲁士战争（1870~1871年）为终点——经常有人怀疑罗斯柴尔德家族寻求维系和平的动机。意大利统一战争期间——这些战争被认为是罗斯柴尔德家族想竭力避免的——沙夫茨伯里伯爵发现了一个“奇怪、让人心惊、羞愧的”事实，即“这个国家的命运只是一个异教徒犹太人的娱乐活动”！罗斯柴尔德家族在纽约的代理人奥古斯特·贝尔蒙特在美国“南北战争”中遭到了北方广泛的抨击，因为他希望与南方媾和，并且支持提名乔治·麦克莱伦将军为1864年的民主党总统候选人。与这些情形类似的是，普鲁士政府也对罗斯柴尔德家族为避免战争所做的努力感到苦恼，因为当时俾斯麦非常期望借助战争实现“统一”。类似这样批评罗斯柴尔德家族“和平主义”行为的言论也能在有关大国外交和政治的报道中被找到，这方面的报道多出现在世纪交替前后。举一个批评最为苛刻的例子，《泰晤士报》外交报道编辑亨利·威克汉姆·斯蒂德认为内森努力阻止1914年德国与英国之间可能发生的战争，是“一个肮脏的德国犹太国际金融图谋，企图恐吓我们，让我们保持中立”。

另外一些评论家——“左右”两派都有——则经常持相反的观点：罗斯柴尔德家族积极地煽动战争。1891年，《工党领袖》抨击罗斯柴尔德家族是：

> 嗜血的一家人，他们是这个世纪中欧洲数不清的灾难和悲伤的源头，通过挑起各国之间的战争聚积起巨额财富，而这些国家之间本不会反目成仇。无论欧洲哪里出现问题，无论哪里出现战争以及人们担心动荡的言论出现，你几乎一定能看到一个长着鹰钩鼻子的罗斯柴尔德家族成员在动荡区域的附近出没，玩弄着他的把戏。

“左倾”自由党人约翰·阿特金森·霍布森以更为精确的方式阐述了这一论点，与同时代许多激进作家一样，他在其经典著作《帝国主义研究》（*Imperialism：A Study*，1902年）中，认为布尔战争是由“一小撮国际金融家”引发的，这些人“从所在地域来讲是德国人，而从种族背景来讲则是犹太人”。在他看来，罗斯柴尔德家族是这个小团体的核心：“有人认真地考虑过，”他在《帝国主义研究》中问道，“如果罗斯柴尔德银行和它的关联机构持反对态度，欧洲任何一个国家能够发动一场大战吗？或者说任何一笔巨额国家贷款能到位吗？”舍尔布从一个德国民族主义者的角度也得到了类似的结论，在其《历史》（*History*）中，他说：“罗斯柴尔德银行从各国之间的龃龉中崛起，在战争中变得富有强大，各个国家和人民的不幸恰恰是他们的财富来源。”

战争还是和平？不过，还存在着另外一种可能性：罗斯柴尔德家族将自己的金融权势当做了提升犹太人利益的工具。对欧洲的贫穷犹太人来说，内森·罗斯柴尔德超乎寻常的发迹故事有着神秘的重要意义——“希伯来护身符”的传说似乎得到印证，它被认为是内森好运的神奇来源，也将内森与犹太传说联系在了一起。这个非同寻常的故事——其中一个版本在内森去世4年后，由一个匿名作者在伦敦出版——想象内森的成功根源是他拥有一个神奇的护身符。实际上他的财富还有一个更高远的用途：“为以色列王国遭遇的不公正待遇复仇”，“重建犹太王国——重建耶路撒冷神塔！”并“恢复我们古老种族的聚居地”。

有关罗斯柴尔德希望为犹太人讨回圣地的说法见诸多个场合，经常被人们以更为认真的方式谈论着。早在1830年，一家美国报纸就暗示，“土耳其国王财政上的窘迫”可能会使得他将耶路撒冷卖给罗斯柴尔德家族。法国社会主义者夏尔·傅立叶在他的《虚假工业》（*The False Industry*，1836年）一书中也提到了这一点。1851年迪斯雷利也谈到犹太人在罗斯柴尔德金钱的资助下正在“重建他们自己的土地”。与此类似的想法还存在于栅栏区流行的故事里，比如“恺撒在罗斯柴尔德城堡里”。

另外一个可能性（同样在这个故事里提出的）是罗斯柴尔德家族可能利用其金融实力迫使沙皇停止迫害俄罗斯犹太人。这也刻画出了东欧犹太人在整个19世纪中面对的一个抉择：是要移居到某个边远的划定地区，还是留下来通过法律争取平等权益？在19世纪早期，西欧犹太人也曾面临同样的两难处境。意味深长的是，《希伯来护身符》（*Hebrew Talisman*）的作者在故事末尾指责内森更乐意在英国享受社会同化的安逸，而不愿承担神圣任务的辛劳。实际上，作者声称，内森的死就是因为他决定在英国寻求政治解放——并为自己争取一个贵族地位——而不是继续为重掌耶路撒冷而拼搏。

罗斯柴尔德家族面对的核心两难处境已经显现了出来：由于他们的巨额财富，其他犹太人在争取合法的公民和政治权益时，便会将他们看做是领导者。我们可以看到，这种领导地位在非常早的时候便已经出现了，迈耶·阿姆谢尔在拿破仑战争期间便开始为法兰克福犹太人争取公民权益，他的孙子列昂内尔沿着他的脚步，在19世纪四五十年代，为英国犹太人进入议会铺平了道路。这是非常适合罗斯柴尔德家族的战略，使得他们能够追求自己的家庭目标：融入社会，跻身于精英阶层而无须改变自己的犹太教信仰，也使得他们能够为“共同信仰”的族人做一些善事，同时从其他犹太人那里收获近乎皇族地位的认同。不过，罗斯柴尔德家族越是将追求解放作为一个国际目标——代表叙利亚、罗马尼亚和俄罗斯的犹太社区以及他们所在国的犹太人介入——他们越能激起更多的排犹言论，这些言论认为犹太人是一个世界性种族，没有真正的国家归属感。与此同时，那些对融入社会感到无望的犹太人开始发出回归圣地的呼声时，罗斯柴尔德家族的地位更为尴尬，他们无意放弃自己奢华的城市和乡村府宅前往贫瘠的巴勒斯坦。而这恰恰是他们的排犹敌人所希望的。19世纪40年和90年代，怀有敌意的漫画描述：罗斯柴尔德家族跟随离开德国前往圣地的犹太人流——尽管坐的是头等舱，但是还是离开了。在评价列昂内尔争取议会席位的运动时，托马斯·卡莱尔问道：“一个纯正的犹太人如何试图成为一个议员，或者成为一个国家的公民呢？除了在可怜的巴勒斯坦，他才能这样做，因为他所有的思绪、步伐以及努力都指向那里。”

这也是早期犹太复国主义者广为流传的想法（尽管不是其常用的语言），如特奥多尔·赫茨尔认为，对犹太人来说，“问题的唯一解决办法”就是离开欧洲，建立自己的“犹太国”。赫茨尔发起了一系列的努力试图赢得罗斯柴尔德家族的支持，他认为罗斯柴尔德家族会利用庞大的资本来回应排犹行动。但是他准备提交给“罗斯柴尔德家族委员会”的66页演讲稿却一直未递送出去，就如他在第一次遭到断然拒绝后得出结论称，罗斯柴尔德家族成员“粗俗、高傲而且自私自利”。他后来宣称，罗斯柴尔德家族“对犹太人来说是一个国家的不幸”，他甚至威胁说，如果罗斯柴尔德家族反对他的话，他将“扫除”他们或“对其发动毫不留情的运动”。

如果一个犹太复国主义者在19世纪90年代使用这样的语言，那么第一次世界大战后活跃在战败的中欧诸国的排犹分子使用同样的言辞也就不奇怪了，尽管两者有着本质上的区别。实际上，早期国家“社会党”人或“人民”党人针对罗斯柴尔德家族的宣传，最为有趣的一点就是非常缺乏创意。一个很好的例子就是迪特里希·埃卡特在1919年对“所有劳动阶层”发表的演讲：

> 罗斯柴尔德银行拥有400亿美元的资产……他们只需要管理自己的财富，只需要看着它得到妥善的处置，他们无须工作，至少不用从事我们所理解的工作。但是谁给他们以及与他们类似的人如此巨额的金钱呢……是谁？是你，不是别人就是你！这是确切无误的，那是你的钱，是你辛辛苦苦挣到的血汗钱，但却鬼使神差地跑到了这些贪得无厌的人的保险箱里。

这与19世纪40年代后法国、德国的激进分子一直鼓吹的言论没有什么不同。另外一个早期国家社会党人将罗斯柴尔德家族描述成是“犹太人问题”的典型，他呼吁解决这些问题，这个人便是阿道夫·希特勒。1921年5月，在纳粹报纸《民族观察员》（*Volkische Beobachter*）发表的一篇文章中，希特勒将罗斯柴尔德家族视为犹太资本家团体中的一员，这些资本家控制了社会主义派别的媒体。1922年，他至少在两次演讲中提到了同一个问题，“（我们要弄清楚两种人之间的）重要区别，即伟人的业绩和罗斯柴尔德成员的贪婪。诸如阿尔弗雷德·克虏伯这样的人，通过自己孜孜不倦的努力，以倡导者的角色，给我们留下了一笔巨额的国家财富；而罗斯柴尔德家族资助了战争、革命，并通过贷款把人们变成了利息的奴仆。”阿尔弗雷德·罗森堡在他的《20世纪的神话》（*The Myth of the Twentieth Century*）一书中也表达了类似的观点。

希特勒在演讲中用了过去时态并非偶然，因为到20世纪20年代时，在法兰克福的罗斯柴尔德银行已不复存在，而且剩余的三家分行，即伦敦、巴黎和维也纳罗斯柴尔德银行也不再扮演德国经济的重要角色。不过这并没有阻止纳粹党人上台之后，一再利用罗斯柴尔德家族作为排犹宣传的一个主题：古老的传说再次传开，并且添油加醋地刻画了希特勒极为憎恶的各种族人物。例如，埃伯哈德·穆勒的话剧《罗斯柴尔德赢得滑铁卢战役》（*Rothschild Wins at Waterloo*，1936年）描绘了内森站在战场上，高声吟唱：“我的金钱无所不在，我的钱是友好的。它是世界上最友好的一支力量，它肥硕，圆得像颗子弹，还带着笑容。”“我的祖国是伦敦证券交易所。”“英国的财富都掌握在我的手里。”1938 年 5 月，尤利乌斯·施特赖歇尔“反犹展览”赴维也纳展出时，与穆勒类似的论调再次出现，因为施特赖歇尔为罗斯柴尔德银行的展品专门开辟了一个房间。后来在法兰克福展出时，还展出了一份伪造的“信笺复印件”，信笺是迈耶·阿姆谢尔寄给“一位英格兰银行家的”，内容似乎解释了老迈耶“如何计划将 5 个儿子派到欧洲各地，以控制所有异教徒的商业和金融”。

纳粹党人反对罗斯柴尔德宣传的高潮出现在 1940 年 7 月，当时埃里克·沃斯齐内克的电影《罗斯柴尔德家族》(*Die Rothschilds*) 首次上映；一年后，经过进一步剪辑的版本上映，电影名加了一个副题：滑铁卢的红利。这是为蛊惑德国民众更为残酷地反对犹太人所拍摄的三部影片之一：其余两部是《一个犹太人的故事》以及臭名昭著的“纪录片”《外部的犹太人》(*Der ewige Jude*)。不过，在那个充满不确定因素的年代里，滑铁卢战役的传说给纳粹宣传部带来了不少难题，即对英国采取怎样的“正确路线”。电影中，一些英国角色（威灵顿以及“财政大臣”赫里斯）被刻画成贪污腐败、道德沦丧的形象，其他人——尤其是银行家“特纳”和他的爱尔兰妻子——则得到了同情，因为他们是罗斯柴尔德家族阴谋的受害者。但是，对罗斯柴尔德家族的刻画则毫不含糊，盟军战后公布的纳粹电影脚本显示：

> 1806 年，黑森公爵为逃避拿破仑的劫掠，将自己 600 万英镑的财产托付给了某人保管。他将自己的钱存在一个犹太银行家，即法兰克福的迈耶·阿姆谢尔·罗斯柴尔德那里。对公爵财产的挪用成为罗斯柴尔德家族兴起的基础。阿姆谢尔·罗斯柴尔德将钱寄给了儿子内森，当时内森并未被其竞争对手所重视。但是内森毫不留情地打败了所有对手，通过巴黎兄弟的帮助，内森在西班牙将钱送给了威灵顿——内森是第一个接到拿破仑从厄尔巴岛逃脱消息的人，而且也是唯一以全部身家押注奥尔良的路易——将复辟的人。他当时成了一个笑话——没人认真地对待他，除了他的犹太雇员以及英国的财政大臣。威灵顿“勋爵”再次被派去与拿破仑作战。他几乎没有时间来进行战前准备——女人们让他分身乏术！不过他仍有足够的时间与罗斯柴尔德达成协议（就如富歇在巴黎所做的一样），罗斯柴尔德向威灵顿暗示，如果自己是第一个知道战争结果的人，那么威灵顿将得到丰厚的报酬。当罗斯柴尔德获悉拿破仑战败的消息后，他却散布了英国战败的消息。一场恐慌随即而至——每个人都卖出了政府债券——罗斯柴尔德则全部吃进。穷人们亏了大笔的钱；为数不多的体面而富有的英国人（其中被刻画得极为体面，因为他娶了一个爱尔兰妻子）输得倾家

荡产。犹太人欺骗了全英国——欺骗了纳粹德国与之作战的所有地方。

纳粹排犹的所有主题全部呈现在这里。犹太人对他们所在的国家都没有归属感，他们只希望从其他人的痛苦中攫取利润："你只有蹚着大量鲜血才能挣到大笔的钱！"迈耶·阿姆谢尔对内森说道。在他们的带领下，"全球犹太人"进行了"庞大的投机活动"，与此同时，"士兵们却在战场上流血身亡"。犹太人外形上与众不同，让人厌恶：迈耶·阿姆谢尔穿着土耳其长衫，卷头发；他的儿子则对一个北欧血统对手的妻子产生了兴趣——这是典型的戈培尔式电影。尽管纳粹宣传部似乎并不满意这部影片，它仍然获得了相对成功：在其首次在柏林及其周边地区上映时，秘密警察的报告里充满了喜悦；这部影片在被占领的法国也吸引了大量观众。当 1945 年 1 月一个英国战俘翻阅一份德国报纸时，他在封面看到了这个让他感到非常惊奇的故事，并将它翻译成英语，在战争结束后带回了英国。

将沃斯齐内克的电影与它的美国前辈以及人物原型进行比较是有教育意义的。达里尔·扎纳克 1934 年执导了影片《罗斯柴尔德家族》（*The House of Rothschild*），由乔治·阿利斯主演，他同时扮演了迈耶·阿姆谢尔和内森这两个角色。在这部影片中，对罗斯柴尔德家族的刻画赋予了更多的同情：他们从贫穷到富有的崛起历程是另一个版本的《美国梦》（更为圆满的是，罗斯柴尔德家族的一个女孩还与传达滑铁卢胜利消息的英国军官产生了浪漫的爱情），与此同时，电影也讲述了他们面临的障碍——残暴的普鲁士大臣巴龙·勒德朗茨（鲍里斯·卡洛夫饰）以及法兰克福横行的暴徒——暗示当时德国的局势发展状况。当然，即使美国版本的罗斯柴尔德故事，大部分也是神话，大部分可以用一种不被同情的方式来讲述。迈耶·阿姆谢尔可能是一个可爱的老头，眼里闪着光，受孩子们爱戴，但是他仍旧是那个希望控制世界的人。实际上，这两部电影像是彼此的镜子。在沃斯齐内克的版本中，内森画了一幅欧洲地图以显示罗斯柴尔德的力量中心，以及一棵家谱树，当这棵家谱树的分支连接起来以后就形成了一个大卫王星①，这颗闪耀的大卫王星接着叠加到一幅英国地图上，同时打出字幕："当这部电影放映完毕时，罗斯柴尔德家族最后一些成员将作为难民离开欧洲，逃到他们的盟友英国那里去。反对英国富豪统治集团的战斗仍在继续！"扎纳克的电影运用了几乎一模一样的画面：临终前，迈耶·阿姆谢尔让守在床边的 5 个儿子分散到欧洲各个城市去。随后用一幅地图描述了出来，大卫王星再次叠加出现。电影结尾重点关注了纳粹排犹政策以及 1818 年德国爆发的迫害法兰克福犹太人

---

① Star of David，即犹太教的六芒星。——译者注

的暴乱事件，将两者联系在了一起。从本质上讲，两部电影讲述的是同一个故事，尽管两者的道德指向截然相反。

与罗斯柴尔德家族早期历史截然相反的电影描述反映了一种更为普遍的模糊性。因为人们存在着一种感觉，认为所有罗斯柴尔德传说都能被认为是一个简单的神话——一个有关巨额财富的神话；一个有关昙花一现的上层社会地位的神话；一个有关无限政治和外交权势的神话；一个有关谜一样的最后目标的神话，这个目标与这个家族的宗教信仰交织在一起。通常，这个神话被一种较为鄙视的口吻讲述着：财富来路不明，社会地位的争取并不成功，权势建立在腐败之上，家族目标也是邪恶的。但是它同样也能用好莱坞的方式来讲述，那是一个有关超乎寻常的经济成就、社会成功、合法权利以及道德收尾的故事。当然，纳粹用来宣传的其他一些主题后来遭到了禁止——在一些国家甚至是非法的。但是有关罗斯柴尔德家族神话的两面性状况似乎使得这个神话不停地被复制、修改。这一点在法国表现得最为明显。《小炮》杂志于1951年出版的部分特刊毫无疑问是排犹的，重新刊登了19世纪激进和右翼文学作品中的故事（以及漫画），但是杂志刊登的其他“贵族”并不是犹太人，所有文章的语调也是相对温和的。正如科斯东以及佩尔菲特这样的作家所做的工作表明，在第四共和国的大环境中，只要稍微改变一下语调，重新出版“统治法国的200个家族”这样的古老传说，而不用再作其他调整也是有可能的。尤为明显的是，当罗斯柴尔德兄弟公司主管乔治·蓬皮杜于1962年出任总理时（他于1969年获任总统），讽刺性周刊《鸭鸣报》简略地评论道：“RF=法兰西共和国＝罗斯柴尔德兄弟公司”，不过，有关罗斯柴尔德神话的类似评论也能从英国媒体那里听到。一些怀有敌意的推论不时出现在20世纪80年代，作出这些推论的背景是当时许多保守党政治家在从政之前或卸任之后，都在罗斯柴尔德父子公司里任职，而这个时期，这家公司恰好在处理许多重要的私有化项目。实际上，工党影子内阁首相罗伊·哈特斯利在罗斯柴尔德公司第一次私有化行动之后，甚至断定“保守党收到的政治捐款与（公司）从政府那里得到的业务之间有关联”——他后来被迫收回了这一论断。

在极端主义的立场上传播罗斯柴尔德神话这方面，没有别的作品比戴维·艾克的作品更明显了；艾克之前曾是环保主义者，后来转变成“新世纪”的福音传道者。按照他的说法，罗斯柴尔德家族是“全球精英协会或兄弟会”的成员——也被称做“透视眼祭仪”和“监狱看门人”——这个组织秘密地统治着全世界。从迈耶·阿姆谢尔那时起，他们就已经“控制政府，通过兄弟会网络制造战争和革命”。他们是控制其他著名银行，比如瓦尔堡银行、施罗德银行以及拉扎德银行的幕后力量，同时也是美国金融公司背后的“推手”，如摩根大通、洛克菲勒、库恩、洛布公司（“明显的罗斯柴尔德门面公司”)、斯派尔以及雷曼公司——更不用说英格兰银行以及联邦储备系统了。通过这个全球网络，他们还制造了许多其他重大事件：刺杀亚伯拉罕·林肯、布尔战争、以色列建国（控制中东石油的一着开局妙棋）、俄国革命（这是主要由罗斯柴尔德家族控制的全球精英协会美国分会发动的一场阴谋）、资助希特勒，甚至还有尼克松总统浮动美元的举措。艾克断定，他们和他们在保守党以及媒体中的朋友现在正在谋划垄断世界能源供应——巩固他们在电力、煤炭以及天然气私有化方面的利益。

在互联网上粗略地搜索一下，就能发现大量类似的怪诞阴谋理论。唐·艾伦的“企业和银行业影响力研究”一文，主要内容便是向我们展示罗斯柴尔德家族与英格兰银行以及联邦储备局之间的“线性联络”。詹姆斯·多尔蒂撰写的英格兰《每周研究》则声称已确定“世界上的‘金钱卡特尔’或‘伦敦市的帝王’通过英格兰银行的传奇银行家来争取‘皇冠’，这些银行家包括瓦尔堡、罗斯柴尔德和巴林三大家族”。《美国圣经》则提供了有关艾克·罗斯柴尔德支持社会主义理论的更详细版本，这一举动的“唯一目的”就是“确保对远东地区富饶的自然资源的长久控制”。舍曼·H·斯科尔尼克的《阴谋国家》一文也提出了类似的理论，他重申是罗斯柴尔德家族“策划刺杀了林肯总统”，因为他的“战后政策可能会危及他们的商品投机活动”。斯科尔尼克还再次提到“罗斯柴尔德家族资助了希特勒的崛起，将其作为对抗苏联的桥头堡”，还增加了一些相关“解释”，即罗斯柴尔德家族与天主教教会暗中联系，并与黑手党以及美国中央情报局有瓜葛，并且与亲纳粹的梵蒂冈银行来往密切。

这些怪诞的理论不仅仅存在于网络之中。电视上的传道者以及共和党政客帕特·罗伯逊在他的《新世界秩序》（1991 年）一书中声称，罗斯柴尔德家族“被共济会的神秘主义所毒害”，而“联邦储备系统之父保罗·沃伯格则是罗斯柴尔德家族的一个代理人”。哈立德·穆罕默德则从完全不同的政治环境出发，重申“罗斯柴尔德家族……资助了希特勒”，并且是希特勒排犹政策的“帮凶”；以及——这无须多说——“控制”了英格兰银行和联邦储备系统。哈立德·穆罕默德是路易斯·法拉罕的前助手，后者是一个激进派团体“伊斯兰国家”的领导人（非洲裔美国人）。一部严肃的银行业历史可能被认为应该避免参照这些荒谬的言论。但是如果某个人故作轻松地假装这类神话并不存在，那么也就不可能有阅读这个主题的学术性历史的需要。

Ⅳ

这本书的一部分目的是用历史事实去除罗斯柴尔德的神秘光环，这些事实只能在现存的记录证据中重新构建。可能你会质疑，这样的事情为何以前没有做过；为何只有一小部分关于罗斯柴尔德家族的书籍据称是基于严肃的档案材料写就的。当然，部分答案是这个富有而又成功的家族雇用了不少作家，这些作家重新润色已经成文的神话以及逸闻就能够赚钱。另外一个原因就是接触到相关记录材料并不容易，这点一直到最近也是一样。不幸的是，法兰克福银行的大量档案文件——其中还包括那不勒斯分行的记录文件——大部分在 1912 年遭到严重破坏，只有一小部分早期历史记录因为寄往巴黎而幸免于难。维也纳分行的部分档案文件在 1938 年被纳粹德国掠走，战争结束时，这些文件连同德国占领期间被捕的罗斯柴尔德家人的一些文件被前苏联截获。这些材料作为克格勃冷战期间的“战利品”深藏在莫斯科，只在 1990 年于历史文件保护中心向外部研究人员开放过。当康特·科尔蒂 1927~1928 年期间写作他的两卷有关罗斯柴尔德家族“崛起”和“霸权”的书籍时，他主要依靠的只有奥地利官方档案文件以及已经出版的报道、19 世纪政治家的回忆录以及日记。伦敦分行的档案文件 1978 年之前一直不对学者开放，尽管罗斯柴尔德家族成员以及“圈内”人士，如卢西恩·沃尔夫利用那些文档写出了众多重要论文。

另一方面，法国分行的档案文件随着罗斯柴尔德银行在 1981 年收归国有而成为国立档案馆的藏品，这些文件也是贝特朗·吉勒不朽著作的资料来源，他的两卷书籍于 19 世纪 60 年代出版。但是自罗斯柴尔德家族开始放松限制以后，宝贵的历史材料在巴黎和伦敦都已能够接触到，所以真正严谨的研究是多么稀有就非常明显了。一部主要关于英国罗斯柴尔德家族的社会和政治史以及几篇主题非常狭窄的文章和论文，对于如此重要——实际上，从许多方面来说是绝无仅有的——文献收藏来说，成果相对少了些。即使一些文章结集出版，以配合 1944~1945 年在法兰克福犹太人博物馆成功举行的展览，其中基于最新档案研究的文章依旧相对较少。到目前为止，只有波林·普雷沃斯特-马西亚西有关罗斯柴尔德家族结构的著作利用了伦敦、巴黎和莫斯科馆藏的罗斯柴尔德文献。

此外，这种相对缺乏学术研究的现象还有一个进一步的解释，就是如此多的材料很难驾驭。档案文件的数量是极为庞大的。“我们罗斯柴尔德家族的人都是写信成癖的人，”夏洛特·罗斯柴尔德 1874 年给孩子们的信中写道，“如果不写信和收到信件，我们就活不下去了。”这是再真实不过的情节。伦敦档案文件中最重要的信件就是所谓的“私人信件”（XI/109 系列），都是银行合伙人之间的信件，它跨越的时间为 1812~1898 年。所有信件装满了 135 个箱子。这些信件的内容，我在文中大概引用了 5 000 封。（为表明这一系列信件的相对重要性，我给大家列个数字，即我和我的研究人员从档案文件中完全或部分摘译的信件约有 13 000 封。）这种私人——指信件只有合伙人以及他们偶尔用到的书记员才能看到，当然也会有一些例外情况——之间的通信频率多种多样，根据业务量、政治消息、各分行的合伙人数量以及一年中时间段的不同而有所变化。有时，巴黎的合伙人在平静的一周里只寄出两三封信；但在活动高峰期，3个合伙人一天内就可能写一到两封信。举一个简单的例子，1848年3月，伦敦合伙人至少接到了欧洲大陆合伙人的6封重要的私人信件。这些信件内容通常十分冗长，尤其合伙人制度建立初期，阿姆谢尔和萨洛蒙通常会给兄弟们寄五六封信，信里掺杂了政治消息、金融信息、业务咨询和答案，以及家庭琐事和个人抱怨等。这些信件，可以这么说，就是19世纪相互联系的"电话"，信件包含了今天的生意人很少写到纸上的信息。需要强调的是，这种通讯方式按照19世纪的标准来衡量也不是典型的。首先，由于他们的合伙人所处的地区并不非常分散，如果罗斯柴尔德对手中的较少数人也以这种方式定期进行联络，那么在其他银行业档案文件中就不可能找不到类似的系列信件。第二，由于罗斯柴尔德家族之间的联络超乎寻常，他们信件中包含的政治情报通常具有极高的价值。当詹姆斯在19世纪40年代说，他"每天"都能够见到路易·菲利普国王并非夸大其词，政治危机期间，他确实是这样做的。他写给伦敦的信——我利用得最为充分的信件系列——是19世纪金融和外交史最重要的宝贵资源之一。

只有两个方面的因素让人感到遗憾。1854~1860年间的"XI/109信件"系列出现了大量的、难以解释的缺失，另外1879年之后信件量逐渐减少（尽管"XI/109"系列中巴黎方面寄出的信件一直持续到1914年）。更为严重的是，所有伦敦合伙人寄出信件的备份均在继任高级合伙人的要求下销毁。剩下来的就是8箱1906~1914年之间的信件。因此，我们只看到一点点内森所写的宝贵信件，与他兄弟数千封的信件相比，数量极少；他的长子列昂内尔的信件也只剩下了让人沮丧的几封；而他孙子在1906年写的书信几乎一封都没存下来。应该说明的是，合伙人所写的与业务无关的信件更是鲜有保存；实际上，第一位罗斯柴尔德勋爵坚持要求，他死后所有私人信件必须烧毁（尽管我在许多政治家的档案文件中找到许多他写给其他人的信）。如果有时你觉得罗斯柴尔德父子公司的历史似乎是按照他们在欧洲大陆的亲属的观点撰写的，这也是因为这种不对称的信息源带来的不可避免的结果。幸运的是，内森的儿子们（尤其是纳特）在欧洲大陆度过了大量时光，他们写给"家"里父母和兄弟的信件被保存了下来，但是这其中不包括从伦敦发出的信件。与这些家庭信件相比，我对那些来自罗斯柴尔德各地方代理人的信件几乎只能挑出一些作为样本来研究，那些来自大城市——马德里、布鲁塞尔、圣彼得堡、纽约、墨西哥和旧金山——代理机构的信件数量比家庭信件更为庞大。此外，来自不那么重要的、只充当"通讯员"的公司或只与罗斯柴尔德家族偶尔有生意往来的公司信件数量也极为庞大；我对那些来自遥远的加尔各答、上海、墨尔本和瓦尔帕莱索的信件并不过多关注。

另一个困难就是，直到19世纪60年代晚期，罗斯柴尔德家族的第二代以及合伙人第三代中的许多关键人物（还有一些公司的代理人）相互通信时，主要用的都还是“犹太德文”：即用希伯来字符书写的德语。这样做的一部分原因是希伯来语是家族的第一语言；另一部分原因是确保“窥视的眼睛”不能够读懂公司的私人通信内容。它同时也解释了为何“XI/109文件”从没有被历史学家完全利用的原因。即使使用希伯来语的读者在翻译几兄弟所使用的相对古老的文字时也觉得颇为困难，这也使得早期的学者望而却步，因为他们习惯依赖那些摘译后形成的英文材料，这些材料是由19世纪50年代一些德国难民受雇翻译的，翻译得极为随意；此外，学者们更喜欢内森的孩子们用易读英语写就的信件。不过，莫迪凯·楚克尔开创性的工作为我扫清了障碍，他翻译了原始信件或在录音带上大声地朗读那些信件，这使得我能够第一次开发这些具有最高重要性的历史资源。

因为罗斯柴尔德家族的信件对外人来说极难读懂，所以这些信件最大的益处就是罗斯柴尔德家族成员相互之间通信时，或多或少地表现得更为坦诚。这样一来，他们的通信内容就呈现出独一无二的直率和私密特性。合伙人之间非常直率，有时甚至互相谩骂，而且毫不隐藏他们对那些做过交易的贵族以及大臣们的看法，当然这些看法很少谄媚拍马。他们所使用的语句非常口语化，有时甚至显得非常粗俗。与这些信件形成鲜明对比的是，从一个罗斯柴尔德分行寄往另一个分行的信件则使用了正式、商业实务文体；写信给政治界朋友或者合伙人以及家庭核心圈子以外的商业伙伴时，他们也会使用非常认真的手写体。当结合书目中所列的其他档案文件一起使用时，罗斯柴尔德家族的信件反映的现实从许多方面来看，甚至比最迷人的神话都要更吸引人。

V

学院派历史学家喜欢参与编史争辩。罗斯柴尔德家族与历史编纂中的许多争辩都有关联，如果只是简单地列出它们自然会枯燥无比，而这正是我现在全身心所做的事情。5个罗斯柴尔德银行构建了早期版本的“跨国公司”：研究商业的历史学家或许能发现它有助于了解更多的有关罗斯柴尔德公司作为国际化私有合伙人运作的方式。研究经济的历史学家数年来一直在寻求评估银行对于工业化的作用；而罗斯柴尔德家族史中有大量这方面的材料，资料尤其多的是这个家族在欧洲大陆铁路发展过程中扮演的角色。罗斯柴尔德家族史同时也有助于厘清争辩已久的一个话题，即英国、法国和德国银行的差异，最明显的一个原因是，各个罗斯柴尔德银行在各自国家中以相似的方式运作着，尽管不是完全一样的方式。此外，对于经常争辩的欧洲资本输出问题也带来了新的解决希望：那些仍然关注霍布森/列宁理论模型的人或许很乐意将其与罗斯柴尔德家族史中的事实进行对照。我也想通过我的书为解决金融史中的一些争论作一点贡献，尽管并非直接的。恐怕我的书并不是银行史的“典范”。我清醒地意识到，我写的并不是有关“不对称信息”、“信用配给”以及“投资组合管理”这类东西，但是我希望对这些内容感兴趣的读者不至于对书中集中讲述利润、亏损以及资产负债表的章节完全失望。如果没有其他东西，这些数据现在就可以与其他已出版的银行史中的数据进行对照——这也是我唯一能够作为开始的任务。

我希望研究社会学的历史学家将发现罗斯柴尔德家族史不仅对解决久远的、有关阶级的争论有所裨益，对更为流行的、关于家庭结构以及富有阶层当中性别关系的争议也能有所作用。尽管银行合伙人清一色地是男性，但是大家并没有忽视他们的母亲、妻子和女儿，她们通常（正如米丽娅姆·罗斯柴尔德最近指出的那样）与罗斯柴尔德家族的男性一样能干，甚至能力在男性之上。

研究犹太人历史的专家可能对另一本有关罗斯柴尔德家族的书心存疑虑，因为在他们的领域里，这个家庭通常被夸大地描述了；我只希望，作为一个拥有加尔文教徒身份的无神论者，我对这个“杰出家族”与他们“共同信仰的族人”之间复杂关系的理解并未出现太大的偏差。我认为自己不会因为高估罗斯柴尔德家族中现代犹太历史中扮演的重要角色而有负罪感。尽管写文学作品不是我的强项，但我还是竭力取悦研究文化的历史学家，主要是通过关注当时有关罗斯柴尔德家族的各层次文学作品，同时尽我所能，总结这个家族在艺术品收藏方面的贡献，以及资助 19 世纪最为杰出的建筑师、作家和作曲家的情况。这部书对研究政治的历史学家也有用处，尤其那些对法国、英国和德国感兴趣的历史学家更是如此。我意识到我可能错误地解读了詹姆斯与侄子们信中有关 19 世纪法国高层政治的一些模糊猜测；但我希望法国历史学家通过他们对相关报道的研究来纠正我的错误。根据各方面反馈来看，这部书可能最能满足那些不赶时髦的学者，他们仍然痴迷外交史。书中有关比利时中立、石勒苏益格–荷尔斯泰因问题、东方问题以及滑铁卢战役与马恩河战役的战争（发生或避免的）起源等方面的内容比我当初设想的要多。但是，罗斯柴尔德家族自身认为重要的东西，紧跟金融的——或者与其离得比较远的——便是外交。

对所有读者，我要为我的疏漏之处道歉：因为这部书按照设想要在 3 年之内写完（实际花费了近 5 年），还有许多信件我没有阅读，一些书只是蜻蜓点水式地掠过，一些档案馆还没有造访。时间有限，在两相比较之下，我只能把优先权给予那些迄今为止仍然不为人知或知之甚少的档案文件。如果一个档案文件已经被之前的历史学家精心查阅过，我就会选择不再查阅，这其中可能就会有延续错误的风险。因此这部书应该被看做是抛砖引玉之作，看做是研究日历中的一页：伦敦的档案文件正在大声召唤进一步的挖掘，我也希望在今后看到有关论文陆续出现，修正我粗略的解读以及无数错漏的细节。

一部书至少能呈现与众多不同领域有关的事实，能保证非学术读者有阅读的兴趣。我希望这些读者能够原谅书中“背离”了作者专长领域的那些章节，就如那些自身就是银行家或犹太人的读者能够原谅书中肯定存在的错漏之处。如果这部书能够在重建经济、社会、文化、政治以及外交历史方面有所帮助，让19世纪的世界以及“杰出家族”变得更容易理解，那就是将作者从他开始的A点推动到了B点——他所希望的归宿。

是的，我亲爱的朋友，所有这一切蕴涵着这样一个道理：为了做某事你必须成为某人。我认为但丁伟大，但是他的背后是几个世纪的文明；罗斯柴尔德家族富有，但那是经过不止一代人的努力才积累起来的财富。这些事全部隐藏得比我们想象的要深。

歌德

1828 年 10 月

第一章

家族生意

THE HOUSE OF ROTHSCHILD

一位旅行者抵达18世纪的法兰克福，当他越过通往法赫特门的萨克森豪斯大桥时，几乎不可能错过反犹宣传画“Judensau”——该词意即“犹太人的母猪”（见图1.1）。画在墙上的这幅画内容猥亵，它描绘的是一群犹太人在一头凶恶的母猪面前——或身下和身后——做着污秽的事。其中一人吮吸着母猪的乳汁，另一个人（身着希伯来长袍）抓着母猪的尾巴，让第三个人（也是一个希伯来人）吃它的排泄物。“犹太恶魔”则在一旁满意地看着。如果旅行者再往上看，他还能看到第二幅更让人觉得反胃的图像：画面中，一个死婴张着双臂，身上布满了刀伤，身体下方是9支短剑。“在1475年濯足节星期四的这一天，”图上的文字说，“只有两岁的可怜小西蒙被犹太人杀害”——这是“特伦特的西蒙案件”的一个“解释”，西蒙据称死于“残忍的谋杀”；这一传说借此抨击犹太人谋杀异教徒的孩子只是为了将他们的鲜血放进未发酵的面包中。

这类带有反犹色彩的图画并不罕见：犹太人崇拜猪的情形能够在许多木雕以及印刷品中见到，而时间则可以追溯到14世纪，而残忍谋杀的故事在德国流传开来则是在15世纪。而让法兰克福的图画变得与众不同——至少在这个城市最杰出的人物约翰内斯·沃尔夫冈·歌德看来——是因为，它们“并不是个人仇恨的产物，而是作为一个公共纪念物出现的”。犹太人、母猪以及死婴都是官方核准的标志，它们由长久以来对城镇中犹太人的敌对传统积淀而成。

有关法兰克福第一个犹太人社区的首次历史记录出现在12世纪中叶，当时的人口在100~200人之间。它的历史也是一部蒙难史，犹太人每隔一段时间就会受到异

图 1.1　18 世纪初期《犹太人的母猪》的匿名画

资料来源：斯卡查，《犹太人的母猪》。（阿尔弗雷德·鲁本斯藏品，伦敦犹太人博物馆）

教徒迫害。1241 年，法兰克福 3/4 的犹太人在所谓的“犹太战争”中被屠杀。在随后的数十年中，犹太社区凭借犹太人的努力得以重建，但是就在一个世纪之后，在 1349 年，同样的情形再次出现。在这两起事件中，谣言扮演了一定的角色：在第一次“战役”中，人们担心犹太人与蒙古人串通一气；第二次则是一些苦修者散布谣言称犹太人将会把瘟疫带进城里。

不过，犹太人仍然存在于世界范围内，也说明了为何神圣罗马帝国皇帝——他在 1236 年宣布犹太人“是我们忠实的佣人和奴仆”以及各市政厅倾向于鼓励犹太人定居下来的原因。因为犹太人是税收以及贷款的来源（犹太人当时可以不受禁止发放高利贷等法律规定的约束），官方向他们提供“保护”以及有限的优势来换取现金。不过，保护和限制一直是并存的。1458 年，在腓特烈三世的命令下，犹太人被集中到一个特定的“犹太人聚居区”（ghetto，该词来自于意大利语中的borghetto一词，意即郊区）：这是城市东北边缘地区的一条狭长的街道，街道两边都建有大门。对于生活在这里的 110 名犹太人来说，在所谓“犹太街”里的监牢般的生活意味着一个“新埃及”。另一方面，外界一直存在的暴力威胁也让犹太人聚居区带有一点避难圣地的色彩。不过，1504 年的残忍谋杀指责以及 5 年后试图宣布“犹太人为异教徒”的阴谋警示人们，犹太街的地位极其微弱；到 1537 年时，犹太街的人口构成也发生了很大的变化，路德教徒占据了大多数人口，而他们对犹太人存在固有的敌意。犹太街在一个危险的世界中提供了某种形式的避难所；1542~1610 年期间，它的人口数量增长为 400~1 380 之间（人口增长与荷兰的胡格诺教徒移居到法兰克福是相对应的）。这些新兴人口的流入所导致或与之相应的经济与社会紧张状态触发了公众反对犹太街的大规模暴力活动：“菲特米尔茨暴乱”，这场暴乱因其领导者文岑茨·菲特米尔茨而得名，菲特米尔茨当时是一个店主。不过这次暴乱并没有出现大规模屠杀犹太人的情形（犹太人被驱逐出城区），而且没过多久，帝国军队就平息了暴乱。菲特米尔茨和其他暴乱的领导人被处以绞刑，犹太人重返家园，他们是皇帝“庇护”的人，其地位得到了再次确认。

在实际生活中，与之前一样，“保护”意味着额外的铁腕管制，其管理细节由斯塔提格凯特议会设定，这部法规每年会在主要的犹太人教堂宣读。直到18世纪末期仍有法律效力，这期间，犹太人人口被严格限制在500个家庭；每年的婚礼数量只能有12个，结婚年龄固定为25岁。每年从外部进入犹太街定居的人不能超过两人。犹太人被禁止从事农场业或者交易武器、调味料、酒和谷物。他们被禁止在犹太街之外的地方生活，而且直到1726年，犹太人必须每时每刻都要佩戴区别身份的饰物（男人佩戴两个同心黄色戒指，女人佩戴有条纹的面纱）。犹太人每天晚上、星期天以及基督教节日期间，只能在自己的社区里活动；其他时间，他们被禁止两人以上结伴在城中行走。他们还不得进入公园、旅馆、咖啡店，同时也不得在城中风景秀丽的道路上散步，他们甚至不能接近城中古老的大教堂，进入官厅时也只能从后门进去。犹太人只能在规定的时间内，才能被获准进入城里的市场，而且不得碰市场里的蔬菜和水果。如果一个犹太人出现在法庭，他需要宣读一份特别的誓言，誓言提醒在场的所有人“上帝对遭受诅咒的犹太人所施加的惩罚和咒骂”。如果一个犹太人在街上听到“犹太人，本分点！”，他必须——即使发号施令的只是一个孩子——脱下自己的帽子，然后站到一边。如果他偶尔去法兰克福城外，也需要一个特别通行证。进城时，他需要支付是异教徒两倍的费用。为了回报这些所谓的“保护”，每个犹太人还需要缴纳费用税（或者是人头税）。

所有这一切意味着，法兰克福犹太人生命中的大部分时光是在高墙和大门之内的犹太街中度过的。今天，这个监狱般的街道已经不复存在。仅有的几所房子在19世纪中期被法兰克福政府拆除，剩下的一点点残迹也在1944年5月美军的轰炸中被夷平。不过，这条古老街道的一部分墙基最近被发掘出来，这些遗迹至少能让人联想到当时犹太街中极为局促的生活状况。从北部的博恩海姆门到南部的犹太人公墓，只有1/4英里长，宽度不超过12英尺——有些地方甚至少于10英尺。即使一开始这个地方划为犹太人居住区，相对于只有100人多一点点的犹太人群体，街道也显得非常拥挤了；而到1711年时，生活在这里的人数量不少于3 024人。在如此局促的地方安置所有人口，需要极为高超的建筑技巧：房屋只有8英尺宽，建为4层，在每一排房屋后面再盖另一排房屋。这样的建筑结构也使得火灾变得异常危险——实际上，整个犹太街曾经在1711年、1721年以及1774年毁于大火。这也意味着这里的生活既高贵又贫贱：高贵是因为对房屋的需求远远多过了供给，因此在犹太街北部的一个4居室房屋的价格与歌德父亲在格拉泽·希尔施格拉本有24个房间别墅的价格一样；贫贱是因为卫生设施、光线和新鲜空气的匮乏让生命的期望值缩减了很多。在18世纪 80 年代，据估计，犹太人的平均死亡率比异教徒要高出 58%。1795 年一个旅行者觉察到“法兰克福犹太人中的大部分人看起来像是行尸走肉，即使那些正处在青春年纪的人也不例外……他们面如土色的容貌也将他们与其他极为绝望的居民区别开来”。后来，在部分高墙被拆除后，一些诸如安东·博格这样的艺术家某种程度上浪漫化了犹太街；实际上，它变成了吸引维多利亚臣民旅游的一个地方（查尔斯·格雷维尔以及乔治·埃利奥特就是英国旅游者中的成员）。也就是在这个时候，这个地方给年轻的歌德留下了极为震撼的印象，在他看来这是一个地狱般的贫民窟：

> 空间狭窄，灰土飞扬，人群拥挤，各种刺耳的说话声音——所有这一切构成了一幅让人极不舒服的画面，即使对一个只是从大门旁路过、向里面扫了一眼的人来说，也会有同样的感觉。我犹豫了很长一段时间才敢独自一人进去那里，而且从汹涌人流中逃出来之后，我还没做好重返那里的准备；那里的所有人都会拉住你，不厌其烦地推销或求购东西。

对犹太街更为熟悉的一个人是诗人路德维格·伯尔纳，他就在那里长大，生活的时间是 18 世纪 80~90 年代，他当时的名字是尤达·勒夫·巴鲁赫。他回顾那段经历时，带有的不是一种怀旧的情感，而是非常愤怒的情绪，他记得：

> 那是一个狭长阴暗的监牢，18 世纪最明亮的光线都不能够刺透它的黑暗……横亘在我们前面的是一条望不到头的长街，但我们身边有的只是一点点的空间，以保证希望降临时，我们能够转过身来。我们头顶上不再是太阳展现出无边力量的天空；人们看不到天空，只看到阳光。身边的每个地方都散发着一种极其难闻的气味，用来保护我们避免感染疾病的衣服同时也是赚取同情眼泪的道具，而且还能掩盖住围观的犹太人眼里的幽怨笑容。我们在污秽物中艰难跋涉，放慢了脚步，也使得自己有了环顾四周的时间。我们每走一步都非常轻而小心，以免踩到小朋友。在排水沟里玩耍、在污秽物中爬来爬去的孩子就像是粪堆上孵化的寄生虫一样。谁不愿意迁就这些只有一点点玩耍心愿的小孩子？如果一个人认为儿时的玩耍就是现实生活的写照，那么这些儿童的摇篮就一定是所有鼓励、所有健康、所有生命欢乐的坟墓。你担心这些塔一样的房子会倒下来砸着我们？哦，根本不用担心。它们经过了仔细的加固，就如关押叫声清脆的鸟儿的鸟笼，坐落在永恒咒怨的基石之上；它们由贪婪的勤奋之手建成，抹墙的白灰里掺杂着奴隶的汗水。别再担忧，它们非常结实，永远也不会倒。

就如伯尔纳评述的那样，即使在所谓的“开明”时期，当其他德国城市放松了对犹太人的限制时，法兰克福却依然我行我素，拒绝执行约瑟夫二世的“宽容公告”（1782 年），并且查抄埃弗赖姆 · 莱辛同情犹太人的话剧《智者内森》。犹太社区 1769 年以及 1784 年发起请愿活动，希望被允许在星期天离开自己的社区，他们的要求遭到了拒绝，理由是“试图获得与基督教徒同等的地位”。与之前一样，此类政策某些程度上是异教徒城市居民向当地议会施加压力的结果。尤为典型的是，1788 年，一个犹太数学教师获得允许，可以在犹太街外生活和教学。随即，要求撤回他执教资格的呼声甚嚣尘上。而 1795 年，一名犹太医生（在社区外执业）的请求则遭到了断然拒绝。这些基本上出于同样的原因——7 个著名犹太商人在一封联名信中明确提到了这些原因——有关犹太人在节假日以及星期天在社区外行走的规定在 1787 年并没有出现什么松动，甚至更为严格了，因为此时推出了一种极为复杂的身份证制度：

> 作为人类，每个犹太人拥有与别人相同的权利，要求其元首提供保护也是正当的。不幸的是，较低层次的阶层仍然束缚于他们父辈的偏见之中，即怀疑犹太人是否与他们一样是人类。他们用各种方法虐待犹太人，许多老年人似乎很乐意看到自己的儿子虐待犹太人。士兵们甚至也卷进了这种迫害潮流之中。他们会利用新制度作为各种迫害行动的手段吗？是的，他们以犹太人的衣着、发型、胡须等方面最为细小的差异为借口，在犹太街的大门口实行最为严厉的检查。只要发现最细小的差异，他们就逮捕这个犹太人，然后像对待窃贼一样把他押到兵营里去。

这种固执的歧视不仅仅是因为祖上的偏见。一个重要的因素就是异教徒的商业团体固有的担忧，他们害怕获得自由的犹太人会给他们带来经济上的挑战。像犹太街这样的贫民窟也能出现数学教师和医生的事实，揭示了犹太文化的一些重要事实：它并不像外界看起来那么封闭。歌德鼓起勇气进入犹太街时，他发现犹太人“也是人类，勤奋而且乐于助人，而且不得不崇敬有些看似顽固的习俗，通过这些将自己与传统联系在一起”。尽管——可能部分是因为——他们所处的环境艰难，但法兰克福犹太人从文化上来说根本不是一个低等阶层。

当然，犹太街的文化对于像歌德这样的异教徒来说是陌生的。它在很大程度上是一种宗教文化，生活的节奏仍然由宗教法典《哈拉卡》主导着。每天早晨和傍晚，男人们都会在“敲门人”（他用一个锤子敲每家的门）的召集下在教堂里做祷告。根据一个英国旅行者回忆，安息日“在他们的祈祷书中是用非常美妙的词语描述的，‘一位新娘’以及她的欢迎方式，一周接着一周，这是种婚礼般的仪式。洁白的衣服铺在地上，灯也被一一点亮向她表示敬意。再破旧的住处也笼罩着一层节日的气氛”。按照当时的标准来看，这条小巷中3个初级学校以及希伯来语大学的教育是比较保守的。孩子们学习阅读《圣经 · 旧约》的前五卷（Torah），这是摩西教育法的基础；然后学习赖希（Rashi）评论；最后是犹太法典，这是有关宗教仪式规则的希伯来语评论和辩论集。犹太街有自己的消防站和医院，有自己的墓地以及向穷人提供帮助的志愿机构。

尽管犹太街被高墙围困，尽管犹太启蒙运动对其产生的冲击有限（相对于柏林地区来说），但是它的文化远不是孤岛式的。尽管异教徒有时嘲笑他们说话的方式，海因里希 · 海涅后来坚称法兰克福的犹太人说的“不是别的，就是法兰克福当地语言，被围困的人讲起来与那些自由的人一样好”。这种说法有一点夸张，但是这种夸张能够被理解。那些犹太人确实努力保证自己获得相对好的宗教教育——如上面提到的医生——他们所讲、所读以及所写的是“高地德语”。但是，迈耶 · 阿姆谢尔 · 罗斯柴尔德残存的信件证实他是一个粗懂语法，而且经常不遵循语法的德国人，字里行间掺杂着希伯来语；他写信给几个儿子时，使用的是希伯来字母，几个兄弟之间通信时也是如此。不过，犹太街里的“犹太德语”并不是波兰以及俄罗斯犹太城镇的“亚地西语”（Yaddish，一种犹太语言）；而且法兰克福的许多异教徒商人写信时十有八九也不遵从语法要求。当法兰克福的犹太人离开犹太街做生意时——去那些最能够接纳他们的街道——他们与异教徒商人之间不存在难以克服的语言障碍。

与18世纪大多数德国城镇比起来，法兰克福更像是一个商人城市。它位于几条主要贸易路线的交汇处，即连接着南德意志（斯特拉斯堡、乌尔姆、奥格斯堡以及纽伦堡）城镇与北德意志（汉堡、不来梅和吕贝克）汉撒港口的贸易路线；连接德国与大西洋沿岸、波罗的海沿岸以及近东经济实体的贸易路线。法兰克福的繁荣与每年两次的贸易会密切相关，即自中世纪以来便在此举行的春季和秋季贸易会。而且由于在欧洲流通着大量的货币（这种现象一直持续到19世纪末期），这个城市的商业很自然地与银行业联系在一起，尤其是货币兑换以及票据经纪（由更为复杂的交易带来的借据买卖）。此外——某种意义上更为重要的是——法兰克福充当着王子、贵族以及德国各公国统治者的金融中心角色。他们的土地收入和其他收入（租金、税收等）以及他们的开支（豪华住宅、园艺以及娱乐）使得这些统治者成为工业化之前德国经济中最大的顾客，尽管他们中的大多数人比当时的英国统治阶层“穷”了不少。这些人中的大多数人支出通常超过其收入，这为德国银行家带来了利润丰厚但同时存在风险的赚钱机会。

1800年之前，在为统治阶层服务这个领域，最为成功的公司是西蒙 · 莫里茨以及约翰 · 菲利普 · 贝特曼创立的公司，他们从阿姆斯特丹引进了“次等债券”体系。

按照这个制度，一笔大的贷款可以分割成更具管理性的小笔贷款，然后向更多的投资者发售。一宗典型的交易是 1778 年贝特曼兄弟公司提供给神圣罗马帝国皇帝 2 万古尔登（约为 2 000 英镑）的贷款，他们以 20 份、每份 1 000 古尔登的债券形式出售给投资者，然后将出售债券获得的现金——扣除相应的手续费——提供给维也纳财政部，从而确保债券持有人从维也纳获得合理的利息。在 1754~1778 年间，贝特曼兄弟公司贷出的款项总额接近 200 万古尔登，而在随后的 5 年中，他们贷出了超过 54 笔贷款，总额接近 3 000 万古尔登。法兰克福其他银行家也参与到相同的行业当中，最著名的一个人便是雅各布 · 弗里德里希 · 贡塔德。

贝特曼与贡塔德都不是犹太人。不过，到 18 世纪末期，毫无疑问的，犹太人已被认为是最精明的生意人，尤其在钱币兑换和各种借贷业务领域更是如此。尽管对这一主题的学术研究已经超过了 1 个世纪，但是要明确地说明个中原因仍然很困难。犹太人相对于异教徒金融家的一个优势可能间接来源于他们的教育体系。

迈耶 · 阿姆谢尔 · 罗斯柴尔德曾经回忆说，“在我年轻的时候，我是一个非常活跃的商人，但是我做生意没什么组织性，因为我还是一个学生（学习犹太法典），没学过任何（有关商业的）东西。”当需要创建信用网络时，一个结构严密的“外部”组织会员资格可能会带来帮助，而且可能存在着某种发源于犹太教的商业品德。不过这些也能够被与其他少数宗教族裔画上等号，就如马克斯 · 韦伯所做的那样，他牵强附会地将“新教道德”与犹太人“（凡事都以）政治和投机为起点……是贱民资本主义”进行了对比。犹太人为何精于金融这个问题，最不让人觉得反感的答案是：当时绝大多数经济领域是不对犹太人开放的，犹太人没有什么选择，只能专攻商业和金融。与此同时，这两个领域里的异教徒竞争对手似乎倾向于夸大自己生意面临的“犹太人威胁”。法兰克福非犹太银行家的抱怨最早可以追溯到 1685 年，他们声称“犹太人从他们手里抢走了票据交易”——这一声明直接导致了一项禁令的产生：犹太人被禁止进入股票交易所。12 年后，法兰克福议会试图阻止犹太人在法赫大街上租用仓库，这也并不是议会的最后一次反犹尝试。

此类冲突最著名的一个事例是围绕约瑟夫 · 祖斯-奥本海姆的角色展开的，奥本海姆从符腾堡卡尔 · 亚历山大公爵的“现场犹太人”升到了权力更大的枢密顾问官。1733 年，他成为驻法兰克福特使，他的特权地位使得他可以居住在犹太街以外的金天鹅旅馆里，那里非常舒服。4 年后，奥本海姆被处死，罪名是攫取的政治权力过大，已威胁到了符腾堡权贵的地位。奥本海姆尽管成了后来反犹传说“犹太人祖斯”的原型，但是他仍旧是最著名的“宫廷犹太人”。到 18 世纪中叶，法兰克福的犹太人担当着诸多选邦国和机构的“代理人”：巴拉丁领地、美因茨选帝侯国、黑森-

达姆施塔特公国、普鲁士王国、维也纳帝国法庭以及黑森-卡塞尔和萨克逊-魏玛。如洛·贝尔·伊萨克1755年当上拿骚-萨尔布鲁根王子的全权代理人，戴维·迈耶·卡普尔也在差不多在同时成为了帝国法庭的代理人并挑战卡恩家族的统治地位。这些人在犹太街里形成了一个富有、享有特权的精英阶层。

迈耶·阿姆谢尔

就是这个部分（并非全部）与世隔绝的社区里，迈耶·阿姆谢尔·罗斯柴尔德于1743年或1744年来到这个世界。有关他父母、祖父母以及其他更远的先辈，我们掌握的情况很少。本杰明·富兰克林曾发现，人的一生中有两件事是难以避免的：缴税和死亡——这些差不多也是我们能够找到的有关罗斯柴尔德家族早期成员的材料。值得说明的是，这个家族可能从没有被称为“罗斯柴尔德”——字面意义是“红盾”。我们知道，埃尔哈南的儿子伊萨克在16世纪60年代建了一栋叫做“红盾”的房子，名字可能来源于某种经常挂在房子正面的盾牌。这种情况在犹太社区中非常普遍，人们通常以彼此的住址来标志对方。但是，伊萨克的孙子纳夫塔利·赫茨（死于1685年）离开这栋挂着红盾的房子，移居到了另一栋叫做“辛特凡”（zur Hinterpfann，意为“温暖的平底锅”）的房子里。罗斯柴尔德家族从这个时候起被人称为“辛特凡家族”。事实上，尽管纳夫塔利·赫茨的儿子、孙子和曾孙继续沿用“罗斯柴尔德”这个姓，他们也用过“鲍尔”这个姓，但可能直到之后的一代人，即迈耶·阿姆谢尔这代，罗斯柴尔德才被确定为家族的姓氏，尽管阿姆谢尔本人移居到另一栋叫做“绿盾”房子里时，可能再次改过自己的姓。

对早期的罗斯柴尔德家族，我们能够做出的评价就是他们是虔诚的、相对成功的小商人，售卖布料和其他东西。伊萨克去世的前5年，也就是在1585年，他的纳税额为2 700古尔登。他死后，墓志铭中写道，他是一个“品德高尚”、“正直”、“诚实”的人。1个世纪后，他的曾孙卡尔曼的纳税额超过了他的两倍，卡尔曼经营的是钱币兑换生意，同时也卖毛线和丝绸；而且似乎他儿子——迈耶·阿姆谢尔的祖父摩西——成功地继承和光大了父亲的生意，他先后娶了一个收税官以及一个医生的女儿，从而延续了家族社会地位提升的过程。不幸的是，我们对阿姆谢尔父亲阿姆谢尔·摩西的经济成就近乎一无所知，尽管当时整个家族仍然居住在中等大小的“辛特凡”之中；这栋房屋的一楼是办公室，二楼是厨房，再上面是狭小的卧室。这似乎说明家族极为团结，但经济发展却陷于停滞。从他墓碑上冗长、过分的赞美之词可以判断出，阿姆谢尔·摩西死时，这个家族只是在犹太人社区里获得了广泛的尊敬。

阿姆谢尔·摩西很明显是一个喜好学问的人——根据他的墓志铭，确实如此，“他总是给自己留出时间来钻研犹太法典”。这可能也解释了为何他在儿子迈耶·阿姆谢尔到法兰克福完成小学学业后，将他送去菲尔特的希伯来语学校学习。这并不是说迈耶·阿姆谢尔希望成为犹太法学博士，一些历史学家曾错误地认为他是出于自己的兴趣。迈耶·阿姆谢尔死后不久，科恩便写了一部简短、充满赞美之词的迈耶·阿姆谢尔传记，两人很可能认识；科恩在书中说，迈耶·阿姆谢尔“学习自己的宗教，只是为了成为一名好的犹太人”。不过，迈耶·阿姆谢尔的学业由于父母分别在 1755 年以及 1756 年去世而中断，两人都是死于某种瘟疫；直到今天，德国城镇里仍间歇性地爆发席卷全城的瘟疫。那年，迈耶·阿姆谢尔刚刚 12 岁。

按照常理，他应该回到家里，与姐姐古特尔歇以及两个弟弟摩西和卡尔曼团聚。但是，他却被送去汉诺威的沃尔夫·雅各布·奥本海姆公司（可能是他父亲生意上的一个客户）学习初级商业知识。这是一段难得的经历，因为它让他第一次直接触及了“宫廷犹太人”的特权世界。当然，迈耶·阿姆谢尔对这个世界也应该已经有所认识。毕竟，在他出生前 6 年，祖斯-奥本海姆才被处死。此外，我们知道祖斯至少与迈耶·阿姆谢尔的祖父有过一次票据交易。但是此时，这个男孩可以近距离地观察成为一个“宫廷犹太人”意味着什么，因为奥本海姆的祖父塞缪尔曾是奥地利国王的“代理人”，他的叔叔则是科隆大主教“代理人”。正是在汉诺威，迈耶·阿姆谢尔开始获得专业经验，这使他后来也得到了“权宦代理人”的身份。他开始从事珍稀钱币徽章买卖，这是个门槛颇高的行业，它的客户几乎都是贵族收藏者，而且必须了解塞缪尔·马代有关钱币徽章分级的复杂理论。

1764 年，迈耶·阿姆谢尔回到法兰克福——按照居住地法的要求，他的学徒生活结束后，必须回到原住地；很快他就将自己的专业经验发挥了出来。他回到法兰克福后不到一年的时间里，成功地将一些珍稀徽章卖给了出身显赫的客户，这些人对于罗斯柴尔德家族后来的辉煌有着非常重要的意义。当然，迈耶·阿姆谢尔与黑森-卡塞尔威廉王储的第一次交易价值微不足道。1765 年 6 月在威廉的私人买卖账户中，迈耶·阿姆谢尔被称为“犹太人迈耶”，交易金额不过是 38 古尔登 30 克罗伊茨（1 古尔登≈ 7.5 克罗伊茨）——少得可怜的金额，它只是 1763 年之后王储与许多交易者进行的小额交易中的一宗，当时威廉痴迷于徽章与钱币的收藏。不过，这次交易——以及另外无记录留存下来的“多宗交易”——使得迈耶·阿姆谢尔 1769 年能够提出获得“宫廷犹太人”头衔的要求，那年 9 月，他如愿以偿。一年后，他进一步巩固了这个新身份。1770 年 8 月（当时他 26 岁），他娶了沃尔夫·萨洛蒙·施纳佩尔 16 岁的女儿居特林，施纳佩尔当时是萨克逊-梅宁根王储的“宫廷犹太人”。除了岳父社会地位带来的好处外，这次的结合还给迈耶·阿姆谢尔带来了一笔数目不菲的资金，总额达到了 2 400 古尔登。这应该也是罗斯柴尔德家族精心选择婚姻对象的第一个成功例子：奠定血缘富贵成色的基础，与奠定皇室庇护的基础同样重要。

在这之后的岁月里，迈耶·阿姆谢尔成功地确立了法兰克福知名交易商的地位，最初他与兄弟卡尔曼合伙，但卡尔曼在 1782 年去世；此时的业务也不仅仅是买卖钱币和徽章，同时也买卖各种古董。从他精心绘制的目录中，我们可以看到他如何为逐日扩大的贵族客户提供服务的。到 18 世纪 80 年代，目录中的物品除了古希腊、罗马以及德国的钱币，还包括了其他各种古董以及富有收藏者喜欢的“奇怪”物品，他们会将这些东西与自己收藏的钱币陈列在一起，比如雕像、奇石等诸如此类的东西。每个目录中的物品总价从 2 500~5 000 古尔登不等；但是，如果一个客户对某件东西感兴趣，迈耶·阿姆谢尔就会将它寄给客户细看，如果客户希望买下，双方就会商定一个价格，这个价格通常低于目录中的指导价。根据残存的威廉王储私人财产账户资料，威廉直到 1790 年之后才成为迈耶·阿姆谢尔的一个固定客户，在这之后，他几乎每年都会买一些东西。其他一些顾客包括歌德的资助人魏玛公爵。

罗斯柴尔德家族财富的根基竟然是以邮寄方式向贵族收藏者出售古董，这一点似乎有点让人吃惊，但毫无疑问的是，如果迈耶·阿姆谢尔不是通过买卖古董积累资金，他可能就不会有转向银行业的资源。他作为一个古董商人究竟有多成功，我们还无法作出准确地判断：1773~1794 年期间，他的财产税的估计数额一直是 2 000 古尔登。但是，他在账本中细心记录的慈善捐赠数额（按照犹太法律，需捐出年收入的 10%），在他的自传作者伯格菲尔看来，等于是透露了他的年收入大概为 2 400 古尔登——差不多与歌德家的收入持平，比当时的地方官员，如税收官员的收入要多。根据这些资料以及其他一些有用的数字，伯格菲尔估计迈耶·阿姆谢尔在 18 世纪 80 年代中期的总资产大概为 15 万古尔登（约合 1.5 万英镑）。

我们还知道，迈耶·阿姆谢尔在 1787 年时已有足够的钱搬家。在他回到法兰克福后不久，他和两个兄弟就获得了“辛特凡”的所有权，他们买断了一些远亲的股份——“辛特凡”是他们的父母与远亲们合伙买的。在他回到法兰克福的 20 年后，他（以 3 300 古尔登的价格）将自己拥有的 38% 的“辛特凡”股份卖给了弟弟摩西，并且从 1783 年开始，他花费 1.1 万古尔登购买了一栋相对较大的房屋——“绿盾”。按照异教徒家族，如歌德家族的标准，“绿盾”居住起来依旧非常局促：只有 14 英尺宽，房间极其狭窄，床只能以一定的角度贴着靠街的墙放着。对于下一代罗斯柴尔德人来说，这栋房子同样太过狭小：迈耶·阿姆谢尔的儿子们回忆过去的岁月时，毫无眷念之意，“我们当时全部睡在一个狭小的阁楼里”。不过按照犹太街的标准，它已是一个非常惬意的安身之所。它坐落在整条街的中部——差不多正对着中部——它是1711年大火之后重新修建的，与众不同的是，它有自己的水泵。这栋房子上面的3层中，每层有一个朝街的小房间、一个烟囱和一个入墙壁橱——也有一个朝向后院类似的小房间。从后门出去是一个小院子，那里还有一个两层的建筑，其中建有整栋房子中唯一的洗手间。有些特别的（也非常有用的）是，这栋房子有两个地窖，其中一个的入口比较明显，就是门廊里一个活动门；另一个更大的地窖，是罗斯柴尔德与邻居共享的，入口非常隐蔽，藏在楼梯下，并且与另一个地窖互不相通。比起老房子，新家增加的空间是必需的，因为，即便按照18世纪晚期的标准，迈耶 · 阿姆谢尔和他的妻子也是一对多产的夫妇。居特林 · 罗斯柴尔德从1771年（结婚那年）到1792年期间，几乎每年生一个孩子。在19个孩子中，10个存活下来：舍恩歇（1771年）、阿姆谢尔 · 迈耶（1773年）、萨洛蒙 · 迈耶（1774年）、内森 · 迈耶（1777年）、伊莎贝拉或贝蒂（1781年）、布鲁尔或芭贝特（1784年）、卡尔曼或卡尔（1788年）、戈滕或朱莉（1790年）、杰特琛或亨丽埃塔（1791年）以及雅各布或詹姆斯（1792年）。

在最小的孩子降生之后，迈耶 · 阿姆谢尔开始介入到能够被称为银行业的业务中。从某些方面来讲，这种转变是很自然的事。随着买卖圈子越做越大，货源和客户日益增加的时候，一个古董商人就会很自然地时不时允许一部分人赊欠自己一些钱。我们发现，早在1790年，迈耶 · 阿姆谢尔就是一个叫约瑟夫 · 卡塞尔的人的债主之一，卡塞尔住在附近的城镇多伊茨，欠款也只有365古尔登而已。与此类似的是，钱币以及徽章生意不可避免地让他与黑森铸币厂建立了联系，特别是胃口最大的客户威廉王储经常委托他打造新的徽章。例如，1794年，罗斯柴尔德被授意“以尽可能好的价格”向黑森战时财政部出售一批银币。

不过，18世纪90年代迈耶 · 阿姆谢尔财富的增长速度使他的生意与之前相比，实现了真正的突破。在18世纪90年代初，迈耶 · 阿姆谢尔 · 罗斯柴尔德不再仅仅是一个富有的古董商人。到1797年的时候，他已是法兰克福最富有的犹太人之一，他生意中的核心部分已经毫无疑问地转为银行业。他实现突破的证据也是非常清晰的。1795年，官方记录的迈耶 · 阿姆谢尔的财产税已经比以前翻了一番，达到了4 000古尔登；一年后，他就跨入了纳税大户的行列，缴税额达到了1.5万古尔登；在同一年，他以超过6万古尔登的应纳税财产成为犹太街第十大富豪。很大程度上，正是由于迈耶 · 阿姆谢尔的努力，罗斯柴尔德家族成为了1800年犹太街11大富豪家族的一员。差不多在同一时段，他在犹太街外租了一座有4个房间的仓库。他还从宾根雇用了一个能干的簿记师，这个名叫泽利希曼 · 盖森海姆的簿记师懂多种语言。罗斯柴尔德家族财富增长的其他证据就是迈耶 · 阿姆谢尔送给孩子们的丰厚结婚礼物。1795 年，大女儿嫁给贝内迪克特 · 摩西 · 沃尔姆时，她收到了 5 000 古尔登的嫁妆，而且在父母过世后，她还能得到 1 万古尔登的遗产。1796 年，大儿子娶埃娃 · 哈瑙时，他得到的是家族生意的一份股权，价值 3 万古尔登。

这样一份股权意味着什么，你可以从最近开放的莫斯科博物馆档案文件中找到线索：那是迈耶 · 阿姆谢尔 · 罗斯柴尔德公司的一张资产负债表，它制于 200 多年前的 1797 年夏天。这张表上，当时罗斯柴尔德公司的总资产是 471 221 帝国元或 843 485 古尔登，总负债是 734 981 古尔登，盈余为 108 504 古尔登（约合 1 万英镑），用迈耶 · 阿姆谢尔自己的话说："我的资金实现了平衡，感谢上帝。"这份重要的文件还提供了一个可以推敲的细节，它揭示了这样一个事实：迈耶 · 阿姆谢尔此时已远不是一个此前人们认为的国际商业银行家。资产负债表的"资产"一方并不包括迈耶 · 阿姆谢尔的个人财产，家族所拥有的房产并没有出现在表里：他所说的"我的资产"是指公司的资产。表里所列的大部分资产要么是各种类型的国家债券，要么是个人贷款和各种公司的欠款。另一方面，迈耶 · 阿姆谢尔的"债主"同样多种多样，从各种机构到私人都有。

事业早期的阶段，迈耶 · 阿姆谢尔的商业信用网络从地理层面上讲已经比较广阔了。资产负债表显示，他不仅与紧挨着法兰克福的公司（如卡塞尔和哈瑙的公司）有业务往来，还与更为遥远的德国其他城市的公司做生意，从汉堡、不来梅到雷根斯堡、奥格斯堡、莱比锡、柏林和维也纳，同时还包括阿姆斯特丹、巴黎和伦敦。此外，除了那些被认为必定会出现在借贷名单上的人物（如迈耶 · 阿姆谢尔的女婿沃尔姆以及后来的另一个女婿西歇尔），名单中还包括了一些杰出的异教徒公司，如贝特曼、德纳夫维尔以及布伦塔诺（这家公司欠迈耶 · 阿姆谢尔很多钱）。著名的艺术品收藏家约翰内斯 · 弗里德里希 · 施塔德尔也在罗斯柴尔德那里存了 17 600 古尔登。最后，资产负债表提供了迈耶 · 阿姆谢尔与黑森-卡塞尔政府的新型关系，后者欠他 24 093 古尔登。而且，两名黑森官员——路易斯 · 哈尼尔以及卡尔 · 布德鲁斯——作为债务人出现在资产负债表中，自然也包含着重要的意义。

无论以哪种标准来说，这都标志着经济地位的飞速上升。实际上，迈耶 · 阿姆谢尔的成功来得如此迅速，如此巨大，以至于某种程度上超出了他自己的能力范围。1797 年，他赫然发现，手下一个资历颇浅的员工——一个叫希尔舍 · 利布曼的青年——在他的鼻子底下，挪走了一笔非常可观的资金。犯罪调查随后进行，部分相关记录也得以保存下来，也让我们能够较好地透视当时迈耶 · 阿姆谢尔的急速扩张带来的混乱状况。根据迈耶 · 阿姆谢尔的记录，利布曼在公司里待了大约 3 年时间，从他办公室偷走了1 500~2 000金卡罗林（约合3万古尔登）。偷窃得以进行是由于3个原因。第一，迈耶·阿姆谢尔允许利布曼用自己的账户来买卖货物，以补贴他可怜的薪水——除去合租的房屋租金后，每个月只能余下1.5古尔登。实际上，因为他租房子，罗斯柴尔德还借了一小笔钱给他。因此，利布曼看似在补贴自己的工资，实际却在挪用公款，没人觉得诧异。第二，公司没有储藏贵重钱物的保险柜，甚至毫无安全可言：主要办公室的橱柜在工作时间内经常敞开，员工与客户随意进出，因此没人注意到硬币、支票以及其他贵重物品从办公室里一一消失。第三，迈耶·阿姆谢尔簿记体系极为粗糙：当他对利布曼提起诉讼时，他竟然拿不出文件来证明究竟损失了多少钱。利布曼偷窃行为开始后相当长的时间里，没有一个人注意到公司的钱正被窃走。一个当地的交易商出现在办公室里，声称利布曼希望从他手里买些种子，这才使迈耶·阿姆谢尔起了疑心。在施加少许压力之后，这个交易商承认此举只是利布曼用来掩人耳目而编造的一个托词；实际上，交易商是前来购买一张价值1 220古尔登的奥地利支票，利布曼此前答应卖给他。迈耶·阿姆谢尔这时才明白利布曼购买金表和手制衬衣的钱来自何处。进一步的调查证实了他的怀疑：利布曼不仅自己大肆挥霍偷来的钱，还将其中一部分寄给了住在博肯海姆的父母，此前，他父母穷得叮当响，但突然间，他们却能够承担女儿价值500古尔登的嫁妆。利布曼被捕时，在他的个人物品中发现了8枚泰勒银币以及一张帝国财政部支票，此外还有一些银质汤匙、一个金质盐瓶、一个金杯以及7个徽章；这些物品的发现也让他自称无辜的辩解变得苍白无力。进一步的犯罪证据则是利布曼不谙世故的父亲提供的，他返还了儿子给他的1 000古尔登，并称如果罗斯柴尔德撤销控诉，将再支付500古尔登。最终，在遭遇了冗长的问讯后，利布曼坦白了一切。

利布曼对盗窃案的陈述前后矛盾，他一会说自己是分多次，每次拿走小额钱财；一会说他是趁迈耶·阿姆谢尔的二儿子萨洛蒙与一些客户商谈事情时，从办公室里的橱柜里偷走了两袋硬币。无论他以何种方式行窃，都可以证明最晚在1797年，生意带来的巨额现金已经超出了罗斯柴尔德自我管理的范围：就如他在法庭上所说的那样，成袋的钱放在办公室里，一些在橱柜里，一些干脆就放在地上。他经常把大笔的现金放在家里，他说，因为他的“生意太过红火”。而随后的10年间，罗斯柴尔德的生意比之前更为火暴。

双重革命

弗里德里希·冯·根茨在自己的《罗斯柴尔德家族的自传注释》一书中，有些让人反感地颂扬了迈耶·阿姆谢尔的商业才能。“不过，”他也坦白地补充道，“最杰出的个人有时也许需要独一无二的环境以及世界级的事件来获得成功。”这毫无疑问是绝对正确的。

1789 年，路易十六召集三级会议之后的划时代事件逐渐影响到德国犹太人，如迈耶·阿姆谢尔·罗斯柴尔德及其家庭的生活。但是当法国革命最终到达法兰克福时，它的影响变得十分复杂——实际上，影响是爆炸性的。法国革命的影响最早在 1792 年 10 月得以显现，当时法国军队短暂地占领了法兰克福；神圣罗马帝国最后一位皇帝弗兰西斯二世在这之前 10 周刚刚加冕。当然，我们不应夸大这种象征性政权变化的重要性。法兰克福之前一直被法国军队占领着（在七年战争期间），再次遭到法国入侵时，犹太社区与城里的其他居民相比，似乎并没有显露出欢愉的色彩。实际上，除了法国国民议会 1791 年通过的解放法国犹太人法令可能带来的益处外，法国人入侵带来的实际效果都是负面的。1796 年 6 月，随着奥地利军队在洛迪的溃败，法兰克福遭到了法国军队狂轰滥炸，犹太街近半房屋毁于大火之中。

另一方面，剧烈的战争冲突也有它有益的一面。犹太街遭到破坏，迫使法兰克福议会放松了对犹太人的居住限制，同意 2 000 个左右无家可归的人居住在犹太街以外的地方（尽管只给了 6 个月的时间）。可能正是由于这种管制的放松，使得迈耶·阿姆谢尔能够在斯克诺尔街租用货仓。后来的法国入侵给犹太人的法律地位带来了实实在在的益处（或许比较短暂），法国占领的莱茵兰地区犹太人获得了解放。（其中一个受益者便是迈耶·阿姆谢尔的会计师盖森海姆。）更具重要意义的是，战争给迈耶·阿姆谢尔提供了新的赚钱良机，他和两个合伙人沃尔夫·勒贝·肖特及贝尔·内姆·林德斯科普夫获得了一份合约，当奥地利军队在莱茵—缅因地区开展行动时，迈耶·阿姆谢尔的公司为军队提供粮食和现金。

法国革命并不是改变阿姆谢尔生活以及生意的唯一革命。18 世纪 80 年代处于早期阶段的英国工业革命，也产生了同样重要的影响。尽管到 18 世纪 90 年代末，迈耶·阿姆谢尔已经开始构筑他的银行生意体系，但这并不意味着必须要与之前的钱币生意告别；也不意味着不涉足其他更有利可图的业务。在 18 世纪晚期，没有任何行业能比英国工业革命带来的纺织业更能赚钱。尤其是在英国兰开夏，棉花抽纱、纺织以及染色工艺的急速机械化标志着经济生活即将发生空前、彻底的革命性变革。尽管这种工业化是区域性的，而且局限在某一个产业内——由于太过局限，现代经济史学家推算当时的国家收入时并没有将它考虑在内——但是，它的影响甚至到达了非洲，那里是棉花种植园奴隶的发源地；它的影响也到达了北美，棉花的生长地；同时也影响到了印度，本地的棉纺织业很快就将面临兰开夏以及拉纳克郡棉纺厂致命的竞争。这些工厂也对德国产生了巨大的影响，18 世纪 90 年代，德国对价廉物美的英国纺织品——围巾、手帕、方格花布、薄纱、平纹细布、间棉、凸花条纹布、棉绒、萨蓝波小彩格布以及薄棉布趋之若鹜。迈耶 · 阿姆谢尔只是嗅到这个独一无二、利润巨丰商机的德国商人之一。19 世纪来临之际，仅在法兰克福，就有大约 15 家犹太公司从事进口英国纺织品生意，其中一些公司差不多于这个时期在英国设立了永久代理机构。1799~1803 年期间，至少有 8 个德国商人出于这个目的在曼彻斯特定居。

因此，我们也必须在这种背景下看待派遣内森前往英国的决定，迈耶 · 阿姆谢尔的第三个儿子在 19 世纪初的某个时候抵达了英国。他从法兰克福出发的日期以及前往英国的目的一直是历史学家争论的焦点。尽管有关内森抵达英国的时间分别有 1797 年、1798 年和 1800 年三种说法，但大部分人认为是 1798 年。不过几乎没有任何证据来证实这一点。我们从上述讨论的资产负债表中得知，迈耶 · 阿姆谢尔至少从 1797 年开始便与英国伦敦的公司有生意来往，但是业务规模相对较小。到 1800 年 2 月，他才开始扩展在英国的生意：他当月给英格兰银行家哈曼写去了第一封信，提出请求，希望通过哈曼进行结算方面的合作。内森在英国出现的第一份文档证据也来自 1800 年。沃尔夫引用了内森写于 1800 年 5 月 29 日的一封信，在其中，内森请求一个熟人为他以及他的业务经理“在一个体面的出租屋里预订一个有两张床的房间”。我们还发现了迈耶 · 阿姆谢尔写给哈曼的信，在这封写于 1800 年 6 月 15 日的信中，他提到，内森“很快就会到你那里”；此外还有一封内森从伦敦（康希尔 37 号）寄出的信，日期为 1800 年 8 月 15 日。通过这些，威廉得出结论称，内森实际上是在 1800 年到达英国的，在伦敦度过了夏天，然后去了曼彻斯特。但是，这种说法是错误的。不仅仅是因为内森写给哈曼的第一封信是从曼彻斯特寄出，我们还在随后的一些信件中发现，内森非常清楚地表明，他是在前一年，即 1799 年首先抵达曼彻斯特的。这似乎也能解释为何内森没有在 1799 年之前到达曼彻斯特，因为他和父亲直到 1800 年才在英国开展大规模的业务。这就有了另一个可能性——尽管只是可能——即内森在 1798 年横渡海峡抵达英国，在伦敦住了几个月之后才去英国北部。

内森为何要去英国？由于缺乏最有力的证据，大多数历史学家采用了内森自己提供的解释——1834 年他和下议院议员托马斯 · 福韦尔 · 巴克斯顿联系时提及——他是这样描述自己离开的原因的：

> 那里（法兰克福）没有足够的房间供我们所有人居住。我买卖英国货物，一个大交易商就来自英国，他控制了大片的市场：他确实是个影响力巨大的人，只要他卖给我们货物，就相当于帮了我们一个大忙。但不知怎么，我冒犯了他，

然后他拒绝给我看他的货样。在一个星期二，我对父亲说："我要去英国。"我除了德语，什么语言都不会说。但星期四的时候，我踏上了去英国的旅程……

我们没理由怀疑这个版本的解释完全是虚构的。内森是一个事业心极强、极具竞争意识的人，在他的生意中受到冒犯或冒犯别人都是很容易的事，因此不难想象他处理供货商不合作这件事是多么的急切。但是，在许多方面，他这个解释有一定的误导性。他可能是想将自己白手起家的故事浪漫化；可能是迁就某位休戚相关人士的利益（后者更契合内森的性格）。无论如何，他父亲不太可能将一笔巨款——内森跟巴克斯顿提到的2万英镑，相当于1797年资产负债表净利润的两倍——仅仅因为一个年轻人的冲动就轻易托付给他。不论内森带了多少"启动"资金，认为他只不过是执行父亲指令的想法都是站不住脚的。

出于政治上的原因，内森充当法兰克福代理人的身份必须很快被隐瞒，这也使得许多历史学家断定，内森一抵达英国即独立于父亲和几个兄弟之外，有效地建立了自己的业务网络。但是老迈耶的公司在这个时期留下的业绩证据却道出了不同的事实：一开始，内森接收从法兰克福发来的指令——实际上，他的哥哥萨洛蒙在1801年受委派前往英国协助他——他也是逐渐地才以自己的账户开展交易。内森早期从伦敦和曼彻斯特寄出的一些信件都签着"致父亲迈耶·阿姆谢尔·罗斯柴尔德"。父子之间的通信很明显比较频繁（尽管仅有极少数保存了下来），而且内森也经常以父亲的名义给萨洛蒙位于伦敦的公司写信，即萨洛蒙与哈曼有限公司，这个公司负责法兰克福公司在英国伦敦的保险以及银行业务。这个时期的通信通常以这样的词句开头，"父亲希望我写信给你"或"根据我刚刚从父亲那里接到的指示"。

有一次，一家公司让内森感到失望，结果被他警告说，如果他再遇到"类似的投诉……我肯定父亲会命令我找另一个能胜任业务的人"。另一次，他告知萨洛蒙："今天早上我收到家里的来信，信中说父亲对你的打包工作非常不满，还要求我在你重视装运之前不得再往伦敦发送任何货物。"这段时期的大部分时间里，内森运往欧洲大陆的布料货柜上都印着"MAR"几个字母，即"迈耶·阿姆谢尔·罗斯柴尔德"首字母的组合；印着这3个字母的货柜数量也日益增加。内森还向父亲隐瞒了自己在1802年夏季感染小病的情况，他不想让父亲觉得自己不能承担——或其他什么原因——处理公司业务的职责。在他痊愈后不久，在写给一个执拗的法国客户的信中，他给后人留下了对他父亲性格最坦诚的描述，他是这样写的："你认为我父亲会在利润没有保证的前提下，承担风险卖出货物？你大错特错了，我父亲的烟囱在没有利润的情况下绝不会冒烟。"10天后，他收到了父亲的一封来信，训斥他没有"定期"记账。

内森在文档工作方面的粗枝大叶很明显是诸多传说的素材库。3年后，还是在同一个话题上，迈耶·阿姆谢尔再次对内森提出了严重警告，这在某种程度上也说明了这对父子谁在掌权。这封罕见的信件——迈耶·阿姆谢尔留存的极少数信件中的一封——值得我们引述足够长的内容来领略一下罗斯柴尔德家族早期的家族通信情况：

> 首先，我们所有的联络人都在抱怨你，亲爱的内森，他们说你在发送委托时毫无章法可言。有时你写信说你已经发送了写着某个编号的货柜，但它到达时写的却是另外一个编号。你今天发出一个货柜，6个月后才将此事告知艾斯瑞尔·赖斯，赖斯的一个办事员跟我说，你做事真的太混乱了。我亲爱的朋友，如果你在发出货柜时不写下它们所有的编号，如果直到接到对方收到货物的感谢后才写下它们的编号，如果你不注意，如果你在没接到联络人任何通知的情况下，不去追问货柜去了什么地方，如果你仍旧如此没有章法或不找一个人或朋友跟着你，那么你就会被欺骗。这有什么好处呢？不论被谁逮到这个机会，他们都会成为百万富翁。在法兰克福的时候，我已经告诫过你有关开支过高和缺乏章法的问题，亲爱的内森，我不喜欢看到这些。

这种喋喋不休、循循善诱的写信方式使得信件内容在今天读起来并不容易，但这种风格被迈耶·阿姆谢尔较为年长的两个儿子阿姆谢尔和萨洛蒙所继承，当然这样的信给内森的感觉肯定也好不到哪里去。但是，他父亲决心以自己的方式培育儿子的做法，也为我们提供了一个有趣的视角来透视当时做生意的方法：

> 我见过赫克舍以及商人巴莱赫发送、回收货物时所采用的有条理的方法。他们设有专门的办事员来办理一切事务。他们说，没有好的条理，一个百万富翁生意做得越多越容易破产，因为整个世界是不诚实的，或不怎么诚实的。当人们看到你发送货物时缺乏条理，他们跟你做生意就可能欺骗你……大多数情况下，他们为了欺骗你，就会与你争吵，而且越发现你做事缺乏章法就越会与你争吵。总而言之，他们会为了利用你缺乏条理性的缺点与你做生意。在法兰克福，有一个叫埃卢泽·埃尔费尔特的人赚了很大一笔钱，但是全世界都从他身上捞钱，因为他做事毫无章法，最后他的结局非常悲惨。亲爱的内森，不要生你父亲的气。在处理文档方面，你并无长处。找一个办事员来管理货物的发送事宜，听从我的建议，在发送货物方面，自己要做到条理清晰，否则我不会给你太多的生意机会。如果你缺乏章法，卖的货物越多，收益越差。我亲爱的

> 儿子，不要出现像我写的这种情况……你必须小心谨慎，阿姆谢尔说，他给你汇款时你没有做好相应的记录。这是不对的……你需要准确地记录你发给我们以及我们发给你的每一样东西，这是非常必要的；你必须合理有序地记账。如果你因为糟糕的记账而导致我们所有账户混乱不堪，写信回家，我们或许能给你提供一个计划……如果你做事有章有法，各种记录条理清晰，借出钱款时小心谨慎，我相信你会做得很好。

这封来自父亲的信件还没结束。迈耶·阿姆谢尔继续呵斥内森，因为他未能计算出他的净利润；与林德斯科普夫做宝石生意（“但你不是一个珠宝商”）以及未能处理好坏账：

> 我亲爱的儿子，你必须保持平和心态，当一个热爱所有孩子的父亲询问你实际财务状况的时候，你不能发怒，因为如果你有许多坏账，就是上帝所不能容忍的，必须把它们当做良好资产一样记录下来，这可以让你看起来很富有……我亲爱的儿子，你工作很努力。努力做个好孩子，除此之外我没要求你做什么。我只想鼓励你变得更有条理性……你真的很聪明，但是没有弄懂条理的重要性，我所认识的那些做事有章法的商人最后都变得非常富有，而那些做事混乱的人最后都破产了。因此，我亲爱的儿子，当我写信给你，跟你说我的观点时，你不要有抵触情绪。

这封信透露出的一个比较确凿的信息就是，在迈耶·阿姆谢尔的眼里，内森仍旧是由家长掌管的家族企业的五个组成部分之一。如果内森能够改进他做生意的方法，他就有望“和兄弟们一样得到生意的一部分”，只要他们的姐姐全部出嫁后，这就能实现。不过在这之前，迈耶·阿姆谢尔仍旧是发号施令的人。

内森离开法兰克福的另一个可能性就是逃避犹太社区的宗教限制。当时的一个真实情况是，19世纪初期，犹太人在英国确实比在德国享有更多自由——尽管犹太人也是在1656年才再次被英国人所接纳，在这之前是长达3个半世纪的排斥。这个时期，英国在经济方面对犹太人的限制非常少，尽管他们（通常与天主教徒、非国教教徒以及无信仰人士一起）仍然不得进入议会、地方政府以及大学，而且由于英法战事日趋紧张，新移民受到了越来越严厉的监管（在英国出生的犹太人自动获得英国国籍）。在伦敦，自信、富有的犹太社区在18世纪得到了长足发展，包括西班牙系犹太人家族，如莫卡塔家族以及东欧系犹太人家族，如商人莱维·巴伦特·科恩，他父亲是阿姆斯特丹一个非常成功的亚麻布交易商。18世纪90年代晚期，本杰明以及亚伯拉罕·戈德斯米德已经开始充当动态金融角色，这也是内森后来取得成功的领域；戈德斯米德的角色也向巴林兄弟以及他们在阿姆斯特丹的联络人霍普有限公司提出了挑战——从而导致了某种敌对情绪的产生，这种在法兰克福已经看到过的敌对情绪表面上是宗教层面上的，但实际上经济因素是主因。我们知道内森是通过他父亲的商业网络，并在萨洛蒙的协助下进入这个岛国的。但是，很明显他在伦敦只待了几个月，就北上了，曼彻斯特的社会环境比起伦敦要差很多。当地小型而且仍处于萌芽状态的犹太人社区绝大部分是由贫穷的店主组成——即那些买卖旧衣服、便宜珠宝、雨伞以及药品的小商人。尽管内森在曼彻斯特受到的歧视比起法兰克福要少了很多，但是依然很难认为曼彻斯特对他的吸引力除了生意外还有其他的东西。

内森在同时代人看不起的“服装业”里有多成功？按照他自己的说法，非常成功，这很大程度上要归功于他灵敏的商业嗅觉：

……离英国越近，货物越便宜。我一抵达曼彻斯特，就用上了所有的钱，东西太便宜了，我获利颇丰。我很快发现其中有3个盈利点——（布料）原材料、染色以及制造。我对生产商说：“我给你提供原材料和染料，你给我提供制成品。”三方面的盈利我全得到了，而不仅仅是买卖制成品这一个盈利点，我也能够以比其他任何人都便宜的价格卖货物。在很短的时间里，我的2万英镑就变成了6万。我的成功全部归功于一句箴言。我曾说过：我能够做其他人能做的事，因此我是带样品来的那个人的有力竞争者，也是其他所有人的竞争者。另一个优势是，我是一个当机立断的人，我能够立刻给出一个优惠价。

这是个颇为不错的内森生意模式小结，但是它再一次将事实大规模地简化了。内森带着父亲订购英国纺织品的指令抵达兰开夏，到达那里之后，仍通过邮件接收父亲的指令。断定市场在确定布料质量和价格方面可行时，内森随后把订单下发给制造商——不仅包括曼彻斯特附近的生产商，还包括远至诺丁汉、利兹、斯托克波特，甚至远至格拉斯哥的生产商。布料随之生产出来（通常由下一级分包商在作坊里织造），然后由曼彻斯特或附近的染色、印花厂加工为“成品”。为了降低自己所买货物的价格，内森尽可能地以现金购买货物，这意味着需要向伦敦的银行家借得为期3个月的贷款。他在1802年12月曾经描述过这一点：

在每个星期二和星期四，离曼彻斯特20英里左右的纺织工会带着他们的货物聚集到这里，有些人带来了20或30匹布料，另外一些人要多些，还有一些人要少些；他们将布料卖给商人，货款则在2个月、3个月或6个月后收取。但是通常会有一些人希望拿到现金，他们愿意为此损失一些利润，以现金购买货物的人通常能得到15%~20%的优惠。

实际上，内森无须向大制造商支付现款，货款只有在货物到达欧洲大陆后才会支付。另一方面，从法兰克福那里得到货款，通常需要等两个月的时间。很显然，这种生意的利润一般是以一种简单的方式获取。但是，在那个纺织业利润可以高达20%的年代，内森的开价算是比较合理的了：在他的仓库用现金交易的货物按成本价优惠5%，运往欧洲的货物则优惠9%。这是吸引顾客、提升市场占有率的精明策略：在一封写给潜在买家的信中，内森一直强调自己的开价比他的竞争对手都要低。正如他在1802年9月给父亲的信中写道的："在曼彻斯特，没有一家商行买货的价格比我们便宜，也没有一家把如此多的困难变成自己的优势。""你不可能在曼彻斯特找到像我一样赚如此微薄的利润的商人了。"他对一个新客户保证道，"我很乐意非常坦白地告诉你这句话的意思：只要你跟我做过一单生意，你可能就会相信，我发送给你的货物比这个世界上的任何人给你的货物都要便宜。"此外，当他的生意越做越大时，便开始向他父亲公司之外的公司出口货物，内森不仅以低价打开销路，而且还提供合理的定期贷款，他对老买家说，他看待对方的钱时，觉得"在你手里与在我的口袋里一样安全"。他在欧洲大陆的客户通常希望以3个月后到期的票据来支付货款——实际上，是在内森装运货物（并付款）后的5个月。内森能够支付的现款或"即时票据"越多，他能够支付给供货商的钱就越少；他给客户提供的贷款越多，被吸引来的客户就越多。这似乎一直是他最基本的原则。

这种体系的实际运用，正如这个时期信件所显示的那样颇伤脑筋。刚开始，内森必须亲自到各地奔走，建立供应商与客户网络。早在1800年11月，他从曼彻斯特出发前往苏格兰，在那里他似乎发现了更好的布料或更好的价格。随后他分别又在1801年和1805年去了那里。经常性的伦敦之行（如他在1800年或1801年夏天的那次旅行一样）对于维系与当地银行家的关系也是必需的，他必须依赖他们的透支技术。尽管一些买家在曼彻斯特派驻了代理人，内森还是更喜欢与欧洲大陆的公司直接交易，他组织了至少两次跨越英吉利海峡寻找新业务的"探险"活动。1802年春天，他出现在法国和荷兰，与巴黎、南锡、里昂、列日、梅斯、布鲁塞尔、马斯特里赫特、安特卫普以及阿姆斯特丹等地的公司建立了联系。在回英国前，他也去了德国和瑞士，确认了汉堡、纽伦堡、海德堡、科隆、慕尼黑、梅明根、萨尔茨堡、莱比锡、柯尼希斯贝格尔以及巴塞尔等地公司的订单。他的1803年的客户名单中甚至包括了一个远在莫斯科的公司。他在这些旅途中携带的一本目录——每页都粘满了小块布料——后来保存了下来，这本样品目录显示英国制造商当时能够制造的布料图案和质地种类是如此繁多。他不在英国的这些时间，反过来也意味着大量工作都托付给了他的手下完成，主要由约瑟夫·巴克完成，巴克是内森抵达曼彻斯特后不久便聘请的一位英国簿记师。

不过，再多的旅行也不能保证供货商能够准时地发送货物，或者说发送符合订单要求的货物。因此，内森的大部分联络人当时所做的工作便是确保制造商按照订单供货。与此同时，内森的努力也不能保证客户总是满意他们收到的货物，花在争执当初下单时的价格与质量上的时间差不多与供货商协调的时间一样多。他曾经跟盖森海姆诉苦说："我发出货物后，两个月后才能得到一张在3个月后兑现的票据……我或许在五六个月后才能拿到我的钱……得到订单很容易，但是得到货款却并不那么容易。"内森也经常因为利息问题以及高额的保险费与伦敦的银行家发生争执。这三方面的压力最终导致了内森经营的多样化。大约在1801年，对供应商的不满促使内森决定自己生产布料——因此他从博尔顿和瓦特公司购买了一台纺织机。然后又在1805年，他与另一个来自法兰克福的移民合伙，这个人名为内姆·贝尔·林德斯科普夫（迈耶·阿姆谢尔商业伙伴贝尔·内姆的儿子）；内森让林德斯科普夫负责卖货事宜。林德斯科普夫很快将内森的生意进一步多样化，他不仅以内森的名义订购布料，而且还订购靛青，后来还买卖珍珠、玳瑁以及象牙（即所谓的殖民地货物，这些都是从大英帝国的海外殖民地进口到英国的货物）。最终，内森开始集中精力，关注自己生意带来的各种信用交易。他经常一家银行一家银行地跑，以选择更好的贷款以及贴现率好的票据，他与众多伦敦银行家有生意上的往来，包括莱昂·德·西蒙，戈德斯米德和德·伊莱亚森以及丹尼尔·莫卡塔，同时与欧洲大陆的银行家也有来往，最著名的包括帕里什公司和施罗德兄弟。与他的父亲一样，他逐渐地从一个商人转变成一个商人银行家。

在那个什么都没有定型的年代里，狂热、喧嚣的气氛全部被内森捕捉到了自己的信件里。市场中充斥着无数小企业，价格和利率波动激烈，而且几乎没有任何监管措施，要在这样的市场中生存并发展，必须具备极高的热情以及冷静的计算力。内森·罗斯柴尔德这两方面全都具备，他也做好了准备，最初的时候，他出于讨好，还曾给萨洛蒙公司寄了一桶红酒，希望获得更好的保险价格。但是很快，傲慢甚至恐吓的口吻变成了他的主调，这些对他来说似乎是最自然的。早在1800年12月，他信心满满地给苏格兰一个制造商（内森在他那里下了订单）写信说："如果你使出浑身解数取悦我，很快你就会放心，我会尽我所能定期给你提供订单。"两个星期后，他再次强调了这条信息："我每天都有望接到来自欧洲大陆的订单。我肯定会给你优先权，但是希望在我交给你其他订单前，你应该先完成之前给你的订单。你要求再延长 3 周时间完成订单，但是你为我提供服务的速度越快，花费的成本越低，我给你的订单就会越多。”当对方未做任何反应时，内森变得愤怒不已：“我十分吃惊，在这之前我没接到你的任何信息。我在格拉斯哥的时候，你虔诚地向我许诺立刻处理我的订单，现在已经过去了这么久，我却没收到你的只言片语。如果你能够在短时间内处理完订单，你就能够确保得到大订单；如果你不能在承诺的时间里完成订单，那么给你订单也没有任何意义。”另一个苏格兰的公司因为延误发送内森订购的货物，而遭到了他更为尖刻的指责：

> 我认为你们是把货物当做了筹码，等到我汇给你们大笔钱之后才会放手。这是一种非常不敬的行为……我想你们认为我再不会去格拉斯哥或者佩斯利，但是我很荣幸地告诉你，我会在两个月之内再次去那里，而且我相信以我支付货款的方式，我能够得到大量的货物。

一年之后，他又毫不犹豫地指责一名笨拙的法国买家为“骗子”。

有时，内森觉得自己与竞争对手简直是在打仗。他曾经“极度震惊地得知，我的敌人在法兰克福疯狂散播许多最为丑陋和莫须有的报告”。他曾告诉他父亲：“这个国家有许多人非常乐意通过破坏我的信用和个人形象来保持自己的信用和形象——但是感谢上帝，我的根基如此牢固，他们无法通过邪恶无力的伎俩实现他们的目标。”毫无疑问，他的竞争对手确实试图从他那里得到更多的好处。但是，我们也难以避免地得出结论，有时他是放纵了自己好斗的脾气。“你是一个大混蛋。”汉堡银行家贝伦斯在一次小口角中告诉他。

> 我……忍不住表达自己对（你信件中的）语调和内容感到的惊愕；非常明显，你希望让我相信你认为自己与凯图一样高尚，与雷古鲁斯一样执拗于自己的词句；但是，无论你这些方面的愿望是否打动过我，我仍然有一个问题一直放在心里，不过我没有闲暇或兴趣去调查……你经常是疯狂的，这就是我的想法。你有没有意识到，你因为你的钱而让我感到恐惧？我的钱并不比你少，而我甚至没有住在英国。

他的合伙人林德斯科普夫在他们合作的初期，有一次无意批评了内森。林德斯科普夫在这之后的一封信里透露，内森对他的言论感到不满：“我所说的话、我的思想对你都是开诚布公的，因为我以我们真正的友谊为出发点。如果任何无心的言论看起来带来了一时的不快，如果并非有心之失，那么在我看来，任何事都能被淡忘；我希望你也能有同样的想法，并想着是自己现在正在给我的老朋友林德斯科普夫写信。”当一个英国商人指责内森只跟“欺诈企业”做生意时，他暴跳如雷：

> 我可以向你保证，先生，我与之有交易的企业的社会地位以及实力都不比你差；伦敦、汉堡以及欧洲大陆其他地方最富有、最伟大的企业不是骗子，而他们就是我的生意伙伴……我可以向任何人证明，我从没有过任何一笔坏账，或在任何一位朋友破产时不再还他们的钱；如果我与骗子做生意，这些情形应该不会出现……没有人比我更厌恶和憎恨欺诈。

确实，在19世纪初期纺织业动荡的世界里，维持自己作为诚实商人的名声极其重要，因为在别人眼里这是此人商誉的根基所在。所以，另一个联络人表现出的同情也是出于同样的原因，他发现难以忍受内森极端好斗的性格：

最大的不幸在于，你一听到别人的回答，你旺盛的想象力就会让你觉得，如果有人认为除了无休止地追逐各种虚假占有之外，还有更好的事可以做，那么这个人一定厌恶跟随你在误解或错误言论的迷宫中前行；为了应付这些言论，你极度活跃的思想一直让你疲于奔命，而无暇顾及自己以及别人的不满。

唯一的问题是，这个好斗的年轻人在生意上有多成功。许多证据表明，内森实际上做得非常好。到1804年的时候，即他获得入籍证书的那年，他已在唐宁街的阿德维克拥有了一栋房子，房子所在地是城镇中繁华的区域，而且他在布朗街还拥有一个仓库。4年后，他在莫斯利街25号拥有了一个“巨大宽敞”的仓库，紧挨着仓库的是他“宽敞、现代且精心构筑”的住宅，莫斯利街当时也是曼彻斯特“最繁华的一条街”。鉴于内森在1800~1811年（这年他关闭了位于曼彻斯特的分部）之间的生意额，此类数字比较容易得到，他11年间的生意额加深了人们对他经济地位迅速提升的印象（见图1.2）。实际上，如果我们设想一下他仅以最保守的方式，以5%的比例赚取利润，那么11年间，他的80万英镑的销售额利润可想而知；后来巴克斯顿说的经营纺织品生意赚了4万英镑的事，看起来并无虚假。另一方面，他做生意的经历远没有他后来描述的那么顺利。正如图1.2显示的那样，从1804年初到1805年秋天很长的一段时间里，他经历了近两年的业绩低潮期。这种情形后来再次出现，尽管1808年以及1809年他的成交量飞速增长，但在1810年，这一过程却未能继续。

这种忽涨忽落的情形不应该让我们觉得惊讶。内森所经营的业务完全是季节性的，业绩随着不同的时机循环起落；而且，内森还得应付断断续续的战争造成的影响，以及拿破仑时期英国与欧洲大陆贸易的各种限制。即使在1803年英法战争再次爆发前，他还一直收到警告称，跨海峡贸易可能被禁止。生意环境在1805年就已经

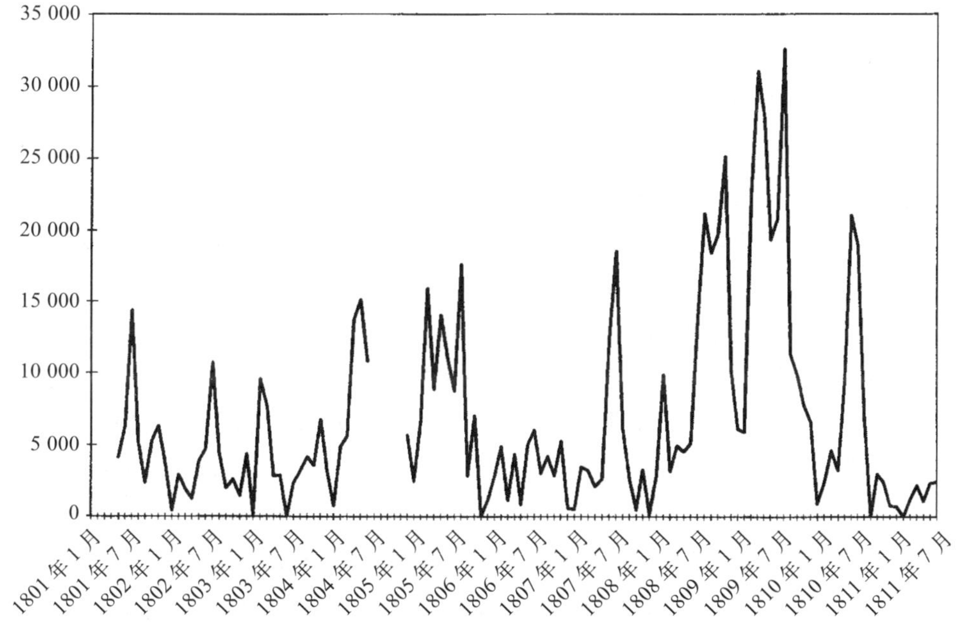

图 1.2　内森 · 罗斯柴尔德纺织品出口销售额，1801~1811 年（英镑）

资料来源：发票册，第一卷/221/ 第 19~26 页。

开始恶化，因此正式的贸易封锁——柏林有一项法令禁止英国人从法国控制的区域进口货物（1806 年 11 月）——只是给一场灾难性的生意锐减盖上了封印。早在 1805 年 11 月，一个联络人就哀叹道："现在对欧洲大陆来说，是最为关键，也最为悲惨的时刻……任何种类的贸易都没有了，市场被各种货物挤得严严实实，没有一张订单进来。"至少 3 家与内森有生意来往的公司，包括汉堡的 M · M · 戴维公司，在 1806 年最初几个月里到在那年 6 月贸易禁令出台前就已相继倒闭。

在这之后，诸如内森的各公司的选择只能在休业与突破贸易禁令之间摇摆，后者则包含了无尽的风险。1806 年 5 月，英国海军在赫尔没收了 5 艘船，并扣押了价值 2 万英镑的违禁品，这些物品是 3 个曼彻斯特犹太商人订购的。另外一个犹太人也在斯托克波特被捕，而他只是前往英国与内森结清账目。与此同时，法国也采取了相同的行动，逮捕了内森在汉堡的新代理人帕里什，他被迫以蒙受巨大损失的价格甩卖了自己的货物，以避免被没收充公。残存的信件副本集显示，这个时期对于内森来说是极为艰难的一段日子，他收到的支票也越来越让林德斯科普夫难以给予折扣优惠。早在 1806 年 4 月，帕里什就向迈耶 · 阿姆谢尔抱怨，内森已经从他的银行里超信用额度支取了 2 000 英镑。而到同年 8 月底，他似乎已经欠了林德斯科普夫 2.8 万英镑，这些钱他需要支付 4.2%的年息。随着拿破仑与沙皇签订了《提尔西特和约》，形势有了转变，1807 年 7 月，内森从哥哥阿姆谢尔那里听到了相关消息，但是跨越海峡的贸易仍然受到了严格限制。

在这种形势下，内森没有其他选择，只能非法从事他的出口业务——换句话说，他变成了一个走私犯。1807 年 10 月，他利用一艘在美国注册的货船以及伪造的德国文件，经过阿姆斯特丹向瑞典运送了一宗订单所需的咖啡。运送违禁品其他受欢迎的路线是经德国赫尔葛兰港以及波罗的海沿岸港口。当然，这类海运都不受法律保护，因此风险自然非常高。但是，回报也是相当可观的。到 1808 年的时候，由于超群的“管理、判断、远见和关系网”，内森已经赢得了“总能把货物运到欧洲大陆的能人”的名声，尽管“没有人提及货物是如何运送的”。但是，他的生意在 1808 年以及 1809 年所得到的恢复也是非常短暂的。1809 年 9 月，运往里加的一大批货物被扣押，只能通过“贿赂——实际上是一笔沉重的税收”来换回。另一艘货船在柯尼斯堡也遇到了相同的命运。

最沉重的打击出现在 1810 年 10 月，地点是法兰克福。具有讽刺意味的是，当这天到来时，当年 8 月 5 日通过的特里阿农法令已经在某种程度上放松了对进口的限制，允许进口所谓的“殖民地物品”。但是，大多数法兰克福公司继续着走私行为，部分原因是为了逃避按照新法规征收的沉重的进口税，部分原因是可以继续买卖英国货。比如，迈耶 · 阿姆谢尔仅在 1810 年 7 月就收到了不少于 7 船的英国货物，总价超过了 4.5 万英镑。10 月 14 日，枫丹白露诏令公布，下令没收所有走私进入法国控制地区的英国以及殖民地货物。当时法国两支步兵部队占领着法兰克福，根据一个名叫蒂亚尔的间谍的密报，法兰克福 234 家公司遭到了突然搜查。迈耶 · 阿姆谢尔被发现手头拥有价值 6 万古尔登的违禁品，其中一半是靛青，可能是内森运来的。于是，迈耶 · 阿姆谢尔不仅要补缴特里阿农法令要求征收的赋税（迈耶 · 阿姆谢尔花费近 2 万法郎），而且所有被扣押的货物——总价在 10 万古尔登左右——全部被公开烧毁。正如一个观察家报告的那样：“形势的混乱程度已经超出了语言所能描述的范围。”尽管迈耶 · 阿姆谢尔相对容易地从这一事件中脱身——贝特曼家族支付的罚款超过 36 万法郎——但是，这场危机仍旧是个分水岭。在这之后，这类商品贸易在罗斯柴尔德家族生意中的地位日益下降。

对内森而言，这种转变在 1806 年 10 月就已经开始，当时他娶了汉娜为妻，她父亲是伦敦一个成功商人莱维 · 巴伦特 · 科恩。这桩婚姻不仅增加了内森的资金——除了妻子的嫁妆 3 238 英镑，他从自己的父亲那里也得到了厚重的一笔资金；同时也让他成为伦敦犹太社区中最杰出人物的一个合作伙伴。1807 年，内森携手科恩完成了大部分走私业务，与他之前的合作伙伴林德斯科普夫一样，科恩也鼓励女婿拓宽向欧洲大陆出口的货物范畴，除了英国纺织品，也要出口印度和波罗的海国家的产品。但是，这仅仅是一块迈向成功的基石，此时，内森已经下定决心成为全职银行家。在曼彻斯特朋友的眼里，内森早在 1808 年就已经在这方面有所成就，尽管当时他在伦敦还不太为人所知，那年夏天他才在伦敦住了下来（圣海伦斯街 12 号）。尽管内森在伦敦最早的账本显示，他最迟在 1810 年就开始做银行业务，但是从曼彻斯特迁移业务的进程却要晚得多，直到 1811 年 7 月初，他才正式宣布：

> 之前以内森 · 迈耶 · 罗斯柴尔德以及“罗斯柴尔德兄弟公司”名义在曼彻斯特进行的业务，从今天开始将停止，任何与该公司有业务来往的人需将他们要求付款的指令发送到伦敦圣斯威斯兰大街纽考特 2 号，N · M · 罗斯柴尔德会计部。

内森自离开犹太街后，在前行的路上已走了很远的一段旅程，尽管离开局促的住所以及以“犹太母猪”为标志的歧视仅仅 12 年，但内森 · 罗斯柴尔德在一个再好不过的日子里获得了他在伦敦的新住址。

第二章

“宫廷犹太人”

THE HOUSE OF ROTHSCHILD

那个老人家……给我们带来了财富。

卡尔·罗斯柴尔德

内森·罗斯柴尔德在工业革命早期的心脏地带取得的成功，对他父亲在法兰克福的生意来说也有着不可或缺的重要作用。从这方面来讲，罗斯柴尔德家族都是工业时代真正的孩子。但是，迈耶·阿姆谢尔“宫廷犹太人”角色的成功扮演被当时的人认为在其家族经济地位的崛起中起到了更大的作用。实际上，即使迈耶·阿姆谢尔自己的儿子，也倾向于把父亲与威廉九世、世袭王子、伯爵以及1803年之后的黑森-卡塞尔选帝侯之间的关系看做是家族财富的基础。因为选帝侯的财富在1826年才为公众所知，因此这方面的传说一直与许多添油加醋的描述联系在一起，而且从没有受到认真的质疑。但是仔细推敲保存下来的记录，我们发现，选帝侯的地位已经山穷水尽——或者说，至少是被误解的。

黑森-卡塞尔的威廉王子差不多与迈耶·阿姆谢尔一样大，而且两人不仅对古钱币兴趣甚浓，而且对各种各样的金钱同样痴迷。但是，在其他所有方面，两个人则截然不同，尤其是两人的信仰背景。威廉的父亲，1760~1785年的黑森-卡塞尔伯爵之前因为自己的举动让所有新教徒亲属震惊不已——不仅他的父亲感到震惊，他的岳父、英国的乔治二世同样如此——当时还是青年的伯爵改信了天主教。后来，他被禁止照看年轻的威廉。在七年战争期间，威廉和弟弟卡尔被派往丹麦，在那里，威廉受到了另一个新教徒国王的影响，即弗雷德里克五世（同样通过婚姻与英国乔治二世建立了亲戚关系）。威廉在1763年娶了弗雷德里克五世的女儿为妻。一直到父亲去世之前，威廉一直独立地统治着哈瑙-明岑贝格的格拉夫沙夫特，它与法兰克福的西边与北边相邻。尽管宗教信仰在他生命中有着无比重要的政治意义，但不能说威廉看待戒律时带有瞧不起犹太人的思想。他至少与3名情妇生了12个孩子，包括一名黑森贵族女子卡罗琳·冯·施洛特海姆生的4个孩子以及一名瑞士女子罗莎莉·多罗特娅·里特尔生的至少7个孩子。威廉并没有试图掩盖自己偷情的“果实”，他给所有孩子起了适当的头衔和名字——冯·黑森施泰因、冯·黑姆罗德特和冯·海瑙。

不过，他更频繁犯的“罪”则是贪婪——这一“罪行”他却较少承认。

与18世纪欧洲大多数王国和公国不同的是，黑森-卡塞尔非常富有，威廉即位时可以动用的财富在3 000万~4 000万古尔登之间。统治者可以按照自己的意愿处理这些财富，而不用受任何政治上的约束，这与西欧的其他地方截然不同：黑森-卡塞尔的资产与王子个人财产已经无法分开。这些资金的飞速积累主要是通过向出价最高的买主——通常是英国——提供雇佣军获得的，这种生意在美国独立战争时达到了顶点。威廉从父亲手里接过王位之前就已经涉足此类生意，他提供了一支约为2 000人的雇佣军，帮助乔治三世镇压殖民地叛乱。报酬是极其丰厚的：威廉按照每个人76古尔登（约合7英镑）收取费用，如果受伤，再额外收取25古尔登，战死则再收76古尔登。这些钱并不是以现金支付，而是以无息汇票的方式打到威廉在伦敦银行的户头中去，他当时所用的户名是冯·诺顿父子。当他希望在汇票到期前兑现时，他就将它们卖给德国的经纪人。尽管他挥霍了不少财富——比如他给自己盖了一座宫殿：威廉高地宫——事实上，尽管迈耶·阿姆谢尔在威廉统治哈瑙的时候，已经在威廉的圈子里占据了一个位置，但是伯爵在父亲1795年去世后移居到卡塞尔时，迈耶·阿姆谢尔从各方面来说，仍旧是一个微不足道的人物。

我们通过一些事实了解到，他在1783年申请了一个“星期天特别通行证”离开犹太街，从后来的通信中可以看出，迈耶·阿姆谢尔此时已经开始涉及英国票据生意。但是一直到1789年，他才通过比当地已有公司多给回报的方式，挤进卡塞尔的主要市场。即便在这个时候，他获得的银行信用额度也仅仅为800英镑，而当时卡塞尔著名经纪人费德尔·戴维的信用额度则为2.5万英镑；在随后的那年，迈耶·阿姆谢尔申请提高自己的信用额度，尽管额度升到了2 000英镑，但是与他申请的1万英镑相比，仍旧微不足道。但是，在这个时候，迈耶·阿姆谢尔建立在双赢基础上的功利性友谊发挥了作用，在这方面，他的儿子和孙子同样毫不逊色。当时，卡尔·弗里德里希·布德鲁斯通过给威廉与多罗特娅·里特尔的私生子当家庭教师，一步步开始了自己的仕途。1783年，他调到哈瑙政府的财政部门；1792年，在他33岁的时候，他北上到了卡塞尔，在位高权重的战争基金中供职，职位也一步步提升。

布德鲁斯与罗斯柴尔德第一次心照不宣的合作出现在1794年，前者明确地推荐迈耶·阿姆谢尔应该被允许加入到已有5家公司竞标的一宗15万英镑的英国票据买卖中。很显然，他的推荐并未得到重视，但是布德鲁斯在1796年再次推荐，这次他成功了。两家异教徒合伙公司拉佩尔和哈尼尔公司以及普雷和乔迪斯公司向战争基金出售100万古尔登法兰克福债券，战争基金购买了其中的90万。布德鲁斯随后提示迈耶·阿姆谢尔应该提供剩余的10万古尔登的债券，当然价格比其他银行提供的（票面价格的98%）要更为大方（97.5%）。这个价格几乎难以赢利，因为法兰克福证券市场的开价都是100%，但是迈耶·阿姆谢尔比其他人稍微多一点点的折扣，让他得到了梦寐以求的立足之地。1789年，3.7万英镑的卖出票据被他、拉佩尔以及乔迪斯以现金购得。在随后的几年中，迈耶·阿姆谢尔也逐步、稳固地提升了自己在威廉投资生意中的份额。在1801~1806年之间，他至少参与了11笔大宗贷款交易，其中最重要的是借给丹麦、黑森-达姆施塔特、巴登以及圣约翰团体的贷款。他还代表威廉参与了房地产买卖，与此同时，他仍继续向威廉提供他心爱的徽章。

围绕丹麦贷款的谈判十分有趣，因为它们给了我们透视迈耶·阿姆谢尔打压竞争对手方法的角度。起初，在1800年以及1801年，他对于能够获得拉佩尔和哈尼尔公司以及贝特曼等公司组织的贷款项目的一个份额就心满意足了。不久之后，他就被他们看做是对等的合作伙伴。最后，大约从1804年起，他已经能够独占丹麦业务，这部分要归功于他给威廉提供的“小费”以及比别人多那么一点点的折扣，部分归功于他与汉堡银行家J·D·拉瓦茨的良好关系，后者扮演着卡塞尔与哥本哈根的中间人角色。在这段时间里，迈耶·阿姆谢尔出售的威廉的丹麦债券总价值至少为450万古尔登（约合45万英镑）；他向黑森-达姆施塔特伯爵贷出了总额达130万古尔登的贷款，其中差不多一半的钱是威廉的；还向巴登贷了一笔高达140万古尔登的贷款。这些都是一些让人吃惊的数字，自然地，迈耶·阿姆谢尔的成功引起了竞争对手的嫉妒和怨恨。1806年，拉佩尔和哈尼尔愤恨地（但也是徒劳地）抱怨“犹太商业对手”对他们的声誉造成的伤害，这些犹太人认为“罗斯柴尔德的名字”在黑森-卡塞尔享有的信用甚至超过了丹麦政府。

这些想法不仅仅局限于异教徒公司中。1802年，卡塞尔犹太社区对迈耶·阿姆谢尔也发出了抱怨，因为他虽然住在城里（上述的大多数生意均在这里完成），但却没有“受保护犹太人”的身份，也没有尽纳税的义务。被迫支付180古尔登买断相关义务之后，迈耶·阿姆谢尔决定确保长子阿姆谢尔的受保护身份。在他的申请中，迈耶·阿姆谢尔极为伪善地说，在卡塞尔出现一个罗斯柴尔德“不会给当地的商人带来任何冲击，那些从事票据买卖的人甚至还会从中赢利，因为这类交易通常都是在一种激烈的竞争中获利”。由于当地犹太社区的反对以及迈耶·阿姆谢尔本人的犹豫——他在考虑当地居住权给自己还是给儿子——这件事直到1806年6月才真正提上议事日程。

尽管迈耶·阿姆谢尔1803年就获得了资深“宫廷犹太人”的头衔，但需要着重强调的是，在此时，他与威廉相比，后者更是一个名副其实的银行家；罗斯柴尔德从许多方面来讲，更像是一个股票经纪人，迎合自己客户日益增长的对无记名债券，而不是个人贷款的偏好。最具典型意义的是，迈耶·阿姆谢尔为威廉购买债券时的手续费不超过1.75%或2%，因此他在这项生意中获得的利润可能不超过30万古尔登。此外，迈耶·阿姆谢尔本人至少从威廉那里借过两次钱。与此同时，我们应该记住，尽管威廉是迈耶·阿姆谢尔在这个时期最重要的客户，但并不能说他是唯一的客户。在那个公国遍地的时代，迈耶·阿姆谢尔的目标就是与宫廷建立尽可能多的联系——他为黑森-卡塞尔进行的贷款业务让这一目标变得相对简单。1803年，他被任命为数名权贵的“代理人”，其中包括圣约翰团体（依靠一笔收益前景不佳但仍果断贷出的贷款）、黑森-达姆施塔特伯爵、托恩和塔克西斯王子（Prince of Thurn und Taxis，神圣罗马帝国的世袭邮政局长）以及比丁根的伯爵卡尔·弗里德里希·路德维希·莫里茨。这些任命中，声望最高的任命出现在1800年，他被奥地利皇帝任命为“帝国宫廷犹太人”，以表彰其当初提供战争物资的举动，以及为国王从黑森-卡塞尔所借贷款争取到的合理利息。他唯一的失败出现在1802年，巴伐利亚宫廷拒绝了他成为代理人的申请。

当然，这些头衔的重要性不应该被夸大。比如，在1803年，黑森-达姆施塔特海关官员就拒绝承认迈耶·阿姆谢尔作为“宫廷犹太人”的特权身份。不管怎么样，18世纪让这些头衔能够发挥作用的小公国以及相互重叠的管辖体制已经处在一个空前的、革命性的变革边缘——这一变革将改变罗斯柴尔德家族与其宫廷保护人的关系。直到1806年，他们一直依靠选帝侯及其亲属来开展自己的生意，获得能够赠与的特权。但在这之后，威廉发现，他自己逐渐开始依赖迈耶·阿姆谢尔和他的儿子们了。

选帝侯的财富

正如我们已经看到的那样，黑森-卡塞尔与法国的军队在18世纪90年代已经发生过一次大冲突，1796年，法军炮击法兰克福是那次冲突的顶点，犹太街也在那次冲突中遭到破坏。冲突也强化了卡塞尔与伦敦的传统联系：威廉已经不止一次地将自己的军队投到对抗法国的战场上，以换取英国的金钱。确实，他后来接受了1801年签署的《吕内维尔和平协议》，该协议将莱茵河左岸划归了法国。但是当1803年英法战争再次爆发之后，破坏条款的情况在所难免。威廉过于信赖英国，以至于他没有追随16个脱离神圣罗马帝国的德国诸侯国，加入在1806年夏天组成的莱茵亲法同盟。他对那些寻求他支持的各派势力定的价码也过于苛刻，最终危及了自己的地位。拿破仑为汉诺威人提供了领地。另一方面，选帝侯（威廉此时的头衔）借钱给奥地利和普鲁士，后者在1805年加入了反法联盟。1806年秋天，普鲁士军队在耶拿和奥尔施泰特接连吃了败仗之后，威廉被推到了风口浪尖。尽管他匆忙遣散了军队，尽管他提出了加入莱茵同盟的请求，尽管他甚至命令在边界竖起了写着“黑森选帝国：中立之国”的牌子，但都不能够消除拿破仑的怒火，在他的眼里，威廉就是“普鲁士的陆军元帅”。“我的目标，”拿破仑直截了当地宣布，“就是铲除黑森-卡塞尔王室，将它剔除出统治者的行列。”威廉别无选择，只能逃亡，最初他逃往弟弟位于荷尔斯泰因（Holstein，那时是丹麦的领土）哥托普的庄园。当年11月2日，拉格朗日将军占领了威廉在卡塞尔的住所，并担任了总督；两天后，他发布了一项公告，正式没收了威廉的所有财产，并发出警告称，任何隐藏威廉财产的人都将被送上军事法庭。

根据民间的传说，就是在这个紧要关头，威廉向他忠实的“宫廷犹太人”罗斯柴尔德求助，把自己全部的“动产财富”托付给了后者：

> 就在罗斯柴尔德将王子的财产藏到自己小花园的一角时，法国军队已经进入了法兰克福。他自己的财产——价值4万古尔登左右的货物与财产，他并没有藏匿；他知道，如果也藏起自己的财产，法国人势必会进行严格的搜查，那么不仅自己的财产会被发现，王子的财产同样难逃被劫掠的厄运。法国人与旧时的腓力斯人一样，把罗斯柴尔德的财产洗劫一空，没给他留下一个泰勒(thaler，德国旧银币)。实际上，他与所有犹太人以及其他市民一样，回到了赤贫状态，但是王子的财富得以保全……

根据这个登在1836年的一份英国报纸上的流行版本的故事，当迈耶·阿姆谢尔后来将财产还给威廉时，后者说道：“我既不会接受你慷慨给予的利息，也不会将钱从你手里拿走。利息不足以弥补你为拯救我的财产而失去的东西；我的钱你还可以利用20年，而且利息不超过2%。”

我们在序言中已经讨论过，这个故事出现在布罗克豪斯出版社1827年的《受教育阶层的德意志百科全书》一书中，第一次流传开来。尽管我们有足够的理由认为这其实是罗斯柴尔德家族自己编撰出来的故事，但后来这个故事流传得如此广泛，以至于呈现出了它自己的生命力以及包含的各种重要意义。一开始，它是为了证明罗斯柴尔德家族作为存款托付人独一无二的诚实：愿意为保护客户的财产以及利息承担冒任何风险。这也是莫里茨·丹尼尔·奥本海姆1861年接受罗斯柴尔德家族的委托所画的两幅画的主题。但是，到19世纪晚期时，开始出现了一个不同版本的故事：选帝侯的财富都是“血金”，因为他都是通过出售雇佣军得来的，而迈耶·阿姆谢尔利用它赚了大笔的钱，而不只是保管它。正面以及负面版本的神话在美国和德国的两部电影中显露无遗，这两部电影的片名均为《罗斯柴尔德家族》，分别上映于1934年和1940年。

我们在很久之前就已了解，这个故事是虚构的——尽管与罗斯柴尔德家族诸多神话一样，它包含有一丁点儿的事实。实际上，威廉的动产在法国人占领黑森-卡塞尔之前就已经四处转移了，只有一些相对不那么重要的物品托付给了迈耶·阿姆谢尔保管。威廉最值钱的财物——主要是债券（未附息票，它们被分开藏匿在另一个地方）——成功地由布德鲁斯偷运出了卡塞尔，他在1805年11月初冒险穿越法国防线去了一趟伊策霍。不过，大部分财物藏在威廉位于乡村的宫殿里。根据威廉亲手绘制的一份清单，24箱财物——其中不仅有证券、息票，还有账本、银器和衣服——藏在威廉高地宫北翼的楼梯下，另24箱包括重要的战争基金文件藏在宫殿里的另一个地方。在附近的狮子城堡也藏有24箱，里面包括威廉情妇的证券、官方文件、瓷器和衣服。最后，在他位于沙巴堡的打猎时用的小屋里，威廉还藏了其余47箱的财物，其中大多数是银器。不过，要不是与拉格朗日达成了一项交易，这些藏匿的财物最后大多会落到法国人的手里——他们很快找到了选帝侯银器的清单。拉格朗日收受了26万法郎（当时的情况下要价适中）的贿赂后，同意威廉运走42箱财物，其余的则被没收充公。随后，11月8日的晚上，选帝侯的一个官员用车队将放行的42箱财物运到了霍夫-斯托尔津根，在那里将它们再次分开藏匿。战时内阁大臣伦内普将其中的一些重要文件（包括选帝侯在伦敦的投资文件）带回了卡塞尔；10箱托付给位于托尔贝克的明登公司，这10箱中的两箱运到了石勒苏益格，其余的运到了艾泽纳赫；19箱偷运到了法兰克福，交给了普赖和乔迪斯银行保管。

但这时，拉格朗日发现自己向选帝侯的要价太低了。他又重新搜回了之前放行的一些箱子，并提出需要得到更多的钱。最终，双方敲定了协议：为了得到比第一次多得多的报酬，拉格朗日承诺调低选帝侯的资产评估总额。后来，他列出的清单显示，选帝侯的总资产为1 980万古尔登（大部分由借给其他德意志公国王公们的大额贷款构成），这也成为了法国“官方”的清单。与选帝侯其他资产有关的文件——总值约为2 700万古尔登——都交给了布德鲁斯。其中一些文件送到了位于石勒苏益格的选帝侯那里，一些由布德鲁斯自己保管。其余的大多是战争基金和国王的日常文件，装到了4个箱子里，然后交给了迈耶·阿姆谢尔保管。此外，选帝侯在第二年夏天离开伊策霍前往奥地利时，将一些装有徽章和债券的箱子也交由位于汉堡的迈耶·阿姆谢尔短暂保管。不过，他负责保管的也就是这些。

当然，这些枯燥的流水账低估了罗斯柴尔德对于选帝侯的重要性。首先，威廉仍然需要熟练的股票经纪人和投资顾问。几经周折，威廉仍然保住了价值 2 700 万古尔登的财产，他的投资收入仍然非常重要，尽管他此时需要为流亡生涯支付昂贵的额外代价。（根据伯格菲尔的统计数字，威廉每年的额外开支高达 74 万古尔登。）迈耶·阿姆谢尔这段时期扮演的角色就是负责搜集各个借贷的人应付的利息。此外，他还要开发新的放贷机会。例如，他安排借给哈瑙财政部 10 万古尔登，还借给格拉夫·卡尔·冯·哈恩（Graf Karl von Hahn，挥霍无度的“剧院格拉夫”，他不久之后被其家人交由法庭监护）。他负责掌管选帝侯的活期存款账户，在这之前它一直由布德鲁斯掌管。其间，在布德鲁斯的建议下，他还向选帝侯借了一些钱。他还从选帝侯手里买回了很大一部分收藏的钱币；威廉的收藏在这一时期逐渐变卖流失，他存放在哈瑙地窖中的 14 箱酒也被盗窃一空。他同时负责处理资金的转移事宜，这些钱是 1813 年威廉在军事以及外交方面所要动用的：从法国人手里赎回俘虏的费用；给维特根施泰因王子的报酬，因为他提供了外交服务，此外还有给俄罗斯与普鲁士的费用。他借给选帝侯在柏林的儿子 16 万古尔登；并负责照应选帝侯的情妇格雷芬·冯·施洛特海姆的财务。他甚至卖给选帝侯一枚钻戒。

坦率地讲，这些事务大多是琐碎繁杂的，并且大量工作无利可图。迈耶·阿姆谢尔在 1809 年和 1810 年还浪费了大量时间，这主要是因为一项阴谋的“流产”，当时安排他协助“一穷二白”的奥地利财政部将威廉的一些资产——名义上的价值超过了 1 000 万古尔登——转移给奥地利国王。但是罗斯柴尔德家族为威廉提供的一项服务，使得这一切都很值得：管理他的英国投资。内森后来声称“黑森-卡塞尔国王……把他的钱给了我父亲；我父亲一刻都没耽搁，随即寄给了我。我意外地收到了 60 万英镑，而且很好地使用了它们，国王还把他所有的酒和亚麻织品当成礼物送给了我。”这似乎有些道理：法国人发动的战争给金融领域带来的重要影响便是大量资金从欧洲大陆流进了伦敦。但是，有关财富的故事，事实上要复杂得多。

开始流亡生涯时，威廉在英国已经有了大量的投资，主要是价值 635 400 英镑的国债投资，每年的利息收入为 20 426 英镑。此外，英国威尔士王储和他的兄弟也欠他一笔数目不小的债务，大约为 20 万英镑（当然，他们通常欠着利息不还）。作为英国王室的一个盟友，他在 1807~1810 年之间还得到了总额为 100 150 英镑的补贴款。最关键的问题是，当这些利息和补贴款转到他在范·诺滕银行的现金账户后，他是如何处置它们的。早在 1807 年——换句话说，在内森从曼彻斯特移居到伦敦前——他接触到了威廉在伦敦的特使洛伦茨，他向后者提供了如何动用那笔钱进行投资的建议，但是很快便遭到了威廉的拒绝。直到两年后，在布德鲁斯的撮合下，迈耶·阿姆谢尔才被允许代为购买3%的统一公债（可赎回的国债，用现在的话来说便是优质证券），他以73.5%的价格购买了面值总额为15万英镑的债券。这是到1813年年底为止所进行的不下9起交易的第一起，这几起交易涉及的资金总额为664 850英镑。这便是内森后来与巴克斯顿吹嘘时提到的那笔钱。他的弟弟卡尔也提到过它，他在1814年发现“老人家”（威廉）“给我们带来了财富，如果内森手里没有选帝侯的30万英镑（原文如此），那么他将不会有任何成就”。

这些以别人的名义进行的统一公债买卖对罗斯柴尔德家族为何如此重要？答案就包含在这些投资如何实现的方式中。乍看起来，这种业务不可能赚到大量的利润，因为迈耶·阿姆谢尔每笔买卖只收取0.125%的佣金。但仔细察看，就会发现其中另有奥妙。威廉实际上并不会为每次买卖立刻提供所有的现金，是罗斯柴尔德家族积极地在购买公债，尽管是以他的名义进行的，但资金大部分都是罗斯柴尔德家族借来的。只要他们愿意，他们就能够以市价的一个比例先付一部分钱，等到“清算日”到来时再支付全部款项。这一过程中包含了双重投机：对公债价格以及对古尔登–英镑的兑换比率的投机。但迈耶·阿姆谢尔并不乐意这样做。他更喜欢从威廉接受的价格、汇率与他儿子在伦敦实际支付时的价格、汇率之间的差异中寻求利益。前三起买卖中，价格之间的差异占到了订单总额的2%，这反映了在英国反对拿破仑的动荡时期，统一公债的价格正在滑落。迈耶·阿姆谢尔也可能（尽管无法求证）从汇率差异中获得了一些利润。

选帝侯可能对正在发生的事起了疑心：当1811年统一公债的价格达到面值62.5%的低点时，他下令暂停新交易，并要求在次年5月前停止向伦敦汇钱结清之前的买卖。但是这可能刚好合了罗斯柴尔德家族的胃口。因为公债在威廉付清款项前一直是以内森的名义登记的，这意味着即便到了1813年3月，面值总额为121 000英镑的公债名义上都是内森的。当然，它们绝大部分是用借来的钱购买的，并且，从选帝侯的资金到位的那刻起，到债券正式过户给他或他的代理人，罗斯柴尔德家族还需支付这段时间内的利息。另一方面，这其中可能存在一些困难，因为将所有权证书从伦敦送到身处布拉格的选帝侯那里并不容易。无论内森从市价与汇率中赚取的利润有多少，买卖价值超过60万英镑的公债，实际掌握着10多万英镑资金的事实，标志着伦敦一股新兴金融力量的崛起。从这个意义上讲，正如卡尔后来提到的那样，它给内森提供了一种“安全感”——因为人们认为他掌握的资金资源实际上超过了家族实际掌控的资金源。阿姆谢尔在1818年写给弟弟们的信里，道出了这一点的重要意义："如果不是我们在布拉格为他争取到了选帝侯股票中的一笔大交易，内森在战争期间不可能赚到 13.2 万英镑那么多的钱……那时，内森甚至连股票是什么样的都不知道。"实际上，战争使得罗斯柴尔德家族能够将威廉的一部分金融实力变成他们自己的囊中之物。

另一方面，这种安全感的代价是欧洲大陆上极度的不安全。罗斯柴尔德家族替威廉工作的风险是实实在在存在的。法国当局急切地追寻着选帝侯财富的下落，他们也准备以一切可能的方式来做到这一点。比如，按照 1808 年的《柏林协定》，拿破仑放宽了有利于选帝侯债务人的一项条款，即如果他们与法国当局而不是与威廉达成协议，他们的债务就能获得减免。更让人担忧的是，拉格朗日将军带着他收到的贿赂离任，迈耶·阿姆谢尔的办公室随后遭到法国警方的搜查，普赖和乔迪斯公司也是如此。可能就是在这个时候，迈耶·阿姆谢尔保管的 4 个箱子被藏到了前面提到的秘密地窖里。1808 年 8 月，萨洛蒙遭到一名法国警官的质询，另一家银行的代表因被怀疑替威廉工作，也遭遇了萨洛蒙同样的经历；随后的一个月里，布德鲁斯和伦内普遭到短暂羁押。这一情形在第二年夏天再次上演，当时发生了一起小规模反法暴动。驻威斯特伐利亚的警方特派员——一个叫做萨瓦奈的人——下令再次逮捕布德鲁斯和伦内普；然后，根据罗斯柴尔德家族一个竞争对手提供的情报，他随同法兰克福一名高级警官前往迈耶·阿姆谢尔的办公室，随后在那里上演了一出非常怪异的讯问——法国人试图让迈耶·阿姆谢尔承认以威廉的名义向暴动发起人提供了资金。

萨瓦奈毫无疑问掌握了大量的情报。他知道迈耶·阿姆谢尔曾于 1807 年去过汉堡和伊策霍——在这两个地方，他"与（选帝侯）在他的办公室里度过了几个小时，两人在花园里边散步边交谈"。他还掌握了迈耶·阿姆谢尔与布德鲁斯的交易情况。迈耶·阿姆谢尔很快"认罪"："因为他长年遭受一种病痛的折磨，所以患上了健忘症。"是的，他到过汉堡，但只是去处理一些货物，它们被错误地当成违禁品扣押了。是的，他认识布德鲁斯和伦内普，但他"从不相信他们，两人都不是他要好的朋友，只是偶尔相识"。是的，他曾是选帝侯的"御用代理人"，而且曾以威廉的名义提供过贷款给丹麦——丹麦还是埃姆登（Emden，德国地名，亦有大白鹅的意思）？他根本没有转交过钱给布德鲁斯，反而是他从布德鲁斯那里拿了 2 万古尔登，他用这笔钱付了很多账单，但钱还给谁了就记不清了。第二天，萨瓦奈又盘问了萨洛蒙、15 岁的雅各布、萨洛蒙的妻子、阿姆谢尔的妻子，甚至连迈耶·阿姆谢尔的妻子居特林都没放过。当然，他没得到任何有用的信息。居特林更是成为了无辜女性的"典型代表"："她什么都不知道，她一整年都待在家里，从没参与过任何与生意有关的事务。她从没见过（布德鲁斯），只关心自己和家务。"最后，与罗斯柴尔德家族遇到的大多数拿破仑属下的官员一样，萨瓦奈似乎只得承认失败，以一笔小“贷款”作了了结。1810 年，当法兰克福变成了卡尔·特奥多尔·安东·冯·达尔贝格男爵直辖领地之后，形势开始好转；达尔贝格之前是美因茨的大主教，1806 年之后是莱茵河同盟的大主教。

早在 3 年前，迈耶·阿姆谢尔就开始用贷款讨好达尔贝格了。他此时又用一笔 44 万古尔登（以折价后价值 29 万古尔登的债券支付）的款项换取了法兰克福犹太人的解放，并给达尔贝格本人 8 万古尔登，以资助他前往巴黎为拿破仑的儿子洗礼。实际上，迈耶·阿姆谢尔很快便正式成为了达尔贝格的“御用银行家”，帮助他进行土地买卖方面的投机，买这些土地的钱则都是用法兰克福犹太人“捐献”出来的。这也是达尔贝格信任和尊敬迈耶·阿姆谢尔的标志，他随后任命迈耶·阿姆谢尔为哈瑙选举团成员，与诸如西蒙·莫里茨·冯·贝特曼这样的杰出的异教徒共事。至于达尔贝格是否知道迈耶·阿姆谢尔仍继续为威廉服务，我们不得而知；而威廉最大的心愿可是将达尔贝格以及他的法国老板赶出黑森-卡塞尔。历史在这方面有惊人的相似性，就在几年前，迈耶·阿姆谢尔曾经从威廉手里获得一笔 62 万古尔登的款项，支付给了奥地利，用以发放反法战争的军饷和购买战马。迈耶·阿姆谢尔去世后不久，他的儿子阿姆谢尔就给了达尔贝格 25.5 万古尔登，其中部分钱款则是用来为法国军队购买战马！

当然，迈耶·阿姆谢尔——如布德鲁斯一样，他也接受了达尔贝格提供的一个官职——可能是认为威廉难以重返王位。但是，如果是这样，那么他就应该完全断绝与威廉的联系。他实际上是两边都讨好。这种策略具有显而易见的吸引力，这也是罗斯柴尔德家族在此前几十年打开局面的一种策略。但是，双重代理人的身份通常会面临失信于两边主人的风险，无论谁赢，自己最终得到的都可能是失败者的结局。出于这样的原因，我们毫不惊讶地发现，在选帝侯流亡期间，迈耶·阿姆谢尔形成了保密的习惯——这也是他留给后人的宝贵遗产之一。起初，他并没意识到保密的重要性。在选帝侯流亡的最初几个月里，他和儿子卡尔曾数次前往伊策霍——实际上，他们为见威廉，在汉堡专门设立了一个永久性办公室——并且定期公开地与威廉最资深的官员克纳茨联系。正如上文提到的那样，这些都没能躲过法国警察的眼睛，迈耶·阿姆谢尔很快意识到“当下行事要万分小心才行”。到 1808 年中期的时候，罗斯柴尔德家族与选帝侯官员之间的通信都由布德鲁斯和拉瓦茨转交，而且信件都是用代码写成。布德鲁斯在心中变成了“冯·瓦尔德施密特男爵”，克纳茨变成了“约翰·韦伯”，迈耶·阿姆谢尔的代码则是“彼得·阿诺尔迪”或“阿诺德”，而威廉的名字有好多个，如“赫尔·冯·戈尔德施泰因”、“约翰内斯·阿德勒”或“校长”。选帝侯在英国的投资被称为“鱼干”。为了进一步增加安全性——“你越小心谨慎越好”——所有的信件并不直接寄给迈耶·阿姆谢尔，而是寄给了尤达·西歇尔，他的儿子伯恩哈德1802年娶了伊莎贝拉·罗斯柴尔德。当卡尔和阿姆谢尔前往布拉格看望选帝侯时，他们从丹麦南下的那刻起，所有的通信都以极为保密的方式进行。有时，罗斯柴尔德人甚至警惕到将德语字母换成希伯来字母写一些信件。这些警惕是很有必要的；除了前文提到的搜查和讯问，法国警方在1811年至少成功地截获了一封信件。

在奥地利境内，罗斯柴尔德成员的行动同样遭到了警方的监控。当然，不用过多地担心奥地利当局，但是也不能确保威廉与奥地利国王的关系会一直保持友好状态。实际上，自从法国在瓦格拉姆战胜了奥地利之后，威廉再次被迫出走的可能性就已经非常大了。双方在财政问题上的交涉失败也让他为维也纳所冷落。由于这个原因，罗斯柴尔德家族继续以秘密的方式进行自己的活动，即使在布拉格也不例外，这也让警方对他们的政治角色产生了夸大的印象：

> 这个犹太人（阿姆谢尔）是支持选帝侯的一项重要宣传计划的领头人物，这项计划的分支遍布黑森之前的领地……这些推测是建立在以下事实之上：无论何时我到选帝侯的住处，总能发现有罗斯柴尔德家族的人在那里，而且通常由军队司令施明克和国防大臣克纳茨陪同，他们之后会进到自己的房间里，罗斯柴尔德成员通常携带着文件。我们或许认为他们的目标不会有损于奥地利，因为选帝侯尤其急切地希望恢复昔日的权位，因此我们几乎没有讨论过这样的问题，即那些罗斯柴尔德家族的人可能把握主导方针的组织和协会，它们的全部目标就是是否能从奥地利捞取反对法国和德国的好处。由于拥有广泛的商业触角，他做这样的事比任何人都要容易，也能够把阴谋隐藏在生意的面纱下。

但尽管罗斯柴尔德家族担负着重重风险，他们也并没有获得威廉的完全信任。罗斯柴尔德家族保全选帝侯财富的神话中，与现实最不符的一个部分就是威廉对迈耶·阿姆谢尔为他所做的一切表示感激。恰恰相反，迈耶·阿姆谢尔不得不忍受选帝侯一次又一次偏执的猜疑。威廉第一次的疑虑是担心迈耶·阿姆谢尔可能背叛他，投奔了法国。后来，他开始担心迈耶·阿姆谢尔的代理人盗用他的资金。他指责迈耶·阿姆谢尔骗取他的英国股票的收益，指责他处心积虑地侵占了他在汉堡托付给迈耶·阿姆谢尔照看的财物。这段时间里，迈耶·阿姆谢尔只能依靠布德鲁斯从中调解，重新赢得选帝侯的信任。布德鲁斯替他说了大量的好话。他对威廉说，他将如此多的生意托付给迈耶·阿姆谢尔，是因为：

> 他付钱最为准时，总是能算出当天一宗交易的官方汇率，从不向任何人透露陛下您的交易信息，他极为谨慎地替您处理财产，法国官员曾盘问过他是否为您从英国转移过资金，但是他们在面前摆着的账本中找不到任何蛛丝马迹。

不过，残酷的事实是，布德鲁斯作出这些保证也并非纯粹出于好意。选帝侯不知道的是，布德鲁斯与迈耶·阿姆谢尔达成了一项协议，将自己的一个情妇安排进了后者的公司。为了给自己投资的2万古尔登（即迈耶·阿姆谢尔对萨瓦奈“坦白”的那2万古尔登）寻求好的回报，布德鲁斯承诺“尽自己所能在各种商务中推荐该公司，寻找一切可行的机会为公司争取利益”。在这样的情况下，更不用说迈耶·阿姆谢尔与法国官方以及达尔贝格所做的交易，选帝侯的猜疑看起来不太偏执了。威廉逐渐意识到，罗斯柴尔德家族发展的各种新的商业关系让他们逐渐脱离了对自己的依赖。1812年5月，他要求迈耶·阿姆谢尔的一个儿子前往布拉格担任自己的“御用代理人”时，遭到了礼貌但却断然拒绝。

因此卡尔·罗斯柴尔德提到过的一个说法其实有些夸大了，即“老人家”给他们带来了财富。1797年，迈耶·阿姆谢尔的资金是108 504古尔登（约合1万英镑）。10年后，他的资产负债表表明总资金为514 500古尔登（约合5万英镑）。所以这段时期他与威廉所做的生意似乎不可能为资金的增长作出与法兰克福—伦敦之间的进出口业务同样的贡献。可以肯定的是，到1810年时，公司的资金上升到了80万古尔登（约合8万英镑），增长的收入很大一部分可能来自管理威廉在英国的投资。但是选帝侯财富真正的重要性，就如卡尔和阿姆谢尔都隐约承认的那样，是帮助内森完成了从曼彻斯特商人到伦敦银行家的转变。这一点一旦实现，罗斯柴尔德家族对“老人家”的依赖就小了。

迈耶·阿姆谢尔的遗产

布德鲁斯在这个时期写给威廉的一封信里对罗斯柴尔德家族公司在其创始人生命最后几个月中的活动给予了简要的概括：

> 他们的父亲年事已高，体弱多病。他最大的儿子阿姆谢尔·迈耶和二儿子萨洛蒙是他大量的业务活动不可或缺的帮手。第三个儿子卡尔几乎一直在为您到处奔走，而四子内森非常能干，在伦敦站稳了脚跟。最小的儿子詹姆斯则奔走在伦敦和巴黎之间。

到这个时期，罗斯柴尔德家族公司的权力移交成功地由迈耶·阿姆谢尔传到了5个儿子手里。但是，就在几年前，老迈耶仍然扮演着“一家之主”的角色。正如我们在前文中看到的那样，即便远在英国的内森已经具备了熟练的商业技能，一直到1805年，他仍然得按照父亲的指令行事。而他的兄弟们则被当成雇员使唤：

> 阿姆谢尔写信说，卡尔曼（卡尔）想去你那边，但是这样做的目的是什么？……我目前仍需要卡尔曼留在法兰克福跟我在一起，而且他跟你在一起，能起到作用更小……他很想去伦敦，但是我认为，从整个家族来看，这样做并不明智；萨洛蒙在收账和付钱方面已经忙得不可开交，他有义务帮忙处理……（如果卡尔曼去了伦敦，）那么我所有的商品生意就必须交给泽利希曼和亚伯拉罕·施纳佩尔，以及施纳佩尔的儿子迈耶·施纳佩尔。因为尽管雅各布（詹姆斯）已经开始做业务，但他毕竟才十几岁。所以真需要卡尔曼留下来帮我们。他实在想去伦敦，而你又很需要他，那么我就让他过去。但如果现在就让卡尔曼离开，而不是再等几年，等雅各布成人后再走，就有些愚蠢。不要告诉卡尔曼我跟你说过这些……另外，我亲爱的内森，你写信给卡尔曼时，我建议你多赞扬他一点。多谢神的眷顾，在这个年纪，他是非常聪明的孩子了，尽管他做事还非常鲁莽……他确实想去伦敦，但我真不想他为了3个星期的旅行漂洋过海，我希望宝贝卡尔曼能活到100岁；而且我也不能长时间没他在身边，因为我告诉过你，阿姆谢尔在卡塞尔也有了生意。他去伦敦待3周时间，但实际上可能会待6个月，这段时间里要教会自负的外人来做我的靛青生意是绝对不可能的。

迈耶·阿姆谢尔赢得了“卡尔”争夺战，他留了下来；不过让内森稍感欣慰的是，3年后詹姆斯被派去帮他的忙。

这封信同时也显示出，迈耶·阿姆谢尔的亲家施纳佩尔一家此时也参与了罗斯柴尔德家族的生意；另外还有伊莎贝拉的婆家西歇尔家族和贝弗斯兄弟泽利希曼和迈耶，他们分别在1808年和1811年娶了芭贝特和朱莉。迈耶·阿姆谢尔同时也特别关注内森与林德斯科普夫以及内森的岳父莱维·巴伦特·科恩的合伙生意。但是从一开始，迈耶·阿姆谢尔就不让亲家们染指家族企业的管理工作：把施纳佩尔称作“外人”就是很好的例证。在写给内森的同一封信里，他问了一个极富特色的问题：“亲爱的内森，如果我们的信件直接交到你手上，我们可以想说什么就说什么；还是跟你的家人（指内森的岳父科恩）一起阅读信件？请告诉我。”在如此早的阶段，迈耶·阿姆谢尔就确立了一条规则，这条规则之后被严格执行了一个多世纪：他的男性后代，就运作家族企业而言，是最核心的部分。在实务中，这意味着要把家庭或私人通信（几乎都一直用希伯来文书写）与商业通信（通常由办事员用德语、法语和英语写成）区分开。迈耶·阿姆谢尔不止一次地告诫内森忘记两者之间的区别："我上次就重申过，你的希伯来文用来写家信很合适，但商业信件你必须用德语、法语或英语来写；我不能把你用希伯来语写得乱糟糟还夹着家事的信件交给我的秘书处理，否则，如果他们有良好的记录习惯，就会产生大量的困惑。"当然，对历史学家来说，这些信件——尽管他们的内容经常重复，而且凌乱——在目前看来有着更重大的价值。

家族生意转变成"迈耶·阿姆谢尔父子公司"发生在1810年9月，他与3个儿子阿姆谢尔、萨洛蒙和卡尔散发了一些印刷的传单，称自己将通过这家公司进行合伙经营。当一年前家族成员遭到萨瓦奈的盘问时，迈耶·阿姆谢尔仍然称自己是公司的唯一负责人，他的儿子只是他的"助手"。但是，他撒谎可能是为了保护他们，防止萨瓦奈起诉公司。1810年早些时候，阿姆谢尔、萨洛蒙和卡尔在犹太街里买了一块空地（重建工作终于开始），以便为公司建一间办公室。1810年9月，正式的合伙协议公布的时候，在前言里明确地说明，"一个贸易公司已经存在"，这个公司中，迈耶·阿姆谢尔、阿姆谢尔和萨洛蒙是合作"伙伴"。1810年协议最主要的功能就是吸纳卡尔为合伙人，同时确保詹姆斯在成年后也将获得合伙人的资格。卡尔获得了公司总资产80万古尔登中的3万古尔登股份，而迈耶·阿姆谢尔的份额是37万，阿姆谢尔是18.5万，萨洛蒙也是18.5万。

迈耶·阿姆谢尔不仅从资金方面来讲保持着一家之主的地位，而且还拥有独一无二的可在合同期间抽走自己股份的权利；他掌握着公司聘用和解雇员工的权利；而且儿子们只有在他的同意下才能结婚。协议将这些表述得非常明确。正是迈耶·阿姆谢尔"通过自己在年轻时候便表现出来的勤勉，灵敏的商业嗅觉以及一直到老仍保持着的不知疲倦的精神，为公司的繁荣打下了基础，也为他的孩子建立世界性的财富铺平了道路"。

但是，在其他方面，这份协议也成了几兄弟后来与自己的后代订立协议时的范本，几乎整个19世纪都在沿用这份协议。利润按照资金份额的比例分成，每个合伙人都不能脱离其他人独立地运作生意；而且协议都有一定的有效期（上述合同的有效期为10年）。协议中最著名的条款是关于一名合伙人死亡时的规定。每个人都庄严地宣布，如果自己离世，将放弃自己妻子、孩子或监护人的一些权利，禁止他们以各种方式质疑其他合伙人确定的自己的资金份额。更具体的是，已逝合伙人的妻子和继承人无权接触公司的账本和信件。这是第一次正式地阐述罗斯柴尔德家族独特且一直沿用的一条规则：禁止女性成员——包括罗斯柴尔德家族的女性后代以及嫁进家族的女性——涉足家族生意的核心区域，禁止接触神圣的账簿和信件。

而一名合伙人的离世也并不是一件遥远的事。迈耶·阿姆谢尔不仅年事已高——1810年协议签署的时候，他已经66岁或67岁了——而且体弱多病。他在两年前曾大病一场，可能是慢性痔疮引起的直肠溃疡，尽管手术很成功，但他的健康一直未能完全恢复。这种疾病在犹太街里非常普遍，可能是由于久坐的生活习惯造成的，也可能与一条街上500多户人家内部通婚造成的基因缺陷有关。1812年9月16日，他再次病倒，3天后便撒手人寰。但躺在病床上奄奄一息的迈耶·阿姆谢尔还是匆忙地修改了自己的遗嘱，似乎要强化1810年协议中传递给几个儿子的信息。新遗嘱按照协议规定，迈耶·阿姆谢尔从自己的股份中只提取了19万古尔登——很明显做了大量的保留。而且遗嘱再次着重强调禁止女性成员涉足家族生意：

> 我在此宣布并希望我的女儿和女婿以及他们的继承人，对“迈耶·罗斯柴尔德父子公司”的资金不占有任何份额，更不能以任何理由索要或被允许索取公司资金。我希望公司应该只属于我的儿子。我的女儿以及她们的后人对于公司不具备任何权利，我绝不原谅我的孩子违背我的遗愿，打搅我的儿子，使他们不能平静地经营他们的生意。

如果女儿们确实违背了他的遗愿，她们将只能按照拿破仑时代的法律得到很少一部分遗产。儿子和女儿之间的差别在迈耶·阿姆谢尔的遗嘱里清晰地表述了出来。

迈耶·阿姆谢尔的戒律得到了严格的执行，不仅是他的儿女们遵从了他的遗愿，他之后的数代子孙也都未越雷池一步；这一点也证实了他写给儿子们的信件中透露出来的信息。在他的家庭里，他掌握着发号施令的权力，而且还可能是一个让人害怕的角色。有趣的是，这并不是外部世界所记得的迈耶·阿姆谢尔。在那些与他有过生意来往的异教徒眼里，迈耶·阿姆谢尔更像那种聪明但刻板老套的宫廷犹太人。应该要着重说明的是，现代对他的描述——尤其是荧幕上由乔治·亚理斯以及埃里克·蓬托扮演的形象——可能夸大了他的外貌以及行为上的“犹太特色”，亚理斯扮演的迈耶·阿姆谢尔留着长胡子，戴着类似土耳其毡帽的帽子；而蓬托版的迈耶·阿姆谢尔则一头卷发，戴着小圆帽。另一方面，19世纪被广泛复制的迈耶·阿姆谢尔的雕像——方形的下巴，没有胡须，戴着漂亮的假发——则完全是一个艺术家想象的产物。一个在青年时期见过迈耶·阿姆谢尔的人回忆说，他是一个“大块头，戴着圆形的假发，留着一点山羊胡子”。另一个人记得他戴的帽子和穿的衣服与同时代的异教徒商人没什么两样，尽管有点破旧。

这些标签反映出迈耶·阿姆谢尔在犹太街里有着某种模棱两可的声誉，在宗教信仰方面他相对正统，但在教育和政治方面却越来越自由。他并不是犹太启蒙运动孕育的民间智慧者之一，虽然他后来参与了改革运动以及犹太文化现代化运动，但他并没有把这些当成自己的信仰；然而他也不是一个坚定的保守派。科恩未获授权的迈耶·阿姆谢尔回忆录（在他死后不久即出版）将他描绘成了屹立在新旧之间那类人的典范——“证明了犹太教的教义，即使是《犹太法典》的教义，都不包含任何与道德准则相冲突的地方。”罗斯柴尔德一直是“一个《犹太法典》的虔诚信奉者，他将它作为指引自己行动的唯一准则”；实际上，在科恩看来，迈耶·阿姆谢尔倾向宗教保守主义的说法“有些夸张”。他和弟弟摩西（他掌管社区救济基金长达数年）都是犹太社区的积极分子。但是迈耶·阿姆谢尔也是一个“好公民”——这是一个重要的评价，我们将会在后面的章节中看到。

这在迈耶·阿姆谢尔对待慈善的态度中一览无遗。上文提到，他和兄弟们都自觉地将收入的10%拿出来给社区的穷人。路德维希·博恩曾回忆说，经常有一大帮乞丐躺在街上等迈耶·阿姆谢尔路过，如果有足够耐心等到他的话，就能得到一些救济的财物。而且，他不仅仅只向犹太社区提供救济。科恩在书里描写了一次一个流浪的顽童冲着迈耶·阿姆谢尔喊“犹太佬！”时的情景：

> 迈耶·阿姆谢尔冷静地拿出钱包，给了贫穷的年轻人一些钱，并让他经常重复刚刚喊的话。没人比被施舍的人更开心了，顽童拿着钱，高声喊着：“犹太佬！犹太佬！”另外几个年轻人走了过来，不明所以地加入到叫喊的行列。罗斯柴尔德带着十分愉悦的表情听着，口里说着希伯来祝福语：“赞美他吧，他给了以色列的子民指引。”

在他的遗愿里，他还给“三个值得赞许的基督教慈善团体”留了100古尔登。即使在犹太社区里，他的慈善工作也越来越世俗化。1804年，他带头为贫穷的犹太儿童盖了一座学校——慈善学校——全部课程几乎都是世俗化的。这似乎反映了他的簿记师盖森海姆以及他为自己孩子聘请的家庭教师迈克尔·赫斯对他的影响——赫斯后来成为慈善学校的校长。这也可能是他年幼的儿子带给他的启发，至少有一个孩子（萨洛蒙）与盖森海姆同属于一个共济会组织。重要的一点是，迈耶·阿姆谢尔仍然支持公有制式的教育，而当时许多犹太家庭将自己的孩子送去犹太社区外的异教徒学校读书。路德维希·博恩就是不满法兰克福犹太居住区相对保守的氛围，最终皈依基督教，免受歧视的人之一。但是，海涅后来回忆，博恩仍难抑制对罗斯柴尔德家族虔诚的景仰。1827年，他经过犹太街的老家时，他被罗斯柴尔德家的情景触动了藏在心底的乡愁，迈耶·阿姆谢尔的遗孀居特林用白色的窗帘和蜡烛将橱窗装饰一新，庆祝光明节的到来：

> 蜡烛是多么的明亮——她双手点燃这些蜡烛，是为了庆祝尤达·马加比和他的兄弟们解放了祖国，他们的壮举可以媲美弗雷德里克·威廉国王、亚历山大大帝和弗朗西斯二世！当这位老夫人看着这些弱小的火苗时，她的眼里充满了泪水，她带着哀愁回想起了与迈耶·阿姆谢尔·罗斯柴尔德的年轻岁月，想起了全家庆祝光明节的情形，孩子们把蜡烛放在地板上，然后欢笑着从上面跳过，这也是古以色列王国的习俗。

正是迈耶·阿姆谢尔的努力，才为法兰克福的犹太人争取到了全部的公民权利和政治权利，这点最好地表达了他对犹太教义的忠诚。我们知道，他参与政治活动的时间比法国大革命还早，因为他是1787年7个联名向参议院抗议的人之一（第一章里讲到过），当时他们要求放松对犹太人在星期天以及宗教节日外出居住区的限制。但是，只有在法国支持的法兰克福政府成立，大多数犹太人的社会处境得到改善时才能成为可能。如果由拿破仑的弟弟热罗姆（Jerome），即威斯特伐利亚国王直接统治法兰克福的话，犹太人解放的过程可能更快，因为热罗姆倾向于采纳完全解放的政策。但是，与他形成对比的是，达尔贝格有些谨小慎微，部分原因是因为他不敢冒疏远当地异教徒社区的风险，另外是由于他担心获得解放的犹太社区可能“会让基督教徒感到不公正”。他在1808年颁布的新治安法是一次历史倒退，它再次禁止犹太人在犹太街（仍然是一片断壁残垣）外居住，重新征收“人头税”并再次确定之前对犹太人家庭数量以及婚姻的限制。

也就是在这时，迈耶·阿姆谢尔能够通过他的财政杠杆，让达尔贝格迈出改变的步伐——这也是一个罗斯柴尔德人以这种方式来为他明确定义的“我们的民族”服务，他也不是最后一个这么做的人。如我们前面看到的那样，达尔贝格是比较顺从的：只要有足够多的资金能够弥补解放犹太人造成的税收损失，他就可以同意让犹太人获得自由。经过与达尔贝格的谈判代表、警察局长伊策斯泰因商议后，价码最终确定为44万古尔登——这是犹太人每年所交“保护费”总额的20倍——这其中，边耶·阿姆谢尔以社区的名义用折价债券支付了29万。1811年12月，经过与法兰克福参议员进一步协商之后，迈耶·阿姆谢尔带着满意的心情对儿子说：“你是公民了。”两周后，有关“犹太社区平等权利”的法令生效。

成为出生国的公民，但仍保留“我们民族”成员的身份，这是迈耶·阿姆谢尔的目标。这个时期，罗斯柴尔德家族与许多其他获得成功的犹太家族最大的不同在于，他们追求与异教徒同等的社会、公民和政治权利的同时，也拒绝把放弃犹太教信仰当做实现这一目标的途径。因此他们自己的愿望从一开始就与犹太解放的政治运动密不可分，而且不仅仅是法兰克福的解放运动，而是整个欧洲的。

在这点上，如其他许多方面一样，迈耶·阿姆谢尔对后代的影响是复杂而又持久的。在他死后4天，他的儿子给他们最重要的客户发了一份传单，向他们保证罗斯柴尔德家族生意不会有任何变动：“他永远存在于我们和他的合伙人的记忆中……我们永远也不会忘记我们深爱的父亲。”这些发自内心的情感在第一缕伤痛消逝过后，并不总是能够付诸实际行动，但是迈耶·阿姆谢尔的儿子们却言出必行。在迈耶·阿姆谢尔死后的数年里，他们一次次履行着父亲的教诲——他的生意格言，他对犹太人解放的看法，最重要的，他留给他们的只允许男性后代经商的训诫。在许多方面，这些描述迈耶·阿姆谢尔的细节——之前历史学家并未注意到——比其他任何信息都更能反映他的性格。

最典型的一个例子是，阿姆谢尔1814年10月希望从内森那里获得更好的股票市场信息：“父亲经常说：‘一个银行家必须精于计算，一无所知地进行交易不会有好的结果。’”他在1817年谈到了类似的观点：他们的父亲告诉他们“有一条法则，即犹太人富不过二代。这有两个原因，一是家庭开支和其他费用没有被算在内，二是因为犹太人的愚蠢”。这些也与迈耶·阿姆谢尔对于内森在记账方面的草率提出的批评有相同之处，其他一些格言则与公司和各国政府的关系有关。这方面一个例子就足以说明问题了——迈耶·阿姆谢尔从自己与威廉的关系中获得的一切。“我从敬爱的父亲那里学到一点，”萨洛蒙1818年对内森说，“他总是说，‘即便在宫廷里拥有让人低头的气势，它所带来的好处也不如（领事或御用银行家的头衔带来的好处多）’。”但是，阿姆谢尔记得，仅仅获得最低等级的头衔，如“御用代理人”还不够。“现在每个人都称自己为‘阁下’。但是，我记得，我们的父亲曾经说过，‘有了钱你就变成了阁下’。”关键的一点是要获得某种财政杠杆。阿姆谢尔对此做了比较好的解释：“最好与处在困难中的政府打交道，而不是一切平稳的政府。这点我们是从父亲那里听来的。”

不仅仅只是几个年长的兄弟以这种方式追忆父亲，1817年3月，詹姆斯提到了一个小提示，他在处理与竞争公司的关系时经常用到这个提示：“父亲常对我说：‘如果你不能让自己受到拥戴，那就让别人畏惧你。’”直到1840年，仍然可以听到卡尔回忆“他的父亲如何经常教导他，当他需要一个资历尚浅或能力不足的人协助自己实施某个项目时，他就会与这个人进行深入交谈，让此人觉得所有的希望都寄托在他身上，尽管他可能知道此人对生意所具备的影响力微乎其微”。在所有这些生意建议中，经常被提到的可能应该是萨洛蒙最喜欢的那个，即讨好政客的重要性。他在 1815 年 10 月写给内森的信中提到了这一点：“你知道，亲爱的内森，父亲经常谈到如何与政府中的某个人保持紧密联系。”这一点在几天后的信件中再次出现：“尽管你记住了父亲的教诲，但你也应该做好准备，尽一切可能与政府中重要的一位人物建立联系。”而且迈耶·阿姆谢尔毫无疑问留给了他们如何讨好这样的政客的建议：“我们的先父教导说，如果一个高级官员与一个犹太人建立了（财务上的）伙伴关系，那么他就属于这个犹太人了。”

兄弟几个对自己犹太身份的认知以及对犹太社区所承担的责任也都受到了他们父亲的影响。有趣的是，萨洛蒙和卡尔似乎都用一种实用主义的方式进行着父亲的犹太解放事业。卡尔在 1817 年 5 月这样解释道：“这个世界上最好的事情就是为犹太人服务了。我们的父亲这样做了，我们则看到了自己收到的回报是多么的丰厚。”萨洛蒙几个月后也把善举与好运联系在一起，发表了类似的言论，他在写给内森的信中提醒内森要代表欧洲犹太人向英国政府施加压力：“如果我们希望我们的孩子将来真正获得幸福，我们必须尽我们的一切力量，为父亲替犹太人谋利的未竟事业争取一个好的结果。”他在随后一年的年初重申了这个观点：

> 如果任何事都依赖上帝（事实如此），如果我们希望（也确实希望）自己能够获得幸运，那么，亲爱的内森，（所有犹太人的利益）对你来说，应该处在与生意同等重要的位置上。我们做的任何事，有哪件比继续他坚持了数年的善举更能显出我们对父亲的尊敬?

但是，在他们父亲所有的建议中，他最后的遗言——保持兄弟间的团结的作用最为重大，而且历经岁月冲刷一直未被淡忘。萨洛蒙有一次曾说：“我们所有的好运都来自父亲临终前一小时带给我们的祝福。”阿姆谢尔同样记得这些祝福：“我记得，他奄奄一息地躺在病床上，对我说：‘阿姆谢尔，你们兄弟几个团结在一起，就会变成德国最富有的人。’这几乎已经变成了现实。”这个建议在几个兄弟发生争执时也经常被想起——迈耶·阿姆谢尔死后不久，在艰难的时局中，兄弟几个确实经常吵架。“我们的父亲命令我们和睦相处。”萨洛蒙提醒内森，他说这番话是因为内森尖刻地攻击了卡尔。一周后，他再次提醒内森：“亲爱的内森，我的兄弟，我们的父亲教导我们要和睦相处，否则我们就会失去勇气。让我们和睦相处吧。”20 多年后，这一建议被写到了一个新的合伙协议中，这份协议是在内森死后拟定的：

> 我们希望提供一个证明，证明我们对父亲最神圣记忆的敬畏，他一生中展

现出来的各种美德是我们的神圣典范。按照神的指示，在神的帮助下，通过自我约束的坦诚和不知疲倦的勤勉工作，父亲奠定了我们好运的根基。而且，将近40年前，他让他的儿子们变成了他自己生意上的伙伴，他告诉他们，保持团结必然会获得成功，并将兄弟和睦作为神圣的祝福推荐给了他们。

为了遵循他神圣的愿望，也为了遵循我们自己的心愿，我们今天希望，通过这个更新的协议增强我们彼此之间的依靠，并希望以这种焕然一新的兄弟之爱，确保我们家族未来活动的成功。祝愿我们的孩子和后代将来能够得到同样的指引，只要保持长久的团结，罗斯柴尔德家族就会繁荣昌盛，富甲一方……希望他们能够与我们一样，聆听先辈们的神圣训诫，并为后代展现团结、协作的美丽画面。

保持兄弟团结的训诫在协议附录中得到了进一步阐述，它庄严地希望“在将来（与过去一样），我们敬爱的父亲对我们的家族和公司作出的祝愿”应得到履行。他向他们承诺，只要他们“一直保持和睦，相互爱戴”，那么就能“得到神的护佑；事业就能获得成功；我们的家族就能变得富有，我们的名声、荣誉和得到的尊重也将一直持续”。

当然，所有这些都能看到《旧约全书》的影响；而且可以确定的是，在迈耶·阿姆谢尔之前以及之后，许多其他犹太人（或加尔文教徒，Calvinist）也试图将同样的价值观灌输给他们的儿子。而且家庭团结的理念也不仅仅出自《圣经》：希腊历史学家普卢塔克曾讲过一个与西徐亚国王锡卢勒斯的寓言，锡卢勒斯让儿子们明白，一束箭是无法折断的，但是一支箭却能轻易折断。罗斯柴尔德家族让人印象最为深刻的一点就是，几个儿子对父亲的教诲是如此遵从。这也是根茨为1827年出版的大百科全书撰写的文章中提出的一个观点。他认为，罗斯柴尔德指导方针的第一方针是：

强制5兄弟在一个不可分割的利益团体中开展他们的联合业务。这是他们的父亲在临终前留给他们的准则。他死后，任何动议，无论是谁提出来的，都将经过集体讨论；任何业务，即使是微不足道的小生意，也必须按照一致同意的计划共同实施；业务带来的成果由5人平均分配。

根茨在他的文章开头，实际上已经提到了迈耶·阿姆谢尔给儿子的最后训诫是保持“牢不可破的团结”。“一个父亲的遗言被用心地付诸行动并且带来了丰厚的回报。”他观察到，“这是这个家族的一大特色，它所有的成员在他们生命每个重要的阶段，在衡量每宗交易时都会想到他们父亲的影子；提醒自己——通常是逐字逐句地——牢记他的教诲。”在 1836 年的版本中，百科全书条目甚至称，几兄弟“如此虔诚地敬畏他们的父亲，以至于他们处理所有重要生意时，都会想起父亲的处理方式，实际上，内森经常在父亲的原则基础上决断有疑虑的生意”。

如果这只是普通的行为，那就不值得书写，但它们显然不是。即使到了 1841 年，在迈耶 · 阿姆谢尔死后近 30 年，他的长子阿姆谢尔仍然动容地提醒所有其他的合伙人——甚至包括那些从未见过祖父的人——必须留心团结与成功之间的所有重要联系：

> 团结是我们敬爱的父亲在最后的遗言中，命令我必须将其作为第一条，也是最神圣的职责——我们的父亲，拥有无比的真诚，深邃的洞察力以及圣人般的经历、智慧以及虔诚的习惯。我坚信，我肯定你们也会坚信，在神的祝福下，我们的财富以及在社会中的高贵地位，主要归功于团结的精神以及与所有伙伴、银行和机构的合作。因此，我最衷心地要求你们，我挚爱的兄弟和侄子们，能够向你们的后代传递团结和协作的传统，这样今天的这种团结合作精神就能够长久地存在。做到这一点，不仅有益于你们自己，同时也能庇佑你们的后代。它能够防止我们的生意遭到分裂，也能够阻止别人从我们的努力、我们的知识以及几十年积累下来的经验中获利。因此，我要求你们为了确保团结，无论什么时候对于任何可能导致交恶的观点，都不要立刻作出决定，要过几天，等心平气和的时候再作决定，这样可以避免草率举措的出现。愿罗斯柴尔德家族中的团结、协作、同情和相互信任能够永久持续下去。

1812~1841 年间，阿姆谢尔和他的弟弟们许多次几乎走到了打破兄弟团结的边缘，但是他们最后总是能及时醒悟，这一点我们在下面的章节中将会看到。即便在父亲死后 30 多年，他们仍然记得他临终前的教诲，这也是迈耶 · 阿姆谢尔 · 罗斯柴尔德家长式权威的一个最有力的证明。

我的弟弟（内森）在伦敦是司令，我则是他的陆军元帅……

我们有一个约定俗成的规矩，即我们任何人对另一个人的品行都不应有任何的责难，作为合伙人，我们应一直保持利益一致，因此我们中的任何人都没有权利指责另一个尽力争取最大利益的人。

萨洛蒙·罗斯柴尔德

第三章

“金融界的拿破仑”（1813~1815年）

THE HOUSE OF ROTHSCHILD

拿破仑著名的格言“兵马未动，粮草先行”提出了一个问题，即这些“粮草”如何得来。威灵顿公爵也有一句类似的格言：“填饱肚皮，你才能实现目标。”1793~1815 年，欧洲战场上的所有军队都重新采用了古老的补给方法：从百姓中强制征收。他们也不同程度地从自己的领土上运送物资。以武力威胁获取给养会使得军队遭人怨恨，并会出现食物短缺现象，而延长的补给线又非常脆弱，易受攻击。在漫长的战役，如威灵顿的伊比利亚半岛战役中，需要更为妥当、高明的征收军费方法。毕竟，它是能否购买给养以及支付军饷的关键所在。西塞罗（Cicero，古罗马政治家）的格言：“无穷尽的金钱是支撑战争的基础”，在 1808~1815 年间比任何时候都更为适用。亨利 · 邓达斯在威廉 · 皮特与法国开战前夕也曾说过：“所有现代战争都是金钱的较量。”

早在 1809 年 5 月，威灵顿就向伦敦政府抱怨他没有足够的军费。1811 年 3 月，他写信给首相利物浦，威胁称由于缺乏经费，他将不得不终止所有战役。一年半后，入侵法国前夕，这个问题再一次提上台面。他的军队金库每个月的运转资金约为 10 万英镑，这其中不仅包括英军自己的军饷，还包括葡萄牙和西班牙军队的补贴。但是威灵顿跟巴瑟斯特伯爵说，他的钱只够支付盟友的补贴。在资金不足的情况下，他只能以贬值的纸钞支付军官们的薪水，而低阶军官（拒绝接受纸币）根本就没拿到任何报酬。他警告政府说，“这支军队除非在非常早的时候得到一大笔资金的扶助”，否则：

> 所有军队的受挫感会变得很严重……而且它也将使我举步维艰……（西班

> 牙军队）处在如此困窘的境地，所以期望他们以征服者的姿态进入一个风景如画的国家时不发生劫掠行为，是不太公平的；尤其我们要注意到他们国家遭受别国入侵时遭受的痛苦。因此，我不能冒险把他们带回法国，除非我能够给他们提供军粮，并支付报酬……没有军饷和粮食，他们必定会抢劫，而他们一旦这样做了，就会把我们全毁了。

最困难的时刻出现在1813年2月，威灵顿报告说，他"几乎不敢出门，因为债主等在外面索要应该还给他们的钱"。也正是威灵顿的财政窘境给了内森·罗斯柴尔德事业生涯中最为关键的一个机会，这里，我们有必要花一些笔墨说说威灵顿财政困难的原因。

在所有旧体制(法国大革命前的政治与社会体制)的国家中，英国拥有最为有效的财政体系。主要的架构在光荣革命之后的一个世纪里已经发展成形：一个相对低廉和中央直辖的收入集纳体系；国会中相当透明的预算过程；比较稳定的公开借款体系，有基金支撑的国债体系；一个同样稳定的货币体系（主要涉及英格兰银行以及纸币与黄金的兑换）。这样的财政体系使得18世纪发动的6场战争没有引发出政治危机，而所谓的政治危机曾拖垮了财政实力比英国更为雄厚的法国。但是1789年之后，战争的成本急速上升（部分原因是革命政权能够投入规模空前的军队）：据估计，拿破仑战争期间的年实际开支是一个世纪前的5倍。1793~1815年间，英国公共开支急剧膨胀，从每年的1 800万英镑升到了1亿英镑左右（约占国民收入的16%）。这一时期与法国开战的所有费用约为8.3亿英镑，其中的5 900万英镑以津贴的形式提供给了英国的盟友。形势需要，英国不得不设立一些新的税收项目，这当中，收入税最为重要，不过这些收入也只支付了1/4的战争费用。结果，英国国债从1793年的2.4亿英镑飙升到了1815年的9亿英镑，几乎是国民收入的两倍。此外，在1797年，英格兰银行认为有必要暂停黄金兑换，结果导致了一段时期的货币贬值。由于战争期间的物资短缺加上流通纸币的增加导致了通货膨胀：1815年前，物价在20年内翻了一番。而威灵顿的战役正是在这一时期打响的。

不过，这还不能完全解释清楚公爵先生的窘境，但有一定的关联。即便伦敦的国库丰盈，把钱以西班牙商人愿意接受的方式提供给威灵顿仍然很困难。1813年之前，有两个渠道能够将英国的金钱输送到西班牙。要么以黄金（以金币的形式）支付，用船运到葡萄牙或西班牙，在那里兑换成当地的货币；要么是威灵顿通过向当地银行出售英国汇票的方式来借贷。由于大规模运送黄金存在着风险，威灵顿经常采用的是后面一种方式。问题是到1812年的时候，伊比利亚的英国汇票市场已经饱和，威灵顿发现，如果要兜售新的汇票，就必须提供一个难以想象的折扣。“里斯本的爱国人士，”他向巴瑟斯特抱怨说，“不会给我们提供金钱，一丁点儿都不会给，因为国库空了。”正是在这个背景下，内森·罗斯柴尔德出现了。

战争与和平

历史学家一直没有详细地阐述过，一个毫无名气的犹太商业银行家——几年前还是一个走私者、一个小小的纺织品出口商——如何能够成为英国政府与欧洲大陆战场之间的主要资金流通渠道，而正是这种资金的流通决定了1814年以及1815年欧洲的命运。在罗斯柴尔德家族的发迹过程中，内森这一步的意义无疑是最为巨大的，但也是最不为人所知的。

将内森变成“司令”，变成“金融界的拿破仑”，需要3个独一无二的条件。第一，缺少竞争。这一点完全归功于好运，因为1810年之前，伦敦城并不缺乏著名的银行。哈曼、里德、欧文、史密斯、佩恩和史密斯，还有著名的巴林兄弟都期望为政府提供财政方面的协助。实际上，巴林兄弟公司已经以贷款的形式将英国基金输送到葡萄牙。而且，内森也不是期望挑战已有银行的唯一犹太商人：亚伯拉罕和本杰明·戈德斯米德自18世纪90年代起就一直进行着这样的努力；与此同时，1802年之后，一批德国银行家抵达伦敦（最著名的是施罗德、布兰茨和胡特），他们也希望在业绩方面迎头赶上。新任军粮供应大臣（由他为威灵顿提供资金）在1813年11月说道：“许多银行已经向我提供他们的服务了。”实际上，他的第一直觉是，巴林兄弟公司“无论从哪方面说，都是我们资金转移的最理想渠道”。但很快形势就表明无论是巴林兄弟，还是其他已有银行，都无法投入运行。对于巴林公司，部分原因是公司的领导权刚刚由弗朗西斯·巴林（Francis Baring，死于1810年）传给了儿子亚历山大，但主要的原因是伦敦城陷入了两次重大震荡之中。第一个是1810年的危机，其爆发的部分原因是“金块委员会”（Bullion Committee）公布的一份报告，报告不顾英格兰银行的反对，推荐恢复黄金支付方式。银根紧缩的预期——报告所暗示的导致了政府股价的暴跌，也让大量新近发行的政府贷款堵在了巴林兄弟和戈德斯米德公司的手里。巴林兄弟损失了4.3万英镑，亚伯拉罕·戈德斯米德自杀，伦敦城“警报四起，慌乱无措”，恐慌进一步增强。与此同时，阿姆斯特丹市场也因为吞并荷兰而崩溃。这也让巴林兄弟在欧洲大陆的合伙人霍普公司变成了一个空壳，而它此前曾在俄罗斯财政中扮演着统治角色。

有利于内森的第二个因素是，1811年10月，约翰·查尔斯·赫里斯被任命为军粮供应大臣。赫里斯对内森来说相当于布德鲁斯，是他在政府高层中的第一个“朋友”。赫里斯是一个小商业银行家的儿子，他在1798年进入财政部担任办事员，此后一路平步青云。3年后，他被任命为财政大臣尼古拉斯·范西塔特的私人秘书，他同时还为斯潘塞·帕西瓦尔（Spencer Perceval，1807~1809年掌管国库）工作。但是，赫里斯的金融背景并不是他确定内森·罗斯柴尔德是解决军粮供应难题理想人选的唯一因素。有些出乎意料的是，赫里斯是一个亲德派，他不仅曾在莱比锡学习过，还将弗里德里希·根茨的反法小册子《法国大革命前后的欧洲国家》翻译成了英文。也有可能，他在莱比锡期间的一个朋友让他意识到了罗斯柴尔德家族的可用之处。根据史料记载，赫里斯在学生时代与当地一个女子曾交往过，这名女子此时已经成为莱比锡一个有名的烟草商人巴龙·林堡的妻子——更有意思的是，赫里斯与这名女子还有一个私生子。林堡家族后来声称，是他们把内森推荐给了赫里斯，从他们日后要求内森从政府业务中赚到的钱里抽取1%作为佣金（3万~4万英镑）的情况来看，这个说法似乎比较可靠。另一方面，一直到1814年2月——在内森得到政府的第一项委任之后——林堡才写信给赫里斯，称赞罗斯柴尔德家族“热心、精明”，而且同时他也推荐自己作为罗斯柴尔德家族行动的管理人，赫里斯一开始对此反应冷淡。但经过考虑之后，他的确决定按照林堡建议的方式雇用他，但是他非常谨慎地强调，他在林堡推荐之前就已信任内森。类似的是，一直到1814年6月，罗斯柴尔德家族才开始意识到林堡对赫里斯拥有一定的影响力。

有可能，林堡只是拿破仑时期欧洲大批无法无天、投机取巧的骗子之一，他可能巧妙地利用赫里斯的私生子实施了勒索。1815年初卡尔·罗斯柴尔德怀疑林堡的妻子是“一个大财迷”，阿姆谢尔则怀疑林堡是在耍赫里斯。最终，林堡得到了1.5万英镑，这个价码更像是勒索，而不是作为合伙人应拿的数目。不过，无论怎么样，卡尔承认，从作为贵族中间人促成兄弟几个与欧洲大陆政府达成交易方面，林堡“帮了我们一个忙”。

第三个，也是最重要的原因是，与竞争对手不同的是，内森知道如何将钱送给威灵顿的方法。内森后来经常提到他当时所做的事，而且说得轻描淡写：

> 当我在伦敦定居下来后，东印度公司有价值80万英镑的货物要卖。我接下这桩买卖，买下了所有货物。我知道威灵顿公爵一定需要这些货物。我已经以折扣价买了很多他的汇票。政府后来找到我，说他们需要那些货物。当他们得到货物后，却不知道如何运到葡萄牙。我又接下了货物，将他们发到了法国（给了威灵顿），那是我做过的最好的一笔生意。

当然，这个故事后来又被有心人进行了修饰润色，在内森身上增添了许多爱国色彩，甚至绘声绘色地描写了詹姆斯如何化装成一个女子穿越法国防线的情节。而事实远非如此。1811 年 3 月前的一天，罗斯柴尔德家族从事着从英国走私金块到法国的业务。这一行为从技术上讲，是违背大陆封锁政策的，但是它却为拿破仑所容忍，后来还将其合法化。詹姆斯 · 罗斯柴尔德负责在海峡的另一边照应生意，在格拉沃兰或敦刻尔克将运过去的金币兑换成英国汇票，那时的英国汇票在法国，价格自然低很多，将其再运回伦敦就能赚得大量利润。1812 年 4 月，内森发给詹姆斯的 6 船金币的一批价值为 27 300 英镑，詹姆斯用它们从法兰西银行家奥廷格、达维利耶、法贝尔、莫雷尔等人手里换回了票面价值为 65 798 英镑的汇票。其他几兄弟则从汉堡和法兰克福将合适的汇票转给詹姆斯。

早年代表黑森-卡塞尔选帝侯偷偷进行买卖的经历，使得罗斯柴尔德家族创造了一套朴实无华的密码，它或多或少地降低了法国人的怀疑。内森变成了“朗拜因”，伦敦变成了“耶路撒冷”，跨越英吉利海峡运送的金币被称为“摩西先生”或“莫施先生”。寄送的物品被称为“啤酒”、“鱼”或“孩子”。其他关键人物（已经无从考证）则被称为“胖子”和“该死的人”。此外，为了确保跨海峡通信尽可能安全快捷，在多佛尔的代理人被授权替罗斯柴尔德的业务租船。詹姆斯在 1813 年正是搭这样的走私船前往伦敦见了内森。与官方玩捉迷藏的游戏成为兄弟几个的习惯。实际上，他们甚至已经开始教自己的儿子有关保密的重要性：萨洛蒙 11 岁的儿子安塞尔姆拒绝让老师修改他正在写的、寄给父亲的一封信。“我亲爱的妈妈，”小家伙解释道，“我怎么可能把我和爸爸之间的秘密泄露给萨克斯先生呢？”

可能是由于内森在伦敦进行的金币买卖规模引起了赫里斯的注意，也可能是一些通过罗斯柴尔德家族之手回到伦敦的汇票是威灵顿通过西班牙、葡萄牙以及马耳他银行卖给法兰西银行的，这触动了赫里斯。这有可能是詹姆斯已经用内森发给他的金币购买西班牙和葡萄牙银行越过比利牛斯山、提供给威灵顿的汇票。尽管证明这一论断的证据缺乏，但并不是不可能。毕竟，在 1806 年和 1807 年，一些资金就通过西班牙的美洲殖民地辗转运到了法国，船只从墨西哥的维拉 · 克鲁斯出发，向北经纽约，然后越过大西洋，经伦敦再到巴黎。实际上，有一次，价值 1 400 万法郎的墨西哥比索竟然是用一艘英国战舰运到法国，交由法国财政部的。一般说来，这种交易的利润被认为比敌人从这笔钱中得到的好处更大。此外，对于这种黄金交易的经济重要性存在着某种程度的理论困惑，这也有助于解释为何法国官方能够容忍詹姆斯在巴黎以及波尔多的活动（他们对此心知肚明）。尽管一些法国警察心存怀疑，拿破仑还是采纳了财政大臣弗朗索瓦 · 尼古拉 · 莫利安的建议，莫利安认为英国流出黄金是经济脆弱的标志，对法国来说，能够进一步增强自己的优势。

这是一个致命的错误推论；恰恰相反，罗斯柴尔德家族跨越海峡运送货币的能力将成为增强英国实力的一个决定性因素。1814 年 1 月 11 日，内森正式被分配了经法国资助威灵顿的任务。按照范西塔特的说法，赫里斯将“在最秘密的情况下，雇用那位先生（内森），在德国、法国和荷兰筹集大量的法国金币和银币，总值不超过 60 万英镑，这些钱能够在今后的两个月时间内筹集到”。这些钱之后将被运到停泊在德国赫尔沃茨吕伊斯港口的英国战舰上，从那里再启程，经法国比亚里茨附近的圣让-德吕兹送到威灵顿手里。对这些“罗斯柴尔德先生完全了解……他自己将承担所有风险和损失，在将钱运到国王陛下的船上前，这些风险是可能发生的”。如果成功，他将获得所运货币总额的 2% 作为佣金。不过，需要不惜一切代价保守秘密。这项任务是一个突破，这是罗斯柴尔德家族从英国政府手里接过的第一项正式委任，它不仅让内森能够与赫里斯直接联系——他在当年 3 月见了赫里斯，而且“经常出现”在赫里斯的办公室里——而且，还能直接联系范西塔特以及首相利物浦本人。

需要承认的是，运钱的过程后来被证实比内森预料的要困难得多。内森派到阿姆斯特丹的迈耶 · 戴维森不停地抱怨，由于法国的占领，在荷兰很难筹集到合适的钱币，而且他很快得出结论称，如果内森要完成合约中规定的数额，就必须自己铸造新的拿破仑金币（老路易金币的替代品）。到 1814 年 2 月末的时候，戴维森只筹集到 15 万英镑的钱币。“这就像是大海中的一滴水。为什么？因为它是英国政府的一项委任，英国政府能够调用存在欧洲大陆的所有金钱，而且即使这样也不能让他们满意。”戴维森开始担忧交易难以为继，开始商谈是否将目标数字从 60 万英镑降到 30 万英镑。

但是，尽管存在这些困难，赫里斯仍不为所动。早在 1814 年 2 月 22 日，威灵顿写信向巴瑟斯特表示感谢，因为“巴瑟斯特给他提供了充足的资金”。到同年 4 月的时候，内森和詹姆斯将 2 万英镑换成了古尔登银币，供英国军队急用。罗斯柴尔德家族也一直为军队提供资金，直到年底英国政府恢复正常的支付方式为止。赫里斯曾向英国在阿姆斯特丹的工作人员乔治 · 伯格曼透露：“这个地方的罗斯柴尔德家族的人提供了多种服务，他做得很好。尽管是一个犹太人，但我们对他有足够的信心。”令赫里斯满意的一个原因是，罗斯柴尔德兄弟在政府付给他们报酬之前，向赫尔沃茨吕伊斯运送了大量现金，这也让一些历史学家认为内森利用威廉在伦敦的股票作为担保，从伦敦和巴黎借到了大笔款项。这是可能的，但是考虑到所涉金额的庞大，这不可能是几兄弟唯一的信用资源。对此，尼尔做了解释，内森“资助反法战争利用了欧洲大陆的资源”——罗斯柴尔德兄弟购买了各国中的英国汇票，然后将它们兑换成黄金，然后以赫里斯的名义输送给威灵顿。到同年5月中间的时候，内森欠了英国政府1.167万英镑——这笔钱的数额吓到了他的哥哥萨洛蒙，而且很明显超出了内森能够承担的范围，但赫里斯对他在法国的代表德拉蒙德说：

> 伦敦的罗斯柴尔德兄弟向你借钱，而让你感到万分担忧，我一点都不吃惊。他们现在以他们自己的信用为我们服务，如果我们不给他们提供资金帮助，他们就难以为继，因为这种介入需要的资金远超过任何个人能够支撑的范围，不论他多么富有。罗斯柴尔德兄弟在伦敦所经营的业务非常好，他们似乎能够在一定范围内为某人提供资金。

1814年，不仅英国军队收到了罗斯柴尔德通过赫里斯的账户提供的资金，更为重要的是英国政府资助的欧洲大陆盟友也得到了补贴。给盟友提供的这些补贴款之前一直由巴林兄弟、里德和欧文银行负责处理，但此时内森赢得了赫里斯的信任，将这些业务一并揽到自己手中。唯一的困难就是要说服借到补助的国家对海峡另一边的罗斯柴尔德成员给予同样的信任。他们很轻易地获得了俄罗斯的信任，比较容易地争取到了普鲁士，只是在奥地利那里遇到了一点困难。小盟国——包括梅克伦堡以及黑森-卡塞尔也通过罗斯柴尔德兄弟接受补助，重登王位的法国皇帝路易十八也不例外。所有款项加起来的总额异常庞大。在1811~1815年期间，英国一共向盟友支付了4 200万英镑。罗斯柴尔德家族尽管介入得比较晚，但却迅速地确立了主导地位。在1814年6月，赫里斯列出了他支付给普鲁士、奥地利、法国国王以及英国军队的款项，包括还没有支付的款项，总额一共是1 260法郎，而且更多的款项还在不断地涌过来。所以，利物浦首相将“罗斯柴尔德先生”称为“非常有用的朋友”毫不奇怪。“我不知道，”他对卡斯尔雷说，“没有他，我们去年（1814年）能做些什么。”

罗斯柴尔德家族确保获得英国与俄罗斯业务中的一个份额被证明相对容易。1813年，英国、俄罗斯和普鲁士在赖兴巴赫签订了一项协议，英国承诺向俄罗斯提供1 333 333英镑的资助，向普鲁士提供666 666英镑，部分款项以附息短期国库券形式支付。但是，由于现金紧张，英国政府不断地推迟支付款项，直到1814年5月底，协议才真正达成，英国以15个月、每期100万普鲁士泰勒元（以附息汇票形式支付）的分期付款方式向俄罗斯和普鲁士提供资助，其中2/3的款项支付给俄罗斯，1/3给普鲁士。俄罗斯外交人员热尔韦负责将这些补助款兑换成现金，他起初找到了霍普公司，希望预支前7个月的款项，并给予了2%的回扣。但是霍普公司的老板拉布谢尔却犹豫不决，罗斯柴尔德兄弟巧妙地由萨洛蒙和詹姆斯出面，抓住了这个机会。他们不仅把预支的价值400万泰勒元的分期付款款项兑换成路易金币和欧洲通用金币，而且还将这些钱运到了汉堡、德累斯顿和华沙，这些地方的俄国军队急等着用钱。

罗斯柴尔德兄弟开出的条件相当诱人，尤其是缺乏竞争的情况下更是如此。正如詹姆斯说的那样，热尔韦"需要现金，越快越好"，而且没有其他公司愿意冒险将如此多的现金运到遥远的华沙。从英国政府方面来看，让罗斯柴尔德兄弟接受这起交易也有利可图，他们大大缩减了应付的利息，并且能够获得比之前商定的利率更好的利率来兑换英镑和泰勒元。实际上，詹姆斯声情并茂地宣称，"任何一个政府都没有达成如此诱人的交易"。"你可以满怀信心地告诉利物浦阁下，"他带着年轻人的傲气对内森说，"这宗交易是一件杰作。"

确实，从多方面来看，这宗交易都是一件杰作。正如他们父亲教导他们的那样，在与政府以及官员做交易时，兄弟几个总是小心地将自己的条件开得具有吸引力。也正是这样，为了确保热尔韦自己有兴趣与罗斯柴尔德兄弟做生意——为了把他变成公司可靠的"朋友"或"帮手"——他们向热尔韦本人以及其他俄国官员提供了大量金钱（以佣金和无息贷款的方式支付）。这种做法，兄弟几个私下里也承认，无异于贿赂。在与俄罗斯政府单独签订的一项协议中，1%的佣金直接进了热尔韦的腰包。正如詹姆斯和卡尔说的那样，"我们的朋友津贴"不仅在敲定交易方面扮演了重要的角色，同时也为将来的交易铺平了道路。戴维森诙谐地解释道："现在俄国人知道了萨洛蒙，萨洛蒙也了解了俄国人。"有趣的是，兄弟几个对于热尔韦该拿多少钱有截然不同的意见。萨洛蒙知道——或者说他认为自己知道热尔韦的身价。经过一番考虑后，他认为詹姆斯给俄国人"太多的利润了"，而且"显然不知道如何贿赂"：一块手表和一些英国袜子就足够了。但是詹姆斯认为这"非常荒谬"，他向兄弟保证，他能够在俄罗斯的下一次交易中得到更大的生意："给热尔韦的钱让一切都变得不同了，而我恰巧了解这个人。"在这起争执中，卡尔似乎站到了詹姆斯一边，但他坚持说，贿赂热尔韦的主意最初是他提出来的。

当然，这些给政客和公务员提供的报酬不能用20世纪晚期的英国标准来衡量：政府官员禁止收受贿赂，国会议员必须公布他们的私人生意所得和咨询费数额，甚至礼物也要公布。但在19世纪的大部分时间里，贿赂在欧洲大部分地区是一种常见的做事方式，罗斯柴尔德家族经常需要向政客和公务员送钱。当然，那时的人们也常说，"腐败"的特色和程度因地域差异而异，因时间不同而不同。即使在1814年——几十年后，格莱斯顿首相提出政府廉洁主张——英国官员也被认为比俄国人要谨慎很多；或者说，他们是担心国会和媒体的审查。出于这样的原因，提供给热尔韦的贿赂都被小心地向赫里斯隐瞒了，而且毫无疑问的是，赫里斯自己也收到了类似数额的钱财。但是他收受好处的方式比较隐蔽。1814年7月，阿姆谢尔寄给内森一封信，信是林堡夫人写的，信里提到了她与赫里斯的私生子。阿姆谢尔建议内森把信拿给赫里斯看。“(如果你能够这样做）会大有好处，”他写道，“因为当他看到他的孩子能够赚到这么多钱的时候，他可能会把普鲁士和俄罗斯的生意给你。如果这个孩子能得到 1/4 的利润，我们那时也会得到我们的利润。”

俄罗斯补助的交易对英国政府、热尔韦，尤其是罗斯柴尔德兄弟来说，都是一件杰作。他们从英国那里得到 2%的佣金，额外的 2%作为成本补偿以及俄罗斯政府支付的 4%，他们在第一笔 400 万泰勒元款项中赚取的毛利润是 8%。后来的款项(370 万法郎和 530 万泰勒元）也带来了可观的收获。其他一些政府也愿意向罗斯柴尔德兄弟支付可观的佣金，以求将他们的补贴兑换成现金。梅克伦堡甚至愿意放弃自己 150 万泰勒元补贴中的 30%，并支付 5%的佣金，只要罗斯柴尔德兄弟能够“立刻付钱”。“他们愿意做任何我们希望他们做的事，”詹姆斯欣喜地写道，“以便尽快拿到钱。”重回王位的法国国王路易十八同样收到了罗斯柴尔德兄弟以法国汇票形式提供给他的资金。争取到黑森-卡塞尔更为容易，由于达尔贝格的离去以及威廉尚未回到国内，黑森政府挣扎着支付盟军的各项费用。俄罗斯第二集团军拿走了全部粮食，而且战争基金也一分不剩，威廉的官员只得从罗斯柴尔德兄弟那里借了 25 万古尔登。一开始，借款的期限是 6 个月，但因为从被劫掠一空、筋疲力尽的百姓身上增收税费根本不可能，部分款项的偿还又进行了延期。

与俄罗斯形成鲜明对比的是，普鲁士的生意比较难做，而且利润不高。部分原因是普鲁士的官员比热尔韦难对付。兄弟几个竭力讨好财政大臣比洛王子以及哈登贝格王子的顾问克里斯蒂安 · 罗特尔，尽管赫里斯的推荐给这几个人留下了比较好的印象，但罗斯柴尔德兄弟得到仍然是“不冷不热”的回应。詹姆斯使出浑身解数，拿到了 3 笔总额为 100 万泰勒元的分期付款业务，但是普鲁士人认为他提出的 2%佣金太高。“与俄罗斯做生意有利可图，”詹姆斯怀疑道，“但从普鲁士那里一个子儿都赚不到。”6 个月后，他仍找不到改变自己这个判断的理由：“与普鲁士人做生意没有任何快乐可言。”他抱怨道，因为此时他的另一项竞标再次遭到拒绝。最后，罗斯柴尔德兄弟被迫不收佣金来做这笔生意，但他们最终从中赚取的 3%利润超过了预期，不过相比其他国家利润还是十分微薄，几兄弟聊以自慰的是，他们认为至少保证了在柏林的地位，这可能会在将来给他们带来更多的利润。“至少，”詹姆斯说道，“感谢上帝，我们成功地挤进了这些生意，它将为我们联络普鲁士王室提供重要的帮助。”

而与奥地利官方建立联系被证明更为艰难。根据 1813 年的《特雷普利茨条约》，奥地利人应该得到 100 万英镑的补助；而 1814 年 1 月签署的《肖蒙条约》将总额提高了 2/3，奥地利每月得到的款项为 138 888 英镑。法国被打败后，应付补助总额又降到了 555 555 英镑。罗斯柴尔德家族再一次竞标处理部分款项的交付，当然还是由赫里斯从中引荐。他们开出的条件相当诱人：不仅免除任何佣金，而且按照 8.48 的比率将英镑兑换成古尔登。但是奥地利财政部副大臣巴比尔以及他的上司、财政大臣乌加特伯爵却拒绝了罗斯柴尔德兄弟，他们认为应该由奥地利自己的银行来处理款项的转移。第二次竞标同样失败，当时几笔款项要从比利时运往奥地利（作为战争赔款），奥地利人试图在罗斯柴尔德兄弟开出的条件中添加让他们难以接受的条款。

罗斯柴尔德兄弟在 1814 年成功得到的政府间支付生意有一个共同点：每宗交易中，获取利润的方法至少有两种（有时是三种）。第一个也是最明显的一个，是以佣金的形式得到，我们从上文中也能看到，它可以是 8%，也可以是零。第二个——可能利润更为丰厚，但风险也更大——利用这个时期经常快速、大幅改变的兑换比率来获利。这也是为何没有任何吸引力的普鲁士的生意能够获利的原因所在；这一点也被运用于大多数其他交易。从根本上说，罗斯柴尔德兄弟充分利用了欧洲各地不同的汇率，这反映了统一欧洲外汇市场的缺失——尤其是在战争期间，而且政治的不确定效果在 1814~1815 年也达到了顶峰。在某一天，一张英镑票面的汇票或钞票按照古尔登来换算的话，在伦敦、阿姆斯特丹和法兰克福的差异可能相当大。套汇交易正是试图利用这种差异在一个市场买入较便宜的通货，然后在另一个市场以较高的价格卖出。同样，泰勒元或通用金币的汇率在很短的时间内也会有相当大的差别。经典的期汇投机便是在某种通货汇率最低的时候买进，在最高的时候抛出。

罗斯柴尔德兄弟罕见地恰好分布在不同的地方，使得他们可以进行这样的交易。他们不仅在伦敦和法兰克福拥有永久性的基地，在阿姆斯特丹和巴黎也有半永久性的办公室；几兄弟各自因为生意而经常前往柏林和布拉格。此外，归功于他们与赫里斯良好的关系，他们比竞争者拥有很大的优势。而导致外汇汇率剧烈波动的一个主要原因就是英国运到欧洲大陆的金钱，而这些钱恰恰是罗斯柴尔德家族按照要求输送的。在 1814 年前，英国观察家就意识到，如果用英国货币大量购进外国通货，将会导致英镑贬值。英国收支平衡表上的赤字越大——实际上，没有回报的补贴款支出得越多——英镑的汇率下跌得就越多。而内森正是向赫里斯许诺以最小的汇率差异来完成款项的转移，他才成为赫里斯每笔补贴交易的首选；而几兄弟也从没停止让赫里斯注意到他们在这方面的成功。（这也是詹姆斯为什么说第一笔俄罗斯补助款从英国方面看是一件杰作的原因。）但是，与此同时，罗斯柴尔德兄弟可以通过各种货币市场中的交易获得大量利润。

秘诀就在于控制英镑的汇率，这也是几兄弟在这一时期最为关注的一点。早在 1811 年 6 月，当他们第一次进行跨海峡金块走私时，阿姆谢尔就责怪詹姆斯"使耶路撒冷（伦敦）的汇率攀升得过高了”（实际是指，英镑对法郎的汇率下跌）；詹姆斯后一年写给内森的信中提到了他阻止法郎升值所做的努力。他向内森保证：“在保证汇率尽可能低方面，不可能有人比我做得更多了。”这些早期的经历解释了罗斯柴尔德兄弟为赫里斯转移大量资金，却避免了汇率大幅下跌的原因所在。让赫里斯感到惊奇和高兴的是，内森能够“购买多达 70 万英镑的荷兰和法兰克福货币，却不会给市场带来一丁点的波动……汇率比他出手时更好了……我相信一个外国大臣或军需部官员谈妥的 10 万英镑对市场带来的波动都会比罗斯柴尔德的举动大 10 倍。”法国败在盟军手里自然地强化了英镑，但源源不断的补贴款再次让它面临走弱的困境。由于这个原因，罗斯柴尔德家族介入，将英镑推高。到这个时候，市场开始跟随罗斯柴尔德的步伐。卡尔曾提到：“我们买时，每个人都会买入。”这反映了广为流传的一个说法，即罗斯柴尔德家族是“代表英国政府采取行动的，这么做是为了迫使英镑的汇率坚挺……我们在这方面做得很成功”。

当然，实际上，罗斯柴尔德几兄弟持有英镑有自己的原因。在英镑升跌趋势或多或少可预测的前提下，就能够在大规模补贴款转移过程中实现套汇。例如，1814 年 5 月，萨洛蒙让内森注意巴黎和伦敦黄金报价的巨大差异。一个月后，轮到内森促使詹姆斯在法兰克福买进估价偏低的英镑。支付给热尔韦的补贴款带来了一系列的汇率差异利润。比如，阿姆谢尔 7 月底去柏林，利用欧洲通用金币对路易金币的汇率差抛出通用金币；8 月和 9 月运给热尔韦的通用金币则是詹姆斯在阿姆斯特丹以低价购进的，这一系列举动额外地增加了 4% 利润。

这类交易产生的利润可能占罗斯柴尔德家族在这一时期所赚取的利润的绝大部分。拿破仑战败后，英镑急速升值，阿姆谢尔半开玩笑地写信督促萨洛蒙：“让你的职员利用 100 万法郎让法兰克福分部变得更富有，用 100 万路易金币让巴黎分部变得更富有，用 100 万英镑把伦敦分部变得更富有。做到这一点，就给发‘军团勋章’！”但是，要强调的一点是，这种策略也伴随着高额风险。汇集输送俄罗斯和普鲁士补贴款所需的现金极为困难。法兰克福分部动用了所有信用资源，但仍不止一次地感到力不从心，卡尔和阿姆谢尔经常抱怨内森的胃口超过了他们能够承受的范围。卡尔就曾抱怨，搜集到 60 万古尔登的资金“简直是个玩笑”。与此同时，补贴款转移中涉及的国家自然会眼红罗斯柴尔德家族赚取的大量利润。即便赫里斯和热尔韦有时也有怨言，普鲁士政府则至少将部分因英镑意外走低产生的成本转嫁给了罗斯柴尔德兄弟。汇率也是阻碍罗斯柴尔德兄弟与奥地利达成妥协的绊脚石。

此外，套汇和期汇操作的成功依赖于快速通讯。兄弟几个尽可能地共享可能影响外汇市场的消息：即将到来的新补贴款，进一步军事行动的可能，一项和平协议即将签订等。我们已经看到，他们已经能够通过自己的快递系统传输比通过官方渠道或邮递系统更快的信息。但是时间间隔仍然非常重要，而内森经常被敦促加快系统的运转速度。当英镑在阿姆斯特丹猛涨了6%之后，詹姆斯难以抑制心中的焦急，写信指导内森：

> 亲爱的内森，现在如果你认为补贴款即将停止，由于货币少了，你应该知道汇率肯定会上升。但是如果你认为还会有更多的补贴款要转移，那么汇率将再次下跌……让我感到可怕的是，亲爱的哥哥，你竟然不写信告诉我你的看法，现在知道那边发生什么事情对我来说非常重要。

而阿姆谢尔同样非常焦急地想知道伦敦每天的消息，他让内森通过多种途径给他寄信——经巴黎和阿姆斯特丹以及敦刻尔克——并用不同颜色的信封，这样他在邮局里的联系人扫一眼信封就能知道汇率是涨了（蓝色）还是跌了（红色）。

而且，即便拥有了快速通信的便利，仍有可能犯错。1814年7月，内森出乎意料地——“像一个疯子”——给法兰克福的兄弟们汇去了十几万英镑。这立刻导致了法兰克福英镑的贬值；下滑趋势一直持续到8月，并且扩展到了阿姆斯特丹，“沮丧”的卡尔开始担忧内森失去了对市场的控制。萨洛蒙紧张地警告内森不要“把英镑压到某个水平以下”：“如果你不小心谨慎，你就很难再控制住股票交易所。”即便事态停止了恶化，但欧洲大陆对英镑的信心却遭到了重大打击。这种焦虑也被阿姆谢尔的自信进一步复杂化（这可能是因为，正如他自己担心的那样，坏消息没有尽快地到达他那里）。也就是在这个时候，卡尔觉得应该停止投机英镑了：

> 如果早一点将这点写信告诉（在柏林）的阿姆谢尔，他就会采取截然相反的做法，他会毫不犹豫地买进英镑。没人能够想象我所经历的事。他抵达莱比锡后，立刻以汇率136的价格购进了1万英镑。他的想法是英镑汇率会升到140，但是升到140后，他仍然不能决定是否抛出。他仍然坚持认为它会升到150左右……如果你那时写信给他，在自己头脑中有一个确定的数量，告诉他一半的数量，那么他就会毫不迟疑地买进更多的英镑。

当阿姆谢尔意识到自己的错误时，他感到“目瞪口呆”——他对英镑在柏林下跌也负有很大的责任。对于弟弟们的批评，“我还不够小心吗？”他反驳说。“你是希望在雨中跑出去而不淋湿自己。”萨洛蒙忧虑地总结，认为是内森指责过了头：“世界上没人能够在任何时候固定住英镑的汇率，除非一个政府做好准备，愿意在一年内拿50万英镑去冒险，以实施一项货币计划……我真的认为，不存在某个时刻买进英镑能够阻止英镑下跌的情况，因为这个世界上这种货币已经太多了。”詹姆斯甚至建议改变战略：以持续下跌为预期，增加英镑的债务。从这时起，兄弟几个才慢慢对英镑恢复信心。到1814年11月的时候，詹姆斯发现时机再次成熟，他应该再次在汉堡股票交易所亮相来推高英镑，他在第二年初访问柏林时也确实如愿以偿。到1815年2月的时候，他能够信心百倍地向内森报告说：“在巴黎，英镑是升还是跌完全是我一个人说了算。”

从补贴款中赚取利润还有一种间接的方法：投机价格波动的债券。与汇率一样，债券价格对大规模国际款项转移反应高度灵敏，对相关的政治发展趋势同样如此。譬如，1812年2~10月间，俄罗斯债券的价格从其票面价格的65%跌到了25%，原因是法国入侵导致国债利息暂时停止发放。法国人从莫斯科撤军的消息让债券价格重振旗鼓：1812年11月30日，它们在阿姆斯特丹的价格升到了票面价格的35%，1813年3月升到了50%，只有当拿破仑6月在萨克森获胜的消息传出后，它才再次跌到41%。而当盟军胜利消息的临近，俄罗斯债券的价格飙升，英国的补助款也为利息的支付提供了强有力的预期。这也让那些预测法国即将战败的人开始购买英国盟国的国债，尽管这些国家当时还处在风雨飘摇当中。罗斯柴尔德兄弟也试图尝试，尽管涉足时已经很晚。内森派摩西 · 蒙蒂菲奥里前往巴黎进行一些投机买卖时，俄罗斯债券的价格已经接近票面价格。但是，詹姆斯相信它们的价格还会上升，因为他从热尔韦那里得知，债券利息即将发放。阿姆谢尔在1815年8月也从邻近的德国诸侯国购买了一定数量的债券。1815年3月，罗斯柴尔德几兄弟依据类似的计算，推高了奥地利债券。但是，从这些交易中赚到的钱远远少于套汇和期汇投机。实际上，持续的债券买卖非常可能导致惨痛的亏损——其中的原因将变得很明显。

内森的滑铁卢

当然，法国人战败以及拿破仑被放逐到厄尔巴岛时，补贴款生意的结束已经可以预见——或者说看起来是这样的；或者说这些业务不会带来赚大钱的机会。1814年的法国财政似乎被战争赔款消耗殆尽。尽管1800年之前累积的法国国债大部分被大革命时期发行的纸币带来的通货膨胀抵消，但是拿破仑的战争还是在国内形成了12.7亿法郎的债务，而且国债的市价一直徘徊在面值的58%左右。拿破仑成功地改革了货币体系，将发行纸币的垄断权交给了法兰西银行，并且有效地用新的法郎代替了金银币。但是到1814年为止，巴黎贵重金属的储备量几近枯竭。当时要求波旁王朝复辟的盟军希望法国以附息证券的形式支付占领军的各项费用。罗斯柴尔德兄弟谋划在这些款项的转移中扮演一个重要的角色，毕竟他们在英国补助款输送业务上起到了主导作用。但是他们的愿望却落空了。尽管他们处理过一些以法郎为主的俄罗斯补贴款业务，但他们竞标法国给奥地利赔款中的一部分业务却遭到了拒绝，尽管开出的佣金只有 0.5%；而且后来希望代理他盟国款项转移业务的愿望同样破灭。

因为如此，1815 年 3 月 1 日，拿破仑从厄尔巴的回归似乎是一个喜讯，罗斯柴尔德家族的好运来了。波拿巴的“百日王朝”把欧洲再次拖进了战争，也让各国财政陷入了能够让罗斯柴尔德兄弟如鱼得水的状况。内森从 1815 年急剧变化的局势中获利的想法是罗斯柴尔德神话的核心：他一再声称，由于首先得到了拿破仑在滑铁卢战败的消息——甚至比政府知道得都要早——内森能够从股市中赚一大笔钱。神话中更为离谱的情节——内森自己出现在了战场上，他骑着马跟随在威灵顿的身边，在风雨交加的夜晚从奥斯坦德回到了多佛，他的利润在 2 000 万~1.35 亿英镑之间——很久之前就被揭穿了。但是，历史学家——包括维克托 · 罗斯柴尔德本人——仍继续认为罗斯柴尔德家族至少从战争爆发以及盟军最终胜利的预判中获得了一定的利益。即便在战争刚刚结束时，他们投资英国政府股票的收益就超过了 1 万英镑，他们从滑铁卢战役中获得的总利润据估计约为 100 万英镑。

但真实的情形远非如此。在 1814 年，战火再度燃起似乎能够带来高利润生意所需的环境，这没错——但是并不是因为战争对同一公债的影响，因为当时公债对于内森的重要性相对较小（当时是巴林兄弟公司获得了在 1815 年发行一批新金边证券的授权），而是他之前与赫里斯进行的生意此时有望恢复，因为内森认为拿破仑回归将带来资金从英国流向欧洲大陆的急切需求。某种程度上，这个判断完全正确。但罗斯柴尔德的通信表明，支付给威灵顿以及英国欧洲大陆盟友的资金比起 1814 年要容易得多。实际上，可能由于兄弟几个在滑铁卢战役前后的一系列错误估算，他们蒙受了损失而不是获得了利润。在这点上，似乎现实与神话截然不同。

一开始，拿破仑的回归如内森说的那样，对罗斯柴尔德家族来说是个“让人不快的消息”。1814 年 3 月初的时候，兄弟几个因预测维也纳和伦敦股市即将进入牛市，从而买进了奥地利股票。当拿破仑从厄尔巴逃脱的消息在同年 3 月 10 日传到内森那里时，这种预期落空了。他通知萨洛蒙，“资金转移出现了停滞，我被阻止向你汇送大额款项”。而在巴黎，情况更加糟糕：“目前不可能继续生意了。”詹姆斯报告说。但内森很快就重新投入到投机当中，这是事实。基于英国政府即将再次需要将现金运往欧洲大陆的设想，他开始在伦敦囤积黄金，后来将这些黄金卖给赫里斯，运送给威灵顿。涉及的金额是巨大的：单单 4 月的第一周，内森就买了“10 万金币、5 万英镑的外国金币、10 万西班牙币以及近 20 万优质票据”。为了尽可能多地向赫里斯提供黄金数量，内森还将萨洛蒙派去阿姆斯特丹，将詹姆斯派去汉堡，“为军队采购大量黄金”并发回伦敦。赫里斯运往欧洲大陆的第一船黄金——价值 3 000 英镑的 3 个金锭 4 月 4 日起航；5 月 1 日第二船价值 2.8 万英镑。到 6 月 13 日，他一共运送了价值超过 25 万英镑的黄金。4 月 22 日，内森卖给赫里斯总价约为 80 万英镑的黄金；到 10 月 20 日为止，他提供的金币总价为 2 136 916 英镑——有 884 箱 55 桶那么多。此外，他再次接下了向英国盟友输送补助款的生意，最高峰时，一个月就要输送多达 100 万英镑的资金。这次，不仅俄罗斯和普鲁士，而且还包括此前反应冷淡的奥地利，都发现自己别无选择，只能接受罗斯柴尔德家族提供的现金——其他一批国家也同样如此，包括萨克森、巴登、符腾堡、巴伐利亚、萨克森－魏玛、黑森、丹麦和撒丁。1815 年，赫里斯与内森的交易金额总数达到了 9 789 778 英镑。

试想一下，这些款项的转移业务所收到的佣金与 1814 年一样，在 2%~6% 之间，仅此一项获得的利润就可能有 39 万英镑。但是，这还没有考虑到动荡汇率所扮演的角色，与 1814 年一样，它是补贴款交易获利的关键因素。内森在伦敦进行的黄金交易立竿见影的影响就是英镑的走弱，进而将金价推高，升幅高达 23%。这是一场豪赌，因为整个 3 月份，英国是否再次对拿破仑开战还不确定。（如果战争推迟，内森可能会发现自己囤积的是一批没人要并且不断贬值的黄金。）当开战的决定最终确定时，内森寻求再次用欧洲大陆的货币推高英镑的汇率——他将英镑的汇率从对法郎的 17.50 的水平推高到 22。罗斯柴尔德家族的“司令”此时对自己控制交易所的能力十分自信。“任何地方都无须担忧，”他告诉詹姆斯，“我们在这里的资源就像‘狮子’，能够满足所有需求。”他在写给卡尔的信中表现出了同样的自信：“我不再为汇率的细小差异所限制，它给了我控制市场的力量。”内森还认为，他敢确定与赫里斯签订的协议是没有任何风险的，因为任何运到欧洲大陆的款项能够立刻从赫里斯那里得到偿还（之前他必须替政府预付大量的资金）。

但是他的计算在两个方面犯了致命的错误：设想击败拿破仑还需要冗长的战争，一年前欧洲大陆财政瘫痪的状况会快速再现，自己将不会遇到任何竞争。但事实上，拿破仑从厄尔巴回归，再到兵败滑铁卢，只不过是 3 个月的时间，而且前两个月只有两次小规模的军事行动。由于这种情形的出现，罗斯柴尔德家族中阿姆斯特丹、汉堡以及法兰克福的竞争对手能够在货币市场与他们展开竞争，这种情形在 1814 年可是从未出现的。麻烦的第一丝迹象出现在汉堡，让内森感到沮丧的是，詹姆斯发现自己购买金银并不能控制住汇率。接着阿姆斯特丹传来消息说，威灵顿拥有的金银比他预计的要多得多，因此 1814 年 5 月 5 日，内森“接到英国政府的命令，要求我终止行动，因为你们发送的钱币太多了”。盛怒的他把矛头指向了詹姆斯：

> 我对你未能遵循我不断跟你重复的指令的原因自然会感到迷惑不解……我肯定你不知道你对我造成的伤害……由于你的疏忽，我失去了至少7/8的应得的生意……你所做的遵循的是政府的命令，而不是我的指令，我之前就提到过。我请求你立刻停止购买钱币或以伦敦的名义出票，如果这样做了，我将不会再支持你的任何业务，也不会接收任何汇票，我会让他们返回给你，以示抗议。希望我无须再重复这一点。

但这一切很难说是詹姆斯的错。如戴维森指出的那样，原因很简单，内森遭到了诸如赫克舍等欧洲大陆银行家的偷袭，赫克舍洞察了罗斯柴尔德家族运送金银的秘密，他认为罗斯柴尔德兄弟从汉堡以及阿姆斯特丹向伦敦运送金银的目的，是要将它们再次运回欧洲大陆：

> 当我离开伦敦的时候，罗斯柴尔德先生和军需大臣每个人都焦急不安，因为要尽可能筹集尽量多的金银。要完成这些没有别的选择，只能由伦敦花钱筹集。但形势自那时起发生了逆转，长久期待的战争只停留在准备阶段，没有任何真正的战争打响，其后果就是金银能够从四面八方筹集到。此外，波拿巴再次占领法国时那些无意参与金银买卖的银行，现在都想分一杯羹。

詹姆斯灰头土脸地回到了巴黎，萨洛蒙此时到了阿姆斯特丹与卡尔会合，试图扭转英镑的下滑势头，但是损害已经造成。

就在这个关键的时刻，滑铁卢的战争形势到了结束一个时代的最高潮。毫无疑问，首先接到拿破仑战败的消息非常值得高兴，这归功于罗斯柴尔德消息传递系统的迅捷，使得信使能够将消息版的第5份公报——1814年6月18日午夜在布鲁塞尔发布——经敦刻尔克和迪尔，在19日夜里送到了纽考特。这离威灵顿与布吕歇尔在战场上胜利会师只过了24小时。近48小时后，亨利·珀西上校才派威灵顿的军官向内阁报告获胜的消息，而消息送达时，内阁大臣们正在哈罗比爵士的家里共进晚餐（21日晚上11点）。实际上，内森20日就将有关消息转达给了政府，但没人愿意相信；罗斯柴尔德家族的第二名信使从根特带来的消息同样没人信。但无论消息到得多么早，在内森看来，滑铁卢获胜的消息一点用也没有。他并不期望决定性的结局如此快速到来；实际上，就在战役结束的5天前，他刚为英国政府在阿姆斯特丹借了一笔100万英镑的贷款，而且就在他的信使即将到达伦敦时，他正在安排一笔支付给巴登的补助款。现在滑铁卢战役的结果让他以反法联盟的名义进行的金融业务显得过早了，而且会带来非常糟糕的结果。因为兄弟几个不仅持有大量不断贬值的金银，而且还持有需要在阿姆斯特丹出售的100多万英镑的国库券，更不用说一系列只完成一半的补贴款业务，和平协议一旦签署，这些业务全部要终止。当军队报告抵达纽考特证实战争结束指日可待时，内森面对的不是传说中巨额的利润，而是沉重且不断增加的亏损。他在英国军队中的代理人约翰·罗沃思描述了他从蒙斯步行前往热纳普的经历，白天顶着烈日和滚滚灰尘，晚上在战场上露宿。当他最终找到威灵顿的军需官邓莫尔时，后者将他带去的价值23万英镑的普鲁士币退给了他，因为已经不需要了。

尽管内森让兄弟们继续为威灵顿提供货币，但是只有停止这样做才能存活下去。7月底，“惊恐的”卡尔暂停向军队提供款项。两个月后，詹姆斯发现自己现金极为短缺，也采取了同样的做法。与他们不同的是，阿姆谢尔此时沉浸在法兰克福的钱海里，但是那些钱没有一个人需要。卡尔承认，“现在我们不需要为军队找钱，它们已经有足够的钱了”。到这年年底，詹姆斯减少了向德拉蒙德在巴黎的存款机构提供的资金，试图收回一部分货币——这一建议遭到了断然拒绝。更大的困难出现在阿姆斯特丹，卡尔发现很难以内森与赫里斯达成的相对理想的折扣卖出英国国库券。事实上，和平的突然到来使得阿姆斯特丹的市场流动性变得极强，这类长期的票据根本卖不出去，兄弟之间新一轮的争执再次出现。法国的崩溃也对补助款业务带来不利的冲击。在柏林，詹姆斯与普鲁士政府的谈判陷入了迷茫之中，因为滑铁卢战役的消息让英镑的汇率飙升。其他的德意志公国很快开始为自己的补助款争取更好的汇率。更加让几兄弟感到痛苦的是，家里传来了噩耗：朱莉·罗斯柴尔德去世，年仅35岁。“我真的感到非常沮丧。”内森在滑铁卢战役两周后跟卡尔说：“我难以支撑着去参与原本希望参与的生意。妹妹去世的消息让我精神恍惚，由于这个原因，我今天只做了一点生意。”所以，威灵顿获胜后，罗斯柴尔德家族获得的并不是大量的利润，而是一段艰难的岁月。

在伦敦，狂乱的内森希望从损失中寻找机会；正是在这种情况下，公司被传出购买英国股票。7月20日，伦敦《信使报》的晚报版报道说，内森买了“大量的股票”。一个星期后，罗沃思听说内森“利用得到的滑铁卢大捷信息赚了不少钱”，并且希望参与更多的政府证券的买卖，“只要你认为哪些是值得买的”。这似乎证实了一种看法，即内森确实凭借他对战争结果的信息优势，买了统一公债。但是，他从中赚到的利润不会很多。维克托·罗斯柴尔德已经证实，统一公债的价格在滑铁卢战役结束前一周左右已经从最低点攀升到53点，即使内森在6月20日在公债价格为56.5点时，以2万英镑购买了最大数量的公债，一周后在60.5点时抛出，他的利润也仅仅约7 000英镑。有关信托债券（Omnium，另一种政府债券）的情形也是一样的，它在胜利的消息传来后升了8个点。实际上，几兄弟的消息人建议这类交易的规模不宜过大，等到和平协议真正签署之后再大规模投入。一封来自内森的信中透露出了不寻常的焦虑，信中暗示，这些债券都是颇伤脑筋的投机，因为它们全部建立在法国人将无条件接受任何和平条款的假设之上：

> 一切都还好，比想象的要好。我十分满意，我去见了赫里斯，他让我感到……挺好的。他发誓一切都很好。我在61.125和61.5两个价位买进了证券，赫里斯发誓说……一切会很好，我们都信心十足。我希望你们也一样。

按照萨洛蒙的说法，内森还以107点的价格购买了45万英镑的信托债券；如果他采纳了他兄弟的建议，在120点的价位抛出，他的利润将可能达到5.8万英镑。但是这个数字显然没能打动内森；他懊悔当初怎么没有多买一点，并且仍旧持有债券，等待第二年冲到更高的价格。事实上，直到1816年后期，内森或许才在证券投机中获得最大的胜利：他以62点的平均价格购买了65万英镑，其中的大多数他在1817年以82.75点的价格抛出，赚到了13万英镑。但是，这并不是他自己能保留的利润，因为最初的资金是按照赫里斯的建议，以政府基金投入的。

弥补滑铁卢战役损失的第二个，也是更重要的途径是，尽可能地延长英国支付盟国补贴款的时间。在这方面，罗斯柴尔德家族在各盟国中有着许多"无价的共犯"，这些人也希望在和平协定签订、补贴款终止前，尽可能多地往自己的口袋里捞钱。10月，普鲁士代表约尔丹私下里承认，欧洲大陆多国正在拖延和谈，以确保获得多一个月的补贴款；而价值为1 100英镑英国证券的礼物确保了罗斯柴尔德家族负责处理普鲁士的补贴款。另一个合作的官员与之前一样，是俄罗斯的热尔韦，他得到了一份大礼（他让罗斯柴尔德家族处理的补贴款的2%份额）。"最重要的事情，"詹姆斯从巴黎报告说，"是热尔韦成为解决所有问题的特使。他昨天对我说：'罗斯柴尔德，我们一定赚钱'！"之前不理罗斯柴尔德家族的奥地利政府也将其一部分补贴款业务交由罗斯柴尔德家族处理（部分归功于林堡的游说）。正如卡尔发现的那样："与奥地利人做生意并不容易……但是你只要赢得了他们的信心，你就一劳永逸了。"另一方面，欧洲大陆竞争的增加导致佣金减少，套汇获利也变得艰难。一些政府——比如，萨克逊-魏玛就急切地希望避免"钱最后全部落到罗斯柴尔德先生的手中，他毕竟是个犹太人"。几个兄弟不断提及这段时期他们的利润十分微薄（经常是1%），而阿姆谢尔是否值得为那些由他代理补贴款业务的德意志小公国——包括法兰克福、萨克逊-科堡和科堡-萨菲尔德感到"心碎"，让人怀疑。萨洛蒙和阿姆谢尔都非常冷静："你不可能每天都能挣到百万利润。"萨洛蒙提到与普鲁士的谈判时这样说道，"这个世界上，不存在可以被迫发生的事情。做你能做到的事；除此之外，你无能为力。"整个世界不可能“属于罗斯柴尔德”。“这里的情形与英国不同，在伦敦，每周都有数百万的交易发生。而在德国，10 万古尔登已经是笔大生意了。”这些“宿命论”不知道是不是他们讲给在伦敦的内森听的。

1815 年的夏天对罗斯柴尔德家族来说，无疑是个大丰收的季节。这年 3 月签订的一份协议似乎表明，兄弟几个的总资产与 1810 年相比，有了显著的增长。但在 1815 年，至少 2/3 的金额是内森名下的，而他并不是 1810 年家族协议的一分子。考虑到 1810 年的资金全部是其他 4 个兄弟的，这意味着欧洲大陆方面的资金实际上可能出现了减少的情况。此外，1815 年的协议签署在百日王朝危机前，因此可以被看做是早期成功的证据（主要是，似乎可以合理地推断，1814 年为赫里斯进行的业务利润丰厚）。1816 年夏天，兄弟几个估计他们所有的资金总额在 90 万~100 万英镑之间，这暗示资金在 1815 年 3 月~1816 年 7 月间翻了一番。1818 年 6 月，资金总额已经是 177.2 万英镑了（两年内增长了 3/4），这是个非常显著的增长。但是我们有很好的理由，怀疑滑铁卢战役刚刚结束的那段时期就是这种高速增长出现的时期。

困难在于几乎不可能准确地判定罗斯柴尔德兄弟财务上的表现，因为他们自己都搞不清楚。拿破仑从厄尔巴的回归让整个局势变得一团糟，他们的各种补贴款生意在 1814~1815 年间巨大的变化，让他们原本就已混乱的会计程序彻底崩溃。

问题第一次浮出水面是在 1814 年 6 月，卡尔继续筹集一笔大额补贴款生意所需的资金。他能够做到这一点的唯一途径就是“诈骗”（发行融通汇票,或与真正商品买卖不相关的票据）。当詹姆斯抱怨这一点时，卡尔指出，“记账”并不是他的职责。在这个时期，萨洛蒙被认为是家族的会计师——他是能够让父亲一直感到高兴的人，因为他能够“在一分钟之内让他在纸上变得富有”。但即便是萨洛蒙，也很快发现难以追寻内森以几个兄弟的名义进行巨额生意的去向。到 1814 年 8 月的时候，萨洛蒙和阿姆谢尔只能承认：“完全陷入混乱，根本不知道钱在哪里。”“我们加在一起非常富有，即使我们五个人各自分开来看，身家同样不菲。”萨洛蒙焦急地写信跟内森说，“但是钱在哪里？”内森的回答（可能更尖刻）是“（卡尔）应该有一个账本”。

问题在 1815 年 9 月再次出现，当时在欧洲大陆的几兄弟出现了现金短缺的危机。“但是亲爱的内森，”萨洛蒙写道，“你那里一定有大量的资金，因为我现在已经陷入了负债状态，而阿姆谢尔的现金也所剩无几。钱肯定全部到了你那边，但你却写信说你也有如此多的债务。那么我们的现金储备去哪里了？”经过计算，萨洛蒙发现自己仅巴黎一个地方就欠了 12 万英镑，他几天后再次质问内森：

> 我们的钱一定在你那边。我们这里近乎赤贫，没有一分钱可以动用。阿姆

谢尔剩下的钱不足100万，因此大部分钱一定在你那里……找出家族的钱在哪里，亲爱的内森。我不知道我们的钱去了哪里。这很荒谬。但愿我们进行春季大扫除的时候，它们能够冒出来。

内森则回信暗示，阿姆谢尔才是一个“大财主”时，形势变得近乎恐慌。

问题是阿姆谢尔在柏林和其他地方有一系列的补贴款业务要处理，最终也将面临现金干涸的局面，而卡尔的基金在阿姆斯特丹几乎全部被英国国库券套牢。巴黎的形势同样紧急。“这种无穷无尽的债务真让人苦恼。”詹姆斯抱怨说，“我们必须支付的款项巨大，非常巨大。”萨洛蒙也应声说：“亲爱的内森，你写信说你那边有一百万或两百万英镑。你实际上一定有，因为我们的哥哥阿姆谢尔已经没钱了，我们都没钱了。但我们中的一个人一定有钱才对。”实际上，欧洲大陆的几个罗斯柴尔德这段时期避免“破产”的办法只能是短期借贷和进一步使用融通汇票。当然，毫不令人惊讶的是，他们指责内森应该为他们的窘境负责。与他们的父亲早年批评内森一样，萨洛蒙尖锐地指责他弟弟管理不善：“我们只能依靠奇迹和好运，我再跟你说一次，你的账做得十分糟糕。看在上帝的分上，这样重要的交易应该非常精确地进行。不幸的是，你处理这些事的时候毫无章法可言。”他们的账记在“头脑里”的太多，而不是写在纸上。奥地利政府担心罗斯柴尔德家族可能“破产”，这让人觉得惊愕吗？

内森试图向兄弟们保证，他们的安全是有保障的，但是阿姆谢尔还是提出了一些有关家族财富脆弱的一些证据。“你说我无须质询钱到底在哪里。”他向内森抱怨说，“在这方面，我与小安塞尔姆（萨洛蒙的儿子，当时13岁）很像，他总是问钱在哪里。‘人们说我父亲有500万英镑。’他说。他希望看到堆在一起的这些钱。”安塞尔姆想知道，父亲和叔叔们是百万富翁，还是破产的人。现实的不确定性让阿姆谢尔感到无比困惑：“我必须告诉你，自从1815年10月以来，我身体一直不好，我不能再承受下去。如果你希望你的哥哥身体健康，那么你就必须减少他对钱的忧虑。我已经牺牲了我的健康。我必须放松下来……我已经丧失了投机的激情。”他抱怨说，兄弟几个“生活得像酒鬼一样”：“我们不知道自己是不是欠英国政府的钱。”

让问题更加严重的是，这段混乱的时期到来时，赫里斯也在下院中面临着“管理不善”的指责，然后他向内森索要所有详细的财务报表。赫里斯在下院里最主要的批评者亚历山大·巴林突然发难，毫无疑问有着自己的盘算。但另一方面，他的一些指控并无不妥。罗斯柴尔德家族与各国政府的交易中，至少与一个国家（俄罗斯）的交易获得了额外的佣金，并进行了贿赂，而这些赫里斯并不知悉。此外，罗斯柴尔德兄弟在补贴款业务的早期曾利用汇率差异赚取利润。因为需要润色原本已经混乱不堪的账本，所以尽管面对“非常挑剔”的赫里斯的再三要求，罗斯柴尔德兄弟还是竭力拖延了好几个月。即使这意味着需要让巴黎的办事员通宵达旦地赶工，但这对于罗斯柴尔德家族中伦敦的声誉免遭破坏来说是至关重要的，萨洛蒙说：“英国是我们的粮仓。”1816年初，如此害怕卷入丑闻的内森写信给阿姆谢尔，建议他暂时不要在法兰克福买新房子：

> 我问过赫里斯，他给了我了一个没头没尾的回答，让我别购买奢侈品，因为报纸会立刻写文章针对我，英国官员也会开始质询我……你最好能听从我和赫里斯的建议，别买房子，等到我的账目理顺了再说。

赫里斯此时已经接到德拉蒙德从巴黎发回的不安信息，德拉蒙德说，詹姆斯向他保证说，为了避免引起汇率变化，进行“虚假交易”是必要的。“这一点我敢说是千真万确的。”德拉蒙德焦虑地说，“但另一方面，对于那些即将接受审计人员核查的账目，要竭力避免的就是弄虚作假，因为这通常是审查的重点……但要求所有的会计人员摒弃所有虚假，这是合适的要求吗？”德拉蒙德不知道的是这种虚假的程度。当他的同事邓莫尔1816年3月探访詹姆斯时，詹姆斯承认：“我的心剧烈跳动，我害怕他可能要求我把他的钱送交军队。”詹姆斯当时手里只有不到70万法郎，远低于邓莫尔可以合法要求的数字。

最终，几兄弟无人能够承担解决账目问题的任务。这一重担落到了本杰明·戴维森的肩上，他必须重组前一年超乎寻常的交易，并竭力隐藏无数的违规行为。他面对的困难是令人畏惧的。首先，罗斯柴尔德兄弟没有一个采用复式记账法。就如阿姆谢尔说的那样，柏林的银行家门德尔松“知道如何处理每个（联合账户），而在罗斯柴尔德公司，我们只能依赖簿记员所说的话。加塞尔告诉我，‘我们在普鲁士交易中赚到了不错的利润’，我只能相信他”。这件事本身就是值得注意的：毕竟，复式记账法1494年就由威尼斯人卢卡·帕乔利发明，至16世纪末期时，已被欧洲大多数国家采用。罗斯柴尔德家族一直未采用它的事实也说明，资本主义化的法兰克福犹太社区在技术上是相当落后的（但当然，这也意味着商业天才可以在没有会计的情况下运作生意——至少一段时间）。第二，会计记录之间存在巨大的缺漏，这反映了在法国占领期间，在法兰克福以及其他地方养成的保密习惯。第三，便是大量利润来自汇率波动的难题，这些也是赫里斯不知道的。最后，最让戴维森感到头疼的是，几个兄弟发行了“虚假”的融通汇票，总额达到了200万英镑。戴维森无奈地说：“他们早就应该想到……赫里斯有一天会查看这些账目。”

幸运的是，戴维森能够将账目“修葺一新”，向政府展示的数字显示，罗斯柴尔德家族并不是补贴款以及其他支付业务的主要受益人；最后，萨洛蒙的论断似乎被首相利物浦和他的同僚所接受，即“即便100家银行也不可能在9个月里承担如此规模的业务，并为政府带来利润”。当军需部1816年10月撤销时，赫里斯在得到了一笔补偿金后光荣地离任，而且下院阻止他担任皇室专款审计员的动议也被否决。但无论怎样，直到1818年1月，萨洛蒙仍然担忧账目的事情：

我们现在仍然未摆脱政府的怀疑……只要政府仍然怀疑与赫里斯有关的账目，我们就难脱干系。我们富有还是我们能够逍遥自在？在我看来，没什么钱的仆人比我们还自在。为什么？因为他手头没有一个拙劣的账目，而且政府不会时刻掐着他的脖子。

因此，公平地说，1814年和1815年的巨额利润获得的途径比传统的滑铁卢神话中提到的方式要更神秘，也更危险。

兄弟互助的典范

在19世纪的欧洲，兄弟互助的想法极其重要。互济会成员、自由党人以及后来的社会主义者均将兄弟互助的关系理想化，寻求超越家庭建立一种虚幻的兄弟情谊。当然，这并不是什么新鲜事物。宗教教义几百年来一直在做这样的事。但是《欢乐颂》这首席勒的诗被贝多芬谱写成曲后，兄弟情谊便被赋予了革命性的重要意义。正如法国大革命广为人知的口号所喻示的那样，想象把所有的人变成兄弟，是把他们想象成自由平等关系的关键。

当时的人们经常从罗斯柴尔德兄弟超乎寻常的成功中得到启发，认为他们是兄弟互助理想的典范。这并不是因为他们是独一无二的，即便在今天的欧洲，一个家庭像迈耶·阿姆谢尔夫妇一样生5个儿子，或再生5个女儿，也并不少见。弗朗西斯·巴林也有5个儿子。实际上，到19世纪70年代，英国18%的已婚妇女都有10个或更多存活的子女，超过一半的妇女有6个或更多的孩子；德国的统计数据也大致相同。让当时的人感到惊奇的是，罗斯柴尔德五兄弟似乎以一种非同寻常的协作关系运转着家族生意。这也是弗里德里希·根茨在他为布罗克豪斯出版社《大百科全书》写的那篇著名文章中着重强调的一点：

五兄弟以巨大的责任心谨遵他们父亲临终的教诲，维系牢不可破的团结，在所有生意中保持协作……每一宗生意的提议都出自集体的考虑；每项业务，即便不是那么重要的业务，也都根据一致同意的计划进行并展开分工协作；生意的成果由五人平分。

他们在法兰克福的竞争对手西蒙·莫里茨·冯·贝特曼也认同这一观点："五兄弟之间的和谐是他们获得成功的主要因素。他们中的任何一个人都不会想着挑另一个人的毛病，不会批评另一个人的生意，即使生意的结果与预期相差甚远。""罗斯柴尔德家族的兴盛，"本杰明·迪斯雷利后来评论说，"归功于他们的团结，这种团结的感情似乎遍布于那个家庭的所有分支；这种团结与他们的资金和能力一样重要。罗斯柴尔德家族就像是阿拉伯的部落。"这很快演化成了"五个法兰克福人"的神话。一个德国作家在19世纪30年代写道：

> 这五个弟兄一起组成了一个难以攻破的方阵……他们坚持自己的原则，即从不单独地从事任何一件事，所有业务都由几个人共同完成，总是遵从相同的体系并追逐相同的目标。

如果兄弟间的和谐一直是这样的话，这些评论便显得多余。矛盾之处在于，与诗歌中颂扬的理想化兄弟情谊不同的是，真正的兄弟很少能很好地共事。犹太人和基督徒都知道约瑟夫和他兄弟的故事，有关兄弟阋墙的著名案例：加德和阿舍对他们同父异母弟弟约瑟夫的憎恨，约瑟夫与弟弟本杰明亲密的兄弟情，大哥鲁本复杂的感情，暴力的冲突和最后的和解。与罗斯柴尔德家族同时代的霍普兄弟以及巴林兄弟，兄弟之间也少见吵闹，但却未能以兄弟团结的名义超越个人的差异。当罗斯柴尔德兄弟在财力上超越他们时，他们似乎成为了混乱理想的化身。

但是，在现实中，在1814年和1815年混乱的环境下，维持兄弟间的友爱远不是那么容易。由于他们的资源被一系列巨额、高风险的生意套住，罗斯柴尔德几兄弟的个人关系经常恶化——有时甚至到了破裂的边缘。最主要的原因毫无疑问便是内森对生意伙伴日益傲慢的态度。从技术上讲，根据1815年的协议，五兄弟都是平等的：利润平均分配，内森给每人一张价值5万英镑的本票，以补偿他在资金中占据的超大份额（而多出的利润）。但是萨洛蒙和其他几个弟兄当时评论说，内森富有攻击性的脾气以及公司业务以英国为核心的特点越来越明显，使得其他几个兄弟沦落到了代理人的地位。萨洛蒙一次半开玩笑地说，内森是"发号施令的司令"，其他几个则是他的"元帅"，而他们要处理的资金则是"士兵"，这些士兵"必须时刻准备好"。内森也被人们拿来与拿破仑——而反对拿破仑成为罗斯柴尔德兄弟金融活动的最终指向——相提并论，便是一个有启发性的事例，而他的兄弟们在这个对比中也没有被落下。

斯温顿·霍兰德1824年对他的合伙人亚历山大·巴林说：“我必须坦白地承认，我对他的金融活动并不感到忧虑。它们通常经过精心策划，被聪明、熟练地执行——但他就如战争中的波拿巴一样，所不同的是他身处金钱和基金的世界里；一旦有突如其来的事情发生，他就将和法国人一样一败涂地。”对路德维希·伯恩来说，内森和他的兄弟都是“金融波拿巴”，这样的故事在19世纪70年代仍然被作家们刻画着。但是实际上是内森成为银行业世界中的波拿巴，他与法国皇帝一样对风险有超越常人的兴趣，并且难以容忍无能的部下。

早在1811年——甚至在他们父亲去世前——内森的兄弟们就开始抱怨他在来信中偶尔出现的自大语调。但直到1814年年中，他才真正开始以主导合伙人的形象出现，更别说他“作威作福”的做派了。1814年6月，他命令萨洛蒙去阿姆斯特丹协助詹姆斯，并抓住机会抨击他在法兰克福的兄弟：“我告诉你，阿姆谢尔和卡尔让我感到非常不安。你不会知道他们写信给我时是多么的愚蠢，向我要钱时就像疯子一样……老天爷作证，他们如此愚蠢地写信给我，今天我太生气了。阿姆谢尔写信给詹姆斯，似乎觉得詹姆斯可以独自处理生意。”这些话显然让几个弟兄极为不满，而戴维森希望内森停止“蔑视性通信”的呼吁也来得太晚。心力交瘁的卡尔气得病倒了，他警告内森，如果“他继续这样下去”，他的“一个合伙人很快便会到另一个世界去”。萨洛蒙也抱怨说“我心里绞痛”，他的语调比卡尔更为愤怒：

> 我一刻也不能相信，即便我是学识过人的内森·罗斯柴尔德，也不能将其他四个兄弟看做是愚蠢的学童，自己是唯一睿智的人……我不希望自己比现在更加难过。坦率地说，我们既没有喝醉，也不愚蠢。我们有一些伦敦显然没有的东西——我们的账目清晰有序……如果我的眼泪是黑色的，那么我就能更轻易地写更多的内容，而不是用墨水来写……每到英国通信日，对我来说都是一个噩梦。我每天晚上都会梦到这些信件……一个人不能这样给他的家人、兄弟和合伙人写信。

但是他们所有的抗议，得到的回应只是内森强硬的威胁——解散家族生意：

> 我必须承认，我彻底厌恶了周期冗长的生意和令人不快的后果……从今天起……我想如果萨洛蒙关闭巴黎的业务、带着账本来伦敦将再好不过。戴维森可以带着阿姆斯特丹的账目过来，届时我们就可以清理账目了。我也希望得到法兰克福的账目……因为我厌倦了合伙人制度……我知道你们全都非常聪明，现在感谢上帝，我们5个人将会和平了。

这番话收到了效果；这之后，内森下命令时很少遭到挑战，萨洛蒙在 1814 年 8 月写给萨洛蒙 · 科恩的信中承认了这一点：

> 我在伦敦的兄弟是发号施令的司令，我是他的陆军元帅，我必须尽我最大的能力来履行我的职责，因此，我必须向司令提供报告、评论等。我有时必须把事情描述得夸张点，以显示我对自己所说的话是多么认真，但是我仍然十分迷茫……做一个好司令，你应该知道一个好司令应该知道的东西，不要总是想着往前冲，你应该偶尔采取防御的策略，以保存自己的实力。

就如这封信所显示的那样，萨洛蒙仍然担心内森做事过了头，但是他显然将自己看成了一个从属和顾问的角色：“我们把你看成是司令，我们自己则是将军。上帝可能会给予我们幸运和祝福以及成功。这点上我们仍然是将军。那些缺少平和、运气的人甚至连下士都不是，但愿不是这样。”卡尔也接受了内森的统帅地位，尽管他说得比较隐晦：“我只是马车的最后一个轮子，只把自己看做是一部机器。”他和萨洛蒙可能并不喜欢阿姆斯特丹，但是如果内森让他们待在那里的话，他们便会照做。即便萨洛蒙请求回法兰克福——他在之前 3 年只在法兰克福待了 3 个星期——看望他的妻子或出席他孩子的洗礼，都被内森认为是不合理的；第二个请求被批准的前提是萨洛蒙在法兰克福待一天后便要回到巴黎，而且在法兰克福期间还要参与整理那里的账目。内森只关心一件事：生意。“你所有的来信，”萨洛蒙厌烦地抱怨说，“都是付这个钱，付那个钱，发送这个，发送那个。”

> 自从 1811 年以来……哪里的业务需要我，我就会去哪里。如果今天西伯利亚需要我，我就会去西伯利亚……请帮我一个忙，不要再给我寄让人不快的信件。一个人孤零零坐在小旅馆里，经常在一支蜡烛的昏暗光线下，等待他弟弟的来信。而读完信，他并不是满心欢喜地上床睡觉，而是极度沮丧，辗转反侧难以入眠。我们现在还有什么快乐可言？年轻时的欢乐已经离我们而去；不幸的是，我们还要跟它们说“晚安”。我们的胃口如此的差，再难享受到饕餮美食的快乐。几乎世界上所有的欢乐都远离了我们。我们应该放弃通信的快乐吗？

但是内森仍旧沉迷于他唯物至上的信念：

> 我写信给你以表达我的想法，写信给你也是我的职责，见鬼……我不止一次地通读你的信件，可能不下 100 次。可以很好地想象那便是你自己。晚饭后，我通常没事可做。我不读书，不玩牌，不去剧院，唯一的欢乐就是我的生意；

> 出于这点，我读阿姆谢尔、萨洛蒙、詹姆斯和卡尔的来信……就卡尔的信（说的是买一个大一点的房子）来说，说的都是废话，因为只要我们生意好，保持富有，所有人都会讨好我们，那些没兴趣通过我们赚钱的人则会妒忌我们。我们的萨洛蒙对任何事和任何人都太好，如果一个好事者向他耳朵里吹一些风，他就会想，所有的人都是高尚的，但事实上是，他们追逐的都是自己的利益。

私下里，即便根茨也承认，现实中，内森才是“护民官”（五兄弟之首），是他拥有“敏锐的直觉，让他们总能做出正确的选择，在两个好的选择中，挑对更好的一个”：

> 巴林最复杂的推理启发了我，由于我近距离地目睹了所有的事情，巴林和霍普兄弟比更聪明的罗斯柴尔德兄弟中拥有良好判断力的一个（五个兄弟中，一个不那么聪明，另一个聪明却有些软弱）少了一点自信，如果巴林和霍普失败了，我能很自信地断定，这肯定是因为他们认为自己比罗斯柴尔德更聪明，而没有采纳他的建议。

这段话中使用的是单数“罗斯柴尔德”，而不是罗斯柴尔德兄弟，非常重要。因为只有一个真正的“金融波拿巴”。

而根茨提到的“不怎么聪明以及聪明却有些软弱的人”可能是指阿姆谢尔和卡尔。这有些不太公允：更准确的性格描述是，他们比起其他兄弟，更倾向于少冒风险。阿姆谢尔是五个兄弟中最谨慎的，经常希望过一种“平静的生活”。“我，不想吞下整个世界。”他在一封典型的家信中写道。他的理想是“安安静静地工作”，不用担忧任何事，而这恰恰是内森的拿破仑式方法必然带来的东西。

排行第四的卡尔则一直紧张而且缺乏安全感，他和阿姆谢尔一样野心不大。“我厌倦了生意，”他在写给大哥阿姆谢尔的信中这样说道，“希望上帝能给我小小的、足够住的地方，能够让我有衣服穿，有面包吃。我并不想飞上天。”这种感觉在阿姆斯特丹遭遇英国国库券买卖惨败后，无疑更加强烈，那次惨败使他遭到了猛烈的指责。在这之后，如萨洛蒙提到的那样，卡尔心理上开始“恐惧”内森，尽管他仍然能够在“老板的背后”小声地数落他的不是。我们之前已经看到，萨洛蒙自己有智慧和信心质疑内森的策略；但是根据罗斯柴尔德家族高级雇员，如戴维森和博朗的说法，萨洛蒙太“安静而且思前顾后”，“把许多事情埋在心里”以容忍他弟弟好斗的性格。而且只要有可能，他更倾向于和内森一样反对其他兄弟。

但是，内森的主导地位也不是绝对的：合伙人制度并没有降格为独裁制度。这其中有一些原因。首先，内森的小弟弟詹姆斯——1815 年才 23 岁——与其他三个相比，不怎么顺从他的意思。在1814年兄弟几个争执最火暴的时候，詹姆斯仍然保持着冷静，他有些讽刺地告诉萨洛蒙·科恩，他允许内森“指挥他数百万次，他会把它们当做是苹果和梨，乐意承受”。尽管詹姆斯有时想要离开巴黎，但他却一直留在那里，而他这样做不可能是因为内森的要求。最小的弟弟与内森一样聪明，脾气也类似，而且詹姆斯也接受过很好的教育。值得一提的是，詹姆斯敦促他的哥哥们采用复式记账法。实际上，只是年龄上的差异才迫使詹姆斯在之后的20年里继续顺从内森。即便承认了内森的领导地位，詹姆斯也远不那么恭敬。“现在重要的一点是为英国制订一个明智的计划，”他在1818年3月写信给内森，“你必须做到这一点……我让你自己做决定。我的职责就是让你注意到这件事，而你作为统帅的责任，就是要拿出解决办法。”早在1816年12月，卡尔就抱怨詹姆斯措词尖刻的信件，詹姆斯在信里说法兰克福公司挣的钱不够多。他这时已经表露出与内森相似的特性。与此同时，内森（以及后来的詹姆斯）有时需要其他兄弟来牵制一下。阿姆谢尔在滑铁卢战役后生意最糟糕的时候，写信给詹姆斯说：

> 一个人不应该感到困惑。这里就涉及合伙关系的好处。如果一个合伙人失去了理智，其他人必须保持平静。如果他们全部失去了理智——那么说晚安吧！我希望这封信能让你安静下来，并感谢上帝，我们获得财富的速度比任何人都要快。

实际上，内森有时确实非常乐意将一个困难的决定推迟做出，声称需要咨询兄弟们的意见。有时，这是一种谈判策略；有时，他确实听取了他们的意见。

最后，不论他们争吵得多厉害，兄弟几个仍是相互间最信任的人。我们知道，有一次，萨洛蒙模仿内森的笔迹在一些票据上签了名，因为内森忘了背书，而这意味着其他人也能这么做。即便最好的办事员也要保持一定的距离，当一个叫做费德尔的人似乎对阿姆谢尔产生不适当的影响时，卡尔的反应不能被看做仅仅是嫉妒。同样的，他们的姐夫（妹夫）或妻子的哥哥弟弟都被用怀疑的眼光审视着，他们被看做是有意染指家族生意的“外来人”。詹姆斯曾特地提醒内森，他过于信赖他妻子的亲戚萨洛蒙·科恩和妹夫亚伯拉罕·蒙蒂菲奥里（摩西的兄弟）了，听不进其他人的意见：

> 一个人应该意识到，即使他的朋友告诉他的东西，也无外于吹捧，没有一句真话，这很难得；当他们走开时便会嘲笑你的轻信。亲爱的内森……你聪明坦诚，你了解这个世界……在你的书信到达之前，我心中的一块石头终于放下

了，因为萨洛蒙告诉我，伦敦现在已经与以前不同了，不仅蒙蒂菲奥里和萨洛蒙·科恩不允许再阅读和仔细研讨信件和生意，即便戴维森也不允许这样做了。这点从你的信中也得到了证实。

类似的是，兄弟几个都密切关注卡尔试图在汉堡找一个妻子的事情，因为卡尔与哪个家族联姻是关系到他们共同利益的大事。说到底，他们之间有着兄弟情谊的深厚纽带，它发源于犹太街，也是其他任何关系所难以替代的。“当我们全部睡在一个小房间里时，有人答应给我们更多的东西吗？”萨洛蒙有一次这样对内森说，因为内森埋怨他过早地卖出公债。这些记忆从没被完全忘记，不管兄弟几个之间的距离多么遥远，不管他们在信中争吵过多少次。

兄弟团结的长处和短处表现得最为明显的一次，便是兄弟几个争执是否要修改1815年的合伙人协议。1814年和1815年大交易的结果是几个兄弟之间财务上相互纠缠的复杂关系，这很难解开。而此时的问题是，詹姆斯是否被允许在巴黎以“罗斯柴尔德兄弟”的名字来成立一家新公司，因为这个名字代表的是兄弟五人。尽管詹姆斯反对合并各个分公司的账目，阿姆谢尔仍然心存忧虑，他担心詹姆斯会把他扯进风险业务中。他和卡尔只有在詹姆斯保证不公开合伙人资金的情况下——为保密起见而做出的一个重要决定，也将成为一个被沿用的举措——才能同意了詹姆斯的要求。结果是一个折中妥协，花费了近两年时间才达成协议。1818年的协议相应地将兄弟五人的合伙人关系定义为“三家联合商业机构，按照五个合伙人的相互责任进行运作”，与此同时“形成协调一致的利益”。这是一个非常好的区分，它十分准确地概括了五兄弟以更深远、持久的兄弟互助情感来协调个人分歧的方式。

第四章

和政府做生意（1816~1825年）

THE HOUSE OF ROTHSCHILD

你无疑是对的，与缺钱的政府做生意能赚得更多，但是你必须承担风险。

詹姆斯·罗斯柴尔德致内森·罗斯柴尔德

N·M·罗斯柴尔德……拥有金钱、力量和权力。

内森·罗斯柴尔德致罗特尔

1823年，拜伦的长篇诗体小说《唐璜》的第12、13和14篇在伦敦出版，那时它的作者正被卷入希腊争取独立的斗争中（这被证实是相当致命的）。拜伦贵族式的挥金如土此时与他的自由精神一样有名。无论如何，这些诗篇显示出他对金钱力量的清楚认识——尤其是新兴的、以内森·罗斯柴尔德为代表的金融力量。“是谁掌握着世界的枢纽？”拜伦在第12篇中问道：

“谁左右着议会，不论它倾向自由或是保皇？
是谁将西班牙赤背的爱国者压迫得作乱？
使旧欧洲的杂志和报章一齐怪叫起来？
是谁使新旧世界或喜或悲的？
是谁让政客打着油腔？
是拿破仑的亡灵吗？
不，这应该问犹太人罗斯柴尔德，基督徒巴林！”

这些诗句之前就被历史学家引用过。但也值得读一下它之后的诗篇，因为它很好地刻画了当时的人们对19世纪20年代初期投机金融力量的兴起怀有的一种矛盾心理。在拜伦看来，罗斯柴尔德和巴林都是“真正的自由拉斐特（法兰西银行行长）”，“欧洲真正的主人”：

他们的“每一笔贷款不仅是一宗投机生意，
并且足以安邦定国，

或是把王位踢翻，
甚至连共和国都难逃：
哥伦比亚的股票已有些卖给了交易所的大老板，
连你那银质的泥土啊，秘鲁！
都难免受到犹太人的折扣的痛苦。”

拜伦继续以他超强的洞察力讨论了罗斯柴尔德早期的一个截然不同的品质：克勤克俭。实际上，似乎可以认为“憔悴的守财奴”的诗句可能就是受内森启发写就的：

啊，他才是你们唯一的诗人！
热情，纯真，眼里闪烁着灵感的光，
他惦着一堆堆的黄金；请想想吧，
仅是黄金梦就曾经引诱过多少国
远涉重洋！就在那幽黑的矿井
金锭对他闪着光环，钻石发着火，
还有翡翠的柔光给眼睛以安慰，
以免守财奴看那宝石看得太辛苦。
大洋两岸的土地都是他的；从锡兰、
印度或遥远的中国开来的船只
无一不为他卸下麝香的货物；
他的葡萄园像朝霞一般红艳；
他的谷车把道路压得呻吟；
他的地窖可以作为国王的宫殿；
但他呢，对感官之欲一概抛弃，
只克勤克俭——做理智的上帝。
或许他心里自有伟大的计划，
设医院啦，盖教堂啦，或是创办学堂
以便死后在一座大楼的檐下
将他的尖削的脸面高高雕出。
或许他想要解放人类，就是用那
把人类践为牲畜的矿物；
或许他想做全国最大的富翁，

或者狂喜于自己谋略的成功。

诗句中提到的“他的国家”或许暗示激发拜伦对金融力量认识的更多的是内森，而不是巴林。

拜伦暗示——尽管用讽刺的口吻——内森与亚历山大·巴林一起“掌控着世界枢纽”，这需要做一些解释。当时，巴林这个姓氏已经名声在外。与罗斯柴尔德家族一样，巴林家族也是德国移民（弗朗西斯·巴林1717年从不来梅移民英国）；而且弗朗西斯的儿子约翰与内森一样，也是从纺织品生意中赚到了第一桶金，约翰当时是一个毛纺产品制造商，他的两个儿子在1770年创立巴林兄弟商业银行。但是作为路德教徒的巴林家族，他们很快地融入了埃克塞特的上层人群，他们后来搬到伦敦的情况也是如此。约翰的小儿子弗朗西斯从1784年起就一直担任国会议员，从1779年起担任东印度公司董事会成员，1793年获准男爵爵位。他的儿子亚历山大于1806年也成为了议员。形成对比的是，在《唐璜》出版前的几年，罗斯柴尔德家族在反对拿破仑战争的财政支持中扮演的角色很大程度上还是一个秘密，只有政治圈以及金融圈内部的人了解这些情况。即便巴黎银行家雅克·拉斐特作为法兰西银行行长以及百日王朝财政靠山之一，也比罗斯柴尔德家族有名。滑铁卢战役后发生的一系列动荡让内森获得了前所未有的曝光率和知名度——他被认为能够“驾驭”保皇派和自由派，“唤醒”西班牙的爱国者以及“让新旧世界或喜或悲”。

和平的经济结果

答案必须从那些能够被称做“和平的经济结果”（这个词出现于一个世纪后的类似时期）的事物中寻找——滑铁卢战役后强加给法国的《第二次巴黎和平协定》。《第一次巴黎和平协定》对复辟的波拿巴王朝并没有提赔款的要求，但是滑铁卢战役后，获胜的各国不再像之前那么和善。除了一致决定处罚百日王朝期间站在拿破仑一边的那些人，还要求为占领法国北部的军队支付报酬，这些军队一度达到了百万人之多。即便11月和平协定签订前夕，占领军提出一个索款或“捐助”的要求，数额也是5 000万法郎。协定最终确定了7亿法郎的赔款总额，从1816年3月开始，分5年还清，在这期间，15万人的占领军将继续留在法国。占领军的各项费用也必须由法国财政部承担。

罗斯柴尔德家族显然希望《和平协定》的财政条款——意味着新的、利润丰厚的系列国际款项转移业务，这次是从巴黎出发而不是伦敦——能给他们提供大量的机会来弥补百日王朝期间的损失。起初，兄弟几个很乐观，毕竟他们与一些接受赔款的国家关系良好。热尔韦与之前一样，承诺将俄罗斯的赔款份额业务大部分交给罗斯柴尔德兄弟处理，赫里斯也被认为将把英国方面的大量业务交给他们。但很快，形势就变得很明朗，所有涉及法国“捐助”活动的业务都必须与其他银行共同进行，从而威胁到罗斯柴尔德家族在国际支付领域中的垄断地位。萨洛蒙和詹姆斯只有在与柏林的门德尔松、贝特曼公司，法兰克福的贡塔德，维也纳的阿恩施泰因和埃斯克尔公司以及汉堡的帕里什公司建立了松散的伙伴关系后，才能够参与普鲁士和奥地利的最初几笔赔款业务。即便从英国和俄罗斯获得的业务也没有想象中那么容易。

部分问题是影响力的下降。赫里斯在巴黎的代表与赫里斯本人相比，没那么“友好”，而俄罗斯大臣内塞尔罗德伯爵也有喜欢贡塔德的理由。这之后，热尔韦和赫里斯相继离开了自己的职位，这无疑又是严重的打击。更糟糕的是，另外一些与罗斯柴尔德家族有接触的官员——俄罗斯人梅里安以及普鲁士人罗特尔——都拒绝接受贿赂。但真正的问题是和平带来了竞争。正如詹姆斯所抱怨的那样，只能获得1.5%左右的利润，“赔款业务中毫无乐趣可言，那里的人太多了”。萨洛蒙尤其厌恶奥地利的代表，此人“从一家银行跑到另一家银行，仅仅为了获得额外的一点小利”。最终，萨洛蒙和詹姆斯变得有些认命了：“这里没有大笔的交易，但由于我们已经身处其中，我们很高兴能竭尽所能阻止它们被其他人抢走。”唯一聊以自慰的想法——经常重复出现——便是与各个宫廷保持接触，无论业务的利润多么微薄，因为这意味着将来能够获得更好的机会。罗斯柴尔德兄弟从没有拒绝过任何小规模的款项转移业务，也乐意接受向德意志公国发放赔款的业务，以及俄罗斯赔偿军队损坏的私人财产业务。

不过更让人失望的是，詹姆斯未能拿到赔款带来的另一项业务的份额。到1816年后期，可以很清楚地看到，法国只有通过巨额贷款的方式，才能支付赔款以及占领军的费用。尽管它采取了削减开支的举措，并增加了税收，但要实现每年1.7亿法郎的盈余是不现实的，不仅仅是因为保皇派激进分子的“无信用议会”——与19世纪大多数由中产或富裕阶层选举出来的议会一样——对增加直接税没有丝毫的热情。实际上，1816~1817年的预算出现了3亿法郎的赤字，只能依靠艰难获得的短期借贷来支撑。此外，巴黎资本市场本身过于虚弱，难以吸收无助的、新发行的公债，这些公债对法国来说，是必不可少的。5%的公债价格跌到只剩一半，法国政府别无选择，只能向海外求助。

拿破仑刚刚被打败时，罗斯柴尔德家族在法国宫廷中的影响前景被普遍看好。他们不仅负责将英国的一笔贷款转交给复位的法国皇帝，而且曾是拿破仑莱茵同盟大主教以及法兰克福大公的达尔贝格也摇身一变成为了省政府的一员。达尔贝格这个投机分子（最著名的应该是塔列朗了）通过时机恰好的叛变，成功地熬过了政权的又一次更迭。但是，塔列朗的辞职以及黎塞留公爵新政府的成立，似乎削弱了罗斯柴尔德家族的地位。詹姆斯竭尽所能地讨好黎塞留的秘书，后者显然提供了有关法国政府动向的许多宝贵的内部信息。但是，1816 年秋天贷款的问题提上议事日程时，新当选的财政大臣科尔韦托将相关业务交给了巴林以及霍普公司的皮埃尔－塞萨尔·拉布谢尔，拉布谢尔当时听从于另一个帝国时代幸存者加布里埃尔－朱利安·乌夫拉尔。1817 年初，一项协议达成，巴林按照 2.5%的佣金收取标准向法国政府提供了 2.97 亿法郎的资金，换取 5%的公债。因为公债是几个月内分三次发行的，价格分别是 52.5、55.5 和 61.5 点，这意味着为了得到不足 3 亿法郎的现金，法国政府必须增加 5.34 亿法郎的国债——从另一个方面来解释，它必须支付高达 9%的利息，几乎是公债票面利息的两倍。与之后的神话传说相反的是，罗斯柴尔德家族发现自己或多或少地被排挤出了这个巨大的业务活动。

这对詹姆斯是个极其沉重的打击，他在自己的贷款计划上付出了相当多的精力，认为即便到了最后一刻，他至少能够参与到某种联合行动中去。“沮丧”而且愤怒的詹姆斯谴责了巴林的口是心非，并指责其贿赂了法国政府，夸大自己无力提供现金的事实，从而获得了 6 个月的喘息期。当展开最后一搏（与拉斐特以及帕里什联手），试图加入巴林集团以获得 1817 年 7 月第三批公债发行的业务，但最终仍旧空手而回时，詹姆斯简直愤怒之极。从伦敦回到巴黎的萨洛蒙爱莫能助，但对他弟弟一直努力试图挫败对手的举措表示赞赏：

> 这个巴林是个十足的恶棍。今天他将和我们共进晚餐，另外还有拉斐特……由于他的关系，我们必须小心地对待自己的每一个举措。巴林集团发挥其影响力的方式在过去以及现在都有别于我们。各国官方中的重要人物无不与巴林紧密地合作……俄罗斯大使波佐·迪·博尔戈站在了法国以及巴林的那一边……巴林和法国财政大臣分享利润。这位财政大臣被认为是腐败官员中的头号人物。

不管这些指责的真相是什么，最后一批赔款贷款的谈判开始时，巴林仍占据着强有力的地位，再次把詹姆斯拒之门外。尽管 1818 年 5 月，一批面值为 2.9 亿法郎的公债直接向公众发行，但法国政府对随之而来的疯狂投机感到非常震惊（求购的数量是发行量的 10 倍，66.5 点的发行价被推到了 80 点的高峰），同月 4.8 亿法郎（面值）的公债发行交给了巴林。詹姆斯和其他巴黎银行家巴格诺、德莱塞尔、格雷菲勒、奥廷格以及拉斐特一起，仅得到了 1 000 万法郎的贷款业务，而且还要与戴

维 · 帕里什分享，后者对自己受到的待遇感到极为不满。他和其他银行家分享到3 100万法郎的业务才能满意。当时，威灵顿公爵向英国首相利物浦报告说："事实上，巴林在某种程度上掌控着世界货币市场，他牢牢掌握了法国财政，让法国人的贷款在英国流行。他自己也感受到了这种力量，要成功地战胜他并不是件容易的任务。"如果真的存在巴林被称为"第六大力量"（可能是黎塞留虚构的一个短语）的时刻，那么这个时期便是。

当然，一直有反对者认为需要限制巴林兄弟直接参与提供给法国的巨额贷款业务。百日王朝的闹剧之后，内森有很好的理由质疑复辟的波旁王朝的稳定性。萨洛蒙可能让他对自己的判断更加确定，根据巴黎最为可信的消息来源证实，"法国不会再有革命"，但萨洛蒙随后又加上了一些限定语："至少在可预期的短期内不会发生革命，即便有什么事发生，也不会在未来的3个月内发生。"他也承认，"根本无法预料狂热法国人的行为"，他们将来不履行还款义务的可能性不能排除。这些评价反映出他与内森一样，对法国基金没有太大的信心。这种怀疑在詹姆斯那里进一步得到增强，他在1816年5月在巴黎听到了"战争的传言"。几个月后，另一条新闻让他变得更为警惕，有传闻说，英国政府可能倾向于用奥尔良公爵取代路易十八，詹姆斯发出警告称此举将导致战争。1817年因农作物歉收而带来的大规模社会动荡和高涨的食物价格再一次强化了这些担忧。

另一方面，波旁王朝的财政比它看起来的样子要稳固一些，这也解释了1817年以及1818年上半年公债价格迅速上升的原因，这让许多提供贷款的人赚取了丰厚的利润。由于18世纪90年法国纸币的高度通货膨胀，法国——不像英国——无形中或多或少地消除了18世纪积累的债务。它在1815年代公债总额仅为12亿法郎，占国民收入的10%——比英国的数字小得多，使它相当于拥有了一个"清白形象"。因为巴林兄弟的贷款推动法国公债实现运转之后，法国政府就可以用坚挺的价格来发行公债。随着公债的价格上升，詹姆斯哀伤地发现，巴林"得到的除了钱还是钱"。法国的资源实际上"非常充足"，社会形势稳定："即便同盟国撤军，法国仍将保持平静。可以确定的是，这里没有任何派别能够挑起反对政府的行动，至少短期内不会出现这种情况。"

因此，罗斯柴尔德兄弟未能获得1817年和1818年的赔款贷款份额是一个巨大的损失。这其中的寓意是显而易见的：如果说他们在1814年初抢在了其他银行家之前，那么现在他们则必须面对巴林和贝特曼家族重拾欧洲财政领域统治地位的挑战，同时还要应付那些不怎么有名的金融家，如贡塔德和阿道夫 · 戴希塔尔（巴伐利亚银行家）的新竞争。如卡尔在1814年所说的那样："主要的事情是人们对我们怀有敌意，因为我们得到了业务。”“我们树敌太多。”詹姆斯一年后也发出同样的哀叹，“尽管更多的是妒忌而不是敌意。每5分钟就会有一个人找到（普鲁士）大臣并且问：‘为什么罗斯柴尔德能够得到所有的东西？’”卡尔说，之前做生意要容易得多，风险也更大，因为当时竞争少。实际上，詹姆斯甚至承认，为了把他们排挤出赔款支付业务，维也纳银行家采用的正是“罗斯柴尔德兄弟在补贴款业务中使用过的方法”。巴林似乎是这个时期最大的威胁。他和他的同伙不仅“希望让整个法国屈从于他们的意愿，这样他们就能够为所欲为”，而且也威胁到了内森在伦敦的地位。阿姆谢尔说，“如果别人与伦敦有了生意往来”，内森便会“觉得非常不安。他觉得伦敦或多或少属于他的”。因此当他听到有人说“（因为巴林）你不再是股票交易所的主角，你不能再次控制市场走势”时，他肯定非常不高兴。但是，竞争的增加即便在小一些的市场中同样也出现，比如卡塞尔，战争结束后，选帝侯威廉回到了自己的王国，他随即向罗斯柴尔德家族在他流亡期间建立起来的近乎垄断的地位提出了挑战，希望能从罗斯柴尔德家族的“金山”中分一杯羹。詹姆斯1818年初感慨道：“这个世界都在嫉妒我们。”

罗斯柴尔德兄弟自然不能心甘情愿地忍受竞争者的挑战。实际上，他们为竞争者准备了一系列“头衔”，比如无赖、强盗和流氓。甚至在滑铁卢战役前，几兄弟之间就有大量关于“破坏无赖和流氓计划”的谈话，“戳到他们的痛处”。1818年的问题就是如何最好地“刺痛”巴林和拉布谢尔。几兄弟与以往一样，通过大规模干预公债市场达到了自己的目的。首先，他们斥巨资投资巴林负责发行的公债。然后，当战胜国在艾克斯拉沙佩勒就最后一批赔款进行谈判时，罗斯柴尔德兄弟据称透露消息说，市场将由牛市转为熊市，他们在市场上大量抛出公债，从而导致公债价格急速下挫。他们通过这种方式成功地动摇了巴林的地位，迫使他取消了最后一批贷款的提供。毫无疑问，罗斯柴尔德兄弟如此迅速地瓦解了比他们有名得多的对手，我们需要稍加解释。巴林确实被公债价格的急速下挫困住，而且最后获救还是因为一个事实，即出现在艾克斯拉沙佩勒的众多领导人——包括内塞尔罗德、奥地利首相梅特涅和普鲁士首相哈登贝格——自身利益牵涉其中，取消最后一批贷款对大家都有好处。但是，没有确凿的证据显示这次危机是罗斯柴尔德兄弟一手策划的。

兄弟几个无疑也试图加入到1816年之后的法国债券市场的牛市大潮中。1817年3月初，詹姆斯手里还持有300万法郎（面值）的公债，月底他再次购进700万法郎，所有这些买入无疑是基于市场将上扬的预期。很快，他又接到了内森以及伦敦亲戚购买法国公债的大批指示，尽管他自己仍然觉得“身在黑暗中”，不清楚市场上涨的势头能持续多久。似乎很快，如乌夫拉尔后来声称的那样，詹姆斯利用部分支付制度将他的投机买卖发挥到了极致。但是并没有证据表明存在一个精心拟订的计划，在1818年抛售公债。当詹姆斯确实有利润进账时，他变得小心谨慎，避免自己的投机规模被外界察觉，从而避免从整体上动摇市场；1817年夏天公债走低时，罗斯柴尔德兄弟实际上采取了购进策略以支撑市场。也是从这个时期开始，我们能够清晰地发现詹姆斯对公债行情的预判以及哪些消息将影响公债价格，这些方面将是之后50年中他信件中的一大特色内容。一年后，1818年7月，他也认为毋庸置疑拉斐特和德莱塞尔对公债价格的判断：即到当年年底的时候，公债价格将恢复到票面价格。

所有这些也不应让我们感到吃惊。如果罗斯柴尔德兄弟试图阻止法国"兑现"最后一批赔款，他们可能就背上了致命的风险。1818年2月，萨洛蒙直截了当地反对攻击巴林：如果人们说"罗斯柴尔德兄弟组织了阻挠行动，贷款落空，军队不能撤回"，那么自己的举动就会适得其反。而且，巴林还是一个议员，他针对赫里斯担任军需大臣期间的举措提出了许多非常尖刻的质疑。因此，罗斯柴尔德兄弟完全没有必要激怒巴林。艾克斯拉沙佩勒会议前，对法国公债价格急速下跌的最佳解释是法兰西银行当时的政策，因为它过于慷慨地向巴黎的银行提供贷款，从而导致公债价格在5月之后飙升；当发现自己的资金储备告急时，法兰西银行又采取了矫枉过正的措施，收紧了贴现条件。货币市场的这种收缩造成公债投机的暂时性停止，进而导致公债价格急速下挫。当法兰西银行听从建议再次放开政策时，公债市场迅速得到恢复，尽管一直到1821年（价格为87点）最后一批赔款贷款所需的市场信心才最终得到保证。此外，如果罗斯柴尔德兄弟希望从巴林撤出法国市场的举动中获益，那么他们肯定会十分失望：1821年的贷款业务落到了巴黎银行家奥廷格、德莱塞尔和巴格诺的手里。

事实上，罗斯柴尔德兄弟在1817年年底（而不是1818年后期）通过买卖英国统一公债，而不是法国公债获得了利润，不仅弥补了1815年夏天遭受的损失，还有盈余。正如我们看到的那样，1815年底，内森在赫里斯的建议下，斥巨资以61.1和61.5点的价格购买了3%的统一公债，同时还以107点的价格买入了45万英镑的信托公债。整个1816年，内森对几个紧张不已兄弟抛出的建议一概未理，1816年底，他持有的公债价值总额为120万英镑（面值），相当于公司的资产总额。整个家族对这一策略的看法并不统一：阿姆谢尔一如平常的谨慎，他认为"将全部身家投注在单一的证券上是极其愚蠢的"，并一再敦促内森抛出公债，尤其是他和卡尔在法兰克福出现了现金短缺的情况时更是如此。詹姆斯则非常乐观——正如他所说的那样，这一笔投资已经为他们挣到与"一笔贷款一样多的钱"——但他质疑内森对统一公债价格将达到80点的评估。1817年4月，他也敦促内森抛出公债。但是纽考特（内森在伦敦的公司所在地）圈内人则拿出了自己的私房钱加入到了内森的"运气"买卖中。萨洛蒙的妻子卡罗琳选择跟随内森的投资策略，显然尝到了甜头；1816 年 8 月，她实际上已经在梦想统一公债的价格将升到 86 点——这也揭示了这一时期罗斯柴尔德家族女性间接参与生意的内幕。1817 年 5 月，公债价格的上涨势头出现了短暂的阻滞情况，内森最终向几个兄弟低头，卖出了 60 万英镑左右的债券，但很显然他这样做是极不情愿的，他随后在债券价格重新上涨前再次购入了更多的债券。7 月份的时候，随着统一公债的价格突破了 82 点，内森持有的公债总额已经达到了 160 万英镑（面值），萨洛蒙不得不承认，他的弟弟完成了另一件商业“杰作”。

也就是在这个时候，内森开始抛售公债，总共获得了超过 25 万英镑的利润。有趣的是，5 个月后，1817 年 12 月，公债价格最终到达了 84.25 点的顶峰（见图 4.1），这也解释了他稍晚一点点将卖出的建议提供给其他人的原因所在。即便是他的大舅子和他最资深的客户、黑森-卡塞尔选帝侯威廉，也一直到内森抛售完毕后才得到提示。当市场到达顶峰的事实变得非常明朗时——1820 年，价格回落到 70 点以下——摩西 · 蒙蒂菲奥里对内森的成功赞不绝口：

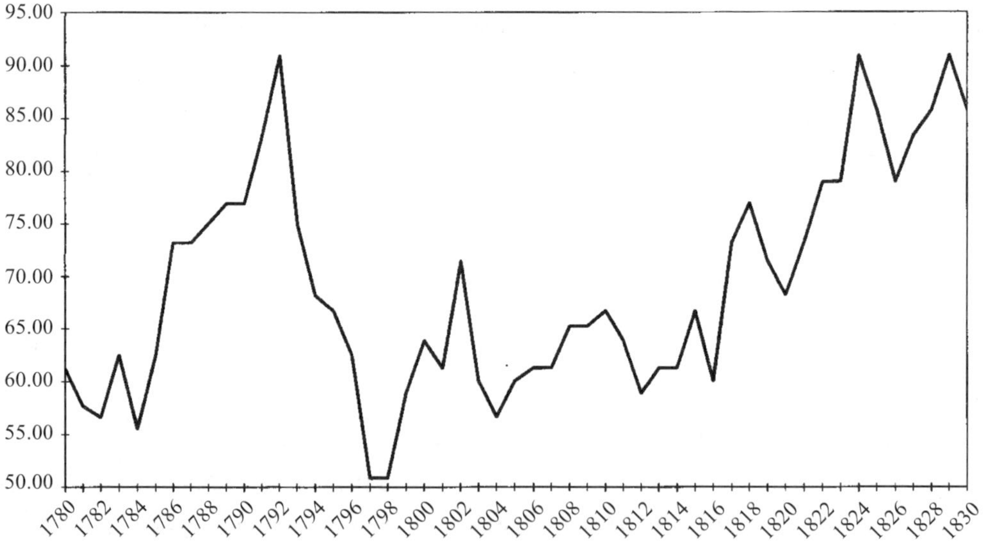

图 4.1　3% 利率的统一公债的平均价格（1780~1830 年）

资料来源：《英国历史统计数据》第 455 页，米歇尔著。

我很高兴地得知你在熊市中也能获得与之前牛市中同样好的收获，你和我的弟弟亚伯拉罕相处一定有一些不快的地方，实际上，你们两个个性都有了新的变化……你不停地击败挑衅的对手，我惊讶地发现，在股票交易所里很难找到与你匹敌的人了。

对于罗斯柴尔德家族在19世纪20年代对竞争对手取得的大胜没有简单的解释，但是内森的这次大捷无疑是一个重要的因素。

什么促使内森决定在1817年底抛售手里的统一公债呢？部分因素可能是他在巴黎的兄弟早早发出的警报：可能对西班牙开战，兄弟几个也不止一次地预测大国之间发生武力冲突的可能，并以此作为抛售政府债券的依据。但更为重要的是内森接收到的那些内部信息，这些有关英国财政和货币政策的信息是无价的。这也是内森与财政大臣尼古拉斯·范西塔特日益紧密的关系结出的果实，与此同时，他在巴黎兄弟也功不可没，他们与威灵顿公爵进行了直接接触。罗斯柴尔德兄弟当时匆忙地指出，不仅他们，英国政府也从公债价格的走高中获益。军队金库击败拿破仑之后的盈余也投资了公债，在1816年以62点的价格共购入了65万英镑（面值）的公债。由于公债价格突破了82点，财政部获得了13万英镑左右的利润。这种丰厚的回报自然给内森带来了另一个好处：他得到提示称，一些基金运作行动正准备展开——包括发行一批新的政府股票，约占现有总额的3.5%或3.25%——这肯定会让市场贬值3%左右。萨洛蒙写于这个时期的一封信显示，正是这个内部信息而不是其他东西让内森作出了抛售公债的决定：

> 范西塔特是一个非常好的人，在力所能及的范围内给了你即将到来的基金运作提示。他非常清楚你是操控股市的唯一庄家，你提升了英国的信用，是股票的最大持有人……现在该制订一个计划了。我们一致同意，为了防止基金运作计划付诸实施……股价将下跌至80%或更低……我向你保证，整个纽考特一旦得到一点风声，数百万英镑的财富将消失于无形之中。

萨洛蒙之后向仍有些迟疑的詹姆斯解释说：“内森与（英国财政部的）这些绅士们的关系就如我们兄弟之间的关系……我们在纽考特的公司给我的印象就像是共济会的小屋。他进入后就变成了一个股票救济所。”这一评价的重要性我们在下文中还会论及。

实际上，范西塔特向内森提到的基金运作计划遇到了一些麻烦，因为反对他的财政政策的政治力量逐渐增强。1817年底内森抛售统一公债的举动事实上可能成为范西塔特的“罪证”之一，批评者指责他“向货币市场摇尾乞怜”，鼓励“无法无天的赌博风气”。范西塔特的任务在许多方面来看都毫无希望完成。我们在之前的章节中也提到过，英国国债一度到达了前所未有的高度——9亿英镑，几乎是国民收入的两倍——这也是反法战争的系列后果之一。但在1815年，下院给政府出了一个大难题，拒绝修改战时收入税（以及麦芽税），结果立刻导致政府收入锐减1 400万英镑。面对着每年偿还债务所需的3 000多万英镑压力，而且还有陆军和海军的开支，英国政府别无选择，只能提高间接税并进行借贷。

范西塔特1818年的策略——其目标是隐瞒政府赤字的严重程度，以提升统一公债价格——就是通过发行国库券进行短期融资，以便继续向皮特的偿债基金提供资金。这种仅能糊口的机制无疑符合内森这些人的胃口，他们同时买卖证券和公债。由于发行国库券赎回公债带来的通货膨胀，这种做法遭到了批评，那些政治经济学家认为纸币持续贬值以及汇率的下跌是战后的主要问题。这使得在威廉·赫斯基森的政府内部，启用黄金或由英格兰银行以“现金”支付方式的提议逐渐地盖过了范西塔特以及英格兰银行主管的意见。随着1819年罗伯特·皮尔领导的“银行恢复现金支付权宜秘密委员会”的成立，“金银通货主义者”事实上获得了胜利。心慌不已的内森试图劝阻利物浦首相别回到使用硬通货的老路上，他甚至追随大臣们到了乡村推销自己的想法，但是利物浦心意已决，1819年10月，他给范西塔特下达了指示：

> 没有什么比罗斯柴尔德追随你去乡村更为愚蠢了，他甚至试图跟着我下乡。如果他的行动被人所知，只能增加公众的恐慌，增加他想阻止的那些邪恶……我最担心的一点是罗斯柴尔德提出的一个想法，针对英格兰银行持续紧缩的一个想法。我很满意，没有任何措施可以更致命，它作为深思熟虑产物的特性将带来伤害……至于担忧英格兰银行过多地减少流通货币而引发的持续紧缩将带来永久性的紧缩，这是去年我们最应该驳斥的观点。因此让我们坚定信念，维系我们目前的制度吧，让任何人都无法置疑我们的决心。

鉴于19世纪黄金支付方式最终获胜，很容易将内森的呼吁看做是诡辩。但是，内森反对现金支付远非不合道理，金银通货主义者和激进派认为他仅仅是出于自己的个人利益，这是错的。将现金支付方式的回归当做是一种理论原则，内森从没有反对过：他和他的支持者提出了一个非常实在的论点，即压制通胀政策的短期效应不利于经济稳定，可能与政府期望财政以及货币稳定的初衷背道而驰。因此，财政部官员乔治·哈里森1818年10月对紧缩货币政策后果表露出的担忧不无道理，因为当时的政府预算仍然没有达到平衡。他对范西塔特说，

> 它对于我们担忧的事以及对股市的影响可能是相当大的——这样的举措会迫使我们的代理人（指内森）非常有可能抛售他的股票……从而不可避免地影

响到基金……如果英格兰银行拒绝通过贴现给他提供方便，我们就失去了让他继续为我们提供便利的理由——他届时就会大规模地抛售自己的股票以便能够继续满足我们的需求。

实际上，我们在上文已经提到，内森几乎抛售了全部证券。但他的经纪人和他们的客户只是在1819年夏天内森为政府筹措1 200万英镑的新贷款时，才感觉到政府通缩政策的效应。坚持3%利率的决定使得新股票失去了迅速上涨的可能，而当时公债价格已经出现了低迷状况，仅仅比69点的发行价格高一点点。内森试图向利物浦阐明的，正是货币紧缩与政府持续借贷之间的这种联系，但首相更愿意相信巴林队的判断，他认为公债价格很快就会有所“反应”（这是指，复原）。同样的，他在1820年向“现金支付委员会”提供的证词中，内森没有否认英镑贬值以及资金流向国外债券的部分因素，是黄金支付方式的中止。但问题的关键在于紧缩的货币加上堆积如山的政府债务，对整个国家的经济来说是非常危险的：

请详细地向委员会说明，如果让英格兰银行承担一项义务，要求其在从现在算起的一年内恢复现金支付方式，你认为将会带来什么样的后果？我认为它肯定会给这个国家带来麻烦；它将导致大量的伤害，我们自己实际上可能并不知晓它会带来什么样的伤害。

请解释一下伤害的性质，它可能由哪种方式引发？货币会变得极为稀缺，这个国家的每篇报道将开始广泛深入地报道，许多人的事业和人生将被摧毁。

这并非夸大其词。事实将提供有力的证明，英国政府在解决战后财政危机之前就试图寻求货币稳定，其实驶进了暗礁遍布的危险水域。内森的妹夫亚伯拉罕·蒙蒂菲奥里1821年精明地评论说：为了捍卫“孱弱可怜的英国，范西塔特先生”，“唯一真正有效的计划应该是审慎、恰当地征收财产税，而且对象应该是富裕阶层和那些能够承担这一税负的人，但是这些人恰恰是那些立法者，而且他们的爱国热情似乎还没有深入到自己的口袋里”。在货币紧缩的情况下，又不直接征税，那么平衡预算的努力必然会导致不稳定情况的发生。

“神圣同盟的主要盟友”

罗斯柴尔德家族1815~1819年间在伦敦和巴黎遭遇挫折带来了一个最明显的回应：到别的地方寻找生意。作为替代品的生意帮助其他大国实现财政稳定：奥地利、普鲁士和俄罗斯，这些国家此时在沙皇的提议下成为了一个集团——“神圣同盟”，加入同盟的还有意大利和德国的一些小公国。与法国以及英国一样，中欧和东欧的国家也出现了财政问题，只能依靠外国资本的帮助才能解决。迪斯雷利后来在他的小说《科宁斯比》中解释说：“结束了25年的战争折磨后，欧洲必定需要资金来维持和平……法国希望得到一些，奥地利需要多一些，普鲁士需要一点，俄罗斯需要几百万。”此外，神圣同盟的政策必定会带来额外的财政需求，罗斯柴尔德家族也能够从这些需求中赚取利润。因为“神圣同盟”的主要目标就是防止1789~1815年间给欧洲带来巨大震荡的革命浪潮再度出现——如果需要，将进行军事干预。这意味着更多的开支。

罗斯柴尔德兄弟在滑铁卢战役之后成功获得的第一笔贷款提供给了普鲁士，拿破仑时代结束时，普鲁士的债务约为1.88亿泰勒元（约合3 200万英镑），而且1815、1816和1817年一直背负着财政赤字。尽管法兰克福的罗斯柴尔德人在1817年初为普鲁士提供了500万古尔登（合45万英镑）的贷款（大部分提供给了黑森-卡塞尔选帝侯威廉），但是这年秋天时，债务增加到了2 000万泰勒元，普鲁士政府开始考虑在伦敦寻求贷款。希望获得英国贷款的想法最初是普鲁士西哈德隆银行在伦敦的代表，一个名叫巴兰东的商人提出的，但他却几乎毁了整个项目，因为他轻率地公布了内森在1818年1月提出的条件细节。条件十分苛刻——债券发行价格必须在60点以上，这意味着高达8.33%的利率——这些条件让柏林一片惊呼，当地银行家立刻开出了更好的条件。萨洛蒙斥责了内森与巴兰东的接触，因为后者在巴黎的名声仅是一个破产的三流商品交易商；萨洛蒙匆忙地从巴黎赶到科布伦茨，与普鲁士首相哈登贝格进行了促膝长谈，然后又赶往柏林“灭火”，卡尔已经在那里做了一些补救工作。在普鲁士派往伦敦的大臣、著名的教育与政治改革家威廉·冯·洪堡的默许下，巴兰东被悄悄地边缘化——罗斯柴尔德兄弟与财政部官员罗特尔（此时已担任新普鲁士财政部主管）经过5天讨价还价后，最终于3月末在伦敦达成了一项协议。

长久以来，历史学家一直声称普鲁士政府决定在伦敦筹集一批贷款，是为了避免作出政治上的让步——比如召集一个由中产阶级组成的议会，或建立一个独立的司法体系——一旦向国内资源寻求财政上的支持，这些让步会不可避免地出现。但是，罗斯柴尔德家族的通信却告诉了我们一个截然不同的故事。从谈判一开始，内森就要求任何一笔贷款都必须由普鲁士皇家的资产作为抵押，而且需要相关的中产人士担保。当哈登贝格提出异议时，内森在一份著名的备忘录中阐述了自己这样做的原因：

> 要让英国的资本家以合理的条件将他们的钱投给外国政府，最重要的一个

条件就是这样的贷款计划应该尽可能地与英国现有的公共服务借贷体系相类似，除了政府的良好信誉外，最重要的是要给那些借出钱的人提供一些安全保证……如果没有这些安全保证，为一个外国政府在英国筹措这么大一笔贷款是毫无希望的。最近英国在法国基金中的投资是基于对该国代议制的普遍信任，议会核准处理政府带来的国债时，会向贷出资金的人提供担保；这样的担保在与那些不存在行政实务国家所签的合约中看不到。

换句话说，一个君主立宪政权在英国人的眼里比一个新诞生的独裁政权的信誉度要好。这是精明的政治施压——一种金融自由主义，在关键时刻给普鲁士的改革派提供外力帮助，这些改革派一直在敦促弗里德里希·威廉三世接受某种形式的代议制？或者内森仅仅为他提出的条件与巴林给予法国的条件之间的差异寻找理由？詹姆斯对法国代表前往财政部并“检查账本”的积极评价，表示了罗斯柴尔德家族确实在寻求对国家财政进行宪章性的控制，如果能将其作为一种向英国投资者提供保证的方式。实际上，内森在普鲁士借贷问题上，他准备敲定的条款实际上能让他取得相当于议会的控制力：最终协议的第 5 条款就直接地要求，“为了债权人的安全”，必须以皇家资产作为抵押，根据 1809 年 11 月 6 日由普鲁士国王、王子以及中产阶层同意通过的议会法律，“债权人能够完全支配这些资产”。另一方面，内森写给罗特尔的一些信所用的语调让人吃惊——尤其是罗特尔试图在合约签订之后修改条款时更是如此，这反映了内森对普鲁士政权缺少尊敬：

最亲爱的朋友，谢天谢地，我现在已经完成了我的责任，国王阁下和财政大臣冯·罗特尔先生，我的钱已经全部送到了柏林……现在轮到你们完成自己的义务了，希望你们履行诺言，不要提出新的条件，所有事务必须按照像我们这样的男人之间的约定进行，那是我所期望的，正如你们能够看到我发送我的钱一样。任何阴谋都无法撼动N·M·罗斯柴尔德，他拥有金钱、力量和权势，任何阴谋都只会是徒劳，普鲁士国王、我的哈登贝格王子以及罗特尔大臣应该感到非常高兴，并感谢罗斯柴尔德，他给你们送去了如此多的钱，并提升了普鲁士的信誉。

此外，内森坚持获得某种政治保证有重要的政治寓意。内森与罗特尔的谈判与 1819 年 1 月 17 日通过的“国债未来管理法令”的第 2 条款之间有明显的联系，它为国债设立了一个上限，征用皇家资产的收入来保证国债运转，并且宣布：“如果国家在将来为了保持运转或为了公共利益的改善而需要获得新的贷款，必须与将来的帝国议会协商后才能进行，并由其提供担保。”这个条款由罗特尔亲自拟定，这意味着普鲁士政府将来的任何贷款都会自动地使得中产阶层聚集商议；换句话说，它承认了公共借贷与宪章改革之间的联系。普鲁士政府只有通过西哈德隆银行这样的名义上独立的机构借贷，才能无须通过中产阶级商议批准。这也解释了为何在德意志所有公国中，普鲁士在19世纪20年和30年代借贷最少，以及为何开源节流政策在19世纪40年代失败后，革命随之爆发的原因。

无论对普鲁士的政治有多么重要的意义，1818年的贷款毫无疑问是欧洲资本市场历史中的一个分水岭，当时的人们就已认识到了这一点。内森提出的政治安全要求从金融方面来看，其意义似乎是微不足道的。首先，贷款不是用泰勒元支付，而是用英镑，利息不是在柏林支付，而是在伦敦。第二，由一个英国风格的偿债基金来确保债务能得到清还（尽管罗特尔竭尽所能解除了内森最初提出的条款，即采用15万英镑的英国公债形式作为偿债基金）。外国贷款的英国化是国际资本市场的一个新出发点。巴林的法国贷款用法郎在巴黎支付利息，对英国投资者来说存在着不便之处以及利率的风险。但此时投资外国基金变得容易多了；整个19世纪所有外国政府债券的回报都要比英国公债要高的事实，也意味着人们确实乐意投资外国国债。《泰晤士报》后来将内森形容成是“将国外贷款引进英国的第一人”，并非夸大之词：

> 因为在他之前，尽管这类证券一直在本地流通，但利息却是在海外支付，这是世界统一的操作方法，这使得处理大手笔、大量人参与的投资变得十分不便。他不仅确立了让外国贷款在伦敦支付利息的制度，而且固定国外货币对于英镑的汇率以及去除汇率波动带来的各种影响让这些贷款投资依然具有吸引力。

此外，债券不仅在伦敦发行，也在法兰克福、柏林、汉堡、阿姆斯特丹和维也纳同时发行。换句话说，它代表着朝向国际化债券市场的诞生迈出了重要的一步。德国法律专家约翰·海因里希·本德尔在他的《国债大堵车》（*On The Traffic in State Bonds*，1825年）一书中，认定此举是罗斯柴尔德家族对现代经济的发展最主要的贡献：“政府债券的任何持有人……能够轻易地在几个地方获取利息，很方便。”因此，一个投资者能够在罗斯柴尔德的任何一家分行提取奥地利国债、拿破仑公债或任何罗斯柴尔德发行的债券的利息。内森制定的这些规定不仅成功地使得普鲁士的贷款引起了英国政府以及国际投资者的兴趣，同时也确立了此类国际债券发行的范例，这些很快变成了一个通行标准。

尽管贷款所承受的条款使柏林遭到了猛烈的批评（不仅仅是那里的银行家），但是洪堡和罗特尔对内森仍然是赞誉有加。洪堡向哈登贝格报告说，内森不仅“是个最有进取心的商人”，他在与各个政府做交易时也是“相当的公平，非常正直和能够体谅人”。罗特尔的评价更为积极：“在这个国家，罗斯柴尔德对伦敦所有金融事务拥有难以置信的影响力。人们普遍认为，而且这也基本是事实：他完全控制了伦敦的汇率。他作为银行家的实力是难以估量的。”内森在柏林的名声一举确立，从而使他能够获得 1822 年的第二笔贷款业务——向西哈德隆银行提供 350 万英镑的资金。

一方面，罗斯柴尔德在德国的活动远非创新之举。黑森-卡塞尔是未遭拿破仑战火洗礼的国家之一，阿姆谢尔继续小心谨慎地维系着他父亲与选帝侯之间业已形成的特殊关系。由于此时威廉回到了自己的王国，但对罗斯柴尔德家族的依赖却少了很多，家族在卡塞尔的老对手趁机迅速在宫廷里争取到了自己的地位。罗斯柴尔德家族继续帮助选帝侯打理一些财政事务，从法国那里获取赔款，帮他买卖英国股票（前文已有叙述），这些业务利润丰厚；同时还帮威廉理清在丹麦的投资，并使其参与普鲁士的借贷事务。阿姆谢尔甚至再次点燃了威廉的收藏热情。但毫无疑问的是，两者之间相互依存的日子已经终结，尤其是布德鲁斯不再把持卡塞尔政坛时更是如此。尽管罗斯柴尔德几兄弟借给了威廉私生子很多钱——他们希望借助这些没有利润的交易，在这个年轻人继承威廉的王位后能够带来更多的获利生意，但 1821 年他即位后，罗斯柴尔德家族的愿望却落空了。除了 1821 年和 1823 年的两笔总额为 430 万古尔登（39 万英镑）的贷款外，罗斯柴尔德家族在卡塞尔再无斩获。

另一方面，黑森-卡塞尔只是拿破仑战乱后出现的 39 个德意志公国中的一个，这些公国组成了一个松散的日耳曼邦联。由于这个联邦议会设在了法兰克福——位于图恩与塔克西斯宫的一个租用的大厅里——阿姆谢尔和卡尔很轻易地就能与各国的资深外交代表建立了联系。这些联系为他们带来了一系列的小额贷款，这些贷款提供的对象自然是较小的公国以及王公们——包括紧邻的黑森-达姆施塔特大公国、绍姆堡、洪堡、萨克森－魏玛公国、安豪特-科登和拿骚-乌辛根——这些贷款业务一直贯穿了整个 19 世纪 20 年代。尽管每笔贷款的数额很少超过 50 万古尔登（4.5 万英镑），但汇总在一起是一笔大生意。1817~1829 年间，法兰克福分行处理的此类贷款总额超过了 2 470 万古尔登（220 万英镑）。另外一些贷款是提供给小公国王公的小额个人贷款，还有一些则采用了更为尖端的形式，如黑森-达姆施塔特在 1825 年发行的彩票债券是这个时期发行的政府有奖债券的其中一种。有时，罗斯柴尔德家族也充当联邦的业务银行。1820 年，法国按照巴黎和平协定支付的、用于在德意志境内修筑防御工事的 2 000 万法郎存到了罗斯柴尔德银行，由联邦决定何时动用。由于这些决策的缓慢性，这些存款变成了长期存款；由于难以确定提取存款时需要花费多大的精力，以及谁有权提取它，给罗斯柴尔德银行带来了很多困难，这些困难也解释了罗斯柴尔德家族之后再没有接收过此类存款的原因。

但是，德国的真正权力并不在法兰克福，而是在维也纳，奥地利当时占据日耳曼邦联的支配地位：奥地利宫廷也是罗斯柴尔德家族在 19 世纪 20 年代最希望接近的宫廷。我们在前面的章节中已经看到，奥地利人不愿意将他们的英国补贴款业务交给罗斯柴尔德家族处理，而更愿意选择奥地利本土的银行，如阿恩施泰因与埃斯克尔银行、弗里斯银行和盖米勒银行，他们在法国赔款业务上也进行了激烈的讨价还价。罗斯柴尔德兄弟只是通过与法兰克福银行家贡塔德建立伙伴关系，才能够处理奥地利从俄罗斯以及那不勒斯接收的小额资金业务。但是奥地利如果希望巩固其巨额流动债务，并稳定其极度贬值的货币，那么与其他大陆国家一样，它也急需现金。尽管它在战后的第一笔 5 000 万古尔登的贷款交给了与巴林、贝特曼和盖米勒结伙的帕里什兄弟（这让罗斯柴尔德兄弟很懊恼），但很明显，每年高达 1 亿古尔登的开支需要更多的现金。第一个突破出现在 1820 年，萨洛蒙合伙组织了两批总额为 4 500 万古尔登（约合 480 万英镑）的彩票债券贷款，当时的合伙人是戴维 · 帕里什——这笔交易利润极其丰厚，尽管招来了很多敌意的评价，萨洛蒙还是在维也纳或多或少地建立了一个永久性基地。

1822 年，罗斯柴尔德家族凭借一笔提供给俄罗斯的贷款获取了最终的大捷，自此成为了“神圣同盟的银行家”。当时的俄罗斯与普鲁士以及奥地利一样，战争引发了财政与货币难题：公共开支在 1803~1815 年间翻了 4 倍，流通中的卢布数额也是如此，结果不可避免地带来了通货膨胀和货币贬值。尽管允许罗斯柴尔德家族处理其英国的补贴款以及后来的法国赔款业务，但它寻求稳定时一开始却是找了别人：比如，1820 年的贷款就是巴林、里德和欧文公司负责处理的。但是，这并不是多么让人失望的事情，俄罗斯当时仍然拒绝按照普鲁士的方式，发行以英镑为主导的债券，而且利息在伦敦支付。但两年后俄国人紧跟着奥地利人，终于“就范”。1822 年夏天，内森以 77 点的承销价格发行了利息为 5%的 660 万英镑俄罗斯债券，这些债券通过他在伦敦的网络，很轻易地就能卖到 80 点的价格，因为这些经纪人网络由他的亲戚摩西 · 蒙蒂菲奥里掌控着。

因此，到 1822 年年底时，罗斯柴尔德家族正式被看成神圣同盟的银行家——“神圣同盟的高级金库”。实际上，巡行的德国王子皮克勒–穆斯考在写给他妻子的一封信里形容内森是“神圣同盟的主要盟友”。这其中包含着一种不容置疑的感觉，即罗斯柴尔德家族给同盟提供了财力支持。当奥地利皇帝向他在法兰克福的特使形容阿姆谢尔“比我还富有”时，他并非完全是在开玩笑。《泰晤士报》从圣彼得堡发回的报道称，詹姆斯 · 罗斯柴尔德只要在证券交易所出现一下，就能够提升俄罗斯的债券价格。如果没有内森才能提供的财政支持，奥地利在19世纪20年代要充当欧洲“警察”的角色将变得非常艰难。即便批评奥地利这种做法的人也同样承认这一点。内森也因此被讽刺为“虚伪同盟”的保险经纪人，充当了欧洲灭火员的助手角色。1821年，他甚至接到了死亡威胁，因为他“与国外势力勾结，尤其给奥地利提供了帮助，参与制定了奥地利政府反对欧洲自由浪潮的政策”。

金融与革命

当然，神圣同盟的创立者一直认为，阻止革命浪潮在欧洲卷土重来的最佳途径是制定一个“牵制”法国的政策，因为它从1789年以来一直是革命的发源地。这一政策后来被证明是一个正确的策略，不过那是在1830年和1848年；而在19世纪20年代，它很快遭到摒弃，因为当时形势已经清楚地显示，维也纳确定的政治命令几乎没一个地方服从。当奥古斯特·冯·科策比——沙皇雇用的一个文人——在曼海姆被一个激进的学生卡尔·桑德刺杀时，梅特涅喜出望外，因为这给他提供了镇压日耳曼邦联内部自由倾向的借口。与1820年2月在巴黎发生的国王侄儿贝里公爵遇刺一样，单纯的一起刺杀事件并不能预示严重的革命即将爆发。但西班牙加的斯本来应该部署到南美的军队发生了暴乱可就不是一回事了，它不仅将1812年的议会宪章再次施加到西班牙国王费迪南德八世身上，而且6个月后，又将同一部宪法施加到了他的叔叔——那不勒斯的费迪南德一世身上。“多米诺效应”之后一直持续，1820年8月，葡萄牙也爆发了军事叛乱；1821年3月，意大利皮埃蒙特地区的民众以及近东的希腊人也发动了暴动。1824~1825年发生在俄罗斯，但最终失败的“十二月党人”运动也是这一系列浪潮的一个组成部分。这些暴乱的模式类似，通常由希望破灭的士兵（战后国防开支削减的受害者）发动，或由秘密的团体如意大利的烧炭党或西班牙的共济会率领。事实上，政治动荡的广泛扩散，使得法国这个传统的革命输出国被迫加入了反对革命的联盟中。这个联盟的多国议会——特罗保（1820年10月到12月）、莱巴赫（1821年1月）和维罗纳（1822年9月到12月）都关注的一个问题是，联盟应该在多大程度上干预别国的事务，以阻止本地化的革命取得成功。当然，他们还要问自己一个财政问题，即他们是否负担得起干预的费用。他们资助奥地利干预了意大利的革命，资助法国干预了西班牙，而罗斯柴尔德家族理所当然地被认为是支撑这些“反应”的金融家。

但是，在罗斯柴尔德人看来，复辟欧洲的不稳定不仅仅是潜在新业务的一个资源，同时也是金融市场稳定的一个威胁；因为政权的摇摇欲坠会让那些投资这些国家的投资人寻求抛出债券。即便成功地进行了军事干预，“双刃剑”效应也难以避免，军事干预也使得奥地利和法国的财政陷入了赤字。另一方面，革命获得成功地区新出现的国家实际上也带来了新的生意。尤其是诸如巴西这样独立国家的诞生，在西班牙美洲殖民地以及希腊带来了大量新债券的发行，因为新诞生的政权纷纷拥到了伦敦和巴黎的资本市场。出于这样的原因，罗斯柴尔德金融力量所扮演的角色是自相矛盾的。

在意大利半岛，事情相对简单：罗斯柴尔德家族支持梅特涅分而治之的政策，通过向多个王室政权提供贷款维持了它们的统治。早在1820年12月，梅特涅就从特罗保写信给萨洛蒙，信中隐晦地提到要进行一笔2 500万或3 000万法郎的交易，这将“关系到那不勒斯王国将来的命运”。萨洛蒙一开始的反应是积极的。因此奥地利财政大臣施塔迪翁1821年1月在莱巴赫向梅特涅保证说：“帕里什和罗斯柴尔德为首的金融家急切地希望我们的军队尽可能快地越过波河，然后向那不勒斯进发。”但是，当萨洛蒙受梅特涅和内塞尔罗德邀请前往莱巴赫讨论贷款事宜时，他却失去了热情。“如果我去那里，”他向内塞尔罗德解释说，“可能会引发大量不确切的报道。有一点常识的人都会发现这一事实，即我们正在讨论向一个高尚的王室提供贷款，流言会越来越多，这可能并不是最高方面希望看到的结果。”首先，奥地利发行新债券筹集贷款的消息一旦被外界察觉，已经被意大利危机拖累的维也纳市场将进一步下挫。第二，罗斯柴尔德家族不希望使自己资助神圣同盟的角色如此公开化。相反，萨洛蒙坚持对施塔迪翁说，任何贷款只有等费迪南德一世重掌帝位后才能筹集，复位后的收益将用于偿还奥地利干预的费用。同时，他给施塔迪翁提供了短期的帮助，资助弗里蒙特将军向南进军。如拿破仑战争期间一样，罗斯柴尔德家族利用他们广泛的银行网络，以合理的利率向任何行军中的军队提供现金。与以前一样，五兄弟中其中一人——这次是卡尔（“一个罗斯柴尔德小兄弟”，萨洛蒙这样告诉施塔迪翁）——被派到现场，确保一切运转顺利。1821年3月，卡尔从维也纳出发，在莱巴赫与梅特涅以及流亡的那不勒斯国王会合。

对梅特涅来说，那不勒斯行动无疑是一场反对革命的十字军东征；他对施塔迪翁说：

> 我们必须进行一项伟大的事业，它所带来的结果可能比我们这个时代所有的事物都要伟大。它之所以伟大，是因为整个未来都系于成败；不仅仅是奥地利王权的未来，而是整个欧洲的未来……我们不可能采取任何其他的行动，因为这是生与死的抉择……现在一切都有赖于成功。如果不能获得成功，结果将

会与没有冒险一样；革命将首先吞没意大利，然后是整个世界。我会不遗余力地拼搏，直到生命终结的那一刻。

但财政的现实却粉碎了他的这些美丽辞藻。前线再次发生了供给短缺，而在维也纳，施塔迪翁再次无奈地预示到拿破仑时代的财政和货币困境。实际上，萨洛蒙不得不出手阻止奥地利国债价格的猛跌。而当皮德蒙特爆发新革命的消息传到莱巴赫时，危机进一步深化。这个消息给维也纳带去的冲击让倒霉的施塔迪翁感到心惊胆战：

> 如果敌人到了门口，自然会有更多莫名的恐慌。维也纳所有人都冲到交易所抛售我们的公共证券……我们的信用（刚刚建立不久）处在完全崩溃的边缘。我肯定会被迫暂停纸币兑换成现金，从而在一天内将之前5年的努力变为泡影……这是我们毁灭的第一步。筹措贷款根本不可能，无论是在国内还是国外都不可能，因为这个时候我们的证券变得一钱不值了。

但是，3月24日，那不勒斯还是被奥地利人攻陷了。卡尔在费迪南德寻求获得贷款偿还奥地利干涉费用后，匆忙赶到了南方。

这时，一个利益冲突现象出现了：奥地利政府希望得到尽可能多的数额，但是罗斯柴尔德家族对那不勒斯政权的信用评价很低，只愿意以惩罚性的利率向费迪南德提供贷款。第一笔那不勒斯贷款是艰难达成妥协的产物，卡尔当时为了阻止米兰银行的竞争，不得不降低了条件，从最初的54点价格发行债券提供1 000万通用金币提高到了60点价格发行债券提供1 600万通用金币（约合200万英镑）。为了满足奥地利军队占领期间的费用，第二笔贷款在1821年筹集，数额为1 680万通用金币，债券发行价格为67.3点。之后又发放了两笔贷款，1822年的2 200万通用金币和1824年的250万英镑，使得那不勒斯的负债达到了1 300万英镑。但是，那不勒斯债券在巴黎的价格却从65点升到了103点，在伦敦，人们对英镑为面值货币的那不勒斯债券也有相当大的热情。这种成功的稳定部分反映了卡尔与那不勒斯财政大臣路易吉·德·梅迪奇之间形成的良好关系，梅迪奇声称奥地利人毫无必要地延长了占领状态，而且索要了过高的费用，对此，卡尔倾向于支持梅迪奇。甚至在1822年的维罗纳议会开会前，奥地利就很明显地希望一次性结清所有的入侵费用：梅特涅在1821年8月要求那不勒斯支付465万古尔登实际入侵费用，第二年2月再支付400万，然后每年支付900万通用金币的占领费用。1825年，梅迪奇指责奥地利政府从占领中巧取豪夺，威胁辞职，除非能拿回100万通用金币。当维也纳当局迟疑的时候，卡尔将钱划给了梅迪奇——这显然激怒了梅特涅。

奥地利入侵那不勒斯提供了一个经典的案例，即在双边国际支付中与两方都保持良好关系的困难性。但是，卡尔可能比较好地平衡了奥地利和意大利的利益。他在那不勒斯凭借他与波旁王朝的关系（他同时与托斯卡纳大公也有一些生意往来）迅速站稳了脚跟，并取得了不错的业绩，与此同时，梅特涅继续在意大利的其他事务上向萨洛蒙寻求财政支持——最著名的是一笔500万里拉的贷款，这笔贷款拟提供给大公妃玛丽-路易丝的孩子。这位大公妃是哈布斯堡的公主，曾经与拿破仑有短暂的婚姻。在拿破仑倒台后，路易丝在帕尔马、皮亚琴察以及瓜斯塔拉建立了自己的公国。另一个类似例子的主人公是拿破仑的前任伊利里亚总督、拉古萨公爵马歇尔·德·马尔蒙。与此同时，奥地利政府自身也发现必须再次求助于罗斯柴尔德家族，以满足其急速增长的财政需求。无论从那不勒斯压榨出多少钱，军事干预的代价都远远超出了施塔迪翁的筹措范围，现有的收入远远不够。奥地利政府别无选择，只能依靠另一笔贷款；尽管有些官员激烈反对罗斯柴尔德家族最初提出的条件，奥地利政府最终还是点头屈服，尽管贷款的条件有了一些改善。

维也纳对罗斯柴尔德家族的依赖在1823年进一步深化，当时英国政府试图向奥地利施压，逼迫其结束对那不勒斯的占领，英国方面采用的是财政手段，它对当年反法战争初期提供给奥地利政府的一些贷款提出了质疑——此时本金加上利息的总额已达到2 350万英镑。奥地利政府再一次向罗斯柴尔德家族求助，敦促萨洛蒙利用他弟弟在伦敦的影响力降低债务的规模——这也是罗斯柴尔德家族担当梅特涅非正式外交渠道的第一次，这样的情形之后又上演了无数次。当奥地利政府的目的最终达成后，罗斯柴尔德家族获得了筹措另一笔贷款的业务，当时是与巴林、里德以及欧文公司合伙提供250万英镑。这几家银行获得了3 000万古尔登的新奥地利国债，承销价格是82.33点，但很快市场销售价格就达到了93点，给几家银行带来了丰厚的收益。另一笔1 500万古尔登的贷款出现在1826年。总而言之，奥地利干预意大利的政策给罗斯柴尔德家族带来了多重利润。

与之形成对比的是，西班牙爆发的革命带来了更为严重的两难处境。1820年后的两年里，痛风缠身的费尔南德七世忍受着议会宪法，在这两年中，自由派政府筹措了很多贷款（因为革命的缘故导致政府收入减少，必须靠借贷弥补空缺）。尽管罗斯柴尔德家族——如萨洛蒙匆忙向梅特涅保证的那样——并不是最初卷进这些贷款的人，但他们也准备参与其中。不过1822年7月，费尔南德和激进保皇派分子出人意料地采取行动试图推翻议会，在图谋失败后，他们寻求外国势力干预。这时，詹姆斯卷入到了西班牙金融家贝尔特兰·德·利斯的一个计划中，利斯打算抢在外国干预之前重组政府，使其不那么“激进”。但是，为时已晚；1823 年 4 月，法国发动了类似奥地利入侵那不勒斯的远征行动，统帅是路易十八的侄子昂古莱姆公爵，并且得到了一些试图复仇的外交家，如夏多布里昂子爵的支持。

詹姆斯一如既往地秉持实用主义的立场——同时担忧不要被经验丰富的金融大师乌夫拉尔挫败——他向法国总理维莱勒伯爵提供了服务：与他的哥哥卡尔在意大利给奥地利军队提供现金，他此时让自己对昂古莱姆变得“有用”，甚至筹集了释放费迪南地七世所需的赎金。而且，如奥地利军事干预行动需要筹措贷款一样，法国政府也被迫通过借贷来支撑它的军事冒险：1823 年，詹姆斯最终消除了复辟王朝的疑虑，获得了一大笔贷款的业务。价值 4.62 亿法郎（面值）或 1 850 万英镑的公债是法国政府在 1815~1848 年间发行的单笔最大额度的债券；而在这之前，还发行了 1.2 亿法郎的利率为 6%的国库券，同样交给了詹姆斯处理。鉴于这些证券的发行在詹姆斯巴黎冗长职业生涯中的重要性，我们有必要叙述一下他是如何赢得这些交易的。与他父亲在卡塞尔首先排挤掉竞争对手的做法不同的是，詹姆斯赢得第一笔公债发行权是与拉斐特以及其他几个银行家联手，以高过市场价的价格（89.55 点）一举压过了竞争对手提出的 87.75 点的价格，尽管两者之间的价格差异很大，但并没有让詹姆斯亏本：竞标的成功很快就收到了回报，公债价格迅速超过了 90 点，而且到 1823 年底时价格达到了 100 点。

那不勒斯与西班牙有差别的地方是，西班牙波旁王朝复辟（1824 年底）后，与巴林、里德以及欧文公司准备联手行动的罗斯柴尔德家族不愿意在没有担保的情况下，向新成立的独裁政权提供贷款，而法国政府又不愿意提供担保。这其中存在着 3 个原因：新政权拒绝承认和赎回自由派政府发行的债券；拒绝向法国支付军事干预费用；最后一点，银行家们担心费尔南德会将借到的钱孤注一掷地投到收复南美殖民地的行动中，这样的举动无疑是徒劳的，那些国家自 1808 年起就一直争取着自己的独立。毕竟，如果 1820 年的革命不是由那些准备跨越大西洋前往南美的士兵发动的，费迪南德的助手没有让他相信收复美洲殖民地就能解决所有财政问题，那么情形又会如何？正是南美的广袤土地让英国起了疑虑。伦敦一直准备忍受法国在西班牙的远征，尽管它实际上否认了威灵顿在半岛战争中的胜利；法国此举可能是某种再次征服拉丁美洲的想法先兆，却不受欢迎，英国当时与新诞生的南美共和国迅速形成了紧密的经济联系。正如奥地利驻巴黎大使向梅特涅报告的那样：“尽管罗斯柴尔德银行可能假装同情君主主义者，但是承认西班牙君主立宪政府的举措以及西班牙殖民地的独立，将为他（内森）的金融业务带来更广阔的空间以及政治安全，这其中的价值他们心知肚明。”简而言之，罗斯柴尔德在西班牙扮演的角色是自相矛盾的：开始对西班牙君主立宪政府表现出兴趣，然后又资助法国入侵，但是随后又拒绝向复辟的政权提供资金。詹姆斯、萨洛蒙和内森卷入到了法国、奥地利以及英国相互冲突的压力漩涡中；但是其最终的结果是统一且谨慎得出的非承诺政策，这一政策一直沿用了10多年。詹姆斯在1826年简单地对它做了解释：“西班牙的破产一直是我头脑中最重要的事。”

罗斯柴尔德家族一直与西班牙前殖民地国家各种债券的发行保持着安全的距离，这些债券在法国侵入西班牙的那段时间，在伦敦引起了极大的购买热潮。1822~1824年是南美的“泡沫”时期，投资者蜂拥而来，向诸如智利、哥伦比亚、布宜诺斯艾利斯以及危地马拉这些新兴国家提供资金。甚至像乔治·麦格雷戈这样不可能成名的人物——他是一个苏格兰探险家，曾是委内瑞拉军队里的一个将军——也能够通过自称是“波耶斯酋长”（他虚构了一个叫做“Poyais”的国家）获得了20万英镑的投资，并且说服投资者相信，他“统治”下的一片沼泽地是适合开发的风水宝地。麦格雷戈弄虚作假的勇气确实让人佩服，他甚至写信给内森，提出了一个计划，在他“王国”里的一个叫做鲁阿坦（Ruatan）的岛屿上建立一个独立的希伯来殖民地。

所有这些商业行动，罗斯柴尔德家族都敬而远之，但有一个例外：巴西。他们的这种偏好有两个原因。首先，巴西与葡萄牙保持着紧密的联系，因此与英国也保持了紧密的商业关系；其次，1825年独立后，它保留了君主制的政府。（实际上，巴西国王娶了奥地利公主的事实，让许多人将巴西看做神圣同盟在南美的代表，尽管这夸大了奥地利的影响力。）

内森在这个方向上的第一次行动出现在1823年：通过向葡萄牙提供的一笔150万英镑的贷款，确保了巴西的收益。这也再一次说明他乐意借钱给立宪制政权；1822年，从巴西回归里斯本的葡萄牙国王接受了西班牙式的立宪宪章。巴西债券的第一次“试水”出现在1824年，当时由托马斯·威尔逊带领一些人运作，以75点的价格发行了100多万英镑的5%利息债券。当这些债券的价格升到87点时，内森接手，并且在1825年再次以85点的价格发行了另一批200万英镑的债券。海因里希·海涅后来戏称，内森此时变成了“伟大的内森，伟大的内森·罗斯柴尔德，睿智的内森，巴西国王将自己的钻石王冠都典当给了他”。尽管巴西王室在19世纪中叶被废止，但罗斯柴尔德家族与巴西的关系被证明是最为持久的一个。

到1825年夏天时，罗斯柴尔德家族已经成功地确立了自己作为欧洲公共财政主导专家的地位——而且不仅仅在欧洲。神圣同盟中的国家跟随着英国，一个接一个将自己的贷款交给了罗斯柴尔德家族处理：一开始是普鲁士，然后是奥地利和俄罗斯。最终，法国也放弃了对巴黎银行的优先选择偏好。3年的时间里，罗斯柴尔德兄弟提供了关键性的财政支持，使得奥地利能够镇压那不勒斯的革命，使得法国能够恢复西班牙的君主独裁政体。不过他们给当时人们的“神圣同盟银行家”的形象在某些方面也具有讽刺的意味。这低估了他们所谓的政治不可知论，认为他们更倾向于以金融条件而非政治条件来评价商业机会。詹姆斯在1826年后期写给内森的一封信里，简洁地总结了罗斯柴尔德家族对复辟政权的态度：

> 如果依靠一个像维莱勒或坎宁这样的人，或者依靠议会中那些绅士们所说的东西，其中一个后果就是彻夜难寐，为何这样说？因为他们想要得到的东西超过了他们的支付能力，我们必须感谢上帝，能够从这样的情形中解脱出来。我们现在想说的是，“（你想）得到一笔贷款？你可以得到，无论你想要多少，并且从中获得一定的利润。但是如果想要把几百万英镑全部占为己有，我们的答案将是‘不’！”

换句话说，反对革命的吸引力并不在于它让专制者重登王位，而是它带来了新的金融需求。保守政权也不能享受到优先的待遇。1818年普鲁士贷款的条款显示，内森实际上更喜欢用立宪结构来控制政府财政，而不是以奢侈、低效为特征的专制政权；专制在任何情况下迟早会引发革命。这也说明了内森在得不到立宪制法国的担保时，不愿意向专制西班牙提供贷款的原因。这些观点也决定了罗斯柴尔德家族对于法国在查理十世——1824年继位于他的哥哥——统治下，国家政策日益站到革命对立面的态度。另一方面，如果罗斯柴尔德家族宁可借贷给立宪制的巴西，而不借给像哥伦比亚这样的共和国，事实很快将证实这种偏好的经济理性。拉斐特这个圣西蒙的追随者是“真正的自由派”（拜伦的诗句），罗斯柴尔德在政治上则属于骑墙派，是神圣同盟有条件的支持者。

拯救英格兰银行

如果法国总理维莱勒希望1823年的巨额贷款能够最终“将他从那些绅士们（指罗斯柴尔德兄弟）的手中解放出来”，那么很快就会发现自己对他们的依赖程度更甚以往了。1823~1824年，法国公债价格的持续上升并非全部是“法国力量和实力”的体现，而是说明了当时整个欧洲利率的整体下跌。这给罗斯柴尔德家族带来了新的机会：将利率高的政府债券转变成低利率的新债券。尽管这种业务在法国是“新鲜货”，但在英国此类做法早已有之（比如在1717年以及1748~1757年期间都出现过）。实际上，范西塔特在1822年曾经将1.5亿英镑的利率为5%的债券转换成利率为4%的债券；两年后，他的继任者弗雷德里克·鲁滨孙又将7 500万英镑的利率为4%债券转换成利率为3.5%的债券。对于进行这些“转换”的政府来说，好处是显而易见的：每年的债务负担大大地削减了。对罗斯柴尔德家族来说，好处同样非常明显：如此大规模的活动让高额代理费的收取变得顺理成章。唯一的困难就是说服那些投入巨资，希望继续享受4%或5%的利率的债券持有人改而接受低一些的利率。1822~1824年间，欧洲大陆以及拉丁美洲债券繁荣的一个原因就是英国的债券持有人不愿意接受低一些的利率。面对两种选择：将自己的债券转换成低利率的债券，或赎回它们，然后将资金投入到利润丰厚的资产，许多人选择了后者，进一步加剧了投机热潮的升温。

在法国，当维莱勒建议将28亿法郎的利率为5%的公债转换成利率为3%、发行价为75点的债券时，债券持有人的回应则采取了另外一种方式。围绕债券转换的争执与英国类似：超过1/3的法国预算被用于支付国债的各项开销，当时利率为5%的公债价格从93点升到了顶峰的106点，此时采取转换利率的做法似乎很合适。但是这个提议很快就变得复杂起来，因为掺杂了赔偿那些在革命中流亡的保皇派所遭受的损失问题，而且在夏多布里昂与其他人（最著名的是卡齐米尔·皮埃尔，他被排除出债券转换的业务）提出一个虚假声明后，上院否决了这个提议，夏多布里昂等人称此举是英国–奥地利欺诈善良法国债券持有人的阴谋。第二个经过了大量修改的议案——以自愿的原则转换5%的利率的债券，以免税为奖励——在1825年获得通过，但是仅有3 000万法郎的债券进行了转换，这使得詹姆斯手里堆积了大量的债券，而此时市场价格正在下跌。乌夫拉尔后来声称，罗斯柴尔德为了防止遭遇第一转换方案类似的失败，给自己准备了双保险的退路，不仅坚持获得了净值为1亿法郎的国库券（一旦大量公债积压在银行手里，就可以发行），同时暗中抛售5%和3%利率的两种债券。由于怀疑罗斯柴尔德家族通过抛售公债减少自己的损失——这一点在1825年得到了证实——维莱勒与罗斯柴尔德家族自1823年以后形成的短暂和谐关系宣告终结。作为债券转换失败的一个结果，法国总理再次将政府生意交给了詹姆斯在巴黎的竞争对手，将拉斐特和一些财政官组成了一个联合体，负责向海地提供了一笔贷款，并发行10亿法郎的3%利率的公债，以补偿被剥夺财产的流亡者。

不过事实是，罗斯柴尔德家族幸运地逃过了一劫。内森消息灵通的《泰晤士报》记者后来回忆说：

> 如果（维莱勒的转换计划）得到实施，紧接着必然发生的欧洲资本市场震荡对他来说可能是致命的，他肩上的负担将极为沉重，纵使他拥有无比庞大的

资源，也无济于事。实际上，他自己当时作过一个评价，无论是他还是参与转换业务的银行，都无法抵挡震荡带来的冲击。

维莱勒的计划流产实际上是罗斯柴尔德家族的一个运气。因为1825年将是伦敦股票交易所巨大投机泡沫破灭的年份。此时，不仅内森将为持有数百万3%利率的法国公债感到骑虎难下，转换计划的实施也将使得他的弟弟詹姆斯难以抽身帮助他对抗那年的英格兰银行业危机。

1825年的危机早在6年前就已被内森和那些反对恢复黄金兑换的人所预言。1818~1823年间，英格兰银行的纸币流通减少了近三成，这是一个极为剧烈的紧缩。1824年，短暂出现黄金涌入潮导致了纸币发行的剧烈膨胀，但随之而来的是1825年的同样剧烈的收缩局面。与此同时，尽管随着范西塔特1822年12月辞职，财政政策逐渐有序地出台，但掌管贸易委员会的赫斯基森削减进口税的做法时的平衡预算比之前更为困难。按照政治经济学家的观点，这些旨在推动自由贸易的政策中期目标是提升商业活动的交易量，但是其短期效应确是收入的减少。尽管大幅度削减了开支，英国政府还是发现必须重新启动短期和长期借贷机制才能运转下去。此外，如内森抱怨的那样，赫斯基森的政策同样也带来了贸易赤字的增加：内森在1825年对赫里斯说："允许外国货物进入的后果就是所有的黄金都将流到国外。他自己在过去的两周内送出去了200万英镑，基金急速下跌，任何人都捞不到任何好处。"正是这种黄金的急剧流出导致了1825年的急剧通缩。在这样的情况下，1822~1824年间在伦敦交易所形成的高价泡沫是难以持久的。1825年4月，市场开始滑落。跌得最惨的是英国的工业证券和拉丁美洲的债券：内森以85点发行的巴西债券到7月时跌到了81.25点，第二年3月时只剩下了56点。但曾是西班牙殖民地国家的债券跌得更厉害：墨西哥、哥伦比亚和秘鲁的债券价格全部跌到了20点以下。即便最优质的债券——英国的3%利率债券也受到了冲击，一度冲到97点的债券价格跌到了75点以下。毫无疑问，如此严重的资产价格收缩必然会带来银行业危机。

有一则逸闻描述称，内森威胁利用大量小面额的纸币到银行柜台兑换黄金，从而耗干了英格兰银行的所有资金储备。不过这只是又一则与事实相反的罗斯柴尔德神话。实际上，内森与英格兰银行之间是一种紧密、共赢的关系。从1823年夏天开始，从英格兰银行借贷300万银元，以便向葡萄牙提供第一笔贷款时，内森就与英格兰银行的行长建立了直接的联系，当时这位行长正打算绕开银行已有的金银中间商（Mocatta & Goldsmid）。这种关系确实行之有效，尽管内森同时挑战作为东印度公司唯一金银中间商的计划以及直接与铸币厂交易的计划相继失败。自那之后，内森与英格兰银行定期进行交易，他后来在1832年向银行特许委员会透露："你拿纸币来银行，他们就会给你黄金。"大部分时间，内森是一个金银买家或卖家。但是，1825年12月，另外一种形式浮出水面：罗斯柴尔德家族向银行提供黄金，给"针线街的老太太"(英格兰银行的绰号)提供了足够的、来自欧洲大陆的金银钱币，以避免现金支付方式的暂停。詹姆斯从1825年年初开始从法国运去了大量的黄金。仅在1月的第一星期内，他就运送了价值近50万英镑的黄金，他戏称这些黄金将"让你的银行（指英格兰银行）惊诧不已"。到1月中旬的时候，他谈论的则是"我们古老的业务"，即"无论何时，发现黄金时就买一些"。

不过，到这年年底的时候，正是这种帮助关系起到了最为重要的作用。随着一系列银行停止支付业务——仅在伦敦就有6家银行停业——英格兰银行的行长向政府提出建议称，停止现金支付方式可能是唯一能避免财政整体崩溃的途径，因为当国库券到期时，他将无力应对兑换黄金的需求。首相利物浦和他的幕僚则拒绝了这一提议，他们怀疑英格兰银行行长夸大了金银的短缺状况，目的是要废止1819年委员会通过的法令。另一方面，英格兰银行能够立刻使用的金币储备即将用光，银行一再向内阁发出警告称，它将私自停止支付业务，内阁迅速命令"军队士兵部署到伦敦各地，以防动荡发生"。伦敦一些圈内人士——最著名的是亨利·桑顿，他当时正在努力挽救威廉姆斯公司——已经意识到"伦敦的犹太人之王罗斯柴尔德"有大量的黄金储备，根据某一个人的说法，"在（亚历山大·巴林）稍微劝说一番，犹太人愿意拿出他的黄金，最初每笔交易收取2.5%的费用，然后又说他这样做是出于公益心，最后又央求他们不要公布此事，否则他日夜都会被人缠着（兑换黄金）。"

但是，英国政府在接触内森的问题上却犹豫不决，因为内森出了名的憎恶赫斯基森，正如我们看到的那样，赫斯基森的政策是导致这次危机的因素之一。12月17日，危机的转折点出现，财政部联席大臣查尔斯·阿巴斯诺特的妻子在日记中写道，"伦敦对赫斯基森先生的厌恶显而易见"，他们对财政大臣鲁滨孙也"极为蔑视"。这种感觉显然是共同的。在这位夫人的消息提供人、内森的老朋友赫里斯（此时是财政部金融大臣）看来：

> 赫斯基森做了一切他能够做的事来摧毁罗斯柴尔德，他散布报告称他们的银行处在危险中，他让坎宁先生写信给巴黎，要求调查（罗斯柴尔德的）弟弟的事务。格兰维尔爵士派了私人秘书盘问了罗斯柴尔德。罗斯柴尔德发现自己的处境后，立刻向他出示了自己的账目，证明他的身家值250万英镑。

很显然，这导致了两方心意的改变，毫无疑问，这自然也有赫里斯从中协调以及赫斯基森缺席的功劳："罗斯柴尔德作出了最为巨大的贡献，为英格兰银行提供了帮助，他还告诉赫里斯先生，如果他能早一点出手，应该能够阻止所有难题的出现。事实也是如此，如果他们能够撑到星期一或星期二，他将从巴黎得到大量的沙弗林（sovereign，英国金币），压力将全部消除。"

内森那晚做了两件事：第一，他建议政府干预货币市场，通过购买国库券使市场具有流动性；第二，也是更为重要的事，他向银行提供了黄金，开始是价值30万英镑的金币，在接下来的几周内再次提供了数额庞大的黄金，直到市场信心得到恢复为止。实际上，12月24日，内森的黄金储备达到了最低值（仅有100万英镑左右），但是，内森一年之后仍在向外提供黄金，1826年3月提供了100万英镑，整个9月提供了1 000万英镑的黄金。他的黄金主要来源便是巴黎的詹姆斯（他后来警告内森"我倒空了我的保险箱给你提供黄金"）。但是，内森回忆说，"世界各地供应了大量黄金，我进口黄金，几乎从每一个国家进口，我们从俄罗斯进口，从土耳其、奥地利，从世界的几乎每一个角落进口黄金。"英格兰银行的账目里也记录了大量来自法国、意大利、荷兰和德国的各种金币。

1825年的危机与1797年（这年英格兰银行中止了现金支付）发生的危机十分相像，货币危机危及整个英国经济。实际情形也是如此，770家的国有银行倒闭了73家，赫斯基森自己也承认，英国在48小时内，"人与人之间的交易全部停止，除了物物交换"。回望1839年，威灵顿显然知道是谁阻止了灾难的发生："要不是最杰出的努力——最关键的是罗斯柴尔德家族的努力——英格兰银行早就停业了。"当然，内森不会在不要求丰厚佣金的情况下，提供如此巨额的黄金。这次行动被看做是他在伦敦金银市场确立霸主地位的一个组成部分。另一方面，也找不到他愿意免费拯救英格兰银行以及英国政府的理由，因为危机是那些他竭力反对的政策的产物。拯救英格兰银行的行动是一个杰出的成就，它为罗斯柴尔德业务的国际特征赢得了一切。实际上，兄弟几个通过这次行动建立的国际货币合作机制，后来成为中央银行的日常业务流程，这一机制也是黄金标准所依赖的基础。逐渐地，罗斯柴尔德家族在国际金银市场中成为主导力量，就如他们在国际债券市场中的地位一样。

因此，拜伦在《唐璜》中暗示巴林和罗斯柴尔德驾驭了保皇派和自由派，他们的贷款"能稳定一个国家或推翻一个王朝"，这些描述并非夸大之词。他唯一的错误就是将这两个金融家看做是平起平坐的人物。1815年，他们确实棋逢对手，但到了1825年，他们不再是同一重量级的了。早在1820年8月，不来梅驻法兰克福日耳曼联邦议会的特使与奥地利同行布奥尔伯爵有一段对话，准确地描述了罗斯柴尔德家族在欧洲的政治影响力是无可匹敌的：

这个家族通过大量金融交易以及其银行与信用网络，实际上成为了真正的一支力量；它将所有货币市场玩弄于股掌之中，而且只要它乐意，能够阻碍或推进所有权势显赫的人，甚至最强大欧洲国家的行动。奥地利镇压那不勒斯运动时需要罗斯柴尔德家族的帮助；要不是罗斯柴尔德家族提供帮助，尽可能地推迟末日的到来，普鲁士早就带着它的政体被埋进了历史。

法兰克福银行家西蒙·冯·贝特曼写于同一时期的一封信也表达了类似的观点：

N·M·罗斯柴尔德以粗俗的才能、大胆和虚荣，构筑了股票交易所围着其波动的中心点。他独自一人决定着汇率，每天买卖10万英镑……我非常能理解罗斯柴尔德家族对（奥地利）政府为何如此有用。

两个人都有自己的理由不喜欢看到这样的现象，我们将在以后的章节看到具体的原因；但是他们并没有夸大罗斯柴尔德家族获得的成功。

第五章

荣耀与诽谤
（1826~1829年）

THE HOUSE OF ROTHSCHILD

请拥抱百万富翁。

内森·罗斯柴尔德
给一幅德国漫画起的标题

鉴于他们在如此多的战后金融交易中扮演的决定性角色，罗斯柴尔德家族在19世纪20年代声名鹊起并不让人感到十分惊讶。早在1816年，卡尔就发现他和兄弟们在家乡变得“非常有名”了。他对詹姆斯说：“这些天，随着新闻获得自由，有关我们的报道遍地都是。”他同年前往柏林时也遇到了同样的情形。卡尔显然对这种知名度感到很不适应，不仅仅是因为许多报道出现了偏差。“我们每天都出现在新闻中。”他向阿姆谢尔抱怨说：“上周你被报道与穷人扯上了关系……今天你又与谷物联系到一起，你还将成为（黑森-卡塞尔选帝侯）在日耳曼联邦议会中的大臣。”在汉堡，情形同样如此：

> 无论我们中的哪一个到了哪里，闲话和传奇故事就会在人们之间传播开。拉瓦茨告诉我，城里的一些晚会上，故事被演绎成普鲁士国王写信给我们，希望由我们发行一笔价值300万的债券。我们被认为回复国王说，发行债券完全没必要，我们能够用自己的钱提供给国王。

阿姆谢尔同样被公众夸大的倾向感到震惊：“人们心目中的我们，比真正的我们要富10倍。”“现在无论我们去哪里，”卡尔发现，“人们都认为那是一次政治旅程。”詹姆斯出现在圣彼得堡的股票交易所或内森安排的一艘船进港，都足以使得交易暂停。詹姆斯在巴黎只要买一只股票，那么“所有的人”都会买它。与卡尔不同的是，年轻的詹姆斯喜欢这种名声。他对内森说：“拥有如此多的威望真是一件美好的事。”“他们都说：‘巴黎没有一个家族像我们家族这么有名。’我们现在被认为是第一位的……我上周给法兰西银行送去了300万的票据，其中有大量没有价值的票据——但是一张都没有退回来。”萨洛蒙和内森同样对知名度不屑一顾。“我们将因为成为漫画主题而哭泣。”萨洛蒙对内森说，“正如你说的那样，国王和帝王们也一样……希望上帝将这个当成我们遇到的最糟糕的事情……但愿我的安塞尔姆和你的列昂内尔在这个世界一成名时，就被画进漫画中。我希望这能（整治）我们孩子的……痴心妄想。”内森的态度则豪壮得多：“没有人能躲过被报道。”媒体的兴趣——包括大量有关他们陷入财政困难的报道——只是成功的代价而已。

公共关系

几兄弟的话表示，他们的知名度很少是正面的。从刚出名的那刻起，罗斯柴尔德家族在公众领域接受的诽谤就多过了荣耀。当然，19世纪早期，大多数帝王、政客和其他公众人物偶尔也会发现自己成了报纸、宣传小册子和其他媒体嘲弄的对象，欧洲的媒体审查宽松，这种现象尤为常见。但是罗斯柴尔德家族似乎经常吸引来特别猛烈的批评。其中一个原因是他们的宗教信仰。对那些后悔在革命时期采取宗教平等举措的人来说，复辟时代经济上最为成功的家庭是犹太人的事实，是一个无尽的折磨。但是，另外一些因素无疑也扮演了一定的角色，而且将排犹主义与反罗斯柴尔德主义对等起来是一个错误。1815年之后，几兄弟遭遇到的敌意，可以简单地归结为经济上的竞争带来的。例如，即便罗斯柴尔德家族不是犹太人，法兰克福的其他银行家也会妒忌他们的快速崛起。再者，罗斯柴尔德家族最大的几个对手本身也是犹太人——如在卡塞尔。此外，反罗斯柴尔德主义有政治上的考量：他们对保守政权以及神圣同盟政策的认同使得他们成为了自由派攻击的靶子。复辟时代糟糕的公众形象通常是经济妒忌和宗教反感的综合因素导致的，同时还混杂着政治激进主义的因素。

譬如，在法兰克福，罗斯柴尔德家族作为一支金融力量强劲的崛起，威胁到了贝特曼家族的地位，后者当时掌控着法兰克福的金融业。西蒙·莫里茨，罗斯柴尔德家族在这一时期最主要的合作伙伴，对于自己相对衰退的地位表现出了令人敬佩的冷静，在罗斯柴尔德家族所有的对手中，他得到的结果也最体面。早在1815年9月，他就积极地寻求与萨洛蒙和詹姆斯结成合伙关系，这一点可以从他寄给法兰克福家里的信中看到：“我与罗斯柴尔德两兄弟接触得越多，他们给我的信心就越大。”尽管他也没有假装喜欢内森的“大胆和虚荣”，他仍坚持认为自己“不会去想批评或妒忌”罗斯柴尔德兄弟，并且形容萨洛蒙是“一个值得尊敬的人，我对他非常尊敬”。他甚至称内森为“我们乡下的伙伴”。“罗斯柴尔德五兄弟是我们这个时代最杰出的一个现象。”他在1822年2月写道，“他们出生时所缺的东西，他们就用无情的行动、令人羡慕的团结和相互体谅来弥补。”但是，这种评价部分来自于贝特曼的“觉醒”，他发现在19世纪20年代，最理想的位置就是站在罗斯柴尔德家族的衣摆后面。但是莫里茨发现自己被排除出1821年的那不勒斯贷款业务后，他的情绪发生了重大的转变，因为他认为卡尔已经答应给他一个份额。“我认为这不公平。”他愤怒地写道，“我为你一心一意服务了几个月，但你却发现适合你的仍然是保留提供选择的权力：给不给别人机会仍然由你随意决定。”

对罗斯柴尔德家族这种无情方式的抱怨并不是一件新鲜事：法兰克福的异教徒商业团体已经抱怨了多年，他们一直指责犹太人的经商方式“不公平”。早期针对罗斯柴尔德的德国漫画着重刻画了这一点：在I·纳斯盖格的漫画《骑马人》中，卡尔被画成了“布劳斯柴尔德”，一个小贩向南前往意大利，满身污秽，他的小马驮着各种物品，包括滑膛枪和剑。后来的一幅漫画将阿姆谢尔与贝特曼进行了对比，贝特曼坐在4匹马拉的大马车上，穿着时髦的衣裳；而阿姆谢尔穿着破旧，出奇的丑陋，站在一个巨大的钱箱上，一只双头鹰挣扎着徒劳无功地向前拉着阿姆谢尔和钱箱。

与过去一样，这些商业竞争同时也包含了政治考虑。罗斯柴尔德家族此时“比贝特曼富有”的事实被广泛地看做是有必要恢复传统的限制犹太人法令的证据。用阿姆谢尔的话来说，就是“犹太人呼风唤雨让异教徒感到苦恼不已”。敌意与日俱增，阿姆谢尔在1815年9月报告说：“他们羡慕我们犹太人的眼睛长在头上……（想要）喝我们的血。”而其他犹太人乐意鼓吹罗斯柴尔德家族财富的事实并不能激起共同的自豪感，阿姆谢尔和卡尔反而觉得此举对于异教徒的憎恨来说简直是火上浇油。这种憎恨引发了排犹小册子的泛滥以及战后大量排犹话剧的诞生——最著名的是一出名为《我们的非法交易》（*Unser Verkehr*）的话剧，说的是一个笨拙的犹太士兵——并且最终导致了1819年8月所谓的“嗨”骚乱，当时一群暴徒冲到犹太聚居区，喊着传统的反犹口号，“嗨！嗨！犹太人去死！”并且毁坏房屋。这些敌意大部分是冲着罗斯柴尔德家族去的。1817年，一群人聚集在阿姆谢尔刚买的花园外，嘲弄他新近授爵的事，他们“喊着‘阿姆谢尔男爵’之类的愚蠢口号”。讽刺漫画贴到了他们的门上，而罗斯柴尔德办公室的窗户在“嗨”骚乱中也被砸坏。差不多在这个时期，阿姆谢尔还接到过死亡威胁。

这些示威——它促使阿姆谢尔考虑与兄弟几个一起离开法兰克福——很大程度上解释了罗斯柴尔德家族在政治参与上的两面性。梅特涅表达了他对骚乱不满的同时，也做了大量的工作，这些增强了罗斯柴尔德家族的一个感觉：即保守主义比激进形式的自由主义能给他们提供更多的个人安全。这一点在德国显得尤为真切，在这里，从传统上来讲，奥匈帝国的国王会给犹太人提供“保护”，但复辟时期自由派支持的民族主义占上风的时候偶尔会出现排犹的现象。同时，罗斯柴尔德家族与掌权阶层走得越近，批评者就越容易认为他们也是统治阶层的一部分。当犹太人与异教徒通婚在法兰克福合法化之后——法兰克福参议院在19世纪20年代做出的一系列让步之一——80岁高龄的歌德激动地评价道：

> 这个可耻的法令将破坏所有家庭的道德观，一开始就与宗教扯上了关系。当这个法令通过后，如何还能阻止一个犹太女子成为卧室里的决策人呢？谁知道所有这些是不是贿赂起的作用？谁知道全能的罗斯柴尔德家族是不是幕后的主导者？

如果如此威严以及开明的人都会这样说，那么毫无疑问，罗斯柴尔德家族非常乐意远离德国的政治生活。

但是，反罗斯柴尔德主义并不仅仅局限于法兰克福。无论在哪里，只要他们获得了政府的一笔大生意，当地的竞争对手通常就会发起与宗教挂钩的攻击。例如在维也纳，1820年萨洛蒙与戴维·帕里什合伙处理的彩票贷款业务被广泛批评为“一起可耻的犹太欺诈”,“罪魁祸首”则是这桩业务尤其丰厚的利润。需要强调的是，有时，攻击并没有宗教的色彩。

6年后，帕里什本人对罗斯柴尔德发起了那个时期最为刻薄的一次攻击。当时的帕里什逐渐被昔日的伙伴超越，到1823年时，他只是内森提供给葡萄牙贷款的一个较低级别的合作伙伴（如果不是信使的话），他的衰败在1825~1826年的危机中最终到来。帕里什在维也纳的弗里斯银行成为危机的受害者之一，在跳进多瑙河自杀的前夕，他写了4封信分别寄给他的弟弟约翰、银行家盖米勒、梅特涅和萨洛蒙，帕里什在信中将自己的失败全部归结到罗斯柴尔德家族的身上，并发誓要公开地让他们名誉扫地。帕里什说，梅特涅“牺牲了我，以满足那个家族的贪欲，他们尽管富得流油，但全部冷酷无情，只关心自己的钱箱”。他被萨洛蒙以“最无耻的方式骗了”，“他用最黑暗的背信弃义来回报真心实意的服务”。这些信透露的一个信息，就是罗斯柴尔德家族得到了梅特涅的“保护”，但用不正当的手段让帕里什身陷风险当中。不过这些信完全是反对罗斯柴尔德，而不是反对犹太人。但是德国记者在报道这样的故事时，却经常把它们与罗斯柴尔德家族的宗教信仰扯到一起。一个很好的例子就是弗里德里希·利斯特的报纸对1826年巴黎分行发生的办事员盗窃案的报道，它在其中无缘无故地写道：“罗斯柴尔德，以色列的骄傲，旧世界中所有铸成钱币或等待加工的金块银块的拥有者和提供者，在他的钱箱前面，国王和皇帝都要卑躬屈膝……”

罗斯柴尔德兄弟在巴黎也遭遇了类似的敌意。“总是有人说，‘犹太人做得太好了，做了这个，做了那个’。”萨洛蒙在1815年10月向内森报告说。这些都是生意竞争对手的抱怨，他们努力将罗斯柴尔德兄弟排挤出战后法国赔款业务。与此形成对比的是，10年后，詹姆斯发现自己成为一个政治批判浪潮的目标。自由党人福尼尔–韦纳伊在1826年出版的《巴黎》报第一次刊登了许多法国人的声音，声称政府——指维莱勒的政府——是“金融贵族的腐败傀儡，那些金融贵族是所有贵族中最无情、最卑鄙的一类人”，而这些金融贵族的领头人非“罗斯柴尔德男爵”莫属。福尼尔引用夏多布里昂（一个不可能是自由派盟友的人）的话说：“如果上天撼动整个世界，把如此多的国王推上了断头台，率领我们的军队从加的斯打到莫斯科，把拿破仑锁到一块岩石上，仅仅是为了让维莱勒夫人、罗斯柴尔德和公司能够从我们荣耀和自由的废墟中赚钱，那么时事将会是何等的艰难。”但即便这样的描述，福尼尔还是觉得低估了形势的困难：

> 犹太人罗斯柴尔德和他的共同信仰者……所认为的天空无外乎放高利贷的金钱……这是独一无二的族群；我能理解，即便召集古犹太最高评议会也不能创造一个（新）法国人。他们……仍然是犹太人，只是犹太人。我并不是因为他们保留信仰而反对他们；而是因为他们从每一次纷争中赚钱，并且要价越来越高而斥责他们；他们无所不在。他们出现在波兰，站在我们兄弟的尸体上；他们（现在）正在向伊布拉阿姆（奥斯曼帝国的官员）提供金钱，此时此刻，他们正在阿基利斯（意指希腊英雄）的坟墓上跳舞。

福尼尔指的是奥斯曼帝国对希腊的镇压，这些话也彰显了他自由主义的观点。但是同样明显的，是字里行间排犹的情绪。福尼尔的言论从许多方面来说，只是数年后在法国出现的一个阴谋论的雏形版本，这个几经演化和扩展到阴谋论的版本几乎一直是罗斯柴尔德家族遭遇恶劣政治影响的根源。

在伦敦，同样存在着类似的情形——那里排犹的气氛通常被认为没那么普遍——但在19世纪20年代，出现了或多或少针对罗斯柴尔德权势的敌意浪潮。实际上，伦敦的这种敌意可能比其他任何地方都要来得强烈——部分反映了内森相对更大的重要性，同时也是由于新闻的自由。再一次，敌意如之前一样发源于商业竞争。如果竞争对手都是犹太人——如Mocatta & Goldsmid公司抨击“罗斯柴尔德先生的强势举动，试图以任何人或任何机构为代价为自己谋利”——这无疑只是尖刻的攻击，而没有丝毫的宗教攻击意味。但是当亚历山大·巴林提及他的主要竞争对手时，通常（轻蔑地）称其为“犹太人”，这其中自然是包含了信仰因素。按照拉斐特的说法，巴林试图将罗斯柴尔德家族排挤出1817年法国赔款业务所用的理由正是宗教信仰方面的差异。尽管詹姆斯倾向于认为这只是一个借口，他还是承认偏见在某种程度上确实存在：

> 在法兰克福，我们对它已经见怪不怪了，因此它发生时，我们不会感到惊讶；但在这里，情况完全相反，如果这种事情发生的话，我们会感到十分诧异……昨天，拉斐特让我去探望他。巴林也去了他那里，并且明确地说他不可能和我们一起（处理贷款业务）。巴林本人实际上并不是这样的想法，但是他的伙伴和英国方面……对犹太人存在偏见。如果他与我们结成伙伴关系，生意将无法进行。他不能和一个犹太人做这样的生意……这些全部根源于拉布谢尔的自傲以及希莱姆的妒忌，因为这两个人都是霍普公司的，他们认为如果自己与法兰克福的犹太人携手做生意，会有损他们的荣耀，会让我们借助他们变得伟大……巴林告诉拉斐特说："这些先生们像犹太人一样工作。我们如何能合作呢？他们的原则是不同的。他们可以同时进行20宗交易……唯一的目标就是做生意。就像是证券批发一样，就比如普鲁士的生意，他们切断了普鲁士的信用……然后在一切被外界知晓之前切断了传单的散播。"他还补充说，我们所做的事是正确的，因为我们成功了，赚到了钱。但是，他并不想——他是这么说的——以这种方式做生意。现在我们正试图——他这么说的——通过抛售我们的股票拖垮英国股市，目的就是再次买回它们。

换句话说，巴林持反对意见的是罗斯柴尔德家族非常成功的生意之道，但他本能地将这些贴上了"犹太人的"标签。类似的态度广泛地存在着。英国最早的一幅漫画《公爵府的歌颂仪式》，讽刺的对象可能就是内森。画面中，内森在犹太大教堂里，站在一群犹太人前面"感谢上帝帮他获得一笔贷款"（见图5.1）。

图5.1　《公爵的礼赞——或签约者为获得贷款回谢》（1818年）
资料来源：犹太神学院《作为其他人的犹太人》第17页。（阿尔弗雷德·鲁本斯藏品，伦敦犹太人博物馆）

与别的地方一样，反罗斯

柴尔德主义也有政治考虑。我们之前已经看到，罗斯柴尔德家族在滑铁卢战役后经常担忧巴林在伦敦和巴黎的政治影响力，将这一点看做是他掌控战后赔款生意的关键筹码。但是，对那些拥有较小的政治影响力的生意人来说，他们认为罗斯柴尔德家族似乎拥有着政治权势。早在1818年，伦敦交易所的一个匿名成员写信给首相利物浦，抨击了内森反对恢复现金支付方式的立场：

> 让我跟您解释一下，货币市场的资本家……已经反对您的计划，是因为它与他们的想法背道而驰或者无法给他们带来利润。犹太人利益的代言人罗斯柴尔德先生正在……积聚每一点忧虑，准备阻止您现实目标……如果有人问罗斯柴尔德先生，他对基金的看法是怎么样的，他的答案肯定是非常看好，但是同时他做的却是截然相反的事情；在如此伟大的国家里，如果您的领导和幕僚沦为被犹太人团伙戏弄的对象……真的十分悲哀。

1824年的一幅漫画针对内森反对恢复现金支付的立场，表达了类似的观点。内森在画中站在一只气球上，从股票交易所冉冉升起。有一头牛和一头熊在上方拉着气球，边上有一行注解“任何东西都必须升起来”，不过气球下方却被标着“钱箱”两个字的重物拽着。这其中也包含了宗教暗示。实际上，这幅漫画最显著的一个特点是它描写内森与一群犹太穷人的关系时所表现出的矛盾。内森手里拿着两面旗帜，上面写着箴言：“那些接济穷人的人也是借钱给贵族们的人”和“慈善能掩盖大多数罪恶”；但是内森又说：“我准备去收取红利。”他左边一个人物，从卡佩尔厅（Capel Court，指伦敦股票交易所）走出，手里拿着一份《泰晤士报》，嘴里喊着：“我们停掉了报纸，宣布伦敦最伟大资本家的一员正在进行一项秘密的金融冒险。”右边的6个犹太穷人——被标以“存货减少”的字样——正向国王寻求帮助，皇家邮车的卫兵手上拿着一份名单，上面有8个犹太人的名字，每人能够领到1先令。

如果这些批评者将内森刻画成了伦敦的闯入者，那么把他描写成伦敦一类人的典型同样受人欢迎：守财奴的领头人，这群金融家和证券批发者被工党激进分子威廉·科贝特指责应为战后的通缩政策负责。用图画方式来表达这类批评的另一个版本出现在1824年，漫画《纽考特防火墙》将罗斯柴尔德创立的“联合保险公司”描述成了欺骗英国人的地下公司。同时，这幅漫画也攻击内森与神圣同盟的联系。公司的建筑物上写有“虚伪同盟防火与人身安全办公室”的字样，周围有5个半身像，分别写着“俄罗斯”、“普鲁士”、“那不勒斯”、“法国”和“奥地利”。在漫画的上方，是一个比较长的注解，它提及了罗斯柴尔德家族反对革命的角色：

在这个公司买了保险的人将免费得到一箱真正的德国糨糊，如果按照H（还是M?）王子公司指示的方法使用这些糨糊就能防火。要注意的是，如果一个人凭借欺诈获得上述的神奇糨糊，那么将会得到适得其反的效果，他的房子将在新月出现的时刻被烧毁。

尽管这里突出的重点是罗斯柴尔德家族的外国根源——画面中内森和摩西·蒙蒂菲奥里与别人说话时用的是法语，画中的一个德国门房则操着带有浓厚口音的英语——作为前景的3个人则毫无疑问是犹太人，相互庆祝自己获得的利润。

不过，正是这种处于最高程度的复杂政治危机将内森带进了英国公众的视野。由于1827年利物浦患病，坎宁组成了新一届的政府。新政府笼络了自由派工党人士，最有名的是赫斯基森；同时还吸纳了辉格党人士，如兰斯当，但是却排挤了以威灵顿公爵为首的激进工党人士，威灵顿与内森一样反对赫斯基森的自由主义经济政策。当坎宁意外地在当年8月死亡时，英国国王授命财政大臣罗宾逊（此时是戈德里奇勋爵）组成新的内阁。但是国王坚持要求任命赫里斯担任财政大臣（同时拒绝让辉格党人霍兰德勋爵担任外交大臣），这意味着戈德里奇的任期不会太长。在辉格党党魁乔治·蒂尔尼的授意下，戈德里奇和赫斯基森在没有知会赫里斯的情况下，任命奥尔索普勋爵为金融委员会的主席，结果赫里斯威胁辞职，除非奥尔索普的任命被收回，而赫斯基森则威胁说，如果奥尔索普的任命被收回，他将辞职。在这种情况下，戈德里奇自己在1828年1月宣布辞职，国王授命威灵顿组建政府——赫斯基森与赫里斯斗争的结果是，威灵顿同意戈尔博恩一同担任财政大臣；赫里斯则被降职，担任铸币厂主管。

整个事情犹如乱麻，其重要意义包含在国王对赫里斯的认同里，以及国王内科医生兼私人秘书威廉·奈顿日益增长的影响力中；包含在工党内部对天主教徒解放运动的反对中，以及，可能也是最具决定性地，包含在金融利益中——主要是纽考特的金融利益——的它们对赫斯基森的满腹敌意。早在1827年8月，激进工党的《晨报》就提及，赫里斯与内森的紧密联系是他难以胜任财政大臣的原因，这一说法在辉格党赫特福德的议员托马斯·邓库姆那里得到了响应，他要求“客人离店后才发现还有钱没收的神秘现象”必须“得到清除，方式就是卷起掩盖重大事件所涉及人物的帘幕，不管是有形的人，还是无形的人”：

谁不确定的尽管说，我认为王冠背后存在着一种秘密的影响力，这种影响力的形式从没被看到过，他的名字从没被提起过，他能够接触到国家的所有秘密，他安排了政府管理所有的突然变化……与这种不可捉摸紧密相关的是，这个无形的人，代表了一种更为坚实重要的形式，一种新的可怕的力量，直到今日在欧洲仍然保持着神 秘；他是无 限财富的主人，他鼓吹自己是和平与战争的裁决人，各个国家的信用仰仗他的点头；为他提供消息的人数不胜数；他的信使比那些国王的信使跑得更快；国家大臣们的报酬由他支付。尽管在欧洲大陆的内阁中举足轻重，他仍渴望控制我们的内阁，即便伟大的唐 · 米格尔（见下文）在他取得王位之前，也被迫依靠这个人。先生，这样的秘密影响力的存在是一种臭名昭著的事情；他们被认为在这最近的政府变动中忙得不可开交。我认为他们的目标与他们获得力量的方法一样肮脏，一定要抨击他们和他们的代理人，对英国宪章一窍不通有损国王的荣耀。

邓库姆“信任那个威灵顿公爵和内政大臣，他们不会允许这个伟大国家的财政控制在一个犹太人的手里，也不会允许国王人事任命的分配由一个内科医生的药方得出”。

皮尔代表政府做了回应，他对邓库姆的指责嗤之以鼻，否认知道任何“邓库姆所说的神秘故事、无形之人以及任何费解的事”，并且否认“存在其他更重要的人物以邓库姆先生所说的方式干涉国家的金融事务”。但是邓库姆的言论得到了广泛的响应。2 月 25 日，《泰晤士报》刊登了一封署名为“阿尔杰农”的来信，信中愤怒地宣称：“我们不能容忍这个庞大帝国的命运掌握在一个犹太人和一个男助产士肮脏的手里。”当时，年轻的托马斯 · 巴宾顿 · 麦考利以“小马尔科姆 · 麦格雷戈”的笔名写了一些讽刺诗：“神秘的两个人，我们命运的主宰，那是医生和犹太人。”许多以这个内容为主题的讽刺漫画也纷纷出版，至少两幅的灵感来自于托马斯 · 迪布丁 1800 年上演的话剧《犹太人和医生》。第一幅漫画中（见图 5.2），内森被画成大腹便便的天使，正背着装满黄金的袋子从云朵上降落，那些金子要送给“前办事员、前

图 5.2　乔治或罗伯特 · 克鲁克香克，《犹太人与医生，或帘幕背后的秘密影响力！》（见《泰晤士报》1828 年 2 月 19 日）
资料来源：鲁本斯，《漫画中的罗斯柴尔德家族》，第 8 插图页。（阿尔弗雷德 · 鲁本斯藏品，伦敦犹太人博物馆）

军需大臣、前审计员、前秘书、前大臣”赫里斯。“上帝，请帮帮我吧！”画中的内森用浓厚的德国口音说，“正在下沉的职位将沉到熔炉的底部，如果你不坚持的话，亨利（赫里斯）！你应该知道我，只有我才是无形的——请别介意。我给了唐·米格尔以及老米格尔钱！让我感到振奋一些吧！”第二幅漫画由罗伯特·克鲁克香克所画（见图 5.3），画中的内森留着胡子，戴着宽边帽，肩上背着一个写着“筹款袋”的袋子，正向威灵顿走去，嘴里念念有词地说：“上帝作证，那个医生胜过了犹太人——他想要拿走我的钱——你知道那是给你的——我的心都碎了！”

图 5.3　罗伯特·克鲁克香克《犹太人与医生陈旧闹剧的一出新戏》（1828 年 3 月）

资料来源：犹太神学院《作为其他人的犹太人》第 57 页；鲁本斯，《漫画中的罗斯柴尔德家族》，第 7 插图页。（阿尔弗雷德·鲁本斯藏品，伦敦犹太人博物馆）

邓库姆是一个不愿认输的人，他在 19 世纪 30 年代及 40 年代政治立场左倾，变成了民权主义、意大利和匈牙利民族主义的热心支持者。他还试图写一本名为《英国犹太人，他们的历史和错误》的书，尽管一直没写出来。似乎可以很合理地推断，他与法国队福尼尔一样，是 19 世纪 20 年代那些自由派人士之一，他们认为攻击保守派政府与犹太金融家没什么冲突，即便其言行按照今天的标准来看似乎具备了排犹的特征。漫画家的动机与邓库姆也十分相像。话剧《犹太人与医生》最初讲的是一个慷慨的犹太人将一个基督徒的孩子抚养成人，并给了她 5 000 英镑的嫁礼。但漫画却通过内森试图贿赂威灵顿，将这个故事彻底改写。新版故事的主题讲的是脆弱不堪的政府，它不仅与腐败的皇室，还与一个日益腐败的银行家紧密地联系在一起。在克鲁克香克的漫画中，威灵顿坐着的棺材上写着“这里躺着宪章”，身后竖着的两个瓶子，分别写有“宗教之药”和“国家之药”的字样。

1828 年出现的另一幅漫画（见图 5.4），标题为《不幸的事件》或《保守党的大胜》，显示威灵顿被伦敦德里和其他两个人抬着。（威灵顿拿着一个“财政部钱箱”、一本《玉米法》、《军队预算》，一把写有“滑铁卢”字样的剑以及插着一根骨头的一把精美叉子，上面写着“旗舰统帅”——暗示他担任总理时放弃的所有职权。）其中

图 5.4　“神枪手”，《不幸的事件，或保守党的胜利》(1828 年 2 月)

资料来源：鲁本斯，《漫画中的罗斯柴尔德家族》，第 6 插图页。(阿尔弗雷德 · 鲁本斯藏品，伦敦犹太人博物馆)

一个轿夫对内森说：“敬爱的罗斯柴尔德先生，帮一把吧，他太沉了。”但是内森回答说：“不，不，我们不会去抬，他不是丹尼尔。”一个留着胡须的犹太人小声地说道：“不，不，照看好金钱。”陈旧的腐败和新式的腐败被刻画成同一枚政治硬币的两面。但是，在每幅漫画中，重点都会落在内森的犹太人特征上：有时，他的外国口音被夸大，有时他的外形被改变以适应“剧情”的需要——未被同化的移民。

唯一要说明的一点是，这个时期的漫画家很少因为将犹太人作为讽刺对象而遭到指责。《工党的大胜》中对爱尔兰人以及苏格兰人的刻画就比犹太人友好得多。爱尔兰人长着猿猴一样的脸孔，靠在一把铲子上，嘴里念着“如果他（威灵顿）向泥煤伸手，恶魔便会烧了它，这对贫穷的爱尔兰没有好处”；而长着鹰钩鼻、穿着传统方格裙的苏格兰人则声称：“我们希望他把钱花在红外套、马刺等诸如此类的东西上。”无论他们多么粗俗鄙陋，但仍然醒目地站在“纯洁的英国人”约翰牛的身边，而内森和犹太穷人则站在路的另一边。

从坎宁到威灵顿

有关隐藏在背后的罗斯柴尔德家族的影响力的各种说法有没有真实的成分？答案是：有的，尽管现实比罗斯柴尔德的批评者能够了解的要复杂得多。我们已经看到，内森 · 罗斯柴尔德有很好的理由忠于赫里斯，后者对他的赏识给他提供了最为重要的生意机会，而且对赫斯基森也富有敌意，这点与内森也有共同语言，内森一直反对赫斯基森的货币与商业政策。但是，另外一种政治因素解释了内森对赫里斯缺乏同情（乍看起来有些令人困惑）的原因。当听到自己的老朋友遭受挫折的消息时，内森并未在意，他对卡尔说：“我们的朋友赫里斯非常愤怒，因为他只得到一个非常差的工作。他很愤怒，但是我帮不了他。他必须抱有耐心，或许他将来能得到另外一个工作。”实际上，让内森产生兴趣和感到高兴的事，乃是威灵顿公爵当上了首相。

漫画家影射内森试图贿赂威灵顿或拒绝支持他的政府，其实与事实有些偏差。罗斯柴尔德家族从威灵顿取得滑铁卢战役胜利后就一直在讨好他（当然，这与他们大力资助威灵顿的行动有关）；更重要的是，威灵顿所描画的英国外交政策相比起他的前任坎宁，更符合罗斯柴尔德家族的利益。

乔治·坎宁与他的前任卡斯尔雷一样，对“重塑”欧洲的理念笃信不疑。两者的区别在于坎宁寻求英国利益，而不再过多地考虑其他大国的利益的决心。正如他著名的言论所阐明的那样：“相对于欧洲，我应该不时地弄懂英格兰。”他特别指出，不愿考虑“任何其他政府的愿望，或其他人的利益，除非那些愿望、那些感觉出于利益的考虑，也可能与英国的正当利益相一致。”这也解释了英国拒绝制裁法国远征西班牙的原因所在，他的反应仅仅是强烈呼吁支持葡萄牙的中立，以及承认拉丁美洲一些地方脱离西班牙，成为独立国家。这些并没有威胁到罗斯柴尔德家族的利益，他们在西班牙问题上成功地脚踩两只船，两头获利。但是在坎宁在任的最后几年——尤其是他短暂担任首相（1827 年 4 月到 8 月）的几个月里——他采取了一些非常大胆的举措，很大程度上给罗斯柴尔德家族敲响了警钟。

在利物浦去世前，坎宁与罗斯柴尔德家族之间的关系就已出现了一定程度的紧张气氛。詹姆斯 1826 年 11 月说：“依靠这样一个坎宁将是致命的罪过。”这种感觉也是相互的：在随后的一个月中，在巴黎的坎宁从罗斯柴尔德家族获得了一个重要演讲的所有细节，比英国大使馆早了整整 12 个小时，他愤怒地写信给英国大使说：

> 我在星期六经过时，你必须安排好当天所有的开支。“上帝！这样的情形！没有什么直接来自巴黎！可能它只是罗斯柴尔德的一个诡计。”这些都是今天早上的一些想法……我希望你与巴黎的外交官多联系，这样能够阻止罗斯柴尔德在你之前获得官方的文件（面对新闻你无能为力）。

正是由于这个不怎么友好的人将要出任首相，罗斯柴尔德家族感到十分恐慌。詹姆斯立即预测说，“我们在西班牙和葡萄牙将遇到非常严重的危机”，在巴黎的“商业活动也将完全停止”。1826 年 12 月，“为了捍卫以及保全一个盟友的独立”，坎宁派兵前往葡萄牙，支持年轻的葡萄牙女王玛丽亚，她的王位当时受到了叔叔多姆·米格尔的威胁。因为米格尔支持西班牙的反动波旁王室政权，因而得到了法国的支持，这使得英法新的对峙成为可能。罗斯柴尔德家族也第一次体会到大国之间保持和平对他们的利益是何等的重要。没有什么东西能像战争那样摧毁他们以及他们客户手中持有的统一公债、法国公债和任何一种证券。尽管维莱勒在 11 月向詹姆斯保证：“我不会犯傻，英国和法国决不会因为西班牙人和葡萄牙人而开战。”但詹姆斯一直担心坎宁的态度，他决定危机平息前“冷眼旁观”（这就是不做大的买卖）。坎宁被任命为首相后，再次引发了英法因葡萄牙问题发生冲突的担忧。罗斯柴尔德兄弟认为坎宁站在了错误的一边，可能会导致血腥的内战。在很早的时候，罗斯柴尔德家族就决定支持多姆·米格尔，尽管他们这样做的原因我们并不清楚。

罗斯柴尔德家族担忧坎宁的第二个原因就是他在希腊问题上反土耳其（亲俄罗斯）的政策。1826 年时，希腊摩尔达维亚、伯罗奔尼撒和迈索隆吉翁地区爆发的反对奥斯曼帝国的叛乱大部分被埃及王子易卜拉欣·帕夏（Ibrahim Pasha，迈海迈特·阿里的儿子）镇压。在梅特涅看来，这完全是一个让人满意的结果：又一个威胁到现状的火苗被扑灭。但是，英国和法国境内同情希腊的人却被拜伦在迈索隆吉翁地区的战死以及土耳其人的残酷所激怒，高声疾呼进行某种干预。更为严重的是，尼古拉一世即位成为沙皇之后，俄罗斯在这个地区传统的野心也重新复活。为了避免俄罗斯以支持希腊的名义进行单方面干预行动，坎宁在 1826 年 4 月将极不情愿的威灵顿派去了圣彼得堡，以谋求达成英俄联手的政策。协议的达成使得俄罗斯在摩尔达维亚地区畅行无阻，两国同意对土耳其人提出一些条件——如果有必要，逼迫其接受——以保证希腊保留自己的政府；这一政策维莱勒在 1827 年 7 月也表示赞同。最终的结果是，1827 年秋天，一支联合舰队被派往东地中海，并且在纳瓦里诺给了奥斯曼军队致命的一击。

但是，维莱勒自己也承认，“火炮的隆隆声对金钱来说是个噩耗”；并且，与坎宁威胁在葡萄牙问题上开战一样，维莱勒答应参加针对土耳其人的联合军事行动也让罗斯柴尔德家族感到心慌。这其中有两个原因：其一，他们倾向于支持梅特涅亲土耳其的政策，即便 1825 年他们给君士坦丁堡提供贷款的结果是一无所获；其二，他们与俄罗斯的关系自康克林成为财政大臣之后就出现了明显的恶化，康克林当时认为罗斯柴尔德家族在 1822 年给俄罗斯提供的贷款“毫无用处”。

所有这些情况解释了威灵顿在 1828 年成为首相时，内森开心的各种原因；众所周知的是，威灵顿并不认同坎宁的外交政策，他与英王持有相同的观点，即坎宁反对英国的“古老盟友”土耳其皇帝的政策，使他成为了沙皇手中的一颗棋子。“统一公债的价格因为我们（新）的大臣们而上升。”内森兴奋地向卡尔报告说：“感谢上帝，我们有好消息了，俄罗斯（在采取进一步的军事行动前）只能等待，在威灵顿的领导下，每个人都会寻求和平，我不感到吃惊，因为我们的国王在发言中所讲的没有别的，只有和平将伴随我们。”

当阿巴斯诺特夫人在差不多同一时期问内森“伦敦人如何看待公爵”时，内森说他们对他有无限的信心。在威灵顿随后的两年半的首相任期中，那种无限的信心转化成对他的外交政策的强劲财政支持，而威灵顿的外交政策与坎宁截然不同。内森不仅自己在 1828 年（100 万英镑）和 1829 年（300 万英镑）购买了大量的国库券；他还在“英国政府的担保下”向多姆 · 米格尔提供了 5 万英镑，使他能够确保自己摄政王的地位。与此同时，他也给米格尔的兄弟巴西国王佩德罗提供了 76.9 万英镑的贷款，帮助他稳定巴西的财政；当时巴西仍未从 1825 年的拉丁美洲债务危机中走出来。

可想而知，这种有些混乱的政策对讽刺诗人来说多多益善。我们已经看过 1828 年多幅提及“唐 · 米格尔的金钱”的漫画。巴西的财政困局也被描绘进了漫画《叫喊与哭泣》中，它讽刺的是 1823 年早些时候佩德罗未履行偿还贷款义务的事情（见图 5.5）。画中，内森正向佩德罗建议不要归还英国债券持有人——被画成了趴在地上的“约翰牛”——应得的钱。“如果你给了他们，他们还会要更多的钱。”内森对佩德罗说，“而现在做到这点并不方便。”魔鬼在内森的耳边说：“告诉他将这个称作是政治便利——你知道‘约翰牛’多么容易被骗。”

图 5.5　“神枪手”，《呼喊与哭泣；两个恶棍之间的“约翰牛”，警察们叫嚷着把他从扒手堆中解救出来，献给持有外国债券的大众》（1829 年）

资料来源：鲁本斯，《漫画中的罗斯柴尔德家族》，第 11 插图页，（阿尔弗雷德 · 鲁本斯藏品，伦敦犹太人博物馆）

当俄罗斯在 1828 年转而反对土耳其时（出乎内森的意料），罗斯柴尔德家族仍然坚定地支持威灵顿。俄罗斯获得贷款的要求遭到婉言拒绝，这让梅特涅很高兴；兄弟几个仍然希望俄罗斯军队在整个行动中遭遇失败。但是，让他们感到懊恼的是，俄罗斯最终战胜了，并且按照《阿德里安堡条约》（*Treaty of Adrianople*，1829 年 9 月签订），还获得了一笔不小的赔款，罗斯柴尔德家族急忙提供了服务，使得赔款顺利支付。他们在这件事中唯一的忧虑就是威灵顿可能会感到被迫要介入反对俄罗斯的活动中。与葡萄牙的问题类似，罗斯柴尔德家族此时变得非常反战，内森在信中着重与萨洛蒙说了这一点：

> 这里有一些人希望我们（指英国）与（俄罗斯大使）列文发生争吵……并希望我们向俄罗斯表达愤怒的信息……我必须告诉你，威灵顿和皮尔并不想与

俄罗斯发生争执，但是最后，我们将被迫开战。我不支持爆发冲突，我们必须寻求保持和平。争执有什么好处？俄罗斯人做得过分了，世界将迁怒于我们，并会说：你们12个月前怎么不采取行动？如果英国现在说，是的，我们很愤怒，我们想开战；奥地利和法国将会说，我们，袖手旁观——他们会置我们于不顾，我们将孤身奋战。我去见了威灵顿，祝贺他维持了和平。他说："和平还没有到来，它还没有得到核准。"对俄罗斯人的和平在各个方面都存在着不满。但是内阁到目前为止仍决定保持冷静，不会向俄罗斯做出任何表示，静观其变。

詹姆斯简洁地总结了这种和平主义的理性："如果英国急切地想利用土耳其事件攻击俄罗斯，那么我能向你保证，我们的生意额至少将下跌5%。另一方面，如果维持和平，那么我们的生意就能改善一点。"国际环境的和平局面与债券市场稳定之间的联系将成为今后10年罗斯柴尔德政策的第一条原则。

系列影响

不仅仅是因为彼此的外交政策观点相近让罗斯柴尔德兄弟拉近了与威灵顿、梅特涅等政治家的距离。19世纪20年代的"阴谋论者"认为，各自的私人财产利益同样起到了重要作用，这一点基本反映了客观事实。

我们也已看到，当时的欧洲政治家从银行家那里得到好处——从投资提示到赤裸裸的贿赂——已是司空见惯的事。在艾克斯拉沙佩勒议会，正是因为巴林将他获得的法国赔款债券卖给了大多数大臣，才使得当市场意外崩溃时，他们如此急切地推迟了贷款所需现金的支付。罗斯柴尔德家族也擅长玩同样的游戏。实际上，阿姆谢尔"听从了别人的看法，即犹太人必须靠贿赂才能得到自己想要的东西，异教徒在这点上更有优势"。比如，在1818年，法兰克福分部将罗斯柴尔德家族向普鲁士提供新贷款的业务不仅分给了法兰克福的其他银行家，如贝特曼和贡塔德，同时也分给了早已被人忘却的老合伙人布德鲁斯，此外还有奥地利驻联邦议院的代表布奥尔公爵以及外交使团的其他一些成员。在巴黎，政治圈里的人得到了普鲁士的债券，包括著名的外交家塔列朗。

另一种通过金融方式获得政治影响力的途径是借钱给这些人。这一时期，罗斯柴尔德家族在法国最有名的借贷人就是路易十八；1814年，为了支付他回到法国所需的各种费用，内森以英国政府的名义向他提供了20万英镑。但是，此举并没有让内森得到波旁王室的青睐，因为他坚持要求在3年后收取利息。与此形成对比的是，19世纪20年代，提供给奥尔良公爵的贷款（后来的路易·菲利普）是一个更为长期的投资，这些贷款在随后的10年里收到了大量的红利。普鲁士获得贷款的人包括哈登贝格王子的女婿。更多的诸如活期存款账户等也提供给了其他普鲁士官员——包括驻伦敦大使威廉·冯·洪堡以及在1818年贷款谈判中扮演重要角色的罗特尔。但是，由于这些账户提供了很高的透支额度，使得它们的作用类似于贷款。卡罗琳·冯·洪堡介绍罗特尔给萨洛蒙认识，后者直截了当地问："他在金钱事务方面对我是否有用，也就是说他的财富是否由我支配。"

最后，当一个更为精细的方法似乎更合适时，罗斯柴尔德家族给那些想要讨好、拉拢的人送礼。对此，卡尔曾说过，"当一个人去拜访大人物时，必须带点什么，要么是谈资，要么是其他一些东西。"罗斯柴尔德家族后来对艺术品以及自然珍奇物品的收藏喜好，根源便是在此，几兄弟也以自己能够为那些看惯了奇珍异宝的达官贵族带来惊奇的能力感到自豪。他们因内森进入英国市场的便利而拥有了优势，这个市场当时由于英国日益增长的贸易和制造业的发达而成为世界最好的市场。比如，1816年，内森给阿姆谢尔寄了两只龟，他建议将其中一只送给黑森-卡塞尔选帝侯威廉。（它们到达时已经死亡，阿姆谢尔把他们制成了标本，当做礼物送给了威廉。）他的兄弟要求送给未来客户的礼物包括送给选帝侯的珠宝匣子，送给一位女士的一匹马，以及送给"一个帮过我们的人一副雕刻精美、用象牙做柄的刀叉"。

第一个从自己与罗斯柴尔德家族良好关系中得到实惠的英国官员，正如我们前文看到的，是赫里斯。尽管他在罗斯柴尔德公司战争期间的业务活动中涉及的个人利益到底有多大，我们无从查起，但是他是大多数战后贷款，如1817年给巴黎市政府贷款的固定参与者。萨洛蒙曾说，赫里斯，"你那里的布德鲁斯"，是"那些重要人物中的一员，他的帮助至关重要"。另外一个人是斯图尔特勋爵，他是卡斯尔雷的兄弟，滑铁卢战役后英国驻巴黎的代表。1817年10月，他首先要求萨洛蒙和詹姆斯"为他投机法国公债"，然后又成为"我们非常好的朋友。在我们当中，他喜欢赌博"，萨洛蒙报告说，"于是我让他分享了一部分生意……大概是5万法郎的公债。"正是这件事让萨洛蒙想起了父亲的教诲，"如果一个位高权重的人成为一个犹太人的伙伴，那么他就属于这个犹太人了。"当斯图尔特因自己在英国的事务向他们寻求协助时，萨洛蒙督促内森伸出援手："我们必须一直满足这位大臣的愿望，因为他在这里意味着一切，他帮助我们获得了贷款业务、法国赔款的偿还以及其他所有东西，而他是一位英国大臣。"

20年后，詹姆斯给首相墨尔本勋爵的弟弟弗雷德里克（时任英国驻维也纳大使）一些投资提示。"兰姆认为不会发生任何战争，"詹姆斯在一封信里写道，"我告诉他，如果他发现法国公债的价格在那边上升时，我会替他购买 2.4 万法郎的公债，以便卖出赚取利润，他目前在伦敦的账户里有 3 万英镑。”直接向罗斯柴尔德家族借钱的官员包括财政部大臣乔治 · 哈里森和查尔斯 · 阿巴斯诺特：前者在 1825 年借了 3 000 英镑，后者则是前者借款额的 4 倍。

要强调的是，这类关系自身并不违法——罗斯柴尔德家族有正当的权利为政治家和政府官员提供金融服务。但是，罗斯柴尔德兄弟私下里承认，“贿赂”是他们与阿巴斯诺特以及大量外国官员，如俄罗斯人热尔韦之间关系的一大特色。而且，发生在赫里斯身上的事情表明，媒体对腐败现象的指责能够给政治家的职业生涯带来巨大的影响。实际上，尽管这类政治交易最终在 1828 年曝光，但罗斯柴尔德兄弟在之前的 10 年就已经预料到这一点，也就是从那时起，他们第一次开始担心与赫里斯在战争期间来往的账目可能躲不过议会的严格审查。

在这样的背景下，威灵顿公爵曾接受罗斯柴尔德家族的金融服务也不足为奇。事实上，正是斯图尔特正式将威灵顿介绍给了萨洛蒙和詹姆斯。这种关系的重要性可能并不在于金融方面：1825 年罗斯柴尔德银行的资产负债表幸运地通过议会审查，说明威灵顿对给他提供的透支账户使用得不多（否则就能掌握第一手资料）。但在萨洛蒙眼里，“威灵顿银行家”的名头确实大有用处：

> 这是一个非常巨大的荣耀……你或许可以说：“荣耀重要吗？它又不是金钱。”作为一个诚实的人，我告诉你，现在我对荣耀的看重胜过金钱。一个人对金钱的使用不外乎（利用它的收益）享受美食，我们有足够吃的东西了。而且没有荣耀的话，食不甘味。威灵顿在英国公众心目中的声望甚至超过了国王。

仅仅两个月后，詹姆斯已经开始鼓吹他对威灵顿的影响力，他已经给公爵“提供了许多东西”。

但是，威灵顿并不是罗斯柴尔德家族向其“提供东西”的最高级英国政治人物。我们能够意外地发现，在乔治四世继位前 15 年，罗斯柴尔德家族就对他的财政事务产生了兴趣。最早提到“乔治王子那里来的汇票面值为 15 万古尔登”的文件是迈耶 · 阿姆谢尔经手的，日期是 1805 年。两年后，这些被记入迈耶 · 阿姆谢尔早期的资产负债表里，当时的数字经过削减隐瞒处理，仅仅为 127 784 古尔登——尽管这个数字迈耶 · 阿姆谢尔也怀疑是不是记多了。不过，即便成为王位继承人和摄政王，乔治也被认为是唯一不可靠的债务人。迈耶 · 阿姆谢尔当时只是曼彻斯特一个不出名纺织品贸易商的父亲，他是如何得到英国摄政王的汇票的？最可能的答案是他从黑森-卡塞尔选帝侯威廉那里买到的，威廉在 18 世纪 90 年代给乔治三世提供了大量贷款。10年之后，内森作为银行家在伦敦站稳了脚跟后，迈耶·阿姆谢尔的儿子们试图利用借给皇室的钱将内森变为英国的“御用银行家”。当时，摄政王欠他们10.9万英镑，约克公爵欠5.5万英镑，克拉伦斯公爵欠2万英镑，皇室总共欠罗斯柴尔德家族18.4万英镑。但只有摄政王曾经为自己的贷款付过一点利息。罗斯柴尔德家族与选帝侯威廉的助手经过冗长的谈判后——尽管布德鲁斯反对——成功地买下了这些债务，获得了与其总额相等的统一公债（面值）。表面上，他们吃了亏，但实际上，这是一笔颇有远见的投资——也是内森另一个“灵光一闪”的杰作。萨洛蒙曾评价此举说：“这让我成为一个实力超群的人。”“英国所有东西都有幸运伴随，”他开心地说道，“每个接触到他们的东西也都变得同样幸运。这对我们选帝侯的宫廷也是一样，英国皇室与卡塞尔王室相处融洽。”

皇室的这些债务的价值在于，它不仅将内森变成了摄政王的债主，而且也让他与负责管理未来国王财务的官员建立了直接联系。而且不仅仅是摄政王的财政事务：1817年底，内森让萨洛蒙和詹姆斯搜集信息，以便为一个叫做“米兰委员会”的组织提供帮助，这个委员会负责搜集对摄政王妻子——不伦瑞克公主卡罗琳不利的证据，当时摄政王下定决心与其离婚。1822年，就在乔治刚刚继位后，内森就给他安排了一笔5万英镑的贷款，新国王用汉诺威资产的收益作为担保。一年后，乔治又要求得到12.5万英镑的贷款。差不多这个时候，内森与威廉·奈顿爵士建立了联系，尽管当时贷款谈判的关键人物是乔治·哈里森；奈顿向国王保证，内森“在所有与这起交易中的事情上，对陛下您绝对的忠诚”。我们也看到，哈里森本人在不久之后也从内森那里借了几千英镑。

乔治四世也不是皇室里在19世纪20年代唯一向内森借钱的人。例如，1824年，内森借给了约克公爵1万英镑，抵押品是一些珠宝，并免费送给他100股联合保险公司的股票。罗斯柴尔德家族同时将目光投向了皇室的下一代。1816年，摄政王唯一的孩子夏洛特公主与德国一个小公国的王子（萨克森-科堡的利奥波德王子，弗朗西斯·弗雷德里克的儿子）订婚；罗斯柴尔德兄弟立刻意识到了利奥波德潜在的重要性（毕竟他的岳父年过50，而且贪图享乐）。卡尔前往英国参加婚礼，在经过法兰克福时，他就已经打好了算盘：“我们去拜访他，他是一个很好的人，我们给他开了一张可以在你那里兑现的700英镑汇票和一张信用证……他打算购买珠宝。请你给他提供服务。”内森自然无须进一步地敦促。4月，他被委以重任，负责递送利奥波德的私人信件至德国，到8月时，一笔1万古尔登的贷款也提上了议事日程。

正是因为内森在讨好利奥波德方面费了不少心机，我们才能理解兄弟几个在第二年5月听到夏洛特公主去世消息时，他们的反应为何那么超乎寻常。夏洛特的死很明显打碎了利奥波德继承英国王位的希望。“我们今天不能全部给你写信，”萨洛蒙写信跟内森说：

> 因为那起灾难——夏洛特公主的去世让人心碎。我们不知所措，我现在还不敢相信那个高贵的女子去世了。我们在星期六下午5时接到了这个噩耗，当时正在与巴林商讨另一宗百万英镑的法国公债生意，我们与他协商好，星期天给他最后答案……但是当他星期天索要答复时，我们还是如此的惊恐。我们告诉他，此时我们什么都做不了，我们太迷茫了。非常不幸，我们遭遇了可怕的损失，亲爱的内森，太可怕了，我说这件事的时候，心都碎了……有关生意的事我什么都写不了。我们所做的也不多。我们应该从中吸取教训，荣耀一钱不值，我们只是凡间的尘埃。一个人应该放弃他的高傲……他不应该让自己相信任何东西，我们只是泥土和尘埃。这件不幸的事件，它把我伤得很厉害。

“相信我，”萨洛蒙两天后又说，“我太过惊恐，自那之后我没有任何胃口。我的胃好像萎缩了，关节一直疼痛。”萨洛蒙认为内森也被夏洛特去世的消息“击倒了”。但是兄弟几个很快就从悲痛中摆脱了出来。“没人可以不朽，”萨洛蒙说，“我们必须克服这种悲痛……不幸的是，我们的痛苦和悲伤不能挽回她的生命。”

另外一家银行一直试图结束利奥波德的高贵身份，因为此时他只是一个鳏夫。萨洛蒙敦促内森采取措施支持利奥波德：“按照英国报纸的说法，科堡王子将留在英国，并且仍将是那里的一个重要人物。我们应该给这个正经历痛苦的人提供比之前更多的友善。”这一席话起到了很重要的作用，内森后来不仅为利奥波德安排了人寿保险，而且也为他的父亲安排了一份，卡尔也在1826年欣然地将他在那不勒斯的别墅让给了利奥波德。

这一切将被证明是一种极为精明的策略。这些年中，内森与詹姆斯所称的“你的科堡”之间建立的关系将被证明是最为持久的，也是一种双赢的关系。一名反对罗斯柴尔德的作家在19世纪40年代毫不费力地就指出了罗斯柴尔德家族与萨克森-科堡-哥达家族的相似之处，这两个庞大的德国家族都将在19世纪中从低微走向荣耀。两个家族的关系实际上几乎是一种共生关系。法兰克福分行在1837~1842年间借给萨克森-科堡家族的350万古尔登，这还只是这种关系的一个方面。更具重要性的是，罗斯柴尔德家族给那些离开科堡到别处寻求王位的家庭成员提供支持。

而且，夏洛特公主死后，罗斯柴尔德家族也没有对英国皇室继承问题失去兴趣。当摄政王的弟弟肯特公爵前往德国迎娶萨克森-科堡的维多利亚时，他随身带了一张法兰克福罗斯柴尔德银行能够兑换的信用证。这桩婚姻为肯特公爵带来了一个女儿：

维多利亚，她立刻成为了王位的顺位继承人。内森急忙向“骄傲的父亲”提供了财务建议和独一无二的信使服务。1823 年，他还向莱宁根王子、肯特公爵夫人与前夫所生的儿子提供了一笔大额贷款（40 万古尔登），偶尔也向公爵夫人在萨克森–科堡的兄弟费迪南德转交一些钱。

但是，即便英国皇室，也不是罗斯柴尔德家族在这一时期最具影响力的客户和“朋友”。历史学家大多也持相同的看法，因为这一时期，欧洲政治很大程度上并不是由英国主宰，而是由奥地利掌控。我们也知道，1809~1848 年期间，制定奥地利各项政策的人是梅特涅，而他同样接受了罗斯柴尔德家族的银行服务。实际上，梅特涅与萨洛蒙 · 罗斯柴尔德之间建立的关系可以被看做是后来俾斯麦与罗斯柴尔德家族之间关系的原型——梅特涅理智地觉察到自己与他的银行家走得太近，而俾斯麦则没有。

尽管他出生于摩泽尔山谷的贵族家庭，但威尼堡王子克莱门斯 · 文策勒 · 内波穆克 · 洛塔尔 · 冯 · 梅特涅在其冗长的政治生涯中，大多数日子都过得“紧巴巴的”。他与阿姆谢尔以及卡尔首次碰面——1815 年巴黎的和平谈判中——之后不到一年，就提出借贷 30 万古尔登的要求。梅特涅当时已经被证明是罗斯柴尔德兄弟的得力盟友，他给他们提供了巴黎的政治消息，支持并确保他们获得奥地利金融业务，而且很显然，对他们在法兰克福开展的犹太人解放运动也给予了同情。他此时提出的建议是罗斯柴尔德家族给他 10 万古尔登，另外向其他投资者出售 20 万古尔登的 5% 利率债券，所有这些都以奥地利国王刚给他的、位于约翰尼斯堡的房产作抵押。但是，卡尔不愿意向某一个人借出如此多的钱，不管自己多富有，但一想到之前借给威尼堡王子贷款的最终结果，卡尔心里就犯嘀咕。尽管梅特涅继续证明着自己“是我们的伟大朋友”——支持罗斯柴尔德兄弟希望得到爵位和领事身份的要求——但是兄弟几个在这个阶段只愿意提供例行的银行服务，偶尔送一些礼物，如内森在 1821 年送给梅特涅的韦奇伍德装饰陶瓷。

这年的 10 月，梅特涅与他的情妇多萝西利芬公主一起，第一次公开地接受了罗斯柴尔德家族的殷勤款待，他与阿姆谢尔“一起喝汤”。这被一些观察家认为是一个支持法兰克福犹太人社区的姿态，当时公民权的冲突正处于最高潮的阶段。不到一年时间，梅特涅收到了回报：一笔 90 万古尔登的贷款，而贷款批准的 6 天后，罗斯柴尔德兄弟被奥地利国王授予了“男爵”称号。这笔贷款为梅特涅与罗斯柴尔德家族的“友谊”加上了封印。1823 年在维罗纳，萨洛蒙为梅特涅提供了他个人消费所需的现金。两年后在巴黎，詹姆斯也盛情接待了梅特涅，用丰盛的晚宴款待了“神圣同盟的代表们”，这件事也成为法国媒体追逐的焦点。报纸嘲讽地评论道：

> 这样一来，黄金的力量调和了各个级别的人物和所有的宗教信仰。我们这个时代古怪的奇观之一，便是以上帝耶稣的名义成立的神圣同盟，其代表们出席了一个犹太人举办的宴会，而当天会议上讨论是恰恰是那些亵渎上帝的法令。

一年后，詹姆斯出现在另一个同样盛大的晚宴上。也就是在这个时期，梅特涅开始利用罗斯柴尔德家族的信使服务，用来传递重要的信件。从这之后，他和萨洛蒙定期分享政治消息，梅特涅给萨洛蒙提供奥地利政府的计划，萨洛蒙回报以他从兄弟那里得来的伦敦、巴黎、法兰克福和那不勒斯的消息。到19世纪20年代末期，罗斯柴尔德家族开始向梅特涅——或“叔叔”，他们经常这样称呼他——提供了一个非官方的渠道，通过这个渠道，梅特涅可以将他的政治观点间接、谨慎地传递给其他政府。

所有这些也都成为戴维·帕里什自杀前尖刻谴责的对象。帕里什向梅特涅抱怨说，罗斯柴尔德家族“比我更懂得如何把你拉进他们的利益圈”，并懂得如何获得“你的特别保护”。他在写给萨洛蒙的信中坚称，正是梅特涅和罗斯柴尔德家族之间的“新式联盟”摧毁了他。“在梅特涅王子的保护下，你们成功地独自获得大量交易，而我本应在这些交易中占有重要的份额。”如果萨洛蒙给他提供奥地利和那不勒斯贷款当中的一定份额，他可能就能够拯救普里斯公司了。“但是你却发现在公债生意上与王子达成协议更容易，也更有优势，这样一来也能将他完全拉到你那一边。”

尽管不能仅从表面来看待帕里什的指责，但他所指的梅特涅与萨洛蒙·罗斯柴尔德之间的联盟很大一部分是真实的。这一点也可以从其他方面得到佐证，最近在莫斯科发现了一个银质箱子，里面放的是萨洛蒙保存的梅特涅的账目以及个人财务信件。这些长久以来一直失踪的银行报表显示，1825~1826年之间，梅特涅偿还了大部分1822年的贷款。但是，还没等到贷款全部还清，另一笔104万古尔登（11万英镑）的贷款又借给了他，其中一半贷款，梅特涅用来购买位于普拉斯的房产，其余部分他全部以现金的形式提取。罗斯柴尔德维也纳分行的资产负债表显示，萨洛蒙保留了3.5万古尔登梅特涅发行、用于购买房产的价值3.5万古尔登的无记名债券，在表里，之前梅特涅还有1.5万古尔登的贷款没还清。在随后的两年里，梅特涅欠罗斯柴尔德家族的个人债务增加到近7万古尔登。此外，法兰克福分行还向梅特涅的儿子维克托提供了11.7万古尔登。当梅特涅在1831年再婚时，萨洛蒙在他身边帮助解决他第三任妻子梅兰妮·泽齐·法拉瑞斯的财务困难。

罗斯柴尔德家族提供的也不仅仅是贷款和透支账户。“我们朋友萨洛蒙的忠诚经常打动我。”梅兰妮公主1841年5月在日记中评价说，当时萨洛蒙给他们位于法兰克福附近的房子送了一头美洲鹿。几个月后，她又描述了一次拜访：“萨洛蒙和詹姆斯、他们的侄子安东尼、萨洛蒙的儿子，还有阿姆谢尔都来了。阿姆谢尔盛情邀请我们下周二在法兰克福与他共进晚餐。詹姆斯从巴黎给我带来了一个漂亮的珍珠母和一个装满糖果的铜箱，都十分珍贵。”1843年圣诞节，萨洛蒙拜访了在伊施尔的梅特涅家族，“给梅特涅的孩子带去了非常令人开心的东西，比如劝说他们的母亲与孩子玩耍”。

梅特涅也不是唯一将自己的私人财务交给萨洛蒙处理的奥地利知名人物。1821年，在一起经典的利用内部信息进行金融投机活动中，奥地利高级军官冯·沃尔措根将军要求萨洛蒙以他的名义购买10万古尔登的奥地利公债。这次交易给萨洛蒙提供了有趣的视角，他能够得到一个高级军官对奥地利和意大利进行军事干预的冷静看法：

> 我的推测如下：它要么维持冷静，要么将变得火热。第一种情况下，奥地利公债价格将立刻飙升。如果第二种情况出现，那么军队就可能进入那不勒斯，公债价格同样会上升……如果继续维持和平，可以预期公债价格将会出现新高。唯一的问题是现在买进还是等到宣战之后。我倾向于立刻买进……但是我让您自己决定，如果您认为时机不是太好的话，那么就不用立刻买进。

在罗斯柴尔德维也纳分行账目上出现的其他政治人物包括施塔迪翁和著名外交家阿波尼，此外还包括了奥匈贵族阶层最重要的家族。这些家族当中，艾什泰哈齐家族以其在匈牙利大量的地产，以及与更为富有的图尔恩·翁德·塔克西斯家族之间的联系，成为罗斯柴尔德家族最为重要也最为麻烦的伙伴。艾什泰哈齐家族经常从罗斯柴尔德家族借钱，从1820年的1万英镑上涨为1822年的30万古尔登。3年后，萨洛蒙与维也纳两家顶级银行建立了伙伴关系——和Arnstein & Eskeles以及Simon G. Sina携手发行650万古尔登的贷款（6%利率）。这笔贷款以艾什泰哈齐王子的房产作为抵押，也“绝对将重新排序”这个家族的财产实力。但是，随后几年的资产负债表显示，艾什泰哈齐在罗斯柴尔德银行伦敦和维也纳的账户仍然处于透支状态：1825年在伦敦透支了2.8万英镑，3年后在维也纳透支了2 300古尔登。到1831年时，财务状况的恶化让艾什泰哈齐（通过梅特涅）接触到萨洛蒙，再次寻求获得贷款。尽管萨洛蒙有些迟疑，在1832年维也纳账户上，艾什泰哈齐的债务总额还是达到了82.7万古尔登；3年后，债务总额更为庞大。当艾什泰哈齐的儿子保罗1836年继承了他的家业后，萨洛蒙和希瑙联合发行了700万古尔登的彩票贷款，用于稳定艾什泰哈齐家族的财政状况。8年后，又提供了另一笔贷款（640万古尔登）——罗斯柴尔德家族与希瑙在19世纪40年代向贵族发行的一系列贷款之一。所以，艾什泰哈齐向其他人说起“罗斯柴尔德家族时总是有些谄媚”就不足为奇了。与梅特涅之间的关系表明，金融联系与社会以及政治联系是不可分割的。在伦敦，当时担任奥地利大使的艾什泰哈齐定期与内森共进晚餐，并且通过内森的信使接收来自梅特涅的信件。在维也纳，两个家族之间的关系似乎更为紧密，1822 年，甚至有媒体报道说，艾什泰哈齐已经说服萨洛蒙放弃了犹太教。

为具有影响力但是贪图享乐的人物，如梅特涅和艾什泰哈齐，提供信用和金融便利的策略，是一种获得政治友善和“友谊”的高效途径。这个时期所有的私人财务关系中，萨洛蒙与梅特涅秘书弗里德里希 · 冯 · 根茨的关系是一个再好不过的例子。根茨是一个聪明、保守而且贪图贿赂的作家——相当于走入歧途的埃德蒙 · 伯克——根茨在结识罗斯柴尔德家族前，就已经利用自己在维也纳的影响力为自己换取金钱。实际上，根茨曾经将戴维 · 帕里什视为“基督徒商业阶层当中的斗牛士，最闪亮的明珠”——这个看法与帕里什在 1818 年奥地利贷款业务中给他提供的 10 万古尔登不无关系。罗斯柴尔德家族没有花费多长的时间便俘获了根茨“变幻无常”的忠诚。他和卡尔及萨洛蒙在法兰克福第一次碰面之后，1818 年几个人再次在艾克斯碰面。10 月 27 日，根茨在日记中写道，萨洛蒙给了他 800 通用金币，可能是对英国股票的一桩成功投机的收益。几天后，日记里提到，“与几兄弟进行了愉快的金融交易”。根茨很快就定期拜访他的新朋友，他们赚钱的能力深深打动了他。从那之后，他与萨洛蒙有定期的商业交易；1820 年下半年进行了一桩较小的交易，1821 年在莱巴赫获得一小笔贷款，同年获得那不勒斯贷款中的一个份额，这让他每年进账 5 000 古尔登。他在这个时期的日记中重复提及，与萨洛蒙“进行了非常愉快的沟通”；与他达成了“重要的财政安排”；通过早餐“建立了真正的友谊”；“与杰出的罗斯柴尔德进行了颇受欢迎的金融交易”。这一模式一直持续了 10 年。1829 年，萨洛蒙“以最快的速度”借给根茨 2 000 古尔登，使得他欠萨洛蒙以及其他银行家的债务超过了 3 万古尔登。对根茨来说，这些贷款只被看做是“捐款”。实际上，根据一个账目所显示的，萨洛蒙最终以每年给根茨提供家务费的形式冲销了那些债务，不过，这也没能阻止根茨再次向萨洛蒙要求另一笔 4 500 古尔登的贷款，最终萨洛蒙给了他 500 古尔登，帮他渡过了难关。

根茨也为自己获得的钱提供了很多有价值的服务：比如，提供消息以及与梅特涅接触的便利。此外，他还是罗斯柴尔德家族首次公关战的幕后主导者。当时，罗斯柴尔德兄弟几个正是不断增加的媒体负面评论的攻击目标，根茨这样经验丰富、政治影响力巨大的作家无疑是个有用的盟友。

1821 年，根茨两次写信给《汇报》编辑，对该报法兰克福记者批评罗斯柴尔德家族的文章表达了不满。“对罗斯柴尔德银行的不断攻击，”他说道，“一直没有停息，有时肆无忌惮，奥地利政府不得不加以告诫，因为每个人都知道，政府正在与那家银行就重要的金融事务进行磋商。”面临在奥地利境内遭封杀的威胁，报纸编辑被迫“承诺在将来不再接受任何与奥地利政府证券有关的报道，或任何与罗斯柴尔德银行的消息（至少那些影响其与奥地利关系的消息）”。当萨洛蒙 1822 年听到自己被俄罗斯授予勋章的消息时，他立刻要求根茨在报纸上安排一则报道。4 年后，在萨洛蒙的要求下，根茨自己给报纸写了一篇文章，首次书写罗斯柴尔德家族“官方”版本的历史——或者，按照他的说法，试图“简短地，但我希望能够完全地阐明这个家族伟大的现象”。在根茨向萨洛蒙的一个高级秘书读了自己所写的文章后，他从萨洛蒙那里获得了“实在的报酬”，文章发表在布罗克豪斯出版社的《百科全书》中。这也是罗斯柴尔德家族第一次试图对普遍抱有敌意的媒体施加影响，此后此类举动数不胜数。1831 年，随着根茨影响力的消逝，萨洛蒙开始拉拢讽刺诗人扎菲尔，希望他能成为“亲奥地利”——其寓意乃是“亲罗斯柴尔德家族”的政治评论家。

钱生钱

罗斯柴尔德家族与复辟时代重要人物建立的私人财务关系网络，其证据从这个时期起越来越多。但是这个时期以及此后的阴谋论者错误地理解了这种关系，他们将它们描绘成了罗斯柴尔德权势的关键因素。罗斯柴尔德家族处于“腐败”网络中心的形象，在 1830 年后再度流行。但实际上，并不是贿赂、贷款以及其他他们提供给诸如梅特涅等人的好处，造就了他们 1815 年后在国际金融中的统治地位。真正的因素是他们超大规模而且精明的业务活动。

1822 年，他们的老对手西蒙 · 莫里茨 · 冯 · 贝特曼“从一个可信的消息来源那里得知，萨洛蒙 · 罗斯柴尔德声称，五兄弟的年度资产负债表上，净利润达到了 600 万古尔登。”他评价道：“英国有一句谚语特别适合描述这件事：‘钱生钱。’鉴于他们的勤奋和良好判断，我们能够预料到他们的生意仍将蓬勃发展。实际上，每个人都希望如此，因为这尊雕像的倒塌将是非常恐怖的一件事。”此时，公司账目中的证据足以证实这种判断。

1815 年，罗斯柴尔德法兰克福与伦敦分行的资产总额接近 50 万英镑。1818 年，这个数字变成了 1 772 000 英镑，1825 年为 4 082 000 英镑，而在 1828 年变成了 43 330 333 英镑。罗斯柴尔德家族当时实力最接近他们的竞争对手巴林兄弟，同一时期的数据为，1815 年 374 365 英镑，1818 年 429 328 英镑，7 年后的数字变成了 452 654 英镑，而 1828 年则锐减到 309 803 英镑。换句话说，巴林兄弟在 1815 年或多或少还能与罗斯柴尔德家族抗衡，但在相同的时间内，罗斯柴尔德家族的财富增长是他们主要竞争对手的10倍。当巴林兄弟的资金实际上已经减少时，罗斯柴尔德兄弟的资金则每年以1/8的速度增长，这些都是让人非常吃惊的数字。

对这种不一致现象的解释不仅仅是罗斯柴尔德家族获得了更多的利润。同样重要的是，他们将这些利润重新投入到生意里。而巴林兄弟当时常把利润分给合伙人（即便在银行遭遇亏损的年代也是如此），而不是集聚资金，两者之间的对比极为强烈。而且罗斯柴尔德兄弟在随后的岁月里也没有失去动力。1836年——几个合伙人碰面整合账目，更新兄弟间的合伙协议——资金总额上升到了6 007 707英镑。这些数字以及每个分行的利润证实，这段时期罗斯柴尔德家族的财富仍以快速、持续的速度增长着。即便在相对艰难的1825~1828年间，巴黎分行独自获得的利润也达到了414 000英镑。而那不勒斯分行从1823~1829年期间的总利润为7 390 742通用金币（约合924 000英镑）。

这些数字说明了罗斯柴尔德家族在19世纪20年代在国际资本市场的主导地位，可能唯一让人感到惊讶的事就是他们还没真正“主导”。1818~1832年期间，N · M · 罗斯柴尔德公司在伦敦获得26笔外国贷款中的7笔，占其总额38%（价值为3 760万英镑）。这是最接近他们的对手B · A · 戈尔德施密特所获得份额的两倍多。此外，公司内部的人透露，这个数字可能少算了：按照艾尔的说法，内森在这段时期发行的贷款（债券）面值实际上达到了8 600万英镑。法兰克福分行在这一时期发放的贷款（债券）总额为2 800万古尔登（约合250万英镑）。在巴黎，詹姆斯几乎垄断了法国政府的财政，1823~1847年间，共发行了7批贷款（债券），面值总额为15亿法郎（约合6 000万英镑）。

所以法国记者亚历山大 · 威尔回顾1844年时所说的话并非夸大之词，他说：

> 罗斯柴尔德银行只是一种国家方针的必然产物，这种方针自1815年起就统治着整个欧洲，如果没有罗斯柴尔德银行的出现，也会有别的银行承担起这个角色……是这种统治着整个欧洲的体制，创造了罗斯柴尔德银行，也提升了它……罗斯柴尔德控制并掌管着股票交易所和所有内阁……

当然，这仍是一种宿命论。19世纪20年代也有过这样的时刻：统治欧洲国家的“方针”几近于要求罗斯柴尔德家族退出历史舞台，而且也很难想象任何同时代的人能够轻易地取代他们。但是威尔比黎塞留更接近于事实的核心，如果说在19世纪20年代存在第6支力量的话，那么它不再是巴林兄弟，而是罗斯柴尔德家族。因此，他们周围的呼喊和哭泣声如此嘈杂也不足为奇。

啊，徜徉在户外自由地呼吸
是多么的快乐！
独自一人，独自一人的生活。
……小声说话！控制你们自己！
隔墙有耳。

《菲德利奥》，第一场，最后一个乐章

那些可能在最小的德意志公国里都没有权利的犹太人，却决定着欧洲的命运。

布鲁诺·鲍尔

第六章

虔诚的信仰

THE HOUSE OF
ROTHSCHILD

没有什么比他们在犹太街之外获得的房产更能标志着罗斯柴尔德家族已经逃离那条局促昏暗的街道了。1815 年，整个家族几乎所有的财富都以纸质货币——债券和其他证券——以及贵重金属的形式存在着。他们拥有的“不动产”全部在法兰克福，在其他地方，兄弟几个仍然住在租来的房子里。在古老的犹太街里，当然还有那座叫做“绿盾”的老宅，那也是兄弟几个成长的地方。让外界感到好奇的是，他们的母亲居特林一直住在那里，直至生命终结，但她的儿子们对老屋却并不像她那么依恋。

到 1817 年的时候，卡尔受够了老屋三楼的破房间，“当然，你可以说，在犹太聚居区里，我们睡在四楼。是的，但是它已经太破旧了。而且我们挣这么多钱，却过着清贫日子，那些财产不足我们 1/10 的人却过得像王子，这让人很苦恼”。到这个时候，跳出犹太街的步伐已经迈出。尽管他们在 1809~1810 年建立新办公室的地点从技术上讲仍然在犹太街里，但他们用砂岩建造的办公楼有一个通往法尔街的入口，这条街是犹太聚居区最大的一条路。（由于没有了古老的大门，犹太街此时越来越多地被人们称作伯恩海姆大街。）萨洛蒙在 1807 年已经获得允许将自己的住所迁到斯卡费大街；不过真正的逃离出现在 1811 年，阿姆谢尔在郊区买了一栋房子，它坐落在通往博根海姆的要道上。他第一次发现自己生活在新鲜的空气中。

几乎在获得房子的同时，阿姆谢尔就冒出了一个念头：把临近的一个花园也买下来。要强调的是，他渴望得到的目标并不是国家资产，只是郊区的一小块地方，最多几英亩，与诸如贝特曼和贡塔德等异教徒银行家所拥有的花园类似。他似乎对于花园近乎痴迷。毕竟，他在幽闭的犹太聚居区中度过了 42 个年头，在局促昏暗的房间里工作、进餐和睡觉，进出于拥挤且气味难闻的小街。对于现代读者来说，很难想象新鲜空气和草木多么让他心醉。在1815年春天的一个晚上——他做出了一个解放意味可以与贝多芬歌剧《菲德利奥》（1805年）的囚犯获释媲美的举动——他决定在花园里睡觉。他用兴奋和激动的语调给弟弟卡尔描述了这段经历："亲爱的卡尔，我睡在花园里。如果上帝能够像我们希望的那样给我们带来好的收益，我将把它买下来……那里有如此大的空间，整个家庭都能够在其中舒服地生活。"

阿姆谢尔的这番话也表明，他购买花园的打算要看兄弟几个生意的收益如何，拿破仑从厄尔巴回归之后几个星期，罗斯柴尔德兄弟的生意便陷入了困境。而且，阿姆谢尔对宽广空间的热爱与弟弟对一个大型体面市内住宅的喜好，也让他左右为难；卡尔的打算也有道理，体面的市内住宅可以招待那些前来拜访的达官贵人。幸运的是，内森完全反对卡尔的建议，认为"毫无道理"，他支持买一个花园的主张，因为这对阿姆谢尔的健康有益。1816年4月，阿姆谢尔买下了花园的一部分，他接着准备再多买2/3英亩。现在他可以睡在室外——在他自己的花园里——感觉"就像是在天堂"。最终，在度过与星星相伴的夜晚长达一年多之后，他买下了剩余的部分。"从今天起，花园属于我和我的弟弟们了。"他欢欣鼓舞地写道，"因此，我无须提醒你们可以做些什么让它变得更美丽。如果萨洛蒙能够在第一时间买来所有的种子和植物，我不会感到任何的惊奇，因为这个花园将由整个罗斯柴尔德家族继承。"

这件事说明，阿姆谢尔坚持认为自己是为整个家族购买花园，这种带着集体印迹的做法也得到了几个弟弟的赞许，他们给他寄去了他所需的种子和植物（包括从亚历山大·冯·洪堡那里得到的非洲植物的种子），并且赞同他扩建和建造温室的计划。他们的母亲居特林也经常去花园里走动。但是毫无疑问，它实际上是阿姆谢尔的花园——在那里，他可以在平和以及新鲜的空气中做陶艺，学习和休息。有意思的是，他禁不住将它视为一个个人爱好——因为他希望弟弟们同意的一些开支通常十分琐碎，他还懊悔式地发誓，要将钱投入到生意里。在经过了对成本无数次的挣扎之后，他还是增加了一个温室和一个冬季花园，而且在19世纪20年代，他大手笔地扩建了房子，并通过建筑师弗里德里希·伦普夫将它改成了仿古风格。后来，又增加了一个池塘和一个喷泉，甚至还增加了一个中世纪的装饰物——也是罗斯柴尔德家族对浪漫事物的早期（也是罕见）的探寻。

阿姆谢尔的花园是众多罗斯柴尔德花园的第一个，它的故事很大程度上证明了这个家族对园艺的持久热情。它的重要性有宗教方面的：此时犹太教的住棚节能够在花园当中的帐篷里庆祝了。但是，阿姆谢尔热情的全部意义不止于此，按照后来的罗斯柴尔德标准，一小块土地的购买如果结合当时的政治环境，其意义就不言而喻了。

因为，我们也将看到，1814年后的一段时期，重新掌权的法兰克福当局采取了走“回头路”的政策，再次废除了拿破仑总督达尔贝格给予犹太人的公民权利。按照之前的犹太人地位法令，不仅在犹太街外拥有物业是被禁止的；犹太人还被禁止进入公共花园。因此，阿姆谢尔担心法兰克福参议院将阻止他购买花园和房子，如果他提出建议，他们可能迫使他放弃——“嗨”骚乱期间，花园外面聚集的人群进一步加重了阿姆谢尔的忧虑。当他被允许保留花园时，他仍然怀疑这只是“一种贿赂”，以避免他离开法兰克福，或者是一个小让步，以避免对犹太社区做出更大的妥协。简而言之，它变成了有关犹太解放的更严重问题的一个标志。这其中包含的重要意义能够从19世纪30年代中期的一本指南中推断出来：

> 花儿闪耀着金光，花床用泰勒元当肥料，避暑别墅用罗斯柴尔德债券做墙纸……大量来自外国的植物布满了整个花园，陪衬每朵鲜花的是克雷姆尼茨铸币厂出产的通用金币，而不是绿叶；花蕾中吐露出金色花瓣……在我看来，在他的花园中，阿姆谢尔·冯·罗斯柴尔德就像是宫殿闺房中的男主人。

“良好的犹太人”

当然，如果阿姆谢尔和他的弟弟们改变信仰，皈依基督教的话，那么阿姆谢尔获得他的花园就会容易得多。他们坚持自己信仰的事实对于其家族历史和公司来说都有着极为重要的意义。路德维希·博恩带着吝惜的羡慕评价说：

> 他们选择了最确信的方式避免重蹈众多授勋的犹太百万富翁家庭遭受嘲讽的覆辙，他们拒绝了基督教的圣水。而现在洗礼是富有犹太人圈子中司空见惯的事，那些向贫穷犹太人传诵但却徒劳的福音如今在富人当中颇受欢迎。

但是，罗斯柴尔德家族坚定地抱着这犹太教的信仰——这一点也给迪斯雷利留下了深刻的印象，因为他自己（与博恩）一样也是犹太人。迪斯雷利的小说《科宁斯比》中的年轻的西多尼亚——书中一个人物，部分灵感来自内森之子列昂内尔——“坚定地遵循着伟大立法者指定的法则，恍若喇叭声仍然在西奈半岛回荡……他对自己的出身感到自豪，对自己族群的未来充满信心”。埃娃（Eva，书中人物，其身上能看到卡尔女儿夏洛特的影子）在迪斯雷利的另一部小说《坦克雷德》中宣布：“我绝不会成为一个基督徒。”

这种对改变信仰的断然拒绝可能来自于一个真正的罗斯柴尔德家族成员。“在我内心的深处，我是一个犹太人。”卡尔在1814年写道，他说这句话是针对当时汉堡大量犹太家庭皈依基督教的现象。两年后，卡尔在柏林碰到类似的情况时，他表现得极为蔑视：“我能够娶到柏林最富有、最漂亮的姑娘，但是我无论如何都不会娶她，因为在柏林，即便一个人没有皈依，但另一半的家庭中却有人皈依了……我们是作为犹太人获得自己的财富的，我们不想与这样的人有任何的关系……我不愿意掺杂到皈依的家庭中。”

罗斯柴尔德兄弟对巴伐利亚银行家阿道夫·戴希塔尔抱有相当大的疑虑，就是因为后者是一个改变信仰的人（如果只是一个“异教徒”，可能倒没那么让人讨厌）。詹姆斯曾说过，“当一个人不得不与一个背教者打交道时，真是糟糕透顶”。当汉堡银行家奥本海姆让他的孩子在1818年接受洗礼时，罗斯柴尔德家族认为此举极为可耻。“我发现这些人可鄙的唯一原因是，”卡尔鄙视地说道，“他们皈依基督教后，接受的全是教义中坏的东西，好的东西一概未吸收。”由于奥本海姆的皈依，他将“在汉堡带来一场革命”：“他对此感到抱歉。我离开时他在哭泣……我跟他谈了改变信仰的事……但是，我能够预料到奥本海姆的举动将被许多人效仿。我们不是其他人灵魂的监督人。我仍会做我自己，我的孩子也会这样……”

在这方面，罗斯柴尔德兄弟将自己视为“行为榜样”。他们在没有改变信仰的情况下，在社会上获得的越多，人们对于改教的争论就会越弱，因为大多数改教行为都是因为对犹太人一直持续的立法歧视。“我已经十分确信地认为，我们已经拥有了自己一生所需的金钱。”詹姆斯在1816年写道，“但是我们仍然很年轻，我们希望工作。这其中，捍卫作为犹太人的声望是重要原因之一。”这也是阿姆谢尔对内森被任命为奥地利驻伦敦领事一事的看法。“尽管它对你来说可能什么都不是。”他在信中说，“但它对犹太人有利。你能够阻止很多维也纳的犹太人放弃犹太教信仰。”当一份报纸报道萨洛蒙自己接受洗礼时，他急忙发表了否认声明。当这一论断14年后又在法国百科全书中出现时，他坚持要求在之后的所有版本中进行修改。

但是，尽管他们对犹太教的信仰毫不改变，但兄弟几个对日常宗教仪式的遵守却远没那么一致。在法兰克福，阿姆谢尔保持着他的“希伯来古老习俗和习惯”，安息日绝不工作，在适当的圣洁日，严格地沐浴保持洁净，同时禁食，不参加宴会。当时一个记者记录说，在宴会上，阿姆谢尔“带着忏悔的表情坐在那里，绝不碰那些未按犹太习俗清洁或摆放的食物和餐具。这种对自己信仰严格、不受外人影响的遵从让他获得了广泛的尊敬，他被认为是法兰克福最虔诚的犹太人”。19世纪40年代，阿姆谢尔在自己的房子里建了一个犹太教会堂。萨洛蒙则一直吃特别准备的“干净”食物，即便他邀请梅特涅这些达官贵人与他共进晚餐时也不例外，并且拒绝在安息日和圣洁日写信。

他们的弟弟内森对自己的宗教义务也相当在意。我们知道，即便他在曼彻斯特，那里的犹太人都是一些相对贫穷的小商店店主和小贩，内森仍“遵从我们信仰中的所有仪式，他的饭菜由一个犹太女子烹调，每天给他送到货仓里”，教堂管事“在住棚节期间，每天会给他带来棕榈枝和香木缘”。一次，皮克勒王子试图让内森参加一个宗教辩论时，意外地发现内森知道的相关知识相当渊博，皮克勒后来说，内森和“他的共同信仰的族群有着一种古老宗教的贵族气质，这一点胜过我们基督徒，他们是这方面真正的贵族。”内森的妻子汉娜后来给伦敦的欧系犹太人育苑神圣协会捐献了资金，这是个犹太教机构，严格关注着她孩子的宗教行为。当她的儿子迈耶 1837 年进剑桥大学时，被警告“尽可能地避免任何与我们宗教信仰相冲突的东西”，尤其要“禁绝一些行为，比如在星期六骑马”，并且要拒绝参加学校里的礼拜活动；而 4 年后，他的弟弟纳特则觉得需要跟母亲好好地忏悔，因为去瑞士的旅行使他错过了赎罪日。詹姆斯也一直在办公室里摆着一本祈祷书。当一个婴儿接受“割礼”时，詹姆斯会说“感谢上帝……我们家族又多了一个好犹太人”。

不过，阿姆谢尔还是认为弟弟们在许多方面都犯下了危险的错误。如果有需要时，内森、卡尔和詹姆斯会在安息日阅读和书写商业信函——如果他们恰好与阿姆谢尔在一起，就会偷偷摸摸地做。而且，他们一个接一个地逐渐地放弃了严格的犹太教饮食（尽管不是完全放弃，在英国的罗斯柴尔德家族仍然不吃猪肉）。当卡尔 1814 年试图娶妻时，阿姆谢尔和萨洛蒙反对他选择阿德尔海德 · 赫兹，理由就是她的家族没有保持犹太教饮食习惯，这一习惯也是持续争吵的源头。“至于虔诚，”卡尔反击阿姆谢尔就这个主题发起的又一次抱怨时写道，“当我年老时，我也会变得虔诚。在我的内心深处，我是一个完完全全的犹太人。我不关心你的灵魂，但是你却写信给我，要求我找到一些方法使得你能够偶尔来我的房子并一起用餐。（缺少“洁净”食物）并不意味着我不虔诚。”1814 年，詹姆斯从柏林痛苦地抱怨道：“我真是受够了这里的食物，我想它比任何地方的食物都要糟糕。（阿姆谢尔）仍然坚持只吃洁净的食物，因为他仍然虔诚，尽管他知道我并不是这样，但是他仍然坚持要我和他一起吃饭。”几年之后，海涅开玩笑说，尽管詹姆斯“没有进入基督教教堂”，他也已经“站到了基督教食物的一边”。几个年轻的罗斯柴尔德还放弃了犹太聚居区所有的犹太服饰。

家族分支之间和内部的宗教信仰差异在下一代中更为明显。在伦敦，内森比较年长的孩子或多或少地继承了他们父母的信仰习惯。尽管精神上并不是那么认同，但他们基本上仍然保持了保守的礼拜习惯。实际上，他们发现在巴黎的叔叔一家的规矩十分宽松。1829 年，列昂内尔在巴黎过逾越节时就拒绝工作，尽管詹姆斯仍然如平常一样写信。纳特也一样，尽管他与叔叔詹姆斯一样厌恶“洁净”食物，但是在逾越节期间，他还是很惊讶地发现“尽管我们去了教堂，吃了逾越节薄饼（一种不发酵的硬面饼），但是在巴黎停业是不可能的”。法兰克福革新运动（其本质上寻求改造犹太教育模式以及礼拜仪式，使其向新教靠拢）占据统治地位的事实也让他们心慌，因为他们适应了阿姆谢尔的古老方式。“来了一个新拉比，他传教非常好。”安东尼1844年有些矛盾地报告，“他星期五第一次传教，我不喜欢他说的东西——但这可能是革新派的过错。比起在英国的举措，他们改变了很多。我还是喜欢英国那样的传教方式……我对整个礼拜仪式感到焦虑。”

“革新”给卡尔的女儿夏洛特带来的影响非常强烈，这一点可以从她之后将英国犹太教仪式与一些基督教仪式进行对比的方式上判断出来。而她的弟弟威廉·卡尔则走向了另一个极端，甚至超过了阿姆谢尔对正统犹太教的虔诚，以至于让英国的罗斯柴尔德成员感到很担心，他的婶婶汉娜写信给列昂内尔，担心威廉·卡尔“对恪守犹太教教义如此热情”可能是精神出了问题的迹象：

> 我见过他两次，他一天晚上来看他的哥哥，在这里逗留了1个小时，我尽可能适当地评价一些他的行为举止，他们很理性，与他这个年龄的其他孩子没有什么不同的地方，平静又有教养，穿着简单……在我看来，没必要担心对宗教的这种虔诚会导致盲信。我在阿姆谢尔·德·罗斯柴尔德男爵的家里再次碰到他……他陪着我们看同样的东西，与我们所有人的爱好相仿……他说，我决定坚定地信仰犹太教，也将一直如此。如果他能够幸运地找到合适的导师，他目前的良好行为就不会带来任何病症。

当阿姆谢尔因为“他们（犹太社区委员会）为教堂选择了一个新拉比，而他不是正统犹太教的”，撤回准备资助建造一座新教堂的捐款（15万古尔登）后，安东尼只能无奈地摇摇头说：“你对那些思想僵化的人毫无办法……这里都是犹太人。”

对罗斯柴尔德家族绝大多数成员来说，革新派与正统派犹太人之间的冲突，是一种让人生厌的东西。派别矛盾以及礼拜争议对他们没有任何益处；削弱犹太团结的任何举动对犹太人来说，只意味着在一个充满敌意的世界里自取毁灭。因此，迈耶·阿姆谢尔的儿子和孙子遵循了他的示范，接受所在社区的教务执事职务，但很少干预宗教纷争，只是简单地呼吁团结。内森是所在地犹太教会堂的管事，而且也可以肯定他是一项计划的幕后主导者，即组建一个“犹太慈善组织”，把伦敦3个犹太教堂联合在一起——这个动议最终促成了“联合教会堂”的诞生。对于罗斯柴尔德家族，宗教方面的活动主要是给稳定的犹太社区提供实用的物质帮助——并不局限于某一个社区，更不考虑其信仰的本质。

当然，罗斯柴尔德家族与犹太社区之间的关系长久以来就以传说与笑话为主题。围绕这个主题的经典逸闻中，“罗斯柴尔德”成为“乞讨者”（犹太社区里的那些乞丐与食客）在救济问题上攻击的目标。“罗斯柴尔德”是长期受他们折磨但仍旧给予他们恩赐的受害者，有时甚至沉迷于这种乐善好施——一封乞讨的信从窗口扔进来，落到餐桌上，随后又被扔了回来，不过里面包了一个硬币。（“下单”——“卖出”——当罗斯柴尔德看到乞丐捡起硬币时，他嘟哝着，仿佛是向一个投资者卖了一份债券）这些故事直到今天仍然出现在犹太笑话集里，这并非完全凭空虚构：它们是时代的回音，当时罗斯柴尔德家族因其庞大的财富和显而易见的政治权力，在其他犹太人眼中充满了神秘和魔力。他们不仅是“国王的犹太人”，也是“犹太人之王”——这既道出了他们的财富之巨，也提醒他们自己出身的卑微。正因为如此，他们是所有梦想的焦点，从唯利是图到无边幻想。罗斯柴尔德的成就还包括收到的大量求助信笺，它们来自全球各地的犹太人和犹太社区：都柏林希伯来圣会学校，一个犹太医生穷困潦倒的朋友，圣阿尔班广场教会堂，利物浦新希伯来圣会学校。这些都是真正的乞讨者——很少是传说中那些自大的人物，更多的是落魄的求助者。

由于流出的信件要么没有被保存，要么在纽考特被销毁，因此很难判定这些请求哪些得到了满足，从中搜寻罗斯柴尔德家族的慈善模式也极为困难。我们知道，内森是众多面向穷人和病患的慈善团体的会员：面包、肉和煤炭协会；迈尔恩德的犹太人医院——他也是这家医院的副总裁，后来再次担任总裁；伦敦安息日期间为穷人提供帮助的神圣协会；大教会堂慈善基金以及救济穷人的贝斯纳尔-格林社团。他还在 1826 年担任了伦敦医院的院长，这家医院有帮助犹太人的传统。但是教育似乎是内森的善举着重关注的领域。他在 1820 年向伦敦社团的律法学校提供了资助，一年后又向一家为贫穷的德国犹太人提供教育的社团捐献了 1 000 古尔登。内森对“犹太人自由学校”尤为关注，他在 1817 年捐献 10 个金币建立了学校基金，并支付了学校在斯毕塔菲尔德贝尔巷购买新校舍的费用。正因为这所学校是他“如此坚定资助的对象”，后来，内森的遗孀为纪念他去世 3 周年，再次向学校捐献了一笔巨款。根据估算，N · M · 罗斯柴尔德父子公司在整个 19 世纪，平均每年向这个学校提供 9 500 英镑的捐款，这一数字是当时一个家庭所有收入的两倍多。

所有这些，内森可能是有意遵从了他父亲的示范，同时他和科恩以及蒙蒂菲奥里家族关系中的优先事项也扮演了一定角色。正是他妻子的一个兄弟促使他在 1814 年“作出了帮助穷人的承诺”，而且肯定也正是他的大舅子科恩将他带进了犹太人自由学校捐赠事宜当中，内森的妻子汉娜在 1821 年成为这所学校的终身校长。当列昂内尔成为面包、肉和煤炭协会的理事后，科恩家族已经掌控了协会董事会；实际上，他母亲后来被颂扬为“热衷于推进协会的发展，为协会基金提供了慷慨的捐助”——这一点并不让人惊奇，因为她的父亲是这个协会的奠基人之一。汉娜热心投入的另一个慈善组织是犹太人分娩慈善组织。到 19 世纪 30 年代后期，她的儿子们积极地参与到了犹太人医院和犹太人自由学校的事务中；列昂内尔担任了犹太人医院的总裁，另一个儿子迈耶后来则成为董事。与此同时，他们仍然继续向需要帮助的团体和个人提供小额的接济款项，如犹太贫穷老人救济协会或帮助一个脚部畸形孩子的不幸母亲。

在法兰克福，迈耶 · 阿姆谢尔的遗产仍然发挥着影响。与父亲一样，阿姆谢尔例行地将法兰克福分行运营成本的 10% 分发给穷人。1825 年，阿姆谢尔和他的弟弟们向法兰克福的两个犹太保险基金捐献了 10 万古尔登，以便为雷切内格拉本大街的社区建造一所新医院，“遵照他们先父的意愿……并作为尽孝以及兄弟和睦的纪念”。让人好奇的是，詹姆斯在巴黎犹太人社区里更倾向于保持低调，通过救济协会主席萨洛蒙 · 阿尔坎以及他儿子的导师阿尔贝 · 科恩（Albert Cohn，后来成为了法国犹太人中的重要人物）间接地替他捐钱。1836 年，他甚至明确要求为纳萨雷特圣母院大街新教会堂提供的捐款要保密。

当时至少有一个漫画家在画中暗示，尽管罗斯柴尔德家族家财万贯，但他们对“贫穷的共同信仰者”的境遇漠不关心。在漫画《国王向一个大人物的朋友示好》（1824 年，见图 6.1），一群衣衫褴褛的犹太人站在内森的右边，而内森正准备乘坐气球升空“去接受我的红利”。其中一个犹太人喊道：“大人肯定会听到穷人的哀嚎。”另一个人则祈求：“哦，从天空往下看一眼吧，注视到我们成为了被嘲弄的对象，我们不停地遭到嘲讽。”第三个人喊道：“哦，大人，可怜可怜我们吧，我们被蔑视淹没了，我们的灵魂遭到那些生活舒适而且高傲的人无情的摧残。”这种指责是站不住脚的。

图 6.1 T · 琼斯,《国王向一个大人物的朋友示好——银行附近的一幕》(1824 年)。一名业余爱好者设计,B · 韦伯斯特出版社出版。

资料来源：鲁本斯，《漫画中的罗斯柴尔德家族》，第 3 插图页。（阿尔弗雷德 · 鲁本斯藏品，伦敦犹太人博物馆）

而且要强调的是，罗斯柴尔德家

族并没有将自己的慈善仅局限于犹太社区，这点很重要。在经济困难时期——1814年的德国、1830年的法国、1842年的汉堡、1846年的爱尔兰——他们向穷人捐了钱，并没有注意他们的宗教信仰。内森也是一些没有教派特征的组织会员，其中包括贫困外国人友好协会（尽管一些“外国人”可能是贫穷的犹太移民）。他的孩子也为伦敦孤儿院、伦敦博爱协会和白金汉公共诊所提供了支持。尤其让人感到意外的是，1837年汉娜或夏洛特——更可能是后者——成为伊灵和老布伦特福德地区一所国教学校“最慷慨的捐助者之一”。向罗斯柴尔德家族求助的也不仅仅是犹太人：“乞讨者”甚至包括了早期的社会主义者罗伯特·欧文以及苏格兰分离主义者创立的自由长老会！

“神圣行动”：犹太解放运动

尽管罗斯柴尔德家族的巨大财富和影响力使得他们能够获得具有特权的社会地位，但他们从没有忽视一个事实：1815年后，他们自己和其他犹太人仍然受法律和规章的广泛歧视。他们也记得迈耶·阿姆谢尔的训诫，完成他“以我们族人的利益”为出发点的所有事业。结果，罗斯柴尔德家族的历史与犹太人“解放”的历史变得不可分割。“解放”某种程度上并不准确，确切地说，它是犹太人（在一些具有同情心的异教徒帮助下）在欧洲各个国家寻求获得平等权利的渐进过程。尽管罗斯柴尔德家族持续参与这一过程毫无疑问有切身的利益，但主要的动机仍是他们对其他犹太人的一种道德义务感：这一点在阿姆谢尔1815年写给弟弟们的信中得到了很好的阐述，他在信件的末尾说，“我仍然是你们的哥哥，我希望你们和我，以及所有犹太人一切都好！阿姆谢尔·罗斯柴尔德。”那些认为阿姆谢尔只关心自己地位的人误会了他。1814年，他敦促内森继续维系“他在英国皇室中的影响力，原因有两个：第一，为了犹太人的利益；第二，为了罗斯柴尔德家族的特权”。“我们拥有如此多的金钱非常好，”3年前，他写信给内森和萨洛蒙说，“这样我们就能够帮助所有犹太人。”

在复辟时期的欧洲，犹太人仍然承受着哪些枷锁？法国的情形可能是最好的，复辟的波旁王朝尽管信奉天主教，但不仅保留了法国革命时期犹太人获得的合法权益，而且亦未能恢复拿破仑在1808年通过的所谓的“名誉败坏法”，该法令给犹太人强加了许多经济限制。正式留存下来的只是一个特别的誓约，犹太人在宫廷里需要遵守这一誓约，尽管犹太人1830年前大部分被排斥在政治生活之外。在英国，当地出生的犹太人会自动获得英国国籍，他们与1828~1829年前的天主教以及非国教教徒一起，被排除在议会（无论是作为成员还是选民）、当地政府和古老的大学之外。另一方面，英国对犹太人没有设置经济和社会障碍。

犹太人在德国的地位各个公国情况各异。普鲁士在1812年《解放法令》公布后建立了最为宽松的法令，给予了犹太人平等权利；尽管在实际情况中，他们仍然被排斥在官方机构和军管团之外，1822年之后还被禁止从事教师职业以及参与市政。形成对比的是，在奥地利，自1782年的《宽容赦令》（某种程度上减少了经济限制）颁布之后，对犹太人的限制几乎再无改变：犹太人仍旧被禁止在帝国疆域内拥有自己的土地；必须缴纳一项特殊的调查税；婚姻受到限制；如果出生在帝国之外，必须获得特别的"宽容"才能够定居，这种"宽容"审批每3年需要续签一次。

犹太人也被排斥在关务员系统之外，尽管他们能够在军队里服役，而且一些人还在拿破仑战争期间当上了军官。当列昂内尔1827年在德国穿行时，他只发现维也纳的犹太人地位如此的糟糕："犹太人受到了沉重的压迫，他们不能在政府中谋求任何职位，也不能拥有任何土地，甚至不能在城里拥有房子，他们被迫缴纳沉重的宽容税，而且租房也必须获得特别的许可。"所有这些限制直接影响了他的叔叔萨洛蒙。1823年，萨洛蒙的表弟安东·施纳佩尔想移居到维也纳，与他的高级秘书利奥波德·冯·威尔瑟姆斯泰因的亲戚结婚，萨洛蒙不得不向梅特涅寻求许可。10年后，萨洛蒙不得不为另一个高级秘书莫里茨·戈尔德施密特（他出生在法兰克福）申请更新"宽容"许可。萨洛蒙自己只能在维也纳租房子住，他在1831年提出请求，希望他和兄弟们能够被允许"将部分财富转变为不动产"，但遭到拒绝——尽管萨洛蒙精明地声称，这样做"与政府自己的利益完全一致，这与吸引大量资金进入奥地利无异，它将成为征税的理想对象。"如果这样的期望对于这个国家权势最为强大、最为忠诚的银行家都难以实现的话，那么19世纪40年代之前，改善奥地利犹太人整体地位的努力注定会以失败告终。

在德国西部，1814年法国占领即将结束时，各种事情变幻莫测。达尔贝格1811年给予犹太人全部公民权利的法令在他辞去大公以后不久即被中止。1814年3月，特别犹太人誓约再次被引入宫廷，犹太人被迫离开公共职位。同一年晚些时候，市民大会的成员资格再次限定为基督徒所有。在相邻的黑森—卡塞尔，情况也是如此。我们从前文中已经看到，这种措施部分反映了排犹情绪的盛行，在法兰克福更是来势汹汹。阿姆谢尔写于这个时期的信件充满了对即将来临的暴力的恐惧：异教徒"会喝犹太人的血"，甚至"把犹太人烤了吃"。但是，有一个机会能够遏制住这种势头，即利用1814~1815年的维也纳国会，这次会议将出台新日耳曼联邦的政体形式，从而为争取德国境内的犹太人获得解放提供了可能性。尽管罗斯柴尔德家族主要控制的是战后的金融领域，这些主要在巴黎确定，但他们仍对奥地利首都发生的一切事情保持了密切的关注，法兰克福的犹太社区派了一个代表团前往维也纳，争取自身权益。罗斯柴尔德家族内部第一个看到有必要进行此类游说的人是萨洛蒙的妻子卡罗琳。1814年7月21日，她给当时在伦敦的萨洛蒙写信说：

> 在公民权方面，我们的处境并不美好……在我看来，我们仍然面临着漫长的斗争。这件事让我感到非常有兴趣，即便偶尔听到一两句关于它的话，我也会如此急切地细听它所讲的内容……我非常好奇它的结果将是什么。我最亲爱的萨洛蒙，你能不能通过你在那里的熟人从中给予援助？这将是一件神圣的好事，用再多的钱也买不来。可能那里的一位大臣能够将你引荐给在这件事中有话语权的奥地利、俄罗斯或其他官员。你或许会问一个女人怎么关心公共事务？她应该写一些与锅碗瓢盆相关的事情。但是，我认为我所做的事都是必要的。对于这件事，没人做过任何事。

时间在慢慢地流逝，我们将会为自己没有做更多的事而苛责自己……这件事现在最为紧迫，而在法兰克福这里，没人为它做任何事。阿姆谢尔和卡尔则无须这样的敦促。在同年8月和9月，阿姆谢尔在柏林处理生意，从那时起，他将俄罗斯与普鲁士在犹太人权益问题的立场有关消息传递给了伊萨克·贡普雷希特，此人是法兰克福犹太社区前往维也纳的领导人之一（其他关键人物是路德维希·博恩的父亲雅各布·巴鲁赫以及律师奥古斯特·雅斯索伊）。与此同时，卡尔写信给内森，询问一位“英国官员”是不是正在前往维也纳的路上——可能是卡斯尔雷——“他能否在犹太人公民权问题上提供帮助。”

从很早的时期开始，罗斯柴尔德兄弟几个在普鲁士首相哈登贝格的身上寄予了很大的希望，因为后者是普鲁士解放运动的发起人之一。按照阿姆谢尔的说法，哈登贝格“对犹太人非常友好……他给予了格但斯克犹太人公民权，而且顶住了巨大的压力——当时格但斯克的异教徒商人将此事捅到了国王那里。”卡尔还敦促内森“给大臣（可能是普鲁士财政大臣比洛）的妻子送一些小礼物。非常肯定，他站在帮助犹太人的立场上。”普鲁士外交官威廉·冯·洪堡受到了同样的奉承：尽管他在1814年轻蔑地拒绝了犹太代表团送给他的3只宝石戒指，但两年后的一笔交易还是让他轻易“就范”：阿姆谢尔向他买了一些匣子，对于高得离谱的价格，阿姆谢尔认为“如果能用它来得到一些东西（很值得）”。另一个被他们寄予厚望的人是梅特涅，但是他对犹太人显而易见的同情态度却并没有影响到奥地利其他大臣。1815年10月，一封来自萨洛蒙的信件要求内森为“那个替犹太人做了一切事情的大人物”购买价值2万英镑的英国股票。这个人可能是指哈登贝格或梅特涅，萨洛蒙在写信的前一天拜访过他们。

而布德鲁斯——黑森—卡塞尔选帝侯威廉让他官复原职——也被看做是可能提供帮助的一个人选，但犹太社区欠他钱的事实无疑会让他的态度复杂化。

一开始，在维也纳似乎能达成一项妥协。例如，1814 年 12 月，卡尔听说只要支付 5 万古尔登，法兰克福犹太人的公民权就能够（再次）获得，效仿他父亲的做法，他捐了 5 000 古尔登，同时免去了社区欠公司的 3 000 古尔登债务。但是结果却是一个严重的打击，按照不来梅市长斯米特的建议，《日耳曼联邦法》——1815 年 6 月由各成员国签署的松散联邦宪章——第 16 章只提及各成员国之前给予犹太人的权利，废除了拿破仑所有的法令，并把将来的安排交给了各个成员国自己手里。但无论结果如何，在拿破仑百日王朝之后，罗斯柴尔德兄弟继续着他们的努力，希望直接给法兰克福官方施加压力。9 月，阿姆谢尔把法兰克福形势的最新情况详细地告知了巴黎，敦促他的弟弟们去见梅特涅以及去见“哈登贝格的好朋友比洛，他在柏林答应我给予帮助……如果你们能提供援手，你们会得到祝福。巴鲁赫还在维也纳，但很快就会返回法兰克福。因此这样的事要趁热打铁”。萨洛蒙应该告诉比洛阿姆谢尔对哈登贝格所说的话：“我们不应该被看做是异端。在艰难时期，我们（犹太人）与任何当地人一样在军队里服役。我相信如果你做这件事的话能够做好，因为我们有很多的敌人，否则你什么都得不到；我的敌人太多了，如果我们最终空手而回，我将会感到非常抱歉。”

萨洛蒙很快就报告了梅特涅以及哈登贝格愿意提供支持的消息，后来奥地利和普鲁士分别向法兰克福官方发去了信件，敦促履行 1811 年达尔贝格与犹太社区达成的协议——或者按照萨洛蒙更为乐观的解释，告知他们（法兰克福当局）“即便魔鬼夺走了法兰克福犹太教徒以外的所有人，在法兰克福的犹太人也将保有他们的公民权”。詹姆斯也敦促内森从英国高级官员那里弄到一封类似的信件。当哈登贝格 11 月末到法兰克福时，卡尔让他接见了犹太社区的一个代表团，阿姆谢尔也在其中；并进一步鼓励哈登贝格“在我们犹太人事务上发表仁慈的言论”。“你不可能找到比这件事更有益于犹太人的事情了。”他向兄弟们吹嘘说。卡罗琳甚至在 12 月 7 日写了一封信，祝贺她丈夫所做出的努力。

这些祝贺都有些过早了。阿姆谢尔早在 9 月初就感觉到了即将到来的令人失望的消息，当时他听说施泰因男爵可能将对这件事做出决定性的定论，而施泰因被认为“反对犹太人”。11 月，阿姆谢尔接到巴鲁赫从维也纳发回的坏消息，与此同时，法兰克福官方对普鲁士以及奥地利的信件置若罔闻。从德国外部也无法获得帮助：根据内森透露，英国派往法兰克福的代表克伦卡蒂伯爵并不是“我们犹太人的朋友”。更糟糕的是，奥地利驻联邦议会的代表布奥尔–绍恩施泰因伯爵被证明与法兰克福当局

“沆瀣一气”，认为“这个民族，不会与其他任何民族融合，他们一直团结一致地追求自己的归宿，将很快就会威胁到基督徒的公司，由于可怕的人口增长速度，他们很快就将遍布整个城市，一个犹太贸易城市将最终出现在我们庄严的大教堂旁。”

尽管阿姆谢尔和卡尔一直游说德国公国的各个代表，并得到了哈登贝格和洪堡的鼓励，俄罗斯驻法兰克福的特使也给予了支持，但他们仍然越来越悲观。实际上，阿姆谢尔开始谈论干脆离开法兰克福的打算——尽管这可能只是威胁法兰克福当局，让其难堪而已。也就是在这个时候，他和卡尔第一次通过精心策划，来应对他们在法兰克福的社会孤立地位：他们举行的第一批晚宴实际上是为了游说外交和金融圈内有影响力的人物，并且这些人“与犹太人利益密切相关”。他们为争取银行家贝特曼的举措赋予了特别重要的意义，按照贝特曼公司的说法，他在犹太人问题上的言论变幻无常。与此同时（1816 年 11 月），阿姆谢尔、巴鲁赫和约纳斯 · 罗斯柴尔德给联邦议会发去了一份备忘录，对法兰克福参议院行为的合法性提出了挑战。

在这种情况下，各国在犹太人权益方面的立法成果比 1811 年要逊色得多。在卡塞尔，尽管犹太人被给予了公民权（当然必须要付钱），但处处存在的经济限制使得犹太人无法获得房产的所有权，同时他们还被禁止在街上叫卖。在布德鲁斯的妻子看来，卡尔对选帝侯的讨好有些让人生厌：“我认为，威廉国王知道他独自一人开启了变革，完全是他一个人的动议，他的思想一直以来是多么开放。”实际上，他希望威廉给予哈瑙境内的犹太人同样的权益。但他和他的兄弟们很清楚地知道，尽管犹太人公民权附加的条件似乎“大体上都不重要”，但它们“对那些受到影响的人来说是头等大事”。此外，卡尔私下里曾评价说，选帝侯“在不遵守诺言方面是一个专家”——这一论断在 1820 年再度出现，当时有传言说，新的居住限制将再次强加到卡塞尔的犹太人身上。但是新法案实际上恰恰是符合“解放契约”条件的法令，也是各公国希望与犹太人达成的妥协——给予犹太人公民权，但要求实现重组和同化，这比什么都没得到要好得多，但是它并没有满足罗斯柴尔德家族的要求。

在法兰克福，尽管有了选帝侯友善的先例，但相关争论最终在 1816 年 10 月以一场失败告终，当时修订后的宪章只承认基督徒之间的平等，把犹太人看成二等公民。让人尤其难堪的是，法兰克福当局修改 1811 年法令的时候，还特意引用了阿姆谢尔的花园一事作为他们文明对待犹太社区的证据。如果此举是为了收买罗斯柴尔德家族，那么它并不成功，它只让阿姆谢尔变成那些希望对犹太人采取更为严厉措施的暴徒攻击的目标，这些人希望犹太人全部搬回之前的聚居区。

我们已看到，这个时期，随着话剧《我们的非法交易》上演以及大量排犹小册子的发行，法兰克福的反犹情绪越来越明显。在围绕犹太人问题的争论中，法兰克福参议院的一些成员曾被听说要提出一个“解决办法”，建议将所有犹太人赶出法兰克福，“因为那些只想赚钱的流浪汉唯一的目标就是要毁灭我们基督徒，因此几年内，大部分基督徒市民和居民的欢乐和财富将被劫掠一空。”1816 年 9 月，犹太社区一群焦虑的代表向罗斯柴尔德兄弟写信，提到了“你们如此辛劳和热切地为我们劳作，你们与我们是如此的团结”，但同时也承认：“我们一直期待的美好结果并没有实现……我们担心如果不采取具有非常决定性意义的措施，那座堡垒将很难攻克。”

这些措施能够采取什么样的形式？对于在法兰克福遭遇的挫折，阿姆谢尔愤怒地谈到了，通过“生意，即便最后亏损”来“伤害”法兰克福的异教徒商人。更为可行的是，罗斯柴尔德家族能够以一种更为积极的方式利用他们急速增长的财富。一些德国犹太人把目光投向了内森——当时五兄弟中最富有、影响力最大——提供的某种英国式的解决办法。“我希望驯服拿破仑的英国人不久就能来到这里，”法兰克福犹太社区的一个领袖写道，“就像他们在别的地方释放基督徒奴隶那样，要求法兰克福参议院释放犹太奴隶。”阿姆谢尔本人也敦促内森让“英国大臣（驻巴伐利亚）弗雷德里克 · 拉姆再次鼓动”支持犹太人。根据兄弟之间的通信，内森做了他能够做的所有事。他通过大量的通信，确保获得了荷兰国王在犹太人问题上的支持，同时采取行动维护了英国拥有管辖权地区的犹太社区利益，如科孚岛和汉诺威。“我想，如果你接近摄政王，就能够很轻易地改善我们的处境。”一个名叫迈尔 · 施泰因的汉堡犹太人 1819 年写信给内森说，“为何汉诺威的犹太人生活在英国的一个省里，但却没有得到英国同胞所享受的同等法律呢？过去一个世纪的暴政应该告一段落了，我们希望从你的方向升起照耀我们的太阳。”当然，在法兰克福的问题上，英国的影响力很小：最好的战术似乎仍然是从柏林和维也纳借力，希望较大规模的公国最终能够迫使法兰克福软化它的态度。在这方面，内森同样作出了贡献。兄弟几个在这方面的举措也成为他们此后这类活动的一个模式，他们在 1818 年与英国的贷款谈判中，在犹太人问题上设立条件，赢得了普鲁士的有力支持。兄弟几个还在亚琛会议上提出了这一问题；实际上，阿姆谢尔要求萨洛蒙应该“不抱着做生意的目的去那里，而是要出于所有犹太人的利益考虑”。也正是犹太人权益的事情让他们与弗里德里希 · 根茨有了第一次的接触，当时他和梅特涅参加国会会议恰好经过法兰克福。

尽管通过金钱将柏林和维也纳牢牢拴在了自己的阵营里，但仍不能阻止法兰克福激进主义者最终在 1819 年 8 月走向暴力，发起“嗨”骚乱。另一方面，暴乱也起到了增强反法兰克福当局力量的作用，罗斯柴尔德家族考虑采取强有力的应对措施，他们提升了阿姆谢尔离开法兰克福的威胁。詹姆斯写给维也纳银行家戴维 · 帕里什的信（显然是写给梅特涅看的）中，证明兄弟几个使用自己的财政影响力代表的是他们的“国家”（这个词语经常被用到）：

> 这些动乱的结果能是什么？它们只能产生这样的效应：让我们民族所有的富人离开德国，把他们的财产转移到法国和英国，我自己也建议我哥哥关闭法兰克福分行，然后来我这里。如果我们开了头，我相信所有富有的人都会效仿我们的做法，我怀疑德国的君王们是否乐意看到这种情形的发生，到时候，他们需要筹措资金时不得不向法国或英国伸手借钱。我们在德国购买了债券，如果它不是我们的国家，谁还会奋力抬升它的汇率？要不是我们的示范为国债树立了绝对的信心，基督徒公司会参与进来，拿出部分财富投资各种证券吗？法兰克福骚乱的幕后人物的目标是要将所有犹太人赶到一条街上，如果他们成功地实现了这一点，会不会导致一场大屠杀？我无须指出这种事件是多么不受欢迎，尤其现在我们的银行为奥地利和普鲁士王室保存了大量的财产。对我来说，奥地利和普鲁士应该制定一些法兰克福参议院能够运用的措施，有效地应对诸如本月10日发生的暴力事件，以确保每个人的财产安全。

在他们公开的对手、不来梅市长眼里，罗斯柴尔德家族充分地利用了他们的金融杠杆。除了奥地利和普鲁士，“一些小公国在困难时期，也投靠了这支金融势力，这使它拥有了寻求帮助的有利位置，尤其是在这种很明显、不那么重要的事务上能够提供的帮助，比如为一个小公国里的几十个犹太人寻求保护”。

罗斯柴尔德兄弟几个在1820年继续保持施加压力，迫使梅特涅向布奥尔施压，因为后者仍然支持法兰克福当局的做法。他们同时游说巴德尼斯政府，使那里的犹太人获取利益。当梅特涅在1821年10月访问法兰克福时，他通过与阿姆谢尔共进午餐的机会，发出了自己同情犹太人的信号；与此同时，萨洛蒙在根茨又一次“聆听致命法兰克福犹太人事务”后，与他“达成了一项重要财务安排的共识”。1822年，阿姆谢尔甚至给梅特涅的情妇利芬公主写信“请求收回针对法兰克福犹太人的指令，明斯特尔伯爵肯定已经发给汉诺威的大臣了”。

这一运动并没有落到完全失败的地步。在他写信给利芬公主之后的一年，阿姆谢尔就已经庆祝布奥尔被召回，同时来临的还有一个较有同情心的明希-贝林豪森。海涅1822年3月从柏林发出的信件中，他发现犹太人重新赢得了自己的公民权，这拥有一个“更好的前景”。但私下里利芬公主对阿姆谢尔的信所做的反应具有启迪意义：她告诉梅特涅说，那封信“是能够想象到的最有趣的信……4页纸充满了感情，祈求我为他所在城市的犹太人提供帮助，我竟然成了犹太人的主人！信中充满了天真的自信，让我感到很可笑”。如果这也是梅特涅的想法，那么兄弟几个在维也纳的努力收到的成果可能会比他们预期的要少。最终，法兰克福当局仅做出了最小的让步。犹太人无须回到之前的聚居区——并不是件值得高兴的事，只是松了一口气——大量针对犹太人的限制仍然被保留了下来，他们的公民权显然是第二等级的。新法令确认了“犹太居民”的“个人公民权利”，与之前一样禁止犹太人从政；对他们的经济活动加以限制；整个社区归属参议院的一个委员管辖；与之前一样，每年只能有 15 次婚礼（只允许两个人与外面的人通婚）；恢复了法庭上的犹太人誓约。要记住的是，这些规定适用于整个城市人口（约为 4 530 人）的 1/10。大多数规定——包括限制犹太人与法兰克福以外的人通婚——一直执行到 1848 年。实际上，法兰克福犹太人一直到 1864 年才获得所有的平等权利。

> 海涅利用罗斯柴尔德家族在犹太解放运动中的角色编写了一则讽刺所有商人的笑话：
>
> 法兰克福公民证（价格）……据称比票面价格下跌了 99%——用他们在法兰克福的“行话”来说……但是——再次像一个法兰克福人说话的口气——罗斯柴尔德家族在很长一段时间里难以与贝特曼家族匹敌了吗？全世界商人的信仰都是一样的。商人的……办公室就是他的教堂；他的桌子就是他的教堂长凳，他的复写簿就是他的圣经，他的仓库是他最圣洁的地方，交易所的钟声是他的教堂钟声，他的黄金是他的上帝，他的贷款便是他的信仰。

但是海涅没有说到关键问题。处于争论中心的不是罗斯柴尔德家族的地位，而是所有犹太人的地位。海涅对于商人的宗教信仰或缺少信仰的论述，他的观点用在罗斯柴尔德家族身上并不合适。无论如何，贝特曼和罗斯柴尔德相互匹敌的观点并不为大多数法兰克福异教徒所接受。

在法兰克福为犹太人争取权益的斗争，与 1828 年之后内森和儿子们在英国参与的解放运动有着显而易见的延续性。在英国，犹太人忍受的歧视性法令并没有给罗斯柴尔德家族带来任何不便。没有任何东西阻止内森像在伦敦交易所那样做生意；没有任何东西阻止他购买他看中的房子。英国犹太人被排斥在政治圈和大学之外的情况，对内森来说完全没有影响，因为他没有意愿或需要进入这些机构。但内森并没有坐视不理。即便他是五兄弟中在追逐利润方面最为虔诚的，他仍然感觉到有义务为所有犹太社区的利益积极奔走，即便争取到的权益对他本人来说并没有什么意义。

1828 年和 1829 年，限制清教徒持异见者和那时的天主教徒进入政治圈的禁令被撤销，但对犹太人却没有——这要归结于议会的“效忠誓约”(最初用于排除那些“不屈服的天主教罪犯”)，因为其包含了“以一个基督徒的忠实信仰（宣誓）”这样的词句。这种矛盾似乎激怒了内森——或者更准确地说，激怒了他的妻子。因为内森与他的哥哥萨洛蒙一样，显然容易受到女性在这个问题上施加的压力。1829年2月22日，他妹夫的哥哥摩西·蒙蒂菲奥里在他的日记里记录了他和妻子朱迪丝：

> 搭车去看望了汉娜·罗斯柴尔德和她的丈夫。我们围绕“犹太解放”的话题谈了很久。他说他随后去拜访首相大人，就此事给他提供建议。汉娜说，如果他（内森）没有去做这件事，她就会去做。罗斯柴尔德夫人显露出来的精神以及她所用的简短但给人深刻印象的语句，让我一下子想起来她的姐妹蒙蒂菲奥里夫人。

在随后的行动中，内森和蒙蒂菲奥里紧密地合作。泛泛地说，他们倾向于推动出台一项更为谨慎的策略，有别于英国犹太人代表伦敦委员会（后来通常被称为代表委员会）领导人伊萨克·莱昂·戈德斯米德提出的战略。

对内森而言，这件事突然非常清晰地凸显了他与工党政府关系的局限性，尤其是与首相威灵顿的关系。这可能有些天真，他试着接触了工党的关键人物，打探4月初实现犹太人解放的可能性，而当时正处于天主教徒解放引发的政治危机最严重的时候，这一危机几乎将政府拖下台。首相以及林德赫斯特勋爵（Lyndhurst，上议院议长）纷纷推辞：

> 他建议他们保持平静……直到天主教徒的事端平息，但是如果他们认为立刻推进这件事更符合他们的利益，并派霍兰德勋爵去处理这件事，那么他将提供支持，因为他认为将犹太人从目前的困境中解放出来是正确的，与此同时，他们必须得到公众舆论的引导。

在这个模棱两可的信息的基础上，内森向犹太人代表委员会提出建议称：“祈求获得解放的请愿书应该准备好，只要上院认为这样做是正确的，它就能够递送给他们。”按照内森的建议，请愿书完全由英国出生的犹太人起草，他也建议只由英国出生的犹太人在上面签名（因此他儿子列昂内尔的名字出现在请愿书上，而没有内森的名字）。然后他和蒙蒂菲奥里拿着请愿书找到了老朋友、前大臣范西塔特（此时是贝克斯利勋爵），后者同意将它提交给上院。犹太人代表委员会深受感动，写信向内森表示了感谢：“感谢他代表希伯来同胞时所表现出来的热情和专心，特别感谢他亲自参与，表现出了无比的热忱，利用他的影响力推动了英国消除对犹太人限制的进程。”一项法案开始草拟。

但是在随后的一个月中，形势变得很明显，威灵顿反对当年提出这样的法案，下一次议会会议期间他也不会讨论这个议题。内森在1830年2月拜访威灵顿时，“恳求”他“为犹太人做些事情”，公爵答复内森说，“他不会让政府在犹太问题上做出任何承诺，建议他们延期向议会递交申请，如果他们不这样做……那么风险由他们自己承担，他也不会给予任何承诺。”基于这样的事实，内森变得有些悲观。自由派工党成员罗伯特·格兰特一周后还是提出了有利于犹太人的请愿书，4月5日第一项议案提交，这也是大批议案中的第一个——内森自己可能目睹了这一事件的发生。但是，两天后，他告知弟弟詹姆斯，“犹太人的事情不会获得通过。”他游说了另一个工党老朋友——赫里斯，此时是贸易委员会的主席——但是政府的态度未能发生改变，法案最终在“二读”中以165票对228票落败，未获通过。此时，犹太解放期望获得的支持很明显从辉格党那里更容易获得。与工党亲近了数年之后，内森突然发现自己与反对派站到了一起。

图6.2　佚名，《搅乱议会——莎士比亚》，《镜子》第三期（1830年）

资料来源：犹太神学院《作为其他人的犹太人》第34页。

犹太解放问题跨越了党派界限：支持者包括社会主义者罗伯特·欧文，爱尔兰天主教派的丹尼尔·奥康奈尔和自由派工党成员威廉·赫斯基森，而早期最大的反对者包括威廉·科贝特。更为激进的反对情绪能够从大量漫画中看到。格兰特的草案（日期为1830年3月1日）提出后不久，一幅漫画便被刊登出来，画面中一个留着胡子的犹太人在下院聆听托马斯·巴宾顿·麦考利支持草案的首次演讲，犹太人说：“这是我的人民信教的自由——就这么回事”（见图6.2）。画中人物在外形上与内森并没有什么相似之处，但是他口袋里的一张汇票上写着“100%利息”的字样，清楚地刻画了犹太人与金融之间的联系。

在同时期的另一幅标题为“东方的贤人与西方的伯爵”漫画中，内森与格兰特交谈着（见图6.3），“我做了所有我能做的，为你争取立法的权力，尽管立法主题是你嘲笑的宗教。”格兰特说，“但是小心眼的议会把议案扔了出来。”内森回答说：“啊，好，别在意：你有没有西班牙国债卖？我给你48点的价格。”另一个站在内森身后，显得更为刻板的犹太人小声说，“很好，我们能够轻易地把它的价格推到50点”；另一个则说，“我的上帝，胡子将不再流行了，见鬼！”在两幅漫画中，单词“Bill”（议案，票据）被用成了双关语：暗示犹太人更关心金融利

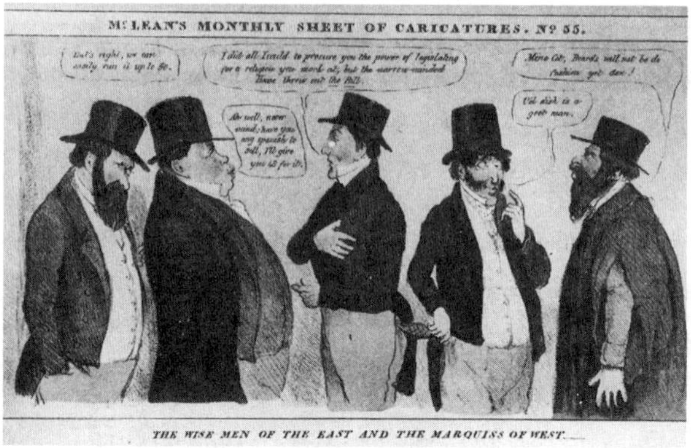

图 6.3　佚名，《东方的贤人与西方的伯爵》，《麦克莱恩月刊》，漫画页，第 55 期（1830 年）

资料来源：鲁本斯，《漫画中的罗斯柴尔德家族》，第 7 插图页。（阿尔弗雷德 · 鲁本斯藏品，伦敦犹太人博物馆）

益，议会犹太人解放议案的支持者都十分精明。

工党反对派即便在辉格党重掌政权之后，仍旧阻挠犹太解放运动。第二项议案在 1833 年通过了下院的“三读”，但面对威灵顿以及以一批大主教为首的反对派面前，法案在上院再次折戟；第二年，这样的情形再次上演。在皮尔 1834~1835 年短暂的首相任期中，内森是一封写给首相的联名信的签名人之一，这封信建议政府至少支持一项犹太人解放的议案。但是皮尔予以拒绝；政府的各项措施只是在辉格党重掌政权时才开始实施。一年后，1836 年，国库大臣托马斯 · 斯普林 · 赖斯再次提出了一项犹太人解放议案，但它同样未能通过上院。

很难相信工党对犹太解放的反对意见没有影响到内森的政治观点。我们将看到，他对于改革法案的态度在 1830~1832 年间发生了巨大的变化，这似乎与威灵顿在犹太解放问题上的立场有关。当然，当他的儿子们举起棒子，投身到他们父亲曾经战败的战场上谋求胜利时，他公开标榜自己是辉格党人，甚至是自由党人。阿姆谢尔在法兰克福的花园保留了下来，但罗斯柴尔德在犹太解放运动中的下一个标志——列昂内尔在下院的议席——直到内森死后 22 年才获得。而那之后，又过了 30 年，罗斯柴尔德家族才与工党和好。

独一无二的犹太家族

尽管他们对犹太教无比虔诚，关注他们“共同信仰者”的利益，但仍存在着一个重要的事实：罗斯柴尔德家族努力将自己与更为广泛的犹太社群区分开来。到 19 世纪 20 年代，从财富上来说，他们毫无疑问已经独一无二。在享受的特权方面，相对于其他犹太人，他们同样独一无二；这也是海涅使用“独一无二的家族”这个短语特别要注明的一点。但是，他们在维持一个家族的运转方面同样也是独一无二的。

18 世纪和 19 世纪的大多数家族公司的寿命都有限。继承祖业的下一代缺乏经济动机，即缺少驱动他们祖父和父亲的“职业道德”，这样的观点远非托马斯 · 曼的首创，他在《布登勃洛克家族》（*Buddenbrooks*）一书中，让这种现象为世界所熟知。

这一点对于弗朗西斯·巴林来说再熟悉不过。由于清楚地意识到自己的子孙缺乏商业热情，他在1803年悲伤地写道："建立在一个人业绩之上的家族，它（的辉煌）不会持续60年……一个商人、银行家等的后代，尤其是他们年轻时，放弃了先辈的求索精神，或者只通过代理人经营生意，自己则完全不理，这是走向快速毁灭的道路。"不过实际上，巴林家族的金融王朝相对较好地存活了很多年，直到20世纪90年代他们才放弃了对自己银行的控制。但19世纪同期的其他无数家族公司却没有这么幸运，他们的寿命仅持续了一代或两代。罗斯柴尔德家族采取了独一无二的预防措施，以避免出现这种衰落情形。

当然，对公司采取预警措施的第一步就是要制造"后代"，按照迈耶·阿姆谢尔的遗愿（以及当时的社会习俗），"后代"是指儿子。阿姆谢尔无法生育，但他的弟弟们则生育了大量的继承人——一共13个。第一个是萨洛蒙的儿子安塞尔姆，生于1803年；内森有4个儿子：列昂内尔（生于1808年）、安东尼（1810年）、纳撒尼尔（1812年）和迈耶（1818年）；卡尔也有4个儿子：迈耶·卡尔（生于1820年）、阿道夫（1823年）、威廉·卡尔（1828年）和安塞尔姆·亚历山大（1835年）；詹姆斯同样有4个儿子：阿方斯（生于1827年）、居斯塔夫（1829年）、萨洛蒙（1835年）和埃德蒙（生于1845年）。

当这代人开始结婚时，生育男孩仍然得到了重视。实际上，生育男孩的压力比任何压力都要大。"你怎么看待我刚出生的小女儿？"安塞尔姆在1832年第二个女儿汉娜·玛蒂尔德出生后，问安东尼，"如果是一个男孩可能更容易被接受。"（他的妻子夏洛特第一个孩子是个男孩，但在1828年夭折。）当列昂内尔也生了一个女儿（莉奥诺拉）后，巴黎的一个高级秘书写信安慰他："我真要恭喜你得到了一个千金——你知道那是必然经历的过程，我们家族中的第一个孩子也是女孩……这有点迷信，但事实就是这样的。""你可能希望得到一个儿子，"他接着说，"他会来的——两年内你就会看到他的降临。"但是，当第二个孩子如期到来时，却仍旧是个女孩，安东尼难掩失望之情："向你和你夫人表示祝贺，在这些事情上，一个人必须接受他能够得到的东西。"而安东尼自己也只生了两个女儿；他的弟弟迈耶只生了一个女儿。卡尔的儿子迈耶·卡尔和威廉·卡尔有十几个女儿，但没有儿子。直到1840年，第三代才生育了第一个男孩（列昂内尔的儿子纳撒尼尔，两年后另一个儿子艾尔弗雷德出生）；当纳特（内森三子纳撒尼尔）的妻子怀孕消息公布后，胜利的消息令人欣喜。"内森决定不被家族里的兄弟打败，计划明年向大家展示他的儿子和继承人——这可是今天的重大消息。"兴奋的安东尼写道，"非常肯定的是，如果他愿意与他的大哥一较高下的话，那么家族将增加许多小家伙，也会增添许多快乐。"但那依旧是一个女孩，未满一岁便夭折了。

但是，如果从他们的评价中得出一个残酷的“性别主义”，那就错了。它们显露的是一种焦躁不安的情绪——它持续了数年——担心第三代可能生育不出男性继承人。在内森妻子汉娜的眼里，如她在1832年所说的那样，“无论是男孩还是女孩，为我们带来的欢乐是一样的，因为我对任何（因没有男孩）而发牢骚的人毫不怜惜。”这不仅仅是一位女性的看法。安塞尔姆的妻子为他生下儿子后，他对男孩子的偏爱就消失了，他在妻子再次怀孕时透露：

> 如果卡洛·多尔（显然是纳特的昵称，他的妻子也刚好怀孕）生了一个小姑娘或小男孩，那么我的孩子无论将来是一位丈夫还是妻子，都能被大家所接受……公众将不会说罗斯柴尔德家族那年没有生育一个子嗣。我希望比利不久也能学习我们，如果他去泡泡温泉，他肯定会成功的。

到此时为止，罗斯柴尔德家族遵从的仍旧是传统习俗。但安塞尔姆轻松的信件中可能也触及罗斯柴尔德家族历史最重要的一个方面：女儿没有儿子那么受欢迎的主要原因是这个家族秉承的族内通婚的策略。

1824年前，罗斯柴尔德家族倾向于娶（嫁）其他类似犹太家族的成员，通常是那些与他们有生意往来的家族。这一点在迈耶·阿姆谢尔的子女身上表露无遗，几个儿子（只有一个除外）分别娶了埃娃·哈瑙、卡罗琳·施特内、汉娜·科恩和阿德尔海德·赫茨，几个女儿则分别嫁给了沃姆斯、西奇尔、蒙蒂菲奥里以及贝弗斯两兄弟。按照19世纪的标准，这很平常。我们知道，强加在犹太人身上的《日耳曼联邦法》或多或少地迫使他们只能在一个小社区里进行同族通婚。但是，即便不强迫，大多数人——不仅仅是犹太人——也倾向于在自己同一信仰的社区里进行通婚，如果他们正好离开家乡，就会寻找一个对等的社群（就像内森在伦敦那样）。但是，1824年后，罗斯柴尔德人倾向于只与罗斯柴尔德人通婚。1824~1877年间，迈耶·阿姆谢尔后代进行的21起婚姻中，至少15起发生在是直系后代之间。尽管表亲联姻在19世纪也司空见惯——尤其在德国犹太人的商业王朝里——这种族内通婚的数量也极不寻常。“这些罗斯柴尔德成员以最异常的方式与别人相处，”海涅说，“非常怪异，他们甚至在自己的家族中挑选结婚对象，各分支之间的关系形成了错综复杂的节点，将来的历史学家将会发现要弄清楚（这个家族）谱系图非常困难。”这再正确不过了，即便欧洲的王室也没有如此紧密的通婚关系，但罗斯柴尔德家族经常称呼的“我们神圣的家族”则暗示，他们将自己视为某种代表人物。这也是罗斯柴尔德家族与萨克逊–科堡家族相似的原因之一。

家族内部通婚起始于1824年，詹姆斯娶了自己的侄女、哥哥萨洛蒙的女儿贝蒂。（因为詹姆斯比萨洛蒙小很多，他和贝蒂的年龄差距不是很大：当时他32岁，贝蒂19岁。）两年后，萨洛蒙的儿子安塞尔姆娶了内森的大女儿夏洛特。然后是长达10年的空白，直到内森的长子列昂内尔与卡尔大女儿夏洛特的联姻——这桩婚事恰好发生在家族历史中一个决定性的转折点，我们将在以后的章节阐述。又过了6年，纳特娶了詹姆斯的女儿夏洛特（不停重复的名字也增加了家谱的复杂性）；卡尔的儿子迈耶·卡尔娶了内森的三女路易丝。内森另外两个儿子安东尼和迈耶的妻子不姓“罗斯柴尔德”，但他们之间依旧是表亲关系：路易莎·蒙蒂菲奥里（1940年）和朱莉安娜·科恩（1850年）。（前者也是迈耶·阿姆谢尔的直系后代，因为她母亲是内森的妹妹亨丽埃塔，后者是汉娜的侄女。）这种情形一直持续到第四代。1849年，卡尔的第三个儿子威廉·卡尔娶了安塞尔姆的二女儿汉娜·玛蒂尔德；一年后，他的哥哥阿道夫娶了汉娜的姐姐卡罗琳·朱莉。1857年，詹姆斯的儿子阿方斯娶了列昂内尔的女儿莉奥诺拉；1862年，他的弟弟萨洛蒙·詹姆斯娶了迈耶·卡尔的女儿阿黛尔；1877年，詹姆斯的小儿子埃德蒙娶了威廉·卡尔的二女儿阿德尔海德。安塞尔姆的两个儿子娶的也都是罗斯柴尔德家族成员：列昂内尔的二女儿埃维莉娜（1865年）和阿方斯的大女儿贝蒂娜（1876年）。最后，列昂内尔的大儿子纳撒尼尔——通常被称为“纳蒂”——娶了迈耶·卡尔的女儿埃玛·路易丝（1867年）；纳特的儿子詹姆斯·爱德华娶了埃玛的妹妹劳拉·泰蕾兹（1871年）。

他们为何要这样做？浪漫的爱情、现代婚姻的理性准绳在老一辈的眼中只占非常非常小的位置，他们在“便利的婚姻”和“爱情的婚姻”之间进行了严格的区分——卡尔的婚姻就是一个典型，他在德国人之间精挑细选寻找合适的新娘，但谈到最终选择阿德尔海德·赫兹时，他却对其他兄弟说：“我没有恋爱。恰恰相反，如果我认识其他人的话，我会和别人结婚。”阿姆谢尔娶埃娃·哈瑙同样不是出于爱情；按照当时的一则记录，他曾公开承认，“我真正爱过的那个人，我从没能称她是我的人”；他的侄子安塞尔姆称阿姆谢尔与埃娃的金婚纪念日，标志着“50年的婚姻煎熬”。卡罗琳和萨洛蒙更是合不来；我们已经知道，1812~1815年期间，两人几乎没有在一起生活，萨洛蒙不停地奔走于各地做生意——或按照内森的要求四处奔波。5年后，这种情形没有发生太大的变化：卡罗琳（在法兰克福）敦促萨洛蒙（在维也纳）不要仅仅因为“你的弟弟内森希望你去”就动身前往圣彼得堡：

> 这真让人十分费解，有什么地方是你不想去的吗？亲爱的萨洛蒙，不要让你自己被呼来唤去，用你的力量和你的聪慧（抵制它）。此外，我不是很明白你

> 的来信。因为信中提到，你将不得不前往巴黎，甚至伦敦。我通常愿意接受你对内森超越情感的生意观，但是我看不到这次的合理理由……你的内森不能无视你们所有人的看法……无论如何，亲爱的萨洛蒙，如果你不告诉去伦敦的理由，你就去不了那里。明白了吗，我亲爱的丈夫？你不会去那里。

如果说两人之间曾经有过浪漫的关系，那么到萨洛蒙结束流浪生活，最终在维也纳定居时，它们也已经荡然无存。卡罗琳一直没去维也纳与丈夫团聚，萨洛蒙一个高级秘书的儿子回忆说，到19世纪40年代，萨洛蒙对年轻的女孩子产生了强烈的兴趣。

但能够确定是，这类婚礼能够产生也确实存在爱情。内森与妻子汉娜的关系很好地证明了这一点：她写给“亲爱的罗斯柴尔德”的信件表明了他们之间的关系真诚、紧密，尽管两人大部分的共同语言是对赚钱的热爱。但是这种亲密关系也被认为是屈从于婚姻，而不是凌驾于婚姻之上，他们别无选择。对于詹姆斯，尽管他的侄女、妻子漂亮聪慧，但他主要将她当做了一种有用的社会资产。“要将自己与妻子剥离开很困难。”婚后仅仅几个月，他就向内森吐露心声，“我不能将自己与我的（妻子）剥离，她是家具的重要组成部分。”詹姆斯成为巴尔扎克小说中人物纽沁根的原型，尊敬他的妻子——实际上，非常平等地对她——但却找了一大串情妇来满足他的性欲，只恋爱过一次，是和一个妓女。

之后的一代被认为对婚姻的态度没那么倔强，这种趋势可能与维多利亚女王的统治有关（她成功地将自己安排的一桩婚姻转变成轰轰烈烈的爱情故事）。也确实存在一些证据证明下一代罗斯柴尔德成员对婚姻态度的软化。列昂内尔与堂妹夏洛特1836年在法兰克福结婚前，他曾从巴黎给夏洛特寄去一封爱意绵绵的信，“由于我身在异乡，”他在当年1月7日的信中说，“我只懂得文字的意义，只能够将我的爱，我全部炽热的爱给你，亲爱的夏洛特，我希望能将它用文字表达出来。但是我做不到，即便全身心投入，我的钢笔也经常从手中滑落，然后就是对你的长时间思念，以至于忘了拾起笔……”夏洛特的回信让他更为痴迷：

> 我焦急、乏味地度过了几个漫长的日子，没有收到你的只言片语，最亲爱的夏洛特，我离开后，第一次收到你寥寥数语的来信时，欢乐感持续了几分钟，现在我再次陷入了愁思中。你的信我读了一遍又一遍，每读一次，就越懊悔遥远的距离将我们分开。我同时也很悲伤地发现，你对我仍然如此的漠不关心，你谈的都是娱乐、职业等。你认为，那些东西中，有我没有与你分享的吗，亲爱的夏洛特？我到处接到邀请，被请求出席一些舞会，与一些老朋友一同玩耍，

但是我全部拒绝了。唯一静静消磨我的时间而且不会被激怒的方式，就是一个人待在旅店里，想着、只想着你，最亲爱的夏洛特……

一周后，他的语调变成了近乎绝望的浪漫：

> 迫使你把心思集中到一个远在异乡的朋友身上，即便只有几分钟，也是甜蜜的，这个朋友自从离开你后，就一直没停止过思念你。这与别人的情形一样吗？还是我与众不同？我有太多的话想对你说，有如此多的感觉想和你分享，我最亲爱的夏洛特，以至于我的头脑变得十分混乱。我从一个地方出发，却又回到同一个地方，最后发现自己停留在原地，如果我不能在短时间里享受到向你叙说的快乐，我会发疯的。

但是列昂内尔接着说的一些话却破坏了这封情信的浪漫效果："我父母看到我如此迷恋你，如此幸运地获得众人口中的佼佼者的垂青，他们该是如何高兴，他们如此急切地想认识你。"但就在几个月前，当天还在马德里打理生意时，他在写给弟弟安东尼的信里表达的却没什么热情：

> 我会按照父母和叔叔们的安排去做，留下还是回去全听他们的。如果查尔斯叔叔（卡尔）已经去了那不勒斯，那么我就没必要那么早去法兰克福。每件事将根据家族的计划进行，我认为我早回或晚回法兰克福几个月没什么差别，我对立刻结婚也没有特别的兴趣，如果我们的好父母没要求我去法兰克福，那么早去或晚去几个星期真的没什么差别。

此外，夏洛特似乎也对嫁给堂兄的未来并不乐观（列昂内尔显然也意识到了这一点）。他写给她的信实际上可能是抄袭流行小说与坚决的自我暗示的合成品——要赞扬列昂内尔的是，他的信似乎达到了目标。他们结婚时，正如他的兄弟们带着吃惊的感觉所认定的那样：他似乎真的爱上了她。

说实话，第三代的罗斯柴尔德族人之间的婚姻与他们的父母一样，不过是自发产生的相互吸引的产物，即便其中一方或双方的父母鼓励他们选择伴侣。"他们想与亨丽埃塔姑姑安排一些事情，想让比利（安东尼）和路易莎（蒙蒂菲奥里）在一起。"列昂内尔在自己的婚礼前晚向兄弟们报告了花边新闻，而不是法兰克福股市的表现："乔（约瑟夫 · 蒙蒂菲奥里）并没有想从汉娜 · 迈耶那里讨得欢心。他在追求路易丝，但她却没有注意到他。小查尔斯（迈耶 · 卡尔）与路易丝之间不会有进展，他们只说过几句话。"但婚礼过后，他立刻提供了更新的情报："汉娜 · 迈耶和约瑟夫·蒙蒂菲奥里彼此没看上对方。后者追求着路易丝，另一个堂弟（迈耶·卡尔）也在追她，他很迷恋她。上帝，这将会有一场竞争，他将成为我的‘双料兄弟’（堂弟兼妹夫）。”他的母亲对“婚姻市场”同样给予了密切的关注。她报告说，迈耶·卡尔“比我想象的要可爱得多，善于与人沟通，如果他希望讨一个女孩子欢心，他很容易就能做到。他比我们其他的花花公子显得更有男子气概，迈耶用情专一，没有与另一个夏洛特·罗斯柴尔德调情，因此无论谁在将来成为‘开心的男人，都不会有妒忌的理由。”6年后，她将自己的女儿路易丝嫁给了她提到的迈耶·卡尔，而“另一个夏洛特”——她第一次提到这小姑娘的将来时，她只有11岁——嫁给了她的儿子纳特。

维多利亚时代，这种婚姻体系的一个典型秘密就是，男性罗斯柴尔德成员被允许“撒播野燕麦种”：内森的儿子、侄儿和他们朋友之间的私人通信暗示，他们有大量婚前性行为。这些都被上一辈所容忍，只要它没危及族内通婚的制度。1829年，安东尼——他显然是他那一代中的花花公子——出现了越轨行为，他在法兰克福过于痴迷一个身份不明的（也不合适的）女孩子。他的父亲愤怒地将他召回了伦敦，同时指责阿姆谢尔没有尽到伯父的责任。

族内通婚的首要也是最重要的原因，就是防止五个兄弟分行渐行渐远。与这点相关的是另一个期望——确保外人不能染指五兄弟的巨额财富。与当时大多数包办婚姻一样，每一桩婚姻都伴随着一份详细的法律协议，列明双方的财产。当詹姆斯娶贝蒂时，她无权染指他的财产，但是她那价值为150法郎（6万英镑）的嫁礼只有一部分仍是她的财产，如果他在她之前去世并且没有子女，那么她除了能拿回全部嫁礼外，还能再得到225万法郎。当安塞尔姆一年后娶夏洛特时，她不仅从父亲那里得到了1.2万英镑（以英国股票的形式）的嫁礼，还从叔叔，也是公公那里得到了8 000英镑“由她自己支配”，安塞尔姆也给了她1 000英镑，作为婚前分期付款中的首付款。同时，安塞尔姆从父亲那里得到了10万英镑，从内森那里得到了5万英镑。如此大手笔的嫁礼很容易给孩子们，因为钱仍然停留在自己的家族里。

但是，除了利益考虑之外，在家族外部寻找合适的伴侣也确确实实存在困难。到19世纪20年代，罗斯柴尔德家族已经是富甲一方，将有相同信仰的其他家族远远甩在了身后。早在1814年，兄弟几个就发现，为他们的小妹妹亨丽埃塔找一个合适的丈夫非常困难，经过了多次挫折后，最终选定了亚伯拉罕·蒙蒂菲奥里（内森当时已经与蒙蒂菲奥里家族有了亲戚关系）。他们最初的选择，一个名叫霍伦德的男子，似乎不符合卡尔的标准，不是因为亨丽埃塔不爱他，而是因为，卡尔解释说：“与霍伦德家族有关的人似乎多得可怕……说实话，现在上层社会的年轻男子太稀少了。”

另一方面，亨丽埃塔喜欢的男子考夫曼是一个“恶棍”。10年后，兄弟几个的姐姐珍妮特在丈夫贝内迪克特·沃姆斯死后，听从了阿姆谢尔和萨洛蒙的劝说，再次结婚，但她几个年轻的弟弟则发出了不同的意见。詹姆斯向内森抱怨说，她的新丈夫只是一个来自犹太街贫穷股票交易员：

> 她没有任何可以过活的东西，她跟我妻子说，家里一块面包都没有。这个家伙是一个无赖。他输光了她的嫁妆。今天，他又跑到交易所，可能他希望赢回自己输掉的钱。但是我想，他不会成功。告诉我，你是怎么想的？我们需要每年都为她做些事情吗？与此同时，我私人已给了她几千法郎。

此时，只有一个罗斯柴尔德族人才会真正去帮另一个罗斯柴尔德族人。

没有什么比约瑟夫·蒙蒂菲奥里1836年的经历更能表明合伙人制度以及族内通婚制度独一无二的特点。尽管他的母亲亨丽埃塔是罗斯柴尔德的直系成员，但在内森去世后，他提出自己“应该被吸纳成为公司的合伙人之一”的提议却遭到了列昂内尔的断然拒绝。“他厌恶这样做，”蒙蒂菲奥里对叔叔摩西说，“他声称已经有太多的合伙人了，而且会开一个不好的先例。即便我向法兰克福的舅舅们寻求帮助，投票时他也会占多数。假如我能成为合伙人，我一定把自己的姓改成罗斯柴尔德。”这个念头最终自行打消，他也收到了意料中的效果：蒙蒂菲奥里“非常明确地表明不喜欢这种情况”，但实际上“他也同意自己无力改变任何事情，甚至没去找舅舅们诉苦”。作为第二选择，这个深肤色的年轻人又提出一个建议，他希望加入伦敦分行，他不再谋求合伙人的身份，但是希望娶列昂内尔的妹妹汉娜·迈耶。但这个建议同样遭到拒绝，我们在下文会提及。

族内通婚的策略中存在着一个危险，罗斯柴尔德家族很少意识到。在基督教文化中，表亲禁止结婚早在6世纪就已经广被接受，教皇格雷戈里规定，“忠诚的信徒只娶（嫁）隔了三四代的亲戚”。在19世纪的美国，8个州通过了法律，宣布表亲结婚属犯罪行为，另外30个州将其列为民事犯罪。威廉·科贝特曾引用“罗斯柴尔德娶了他自己的侄女”的事实，作为反对犹太解放运动的论据。但是犹太法律并没有此类的限制，由于被迫居住于像法兰克福的聚居区里，无形中造就了表亲联姻的现象。直到19世纪晚期，遗传科学的研究才起步，直到20世纪后半期，基因学家才真正了解了表亲结婚以及其他形式的族内通婚的影响。比如，现在我们知道，德系犹太群落中高发的家族性黑蒙性白痴症——严重损伤大脑的疾病——便是几个世纪近亲通婚的恶果。表亲结婚——尤其是一个在法兰克福度过了几个世纪的家族——从严格的科学角度来说，是非常危险的，无论牵涉的经济利益多么重要。如果迈耶·阿姆谢尔与居特林两人当中，有一个人携带有害的隐性基因，那么他们孙辈的两个孩子结婚（发生了 4 次），双方遗传一个受损基因的概率为 1/6；他们的孩子遗传两个受损基因的概率为 1/4，这很有可能会患病。

罗斯柴尔德家族很幸运并没有成为某种隐性基因的受害者，而当时血友病广泛出现于 19 世纪的王室中。后代健康不佳的唯一迹象就是，迈耶 · 阿姆谢尔的 44 个曾孙辈的孩子中，有 6 个在 5 岁前夭折。按照现代的标准，那是相当高的死亡率（13.6%）；另一方面，19 世纪 40 年代，西欧所有儿童 5 岁前夭折的比率为 25%。当然，另一个可能性就是，存在着某种罗斯柴尔德“金融基因”，某种程度上族内通婚使它一直流传了下来。可能正是这个原因将罗斯柴尔德家族变得真正的独一无二。但这并不容易得到证实，即便它是事实，那些身在其中的人似乎对此也一无所知。

第七章

正式身份

THE HOUSE OF ROTHSCHILD

当（罗斯柴尔德）获得了……（男爵）称号时，有人说："蒙莫朗西是第一个基督徒男爵，罗斯柴尔德则是第一个犹太男爵。"

托马斯·莱克斯

阿姆谢尔位于博肯海姆大街的花园是逃离犹太街的一个标志。但是，如果就此认为他的弟弟和他们的后代在购置物业时，深层动机也与阿姆谢尔相似，那就错了。卡尔对一套更为豪华的城区住宅所持的不同想法就表明：经济用途和社会声望同样需要更为宽敞的住处，以便有足够的地方与政治精英们舒服地饮酒进餐。在阿姆谢尔购置花园的同时，另外两个购房意向也在讨论中：购买更豪华的城区住宅；购置乡村房产。

1818年，卡尔不顾其他人的反对意见，在法兰克福新美因茨大街33号购买了一套相对适中的房子。而对于内森，更加需要在纽考特之外的地方购买一套城区住宅：1817年时，他和汉娜至少生了5个孩子——都不超过10岁，另一个也即将出世。（当时，其他几个兄弟，除了萨洛蒙，全部都还没有子女，萨洛蒙也只有安塞尔姆和贝蒂两个孩子，他们与母亲比较舒服地生活在法兰克福。）1817年6月，内森向股票交易商詹姆斯·卡齐诺夫开出了支付15 750英镑并且“立刻支付现金”的条件，希望买下“格罗夫纳豪斯”。但是，值得一提的是，内森拒绝支付高出他所定房价的价格，当卡齐诺夫开价1.9万英镑时，这起交易告吹。实际上，一直到1825年——那时他已经有了7个孩子——内森才最终从库茨家族的一个成员手里租了一套位于皮卡迪利大街107号的房子。与此同时，他的“连襟”摩西·蒙蒂菲奥里也从圣斯威辛街向西搬到了格林大街，紧邻帕克街。

詹姆斯在几兄弟里审美能力最强，社会野心也最大，购置房产自然不会落后，他很快也采取了行动。在1816年或1817年，他从最初位于珀勒蒂埃街的住处搬到了位于巴黎金融中心的普罗旺斯街。但是，新住处并未让他感到满意，1818 年 12 月，他买下了达瓦图街 19 号（19 rue d'Artois，1830 年改名为拉斐特街）的一家酒店，它是在革命前为银行家拉博德修建的，拿破仑统治期间，约瑟芬（拿破仑第一任妻子）的女儿奥尔唐斯（约瑟芬与前夫所生的女儿，荷兰皇后），以及拿破仑的警务大臣富歇都曾在这里住过。12 年后，萨洛蒙买下了隔壁的房子（拉斐特街 17 号），尽管两栋房子的翻新和装修工程一直到 19 世纪 30 年代中期才完成。这个时期，只有维也纳被证明不可能购置房产：萨洛蒙继续住在旅馆里，一直到 1842 年，他才获得机会，无须顾忌犹太人禁止在维也纳购置房产的法令。

内森、萨洛蒙和詹姆斯同时马不停蹄地购置乡村地产——尽管我们知道，在伦敦和巴黎尚未发展、铁路没有铺设前，长途跋涉搜寻乡村幽静住所既不可行，也没必要。内森在这方面跨出的第一步是在 1816 年，他买下了妹妹亨丽埃塔所说的一处“美丽的乡村别墅”——实际上是一处面积达 8 英亩土地的房产，坐落在纽因顿和斯坦福山之间的一条路上。也就是在那里，而不是在纽考特，内森和他的家人度过了数个年头；詹姆斯恰恰相反，他一直住在“商铺的上方”，住的地方离证券交易所以及法兰西银行仅一步之遥。之后，过了近 20 年，内森才再次搬家，在阿克顿附近买下了更大也更豪华的“冈纳斯伯里花园”——意大利风格的别墅，1802 年为乔治三世的小女儿阿梅莉亚修建，拥有巨大的花园，包括一个小型的人造湖和新古典主义的“神庙”。内森委托建筑师悉尼 · 斯默克扩建别墅，增加了一个橘园和一个餐厅，并用人造大理石装饰别墅外墙；他还向园林专家约翰 · 克劳迪斯咨询了花园的设计。

内森骨子里仍保留着城里人的秉性：乡村生活——即便在斯坦福山——并不真正适合他。“我的一个邻居，”他搬去冈纳斯伯里的一年前告诉巴克斯顿，“是一个脾气糟糕透顶的人，他试图激怒我，紧挨着我的路边建了一个大猪场。因此，当我出门时，首先听到的便是‘呼哧呼哧’的声音。”尽管他很快就解释说，“这没给我带来任何伤害，我一直有很好的幽默感”，但这很难洗脱一个城市居民对外面农耕世界的不适应感。可能仅因为糟糕的气味，当然，也不排除内森怀疑邻居饲养家畜是有反犹的意图。他也不喜欢骑马，打猎或观看赛马，这与詹姆斯以及他的儿子们的爱好截然相反。迪斯雷利在他的小说《恩底弥翁》中，显然把内森（对应文中的“纳沙泰尔”）和冈纳斯伯里花园（文中为“艾诺花园”）融进了文章中：

> （纳沙泰尔）一直为他的子嗣准备着（购置房产）。在这种热情的主导下，尽管他自己很乐意在毕肖普斯盖特街永远住下去……他买下了一个巨大的“王国”，说也奇怪，它拥有壮观的建筑和自然美景，距离怀特查珀尔不到一个小时

的车程。

艾诺花园由一个英国贵族建造，当时贵族们热衷于修建古典主义建筑风格的宫殿……它的风格，它的美丽以及它的宽敞，能够与斯托或旺斯特德相媲美。它坐落在一个鹿苑之中，四周围绕着皇家森林。建造它的家族本世纪初破产了，本以为它也会遭到破坏和拆除……纳沙泰尔出手买下了它——买下了所有的东西，宫殿、公园、鹿、画、礼堂、所有的塑像、家具、酒、剩余的农场以及对部分皇家森林的所有权。但他从没在那里住过。尽管他并不吝于花钱维系和改善“王国”，可除了在星期天去那里一趟，其余时间完全看不到他的身影，而且他也从没在那里过夜。他会带着浅浅的笑容说：“它是为我的后人准备的。”

尽管我们知道，内森有时一周当中偶尔也会在冈纳斯伯里花园住，但毫无疑问，他买下这座别墅的目的主要是为了他的孩子；他死后两年，这座房子才主要被用做家族娱乐休闲的场所。

在法国，詹姆斯和萨洛蒙在巴黎郊外购买房产开始于 1817 年，詹姆斯买下了位于塞纳河畔布洛涅的一座避暑别墅，它拥有占地 3 英亩的花园。9 年后，萨洛蒙在横跨塞纳河的叙雷纳买下了一座更大的房子，它是 18 世纪为肖尔纳公爵修建的别墅。建筑面积共有 10 英亩，分布在塞纳河两岸（现在的凡尔登街附近），它的角色与内森的冈纳斯伯里花园类似：居住舒适，离城里不远。詹姆斯一直等到 1829 年才出手购买了另一套大得多的狩猎庄园，位于费利埃的这座庄园面积 1 200 英亩，城堡年久失修。与内森不同，詹姆斯似乎天生就喜欢乡村生活。他一买下狩猎庄园，就梦想着在那里过夜了；1833 年，汉娜 · 迈耶在那里探访了他和贝蒂，她发现他们开心地“开垦了一小块菜地”。

但是，对于在法兰克福和维也纳的罗斯柴尔德成员，购置房产的计划只能被迫等待。阿姆谢尔发现，“在德国，每个人见到他后问的第一问题都是：‘你在乡下有房子吗？’”但是他和卡尔也都认为，把买房子这件事提升到诱人的社会高度是个错误。拥有一处房产预示着对贵族身份的索求，但拥有一座花园却没有这样的联系，他们显然担心，这样的富丽假象对于战后高涨的反犹浪潮无异于火上浇油。与此同时，他们对购买农业用地的回报也抱有怀疑态度。他们对农耕了解多少？“通常，这些房产带来的收益不会超过 2%。”卡尔警告说，这也表明罗斯柴尔德兄弟仍将土地看做是另一种形式的投资。这种态度一直延续了下来：之后一代罗斯柴尔德人购买土地时，也是以将来的收益为出发点；整个家族管理不动产时，与管理投资组合中流动性较好的资产，同样小心谨慎。

上层社会

获取这些房地产的初始，也是经常引用的一个理由，具有典型的实用性质：兄弟几个都需要一个宽敞而且体面的房子来招待大臣和外交家们，这些人是他们最为重要的客户。这一策略的严峻考验就是，罗斯柴尔德家族试图拉近关系的人物是否接受他们的邀请。这是一个颇为艰难的突破过程。

1815 年 12 月，布德鲁斯——兄弟几个与黑森-卡塞尔选帝侯进行交易时，可靠的合作伙伴——撂了挑子。“贝特曼、贡塔德和所有大臣、商人都被邀请了，”阿姆谢尔尖刻地抱怨说，“我们借给他们银币，但金融家罗斯柴尔德再次被排斥在外，没有受到邀请。”卡尔的理论是，布德鲁斯被之前与罗斯柴尔德兄弟之间的亲密关系弄得有些尴尬：“他认为我们没有很好地尊重他，因此他不愿意在如此庄重的场合出现在我们面前。你应该知道，荣耀和利润有时并不能按照一手交钱一手交货的方式进行交换。”3 个月后，相同的抱怨再次出现，阿姆谢尔突然被通知，他又被邀请了，“流言将会因此传播，说我们花钱买了出席资格”。差不多在同一时期，阿姆谢尔也抱怨说，贡塔德拒绝在生意上与他过于频繁地接触，以免他的朋友“开始把他当做一个犹太人”。由于自己的犹太人身份，他们被排斥在“法兰克福赌场”（Frankfurt Casino，绅士俱乐部）之外，这让他们同样感到非常气愤。

但是，峰回路转的情形很快便出现在兄弟几个面前。1816 年 5 月，萨洛蒙邀请了外交使团的重要成员以及贝特曼和贡塔德出席他组织的晚宴，所有人都接受了邀请。罗斯柴尔德的一个表弟欢快地描述道：

> 今天凯斯勒（一个法兰克福交易商）在股票交易所问我，罗斯柴尔德家族的房子是不是真的如此豪华。显然，在赌场里这是个热门话题。他也希望知道谁出席了晚宴。我提到了大臣们、贝特曼和贡塔德等人。我可以确定地告诉你，贝特曼和贡塔德都满口赞誉，他们说出席晚宴是一件非常愉快的事，而且罗斯柴尔德夫人知道如何很好地料理一切。贝特曼特别喜欢安塞尔姆和贝蒂两个孩子，他说，贝蒂接受了很好的教育。

当罗斯柴尔德家族一个主要的对手听说，“贡塔德与萨洛蒙共进了晚餐之后，他说：‘贡塔德也去了？’然后一声叹息……他似乎感到很不安，这说明了一些事情”。3 个月后，阿姆谢尔和卡尔举办了一个规模更大的晚宴，主要邀请对象是规模较大的日耳曼公国的外交代表，其中包括了威廉 · 冯 · 洪堡。这一宴会模式在随后一年再次成功举办。只有法兰克福市长和另一个受邀者拒绝出席。

这种态度转变的速度震惊了不来梅市长施密特，他是所有驻法兰克福外交代表中，最坚定敌视犹太解放运动的人。“一直到去年年底，”他在1820年8月评论道：

在过去，允许一个犹太人进入所谓的“上流社会”，违背了生活中所有的习俗和惯例。没有一个法兰克福银行家或商人会邀请一个犹太人与他共进晚餐，即便是罗斯柴尔德家族的成员也不行，驻联邦议会的所有代表一直非常遵循这种习俗，而且言行一致。但自从我回来后，让我感到无比惊讶的是那些人，如贝特曼家族、贡塔德家族和布伦塔诺家族和一些著名的犹太人在一起用餐、饮酒，邀请他们去自己的家里，然后再接受邀请回访。当我表达了我的惊讶后，他们告诉我，如果不与这些人合作，任何重要的金融交易都很难完成，他们必须被当成朋友对待。由于有了这些方面的进展，罗斯柴尔德家族也接到了一些大使的邀请。

没过多久，阿姆谢尔也向他发出了邀请，他接受了。到19世纪40年代，阿姆谢尔一直例行地举办此类晚宴，“差不多每两星期一次，招待所有级别的来访者”。

在维也纳，克服传统的壁垒被证明要难得多。尽管梅特涅不反对与阿姆谢尔在法兰克福“一起喝汤”，但在奥地利的首都却完全是另一种情形。当时的评论深刻地揭示了一个事实，即维也纳的社会生活在遵从传统宗教教义方面比任何地方都要严格。19世纪20年代，根茨评论说，犹太人“金钱贵族”喜欢在一起喝酒跳舞，与正常的贵族生活方式有别。当英国作家费朗西斯·特罗洛普（小说家的教母）19世纪30年代造访维也纳时，她遇到了同样的情况：

无论是在伦敦，还是在巴黎，都看不到与维也纳银行家地位相似的情形。他们的财富作为一个整体无比巨大，他们也确实是一个整体，也必须是一个整体，对国家拥有非常大的影响力和重要性……但即便拥有了所有这些东西——头衔、财富、影响力和奢华的生活方式——银行家们仍一律被禁止进入更高的圈子，似乎他们仍需保持他们金匠祖辈的谦卑。

当然，特罗洛普并不是一个没有偏见的观察者。她自己不喜欢“在金融贵族举办的规模最为庞大，也最奢华的宴会上……被一群黑眼睛、高鼻子……确定无疑的犹太人包围”（这一偏见，她还传给了儿子）。但是，从她在19世纪30年代所写的东西来看，她的怀疑就不再是毫无理由的了：

他们多大程度上或是否愿意友善地与这个基督徒和天主教徒王国的其他

成员相互融合……他们作为富有团体的力量，非常巨大，而且广泛深入地渗进了重要的政治领域，但是他们在这方面可能并不被基督徒伙伴所欣赏，结果是，他们的社会地位是一个错误，这比我观察到的所有团体的地位错误都更为明显……没有一个造访维也纳的人保持警惕的眼神，与当地的社会融合在一起，但他们终将找到理由赞同我的观点，即任何将基督徒与犹太人在社会以及类似团体中混杂起来的尝试，可能在一个小时或一天内能够维持住，但最终不会带来双方相互欣赏或容忍的结果。

只是在19世纪30年代晚期，高级政界人士愿意接受邀请，与萨洛蒙在罗马恺撒大酒店共进晚餐。梅特涅家族于1836年1月，与玛丽·艾什泰哈齐公主以及众多其他的贵宾出席了萨洛蒙组织的晚宴，他们对他的法国主厨交口称赞。但是克洛瓦拉特伯爵于1838年接受萨洛蒙的邀请（很明显是第一次）时，“他所属阶层的许多人告诉他，此举冒犯了他们。‘你们希望我怎么做？’他说，‘罗斯柴尔德对于我的出席赋予了如此重要的意义，我必须牺牲我自己的利益，因为国家需要他’”。

内森遇到的困难要小得多。外国大使和其他高官很早就接受了与他共进晚宴的邀请：他在1818年就招待过洪堡；夏多布里昂在1822年与他共进晚餐，而艾什泰哈齐则是他的常客。皮克勒王子的信件记录了大量在内森家里进行的社交活动，包括了1828年的一次“豪华晚宴”，当时盛甜点用的是纯金盘子。不确定的一点是，内森与工党政治家，如赫里斯、范西塔特和威灵顿之间亲密的关系是否也延伸到了餐桌上，他们之间的大量谈话可能大多发生在办公室里。形成对比的是，支持犹太解放运动的辉格党贵族，如圣奥尔本公爵和劳德戴尔伯爵很乐意与他共进晚餐。此外，下院中犹太解放运动的一个杰出支持者、历史学家托马斯·巴宾顿·麦考利在1831年也成为内森的宾客。因此，认为詹姆斯在巴黎邀请的与他共进晚餐的英国贵族已经接受过内森招待的看法不无道理：比如，“迷人的伦敦德里女士”，便是内森在1833年介绍给詹姆斯认识的；一年后，里士满公爵也经内森介绍接受了詹姆斯的邀请。兄弟几个小心谨慎地拉拢英国皇室，并增进与萨克逊－科堡王室的关系，这同样也受到了社会地位方面的回报（尽管直到内森去世后两年，坎布里奇公爵夫妇才接受邀请，前往内森家里做客）。1826年冬天，卡尔盛情接待了萨克逊－科堡的利奥波德王子，在他位于那不勒斯的别墅里为王子安排了戏剧表演，舞会和晚宴。到这个时期，欧洲的社会精英发现抵制罗斯柴尔德家族的邀请十分困难，就如严冬中的北欧难以抵御地中海温暖的诱惑一样。1818年，蒙蒂菲奥里家族成员拜访他时，也发现了他与众多贵族礼尚往来的情形。

在五个兄弟当中，詹姆斯在追求社会成功方面做出了最为坚定的努力，可能他受到的优良教育给了他这样做的信心。1816年，在一本礼仪手册的帮助下，他获得了第一次成功，邀请黎塞留公爵的私人秘书与他共进了两次晚餐。但是他也遇到过挫折。尽管经历了大革命和拿破仑时代的动荡，法国首都远没有脱离势利和偏见的束缚，他的对手巴林和拉布谢尔于1818年对他的鄙视尤为尖刻。直到1821年3月2日，詹姆斯才真正地以主人的身份，第一次在达瓦图街翻修的旅馆里举办了最大规模的舞会。有些厌世的贝利纳·亨丽埃塔·门德尔松描述了当时的情形：

> 过去两个星期里，这里的上层社会谈论的都是罗斯柴尔德先生终于于昨天在他新近装修过的豪华的家里举行了一场舞会。现在，我还没有它进展的细节消息，但是我确信，它绝不会逊于我十几天前就听说的版本——我并没有夸张——当时几乎每个年龄段，每个阶层的人都在谈论这事：800人接到了邀请，另外至少还有同样多的人通过拜访、信件和请求，希望获得邀请……尽管我现在感觉越来越悲惨和贫困——也不知道是什么原因，但我并没有用上出席这次舞会的邀请函，尽管它是罗斯柴尔德先生亲手发出来的，而且语气从未如此客气。

此类活动一直未停止过。1826年4月，奥地利大使记录了在“罗斯柴尔德男爵”家里举办的奢华宴会，出席的不仅有其他大国的大使，还有梅特涅、德文希尔公爵、俄罗斯拉祖莫夫斯基王子和一小群法国贵族：马耶公爵夫妇、达马斯男爵（时任法国外交大臣）、迪拉斯公爵和蒙塔朗贝尔伯爵。一年半后，当卡斯特拉内元帅与詹姆斯共进晚餐时，他遇到了英国和俄罗斯的大使，此外还有穆希公爵和诺瓦耶伯爵。詹姆斯一周平均大概安排4次宴会，每次至少邀请10位宾客，有时多达60位。夏洛特生第一个孩子的前一晚，詹姆斯与18位宾客共进了晚餐，而孩子降生后的一晚，宾客数字增加到了26人。

与罗斯柴尔德有关事件的部分吸引力来自于对这种好客的极端夸大，这点詹姆斯非常了解。亨丽埃塔·门德尔松曾讽刺地评论说，1821年受邀出席詹姆斯的舞会演变成了可以获得额外收入的地方，人们相互传说，“所有的女士进入舞会现场时都会收到一束花和一个钻石戒指或胸针”，或至少会收到“一张抽奖券，而且每个女士都会中奖”。当1826年阿波尼与詹姆斯共进晚餐时，餐桌上摆了一个巨大的烛台式的银边浅盘——阿波尼估计至少值10万法郎——食物由著名的厨师安托南·卡雷姆烹饪，这位厨师之前的雇主有英国的摄政王和沙皇亚历山大。海龟汤以及美酒如此美味，以至于消化不良的阿波尼再次探访詹姆斯的时间比以往迟了8天。

在许多方面，卡雷姆精湛的厨艺是詹姆斯社会地位上升初期最主要的一个吸引宾客的手段。颇受欢迎的作家悉尼·摩根女士只是许多垂涎卡雷姆美食的食客之一，当她与詹姆斯在布洛涅共进晚餐时，她写道：“美味的肉汤似乎是严格按照化学配方做出来的……每根蔬菜仍然保留着新鲜的颜色……酱汁驱走了寒意……卡雷姆应当得到一顶桂冠，因为他展示的是一种艺术，这可是衡量现代文明的标准。”这次晚宴中最高潮的部分是一个巨大的蛋糕，上面用糖浆写上了她的名字，周围是神圣同盟中她所有崇拜者的名字。因此在这之后，詹姆斯需要找一个合适的厨师来接替卡雷姆时，伤尽了脑筋。他也不是罗斯柴尔德家族中唯一看重厨师的人。尽管阿姆谢尔和萨洛蒙从没有尝过一口这些厨师做的菜肴，但他们仍然坚持在法兰克福和维也纳用最好的法国菜肴招待客人。迪斯雷利是罗斯柴尔德家族直系成员之外，享受罗斯柴尔德家族美食最为频繁的人之一，在他的小说《恩底弥翁》中描述道，“精美的菜式，宾客们惊讶地看着，然后羞赧地尝上一口”，这说明了美味佳肴重要的社交功能。

粗鲁的暴发户

是的，尽管他们的邀请被接受，但并不能说罗斯柴尔德兄弟是受人欢迎的。当时的人发现内森·罗斯柴尔德是一个咄咄逼人的人：外貌普通，处事方式粗俗得近乎粗鲁。皮克勒王子于1826年在纽考特第一次称呼内森为“伦敦的统治者”时，遭到了典型的不礼貌回敬：

> 我发现俄罗斯领事在那里处理俄国皇室的款项支付事宜。他是一位杰出而又聪明的人，他非常清晰地知道如何扮演“谦恭的债务人”的角色，同时又合适地保持着自己的尊严。不过，由于掌控伦敦的天才并不遵守礼仪，这使得俄罗斯领事想要实现两全其美的方法变得十分艰难。当我把信用证递给他（内森）时，他尖刻地评价说，我们富人很幸运，能够到处旅行游玩，而他，可怜的人，承受着全世界的关注。他继续滔滔不绝地诉苦，称“没有一个来到英国的穷鬼不想从他身上捞点东西。”“昨天，”他说，“一个俄国人向我乞讨”（很有意思，朝俄国领事脸上丢了一句不软不硬的话），“而且，”他接着说，“这里的德国人让我片刻的宁静都得不到。”现在需要轮到我对这件事表现出乐观情绪了……所有这些话用的都是他自己独特的语言，一半英语一半德语，而且英语带着浓厚的德国口音，不过所有的倾诉都用一种令人难忘的镇静口吻说出，似乎他对这样的琐事不屑一顾。

阿谀只能部分地取得成功。当皮克勒和来访的俄罗斯人宣称“没有他，欧洲就无法存活下去”时，内森“谨慎地拒绝了我们的恭维，并且笑着说，‘哦，不，你真会开玩笑；我只是一个人们感到满意的仆人，因为他将他们的事务管理得很好，他们给了他一些小恩小惠作为感谢。’”这是极大的挖苦，这一点遭受挫折的皮克勒心里一清二楚。

迪斯雷利——我们在后面章节里将看到，在19世纪30年代与内森的儿子列昂内尔非常熟识——在他的小说《坦克雷德》里，描述他的英雄试图获得年老的西多尼亚（至少部分取材于内森的一个角色）的倾听时的情形：

> 这时，那个引领坦克雷德进入公寓的年轻人从玻璃门进到房间里，他拿了一封信给西多尼亚。蒙塔丘特勋爵感到有些困惑，他再次羞涩起来……他站了起来，说了声早上好，而西多尼亚目光并未从信件上移开，而是挥了挥手，制止了他，然后说，“我与埃斯克代尔勋爵达成了协议，如果有任何需要我暂时转移注意力的事情发生，你不得走开。”
>
> “记下来，”西多尼亚继续对秘书说，“我的信件比预定时间晚了12个小时，伦敦仍旧十分平静。将柏林来信的摘要同时给财政部一份。最近一份公报是什么内容？”
>
> “统一公债跌了2.5点；所有外国基金下跌；股市十分活跃。”
>
> 他们再一次被晾在一边。

办公室里的这种怠慢场景后来被写进了著名的笑话“两张椅子”里，它可能是被传扬次数最多的罗斯柴尔德笑话了，这则笑话的灵感也肯定从内森身上得来。一位高贵的访者被带进了罗斯柴尔德的办公室；罗斯柴尔德头也没抬，随口说了一句“请坐”。“你知道自己跟谁说话吗？”被冒犯的来访者喊道。罗斯柴尔德仍旧没有抬头看：“那么（两位）请坐两张椅子。”（因为来访者愤怒地表明了自己的身份，称自己是托恩与塔克西斯王子，罗斯柴尔德以为是两个人，于是让“两人”就座。）

而且内森不仅仅在自己的王国——他的办公室里表现出这种对社会等级的蔑视。即便出现在上层社会的餐厅里，内森也会表现出粗鲁的待人方式和粗俗、刺耳的法兰克福“犹太街”幽默。当皮克勒王子受邀与内森共进晚餐时，他“分了神”，因为“听到了他给我们解释餐厅四周的画作，（欧洲所有国王的画像，都是他们的大臣们送给内森的礼物），谈及这些国王时，就好像是他的好朋友，而且某种程度上是在说他自己”：

> “是的，”他说，“（某某国王）曾经向我请求一笔贷款，但在我接到他亲笔

信的同一个星期，我也接到了他父亲写给我的信，请求看在上帝的分上，不要理会他儿子的请求，因为我不能借钱给一个像他儿子那样没有诚信的人。‘这可能是典型的天主教徒’；但是，那封信可能是老（夫人）写的，她如此憎恨他的儿子，以至于她经常说——每个人都知道那是如何的不合适——‘他有一张天（使）的面容和一颗恶（魔）的心’”。

另一次，内森在宴会上粗鲁地冒犯了一位宾客，参加那次宴会的德国大使威廉·冯·洪堡写信给他的妻子说：

> 昨天，罗斯柴尔德和我共进了晚餐。他十分粗鲁和没有教养，但他非常聪明以及在金钱方面有天赋。他漂亮地羞辱了马丁上校一两次。马丁当时也和我们一起进餐，他不停地赞扬着法国的一切东西。他对战争的可怕和大量人员死亡感到无比的难过。“噢，”罗斯柴尔德说，“如果他们没有全部战死的话，上校，你现在可能还是个鼓手。”你真应该看看马丁当时的脸色。

即便在不那么高贵的社交场合，内森似乎同样是个粗野的人：自由派议员托马斯·福韦尔·巴克斯顿记录了1834年内森在一次宴会上的言行，当时两人一同出席了在汉姆山庄举行的晚宴。在这次宴会上，这位凭借自我努力获得成功的百万富翁，自我满足的特性似乎达到了顶峰，他向客人们吹嘘自己成功的经验并提供了陈腐的建议：

> “我看到过……很多聪明的人，非常聪明的人，他们连鞋子都没穿。我从不与他们一起做事。他们的建议听起来很好，但命运总是拿他们开玩笑，他们连自己都照应不好，如果他们连自己都不能照顾好，又如何能对我有益呢？”
>
> “将思想、灵魂、心灵和身体以及所有东西投入到生意里，才是快乐之道。我需要大量的冒险和大量的小心谨慎才能挣到一笔巨大的财富；当你拥有这些财富时，需要10倍的才智才能保住它。如果我接受了提供给我的所有项目，那么我很快就会自取灭亡。坚持做一种生意，年轻人……坚持做你的啤酒厂，你可能会成为伦敦最大的啤酒商。成为一个啤酒商，一个银行家，一个商人和一个制造商，你将很快出现在报纸上（即出名）。”

当一个出席宴会的宾客说，希望“你的孩子不要因为太喜欢钱和生意，而忽视了更为重要的东西。我肯定你不会希望那样的情形出现。”内森直截了当地回答说：“我很肯定地说，我希望是那样的。”

内森在一些人心目中是一个吝啬市侩的人。鸟类学家奥杜邦曾回忆过他与内森的一段经历，他当时试图说服内森订阅他使用了大量插图的著作《美国鸟类》，但由于没能在内森付款之前给他寄去这本书，内森便拒绝订阅。当奥杜邦拿着（书和）付款票据去见内森时，他“看起来非常的惊讶，然后大声说，‘什么，为这些鸟要花100英镑！先生，我只能给你5英镑，一个便士都不能多’”！

另一则经常被传诵的逸闻则是，内森跟作曲家路易斯·施波尔说：“我不懂音乐，这”——伸进他的口袋，摇动口袋里的硬币叮当作响——“才是我的音乐，我们天生就懂的音乐。”

还有一则逸闻，他气愤地回应慈善捐款的请求：“给你！开一张支票，我已经做了一件傻事了！”巴克斯顿曾对内森对于善举有些粗鲁的态度感到震惊不已。“有时，”他解释说，“为了让自己安心，我会给一个乞丐一个金币。他会认为这是我搞错了，担心我发现，于是尽可能快地跑开。我建议你有时给乞丐一个金币，这会让你很开心。”因此，内森另一个举动淋漓尽致地表现了他的性格：他曾向自己邀请的宾客说，宴会上的一项特别服务花了100英镑。

一个没受过教育的犹太人在上层社会有如此言行，但却因为他新近获得的大量证券财富而使得他能继续立足，这一想法让当时的人们感到痴狂和恐慌，这主要是因为这些人当时的社会地位以及传统等级制度所赋予的处世观受到了冲击。比如，皮克勒王子似乎并不憎恨自己第一次带着信用证出现在纽考特时内森嘲弄他的方式，恰恰相反，他总结说，内森是“一个谁都无法否认的热情的人，甚至具备了伟人的性格……真的是一个非常好的孩子，比同阶层的任何人都要慷慨——只要他自己不去冒险，那么谁都无法与他抗衡……这个真的是一个楷模”。我们从上文也已看到，洪堡也被内森带进上层社会的无礼、机智以及不顺从感到哑然失笑。

与内森在伦敦的情景形成对比的是，波旁王朝复辟时期的巴黎，詹姆斯的许多失误——比如鲁莽地将自己的妻子介绍给奥尔良公爵，或他用波托茨基伯爵的基督教名斯坦尼斯拉斯称呼他——都被人所厌恶。与詹姆斯众多的尊贵宾客一样，卡斯特拉内元帅并不十分在意詹姆斯的热情，即便他接受了他的做客邀请：“他的妻子……十分漂亮，彬彬有礼。她唱歌很好，尽管有些震颤；她的德国口音很重，听起来不怎么舒服。詹姆斯……身材矮小，长相丑陋，举止粗鲁，但是他举办宴会和晚宴；君主们取笑他，但仍然喜欢去他家里，那里聚集了巴黎最高层的人员。”

根据莫里茨·戈尔德施密特的儿子赫尔曼（Hermann）的记录——他的回忆录是我们目前所拥有的为数不多的详细一手材料之一——萨洛蒙在社交礼仪方面表现得更为糟糕。

“为何我要去你那里吃那么糟糕的东西，为何你不来我这里，品尝我的美食？”有一次他被听到如此回答俄罗斯大使的晚宴邀请。另一个“地位非常高的人”希望得到一笔贷款的请求遭到了断然拒绝：“因为我不想借。”萨洛蒙因此“很少跻身上流社会，（因为）他觉得自己缺少教育，因此可能要被迫扮演不舒服的角色”，宁可将“与时髦圈子打交道”的事交给了赫尔曼的父亲。少数几次与梅特涅共进晚餐，他也忍不住粗俗地展示自己的财富，向宾客们展示自己保险柜里的东西是餐后的例行“节目”。即便在他自己的圈子（即犹太人）里，他也是一个粗俗的人。如果他的理发师早上迟到了——萨洛蒙习惯在早上3点起床——他就会遭到斥骂，“一个蠢货”。如果进入办公室的某个人身上带着轻微的气味，萨洛蒙也会用手帕捂住自己的鼻子，打开窗户然后喊道：“把他扔出去，这个人臭死了。”他在下午6点30分就举行晚宴，这与社会习惯格格不入；他习惯喝两杯酒，然后带着“死心塌地跟随他的食客和随从”去公园里散步。他在星期六通常会去戈尔德施密特的家里，他会向在场的美丽姑娘大献殷勤，而“方式并不总是那么恰当或礼貌”。这包括有孕妇在场时，他讲的粗俗笑话。

并不是所有这些故事都完全会让人产生误解；毫无疑问，内森和他的兄弟们对许多人而言，似乎是“暴发户”的化身，同时身上存在着种种缺点。这点没什么比1848年的漫画解释得更清楚的了（是“来自法兰克福的画面”系列漫画的第一幅），它把莫里茨·冯·贝特曼和阿姆谢尔进行了对比，前者优雅地坐在马车上，后者则没精打采地站在一个钱箱上（见图7.1）。但是这些判断并不是最好的历史证据。首先，它们只是告诉我们罗斯柴尔德家族在别人眼里似乎是什么样子的。第二，因为“暴发户”是2 000多年来一直被人们诟病的目标，因此无论“暴发”的个人实际情况是否与漫画主题相符，这一比喻也会被一再重复。罗斯柴尔德兄弟自己的信件讲述了一个截然不同的故事。

图7.1　恩斯特·沙尔克和菲利普·赫利希，《莫里茨·冯·贝特曼男爵与阿姆谢尔·冯·罗斯柴尔德男爵》，《法兰克福画报》，第一期（1848年）
资料来源：赫尔丁，《漫画中的罗斯柴尔德家族》，第51页。（美因河畔法兰克福历史博物馆）

实际上，兄弟几个并不喜欢他们频繁举行的大多数社交活动。阿姆谢尔在他的晚宴结束后都会“感谢上帝”，卡尔认为它们是昂贵的“谎言”——“它非常美妙，但金钱更美妙”。当他们雇用的主厨把账单拿给他时，他如此感慨道。“但是，”他坦白说，“它与贿赂一样好”。值得注意的是，1817年，至少有5位宾客也获得了巴黎新城的贷款礼包。在柏林，这种情况同样存在，尽管卡尔在那里，获得哈登贝格以及英国、奥地利大使的邀请并不困难，但他仍然怀疑这类社交活动的价值：“我并不真正在乎（它们），因为我发现我们比那些没有邀请我们的人生意做得更好。”对于内森，如同不习惯待在乡村一样，舞会或沙龙同样不是他喜欢的地方。1817 年，阿姆谢尔曾提到过这点，如果内森只是举办一个茶会，他就会觉得早晨的时间被人“偷走了”。甚至他的女儿夏洛特也遗传了他的那些特性，她在 1829 年希望“季节一直像现在这样舒服，我想，这对交易是个激励”。

詹姆斯为我们揭开了兄弟几个本质上反感社交活动的原因，当他再一次筹划舞会时，他说：“我现在和你的想法一样，我宁可待在家里，也不想自己被杂事弄得发疯。”而且，詹姆斯对这些活动远不像宾客们所想象的那么痴迷。从一开始，他对社交活动持有相似的功利看法。“我想到的只有生意。”他向内森保证说，“如果我参加了一个舞会，那就是为了结识那些可能对生意有用的人。”这一点，可以从早期他与黎塞留的秘书接触，让后者给他提供信息的事例中得到证实。但私下里，詹姆斯承认自己对大量的舞会感到厌倦，不过他仍然继续办着舞会，他在 1825 年 1 月向内森坦白说，这样做仅仅是为了防止人们认为他无力举办宴会了。“我亲爱的内森，”他疲倦地写道：

> 我被迫举办一个舞会，因为全世界都声称我破产了，对那些习惯于我在去年冬天举办了三四次舞会的人来说，不举办这次舞会，就可能会让他们产生怀疑，老实说，法国人是邪恶的人。狂欢在下个星期进行，但我希望它已经结束。我向你保证，我对它一点兴趣都没有，但是一个人必须尽一切可能为世界表演一场戏。

6 年后，1830 年革命危机结束之后，夏洛特对她叔叔的经济表现与他的社交活动之间的联系也作出了同样的判断：尽管贝蒂对于“举办理性舞会”感到无比“疲惫”，“但法国公债的价格仍在急速地上升，因此詹姆斯将继续举办下去”。我们将看到，举办舞会是詹姆斯向巴黎上层社会发出信号的一个重要途径，他需要向他们表明自己度过了 1830 年的金融和政治风暴。

“混乱”的荣誉

罗斯柴尔德家族寻求跨越横亘在犹太人面前的社会樊篱，所采用的途径并不仅仅是举办舞会。在一个仍然由社会等级制主导的社会里，他们也急切地为自己争取正式身份。他们发现做到这点竟然非常容易，这可能也是复辟的梅特涅政权脆弱的一个迹象：这也是本章开头引述的“犹太男爵”故事的真实成分。

对于这点，最具有说服力的证据可能是一个事实：罗斯柴尔德家族早在1817年就从费朗西斯二世那里获得了贵族身份。授勋仪式安排在维也纳，这要归功于奥地利财政部官员斯科维纳、财政大臣斯塔迪翁以及梅特涅的游说，他们将此举视为对罗斯柴尔德兄弟在英国补贴款以及法国赔款业务中给奥地利提供便利的回报。当然，这一点的重要性不应该被夸大。罗斯柴尔德兄弟也不是第一批获此殊荣的犹太人：其他6个家族之前也获得了授勋（尽管这些家族到1848年已经全部皈依了基督教）。哈布斯堡皇帝的授勋在社会地位提升方面的意义也不能与内森的孙子获得的荣耀相提并论，纳蒂·罗斯柴尔德获得了维多利亚女王授予的世袭贵族身份。与奥地利的货币一样，奥地利的贵族身份与英国的贵族身份相比，贬值得很快。另一方面，授勋向罗斯柴尔德兄弟提供了三方面有价值的资产：在名字前加标志着贵族身份的“冯”字（在法国和英国则是“德”字）；一个盾徽（尽管设计得并不十分符合他们最初的设想）；以及1822年获得了“男爵”的称号（法国和英国是“Baron”）。

这些也不是1814年之后罗斯柴尔德家族在社会地位提升方面获得的所有胜利。与他们的父亲通过获得“宫廷犹太人”头衔以及从尽可能多的王室获得“御用银行家”的地位来增加自己的特权一样，迈耶·阿姆谢尔的儿子、孙子被家族的老朋友、黑森-卡塞尔的选帝侯任命为“财务顾问”，后来又得到了普鲁士国王的任命。这些头衔完全是荣誉性质的，但在社会上很有用，因为拥有这些头衔的人会得到一套制服，这几乎是参加王室活动的一个必要条件。内森1820年被授予的奥地利领事头衔，以及詹姆斯因为那不勒斯危机期间提供财政支持而在1821~1822年获得的奥地利总领事头衔，从根本上讲，也拥有类似的重要性，尽管名义上，他们也需承担一些职责，保护哈布斯堡在英国和法国的金融利益。罗斯柴尔德家族对这些制服的利用，可以从当时人们的记述中找到。早在1817年，卡尔就寻求获准穿着黑森军事学院的海军金色制服。詹姆斯在1825年被看到穿着红色的领事服，出席在兰斯举行的查理十世加冕仪式。两年后，年轻的夏尔·博谢把詹姆斯误认为是一位英国将军，因为他从杜伊勒里宫出来时穿着配有金色肩章的深红色外套。

有一套制服非常好，但是一套经过装饰的制服——配上徽章、绶带或穗带则更好。这些装饰兄弟几个早在1814年便开始着手设计。1817年晚些时候，卡尔公开接受了普鲁士首相哈登贝格赠送的一条绶带，他发现自己是普鲁士王室里胸前没有佩戴任何东西的两个人之一。一年后，达姆施泰特大公向詹姆斯授予了勋章。1822年维罗纳国会期间，当詹姆斯和萨洛蒙接受沙皇的弗拉基米尔勋章时，萨洛蒙通过根茨，确保这个消息见诸德国报端。一年后，詹姆斯在胸前又增加了法国荣誉军团的骑士十字勋章（尽管他一直到1841年才成为军团的全职会员）。到1827年时，萨洛蒙已经有些厌倦地请求得到一枚勋章——圣乔治康斯坦丁勋章，这是为他的高级秘书利奥波德·威尔瑟姆斯泰因争取的，为了表彰他为帕尔马公爵夫人提供的服务。当纳特1834年前往君士坦丁堡时——罗斯柴尔德家族第一个前往该地的成员——他难抑即将获得一个异乡礼物的兴奋之情：

> 你不知道苏丹会接受什么东西，任何官阶低于全权大臣以下的官员一律不得出现在宫廷里——因此我认为自己被当成了大使……因此有权获得最豪华的招待。苏丹暗示，他自己希望向我表达一些心意，但是我不知道它是一个戒指、一个鼻烟壶还是一个大的装饰品——我希望是装饰品。我已经给他们暗示，钻石装饰的新月将是我最乐意接受的。

正如他这封信所表明的，王室的诸如戒指和雕刻的鼻烟壶的礼物，尽管不受欢迎，但也是排在第二位的礼物。

罗斯柴尔德家族对头衔和勋章的追求通常被看做是某种不可理喻的怪癖：卡普菲格称之为“东施效颦”。对于已有的贵族来说，这毫无疑问是罗斯柴尔德家族存在的弊病。梅特涅就怀疑他们的“虚荣”和“对荣誉以及与众不同的渴求”；复辟王朝的批评者，最著名的如海涅，则嘲笑他们与贵族习惯截然不同的地方。但是罗斯柴尔德兄弟自己私下里对这些习惯不屑一顾。卡尔就曾说，盾徽只是“喧闹的一部分”。对于制服，詹姆斯私下里曾开玩笑说：“如果你在这里去拜访一位大臣，你必须穿着整齐，就像去见你的新娘一样。”兄弟几个甚至偶尔拿新近获得的头衔开玩笑：比如，卡尔将一封信的地址写成：“给詹姆斯·冯·罗斯柴尔德，基督教奴隶解放协会爵士（原文如此），黑森选帝侯财政顾问，等等。”当丹麦国王也邀请他“提出授勋的请求”时，他只能问：“我们如何处理这些头像？”实际上，当黑森-卡塞尔选帝侯授予卡尔“一条像士兵用的那种带有皮带扣的绶带”时，卡尔拒绝接受，认为有损他的尊严。罗斯柴尔德家族也不愿意花钱买一些象征地位的徽章：当纳特听说奥地利政府希望给他的哥哥列昂内尔提供一个领事秘书的职位——每年需支付500英镑的费用时，他非常震惊：“在我看来，在支付500英镑以及得到一个讨厌的上司前，我会从坏的方面来看这件事……我会想知道谁会为了奥地利领事的荣誉每年支付500英镑。”即便是阿姆谢尔——他在许多方面对家族在这方面的举措一直持怀疑态度——也清楚地了解他们的位置。他在1814年说：“如果我们总是担心别人会怎么想，那么我们现在剩下的只会是一大堆纪念品，但钱一分不剩。最终，我们将一无所有地离开，没有赞美，没有纪念品，也没有钱。”“最高级的纪念品，”在他看来，是“一种平静的生活，如果情况允许的话”。

不过，接受这类荣誉有两个理由。首先，我们已经看到，它们铺平了罗斯柴尔德兄弟走向权力走廊的道路。其次，头衔和其他荣誉是“我们民族——即欧洲全体犹太人与众不同的标志”。罗斯柴尔德家族的贵族地位在法兰克福被广泛地解读为：狠狠地扇了那些希望把陈旧的枷锁重新加在犹太人身上的人一记耳光。“如果一个犹太人是男爵，那么所有的犹太人都是男爵”，这也是他们犹太街里的看法。同样，内森被任命为奥地利驻伦敦领事，在卡尔看来是“犹太人的一件幸事”。即便一些事实存在，即兄弟几个收到的纪念品明显地带着基督教文化特征——圣人的名字，甚至十字架的外形——这些同样被看做是一种胜利。尽管阿姆谢尔拒绝接受此类勋章，但卡尔在这方面却来者不拒，他毫不犹豫地接受了 1832 年格雷戈里十六教皇的绶带和新设立的圣格雷戈里勋章，而列昂内尔 3 年后接受了西班牙女王授予的伊莎贝拉勋章。海涅注意到，勋章最初是用来“赞美将犹太人和摩尔人赶出西班牙（的举动）”；而“巴黎的冯 · 夏洛克男爵（指詹姆斯）”被认为是“基督徒最伟大的男爵”多么具有讽刺意味。当然，授勋让许多基督徒评论员感到受到了羞辱，比如奥地利人巴龙 · 库贝克：

教皇接受了罗斯柴尔德家族的一个成员，上帝之子带着无比的宽容，授予了容许基督受死的那些人的后代圣格雷戈里勋章和绶带，而且只要求吻手而不是吻脚作为回报。但罗斯柴尔德却仍然拒绝成为一个基督徒。

在这方面，可能最难解释的一件事就是内森对这类荣誉价值的明显怀疑。比如，大量的信件似乎表明，他在 1815 年或 1816 年接到了一个授予爵士身份的邀请，但他却拒绝了。当有人试图告诉卡尔他的哥哥接受了授勋时，他拒绝相信，“因为你喜欢简单”。1816 年的授勋仪式明显地少了内森，而获得批准的盾徽上显示了 4 支箭，而不是 5 支。此外，与他的兄弟和长子不同的是，内森很少用“男爵”的称号或名字前缀“冯”。这是因为——如科尔蒂解释的那样，他不愿过于公开地与奥地利反对主义者联系在一起？马斯则认为，内森这么做有一个更为实用的解释：尽管他在 1818 年获得了佩戴盾徽的权利（因此加上了第五支箭），但是他在 1825 年申请进入皇家军事学院登记奥地利爵位时却遭到了拒绝——可能是因为他 8 年前才成为当地居民。但是也可能是因为，如阿姆谢尔认为的那样，内森“只是不想”被授勋。因此，内森在 1818 年试图拒绝普鲁士的一次授勋，他建议让萨洛蒙代替自己，因为“在伦敦这里，这个东西对我没有任何用处”，而“我的哥哥喜欢绶带，而且是一个准备在巴黎定居的男爵，在那里他可以用这些东西装扮自己”。詹姆斯一开始不愿称呼自己“冯 · 罗斯柴尔德”。“让我们保持商人本色吧。”他 1816 年敦促哥哥们，“拥有头衔却不利用它，真是非常好。”一位财政大臣生意上的乐观来信“比所有贵族的头衔都要有价值”。

但是，在詹姆斯对头衔的兴趣快速消退的同时，内森对贵族诱惑的蔑视仍在坚持着，甚至进一步加深了。当皮克勒王子 1827 年拜访英国的罗斯柴尔德家族时，他被安排观看了一出怪异的餐后表演，显然有些醉意的内森向他“展示了自己的奥地利领事制服，他说，那是他朋友梅特涅从维也纳寄给他的”：

> 他把它展示给我们看，甚至有些勉强地在穿衣镜前穿上了制服，然后走了几步。但是这场戏一拉开就不知道何时收场了，他让人拿来了其他华丽的宫廷服装，然后接连换了好几套，似乎他是在台上演戏一样……
>
> 看着这个一副严肃生意人模样的人，竭力地承受着一个奉承者的各种恭维，非常滑稽，他一点也不介意我们的大笑，而且满怀信心、面带笑容地向我们保证，罗斯柴尔德能够扮演任何角色，再来五六杯酒的话，他能够与宫廷里最好的人物媲美。

皮克勒明显有些五味杂陈的感觉显示，这显然是内森向贵族展示自己特性的一次表演。他可能偶尔愿意将自己端庄的装束换成旧秩序下的俗丽宫廷装，但他只把它们看做是化装舞会的表演服。从这方面讲，这种鲜活的景象——一个微醉的犹太银行家在一个穷困潦倒的王子面前戏耍哈布斯堡帝国的外交礼服——简短地概括了罗斯柴尔德家族与复辟王朝时期社会秩序之间的矛盾关系。

“良好的教育”

尽管几个年轻的罗斯柴尔德兄弟以“市侩”著称，但他们至少对我们现在所谓的“高度文化”表现出了一定的兴趣，所谓的高度文化，是对当时高速发展的“公共领域”的误称，当时音乐、戏剧、书籍以及绘画的生产和消费市场或多或少地有了一定的自由。罗斯柴尔德兄弟在这方面的兴趣是上述娱乐方式的必然结果：当时如果拥有一栋大房子，但不用画作和其他装饰物来点缀房间的话，是难以想象的。同时，为了能够与社会精英人士交流金钱和政治以外的话题，对他们最喜欢的画家、作曲家以及作家有一些基本了解是一个先决条件。但是忙碌的中年银行家（五兄弟除了詹姆斯以外，1820 年时都已超过了 40 岁）通常在艺术方面知识匮乏。诚然，他们继承了父亲对古董艺术品的鉴赏能力，对于送给亲近政治家的礼物，他们同样拿捏得十分准确。他们雇用知名的艺术家，如威廉 · 比奇、路易 · 埃米艾 · 格罗克洛德以及莫里茨·丹尼尔·奥本海姆替自己、妻子和孩子画肖像；在法兰克福和伦敦，他们定期在剧院里预订包厢。但是詹姆斯是第二代中唯一对文化显露出自己浓烈兴趣的家族成员。比如，他 20 多岁时读了席勒和歌德的作品，19 世纪 20 年代，他每月资助一个叫阿拉尔的艺术家 5 法郎，同时订阅了《戏剧快报》和《剧院日报》。他的哥哥们倾向于认为这些东西应该是他们的孩子欣赏的。

可能值得一提的是：如果罗斯柴尔德兄弟真的十分市侩，他们就不会让自己的孩子接受良好的教育。当然，内森希望他的儿子们“将自己的思想、灵魂、心脏和身体，所有的一切都放到生意上”，但尽管他说出了这样的言论，几个儿子也只有一个在完成教育后为公司工作了几年。内森和其他兄弟也承认，高等教育与成功的“生意学徒”之间可能存在冲突。卡尔对此曾有过明确的言论，当时萨洛蒙正在考虑他 15 岁儿子安塞尔姆的将来：“我建议你别让他学习的时间超过两年，这样他应该在 17 岁时参与到生意里来，否则他对生意就没那么深的感觉。”而后来迈耶——内森唯一上过英国大学的儿子的商业生涯，证明了卡尔这番话无比准确。不过，兄弟几个对于生意成功与尽可能好的中等教育之间的关系却没有一丁点怀疑。实际上，他们认为后者是前者的必要条件。此外，第三代罗斯柴尔德男性放弃学业进入“账房”前，所经历的实习期要比卡尔建议的要长得多。从安塞尔姆的名字第一次出现在商业信函上的时间来看，他真正参与公司运转业务已经 23 岁（尽管他在之前一年就被接受为公司的合伙人，而且可能为他父亲做了一些日常的工作，不过没有记录在案）。列昂内尔第一次书写和接到商业信函时为 20 岁；安东尼和纳特为 18 岁，迈耶则是 21 岁。卡尔的儿子在 20 岁前，没有一个参与过公司的具体业务，实际上，虔诚的威廉·卡尔直到 24 岁才被认为在没有监督的情况下，也能胜任自己的工作。詹姆斯的儿子阿方斯和居斯塔夫开始写商业信函时已经 19 岁。鉴于他们的父母认为最好的学徒经验来自于动手做事，因此第三代无疑在自己的名字出现在商业信函上之前，经历了长时间的实习。

无论如何，老一辈的罗斯柴尔德成员并不想把自己苦涩的童年强加给自己的后代。安塞尔姆的母亲对她 11 岁的儿子漂亮的笔迹感到无比自豪，不仅仅是因为这能使他在未来的生意中获益，她心底深处更希望他和他的姐姐能够为自己的将来接受“优良的教育”。当时教育理念对她的影响，在 1820 年她写给丈夫的信件中显露无遗（随信还附了一封他们十几岁儿子写的信）：“他一点都不像我，这个好孩子，让我尤为开心，你知道，亲爱的丈夫，我的目标一直是我们的孩子不应该向我们隐藏他们内心深处的感觉，而我——更应该是我们——已经做到了这点。”

内森则以更实在的行动迁就孩子们。忙完工作后，他会和他们一起玩，让他们

(据一个朋友回忆)“骑在他的后背上玩”。事实上，他有一次玩“骑马”游戏玩得太厉害，结果弄得肩膀脱臼。他给孩子们买了一架迷你马车，用4头白羊拖着，在斯坦福山的花园里跑着玩。威廉·阿姆菲尔德·霍布迪于1821年为内森一家所作的画显示，他们一家相处得其乐融融：左边，3岁的迈耶试图从父亲的手里拽一封信；汉娜·迈耶的软帽掉在夏洛特的脚边；年长一点的男孩子试图安抚家里的宠物狗，它正在咬列昂内尔的帽子。男主人脸上淡淡的笑容也不足为奇，他翘着腿，斜靠在椅子上。内森也继续迁就甚至溺爱他们，直至他们长大成人。17岁时，汉娜·迈耶尽情享受着在布赖顿的生活，第一次有了自己的肖像画。而托马斯·福韦尔·巴克斯顿第二年遇到安东尼时，后者已经是“一个经验丰富的猎手；他的父亲允许他购买任何他喜欢的马匹。他后来向摩洛哥国王寻求一匹一流的阿拉伯马。国王送给了他一匹极出色的马，但它却在抵达英国时死了。安东尼伤心地说，‘那是他遭受的最不幸的经历’”。

在《科宁斯比》一书中，迪斯雷利将年轻的西多尼亚刻画成了现代教育的楷模：

> 尽管被大学和学校拒之门外——那些大学和学校曾惠及他祖先的古代哲学知识和事业，但年轻的西多尼亚很幸运，遇到了一个好的家庭教师……他几乎天生就具备了解读数学最深奥秘的能力……周遭的环境很早就造就了他不寻常的语言能力……西多尼亚19岁时……已经完全掌握了欧洲的主要语言……他17岁就开始了自己的旅行。他在德国停留了一段时间，然后去了意大利，在那不勒斯定居……

这与列昂内尔和他的兄弟们接受的教育没有多大的出入。蒙蒂菲奥里家族的一个成员回忆了1815年列昂内尔和安东尼从他们的第一个教师身边被带走的情形；“一个戴着波兰高帽的波兰人经常在教室里四处巡视，高筒靴插着一根教鞭。”他们的父母和一些朋友“找到了加西亚在佩卡姆建立的一所更合适的学校，列昂内尔和安东尼就是要送到那里去；加西亚之前是巴罗和卢萨达会计事务所的簿记员。”受欢迎的课程实际上很现代，并非古典，这种倾向在1827年现代巡回欧洲教育旅行风潮到来时依然存在。年龄分别是19岁和17岁的两个男孩被送往德国，而不是古典主义者喜欢的目的地意大利，他们与自己的家庭教师约翰·达比一起，从法兰克福穿越了萨克森的主要城镇，然后前往布拉格和维也纳，返回时经过了巴登和斯特拉斯堡。(普鲁士显然被有意地绕开了，尽管他们似乎去了汉诺威参观戈丁根大学。)这次旅行的目标很明显：对德国文化有透彻的了解。除了参观大量的美术馆和其他地方，兄弟两个还恭敬地拜访了年老的歌德。

也是在这次旅行之后，列昂内尔和安东尼被期望将自己的心思转到生意上：1829 年 1 月，法兰克福分行的一位簿记员接到了一项任务——将安东尼的计算能力提高到一个银行家的水平。“我不停地教他解决各种算术难题。”新的家庭教师向内森汇报说，“我很高兴地发现，他很聪明，一学就会，而且能够运用我教他的东西。在适当的时候，我会系统地教他数学的知识，我会同时继续向他解释汇兑的套汇和会计部门的所有周转业务。”

内森的儿子前往法兰克福的旅程，显然在某种程度上引发了英国—德国父母之间的“竞争”。1831 年，夏洛特写信给他母亲汉娜，敦促她让“（迈耶）尽可能用德语写信，如果写不了，让他尽自己所能用英语给萨（洛蒙）· 冯 · 罗（斯柴尔德）先生写信。查尔斯叔叔（卡尔）的孩子（迈耶 · 卡尔与威廉 · 卡尔）的信写得很好，肯定会拿来比较的。”

4 年后，轮到了英国的迈耶访问德国；但这次与他两个哥哥的德国之行相比，学术味道更浓。在他的家庭教师施莱默博士陪同下，他在前往海德堡之前，在莱比锡大学学习了几个月。在这方面，他跟随的是安塞尔姆的步伐，安塞尔姆是第一个上大学的罗斯柴尔德家族成员，他在柏林上学时，对科学表现出了浓厚的兴趣。他随后返回了英国，在那里他也成为在剑桥大学读书的罗斯柴尔德家族成员中的第一人，开始在麦格达伦学院，当学院严格要求他参加礼拜时（现在仍然是对本科生的一个正式要求），他转到了更大而且更为宽松的三一学院。（牛津大学被家族排除在外，是因为它的入学考试需要测试英国圣公会的《三十九条信纲》；而在剑桥，非国教信徒以及犹太人也可以成为学校的一员，尽管他们不能够获得学位、奖学金和研究员身份。）

卡尔自然也不甘落后，他将儿子迈耶 · 卡尔送去了哥廷根学习法律，随后又去了柏林。在柏林，迈耶 · 卡尔参加了德国法律学界顶尖人物弗里德里希 · 卡尔 · 冯 · 萨维尼以及著名历史学家利奥波德 · 冯 · 兰克所做的讲座。他的弟弟威廉 · 卡尔则接受了非同寻常的严格中等教育：15 岁的他学习了 20 个不同的学科，包括 5 种语言、5 种科学；家庭教师是一个团队，由法国生理学家昂里 · 布隆瓦莱率领。他飞速地转向正统犹太教，部分原因可能就是为了逃避这种新式的填鸭式教育。詹姆斯的儿子没有经过特别精心安排的教育。阿方斯在波旁学院（后来的孔多塞高中）学习，同时为获得了法国中学结业证书，他还接受了家庭教师德西雷 · 尼扎尔的辅导。不仅仅是罗斯柴尔德家族的男孩子们享受到了优良教育的好处。尽管卡尔的女儿夏洛特接受过正式教育的经历并不为人所知，但她可能是第三代当中最出色的一个；她也热爱文学，这可以从她优雅的英文书信以及大量的德文日记中看出。

如果这一切的目标是培养高级知识分子，我们不得不说它完全失败了：除了夏洛特，罗斯柴尔德的第三代没有一个能算得上具备学者思想的。但是它的目标其实是培养有知识的下一代，使其比父辈更容易跻身欧洲精英阶层——同时继续保持从事银行生意的热情。在这些方面，罗斯柴尔德第三代的教育是成功的。迈耶·阿姆谢尔的孙辈讲的不再是生硬的犹太街式的德语。卡斯特兰不喜欢贝蒂的德国口音，而不是犹太口音；也没人发现内森的儿子在讲英语时有什么不一样的地方。年青一代的罗斯柴尔德人也不再像他们的父辈一样，一成不变地用希伯来字母写信：尽管萨洛蒙和卡尔的儿子们仍然这样做着，英国和法国的第三代罗斯柴尔德成员却没有这样做（尽管他们能够不费力地阅读犹太德语）。实际上，从19世纪20年代起，5个分行的业务运作时使用了多种语言，每个合伙人倾向于用自己的第一语言写信，偶尔会嵌入工作所在地或所到地方的语言。从各方面来说，正如他们的信件所示，第三代人在书写英语、德语和法语方面与同时代的贵族一样好，有时甚至还要好。此外，他们文化品位方面严格地因袭传统，说明了家庭教师的工作做得很好。他们喜欢史考特的小说、迈尔贝尔的歌剧、穆里洛的画作、玛丽·安托瓦妮特的家具。男孩子们还养成了社会精英的爱好和恶习——骑马、猎杀狐狸和牡鹿、赌马以及吸食雪茄、喝名酒以及追逐不适当的女性。他们甚至为彼此起了昵称：列昂内尔叫“拉布”、安东尼为“比利”或“胖比尔”，而迈耶叫“墨菲”或“塔普”。法兰克福犹太聚居区的所有外在迹象都已经消失殆尽，除了相貌——而且即便在这方面，也鲜有家族成员能够与讽刺漫画家笔下的人物能够有重合的地方，詹姆斯一家更是如此。他和他的哥哥们发现，成为男爵、勋章获得者、房产所有人以及社交活动的主人非常容易。现在，他们使得第三代罗斯柴尔德人寻求让一个更难得的东西变为可能：绅士。

现在，欧洲各国必须采取某些伟大而且具有决定性的措施，否则王国和它们的臣民很快就会再次陷入比法国革命以及拿破仑的影响更糟糕的混乱状况。思想的改变无比迅速，以至于社会的旧秩序已经难以维系。艺术和科学领域的现代化非同寻常，如果我没估计错的话，它将会改变世界范围内的社会体系，这将给大部分人带来益处；但也会让所有已有的财富，比如金钱变得毫无用处。因此，必须做好准备，在不失去目前社会体系中金钱优势的同时，也要确保革命突然在全欧洲爆发的情况下，也能获得类似的优势。

罗伯特·欧文　1828 年 7 月
致汉娜·罗斯柴尔德

第八章

突然的革命
（1830~1833 年）

THE HOUSE OF
ROTHSCHILD

1830年7月，法国国王查理十世被议会以及巴黎的暴力活动合力推翻。在政治连锁反应的过程中，类似的政权改变在布鲁塞尔、华沙、摩德纳和博洛尼亚等地相继发生或出现了“苗头”（伴随着不同程度的暴力活动）。德国的许多公国同样出现了这样的情形，最有名的如不伦瑞克、黑森-卡塞尔和萨克森，葡萄牙也是如此。在比利时、意大利和波兰，革命者关心的都是摆脱外国力量的统治以及寻求宪章改革。在其他地方，宪章改革的进行并未要求废除君主制。这不仅仅发生在英格兰、苏格兰以及爱尔兰，在汉诺威也是如此，那里君主的改变仅仅是因为乔治四世在1830年6月突然去世。在巴登、符腾堡和巴伐利亚，统治者与自由派达成妥协时觉得颇不自在。政治动荡在1832年并未结束，此时，波兰以及意大利的暴乱已经被镇压，比利时脱离荷兰独立。对于新政治是否可以加强稳定性的疑问一直持续到19世纪30年代中后期。

罗斯柴尔德家族能够度过这些政治动荡的时期，让许多观察家从中得出结论，称就如拜伦以及其他人之前怀疑的那样，他们的地位甚至高于那些向他们借钱的国王。1931年11月，在路德维希·博恩从巴黎发出的第十份公报中，明确地“将罗斯柴尔德与国王等同起来”：

> 那肯定不会激怒他，即便他不希望跻身于那些帝王的行列中，他也应该非常清楚，一个国王在今天的巴黎是何等的不值钱。但他却是所有国债的大操盘手，他给了国王们阻挠自由的力量，并剥夺了人们抵制暴力的勇气。罗斯柴尔德是可怕的大主教，在他的祭坛上，自由、爱国主义、荣誉和所有的公民道德全部成为祭品。罗斯柴尔德能够在一个小时内抛掉所有的证券，从而让市场跌

入无底深渊。

博恩在1832年1月的公报中，嘲讽了法国新国王路易·菲利普：

> 如果他在一年后仍然是国王的话，他就能给自己加冕了；不是在兰斯的圣雷米教堂，而是在巴黎交易所的圣母院，罗斯柴尔德将担任典礼的大主教。加冕结束后，会照例放飞鸽子，其中一只……将飞去圣赫勒拿，停在拿破仑的坟墓上，然后嘲讽地对他的遗骸说，它们看到他的继承人昨天加冕，但不是由教皇施以“涂油礼”，而是一个犹太人；而且，现在的法国统治者已经获得了一个名号，“5%为帝王，3%为国王，其余为银行家与交易商的保护人”。

可以确定的是，在两封信中，博恩继续着此前有关罗斯柴尔德家族的“老腔调”，即他们是这些反动活动的幕后支持者：

> 这些罗斯柴尔德人玩的一直是同样的游戏，目的就是为了捞取财富……金融家是国家最大的敌人。他们比任何人给自由根基带来的破坏都大；毫无疑问的是，如果罗斯柴尔德没有给那些独裁者提供资金支持，那么大多数欧洲民众此时已经享受到了完全的自由。

但是这个观点很难站住脚，罗斯柴尔德家族很快就向路易·菲利普的政权提供了支持，而这个政权很明显是一个自由革命的产物，即便他对于博恩来说还没有那么自由。此外，罗斯柴尔德家族，如博恩所说，还借钱帮助希腊成为一个独立的王朝，这也是19世纪20年代的另一个自由目标。实际上，他们甚至对选择哪个王子成为新的希腊国王都施以影响。（“冯·罗斯柴尔德先生发现，除了荷兰的弗雷德里克王子之外，欧洲所有的王子都在他的债务名单里，他由此得出结论认为，从没向他借过钱的王子是最佳人选。”）因此，更为合理的说法应该是，罗斯柴尔德家族已开始控制而不仅仅是支持欧洲的君主们：

> 如果王冠戴在他们（罗斯柴尔德家族）的头上，而不是像现在这样躺在他们的脚下，不是一件好事吗？尽管罗斯柴尔德家族目前并没有攫取王冠，但当一个王座无人时，他们就会全方位地提供建议，推选新的国王……如果所有的国王全部退位，让罗斯柴尔德家族取而代之，不是一件好事吗？想想这其中的好处。这个新王朝绝对不需要从外面贷款，因为他们比任何人都清楚如何处理这些事情，仅在这一个方面，他们每年就能减轻数百万的重担。

出生在法兰克福犹太街的博恩，不仅皈依了基督教，而且还成为一名德国民族主义者，他不欣赏罗斯柴尔德家族有非常复杂的个人原因。为寻求罗斯柴尔德家族在革命时期所获评价的细微差别，我们需要“认识”一下博恩的朋友——诗人和记者海因里希·海涅。1830年前，海涅对罗斯柴尔德家族的想法与其他自由主义倾向的作家相差不大。在他的《旅行素描》一文中，海涅写道，“罗斯柴尔德一世”与威灵顿、梅特涅以及教皇联手组成了反对自由的一堵墙”。但是，即便在这个时期，海涅也已经意识到罗斯柴尔德家族与现存君主之间模棱两可的关系。在《卢卡浴场》一文中，费加罗犹太人赫希-亚森特回忆他给内森·罗斯柴尔德修趾甲的经历：

> 这发生在他的内室里，他当时坐在一把绿色的扶手椅上，好像那是他的王座一样。他说话的感觉就像是个国王，周边全是大臣；他不停地差遣他们，向世界各地的国王递送信息；当我修他的趾甲时，我暗想：你应该知道，握在你手里的脚，它的主人手里握着整个世界。现在你也有那么一点成就感了：如果你剪得深一些，他就会勃然大怒，然后就会迁怒于国王们，更狠地对付他们。那是我一生中最伟大的时刻。

在海涅看来，内森已经有权力“修理”向他借钱的那些国王了。但是他笔下的罗斯柴尔德家族并未忽视自己卑微的犹太身份。内森在伦敦的银行是一个富丽堂皇的“当铺”，而且当赫希-亚森特以前彩票售卖员的身份被介绍给萨洛蒙认识时，他邀请萨洛蒙与他共进晚餐：“我现在认为自己有点像罗斯柴尔德家庭处理彩票业务的首席代理人。”“他招待了我，”赫希-亚森特说，“就像我跟他一样，也是个百万富翁。”“Gamz Famillionar”这个用意颇深的新造词暗示了海涅后来重拾的一个想法：即，尽管罗斯柴尔德家族拥有庞大的财富，但他们远不是传统社会等级制的简单道具。

同样的观点也存在于令人难忘的寓言里，在其中，赫希-亚森特描述了萨洛蒙举办的儿童化装舞会：

> 孩子们穿着可爱的服装，玩起了贷款游戏。他们穿得像一个个国王，头上戴着王冠，其中一个年纪稍大的孩子打扮得与老内森·罗斯柴尔德几乎一模一样。他将自己的角色演得惟妙惟肖，两只手插在裤子口袋里，拨弄着口袋里的钱，当一群小国王围着他，希望从他那里借钱时，他生气地摇着头——只有一个穿着白色上衣和红色裤子（奥地利）的小男孩，得到了他的赏识；他在小男孩的脸颊上友善地拍了一下，并赞赏地说：“你是我的男孩，我的宠物，我为你骄傲；但是你的表兄米歇尔（可能是指德国）最好离我远点，我不会给他那样

的傻瓜一分钱，他居然想在一天内得到比他一年收入还多的钱，他会在世界范围内制造一些麻烦，这将破坏我的生意。”这个男孩演得太好了，尤其是他帮助一个穿着白色绸缎衣服、戴着银质百合花（法国）的胖男孩走路，并对他说：“现在，你做你自己，诚实地生活，一定别让他们再次把你赶走，否则我就会亏钱了。”我可以向你保证，先生，听那个男孩说话是种享受；其他孩子也一样，他们都是可爱的孩子，将自己的角色演绎得非常好，直到蛋糕拿进来后，他们蜂拥而上，争抢最好的部分，结果把别人的王冠都扯坏了……

再一次，海涅笔下的内森蔑视那些向他借钱的统治者，这表明：他（内森）才是他们的主人。在一篇没有出版的文章里，海涅清楚地表明，他对“愚蠢的王子”同样抱有蔑视，“但是在内森·罗斯柴尔德面前，我害怕得会发抖。在你还没反应过来时，他就已经派了一些国王、股票交易员和警察来到我的房间，然后把我带去阴森的堡垒监狱”。

《卢卡浴场》未出版的一段文章中，海涅试图更精确地分析罗斯柴尔德家族力量的本质。他承认，短期内这种权势充当了支持反动政权的角色：

近来，我思考政治经济时，越来越清晰地意识到，没有罗斯柴尔德家族的帮助，大多数国家的财政困境已然被颠覆份子利用，他们试图误导人们推翻目前不管是有序还是无序的社会体制。革命通常由金钱匮乏引发，通过阻止这样的匮乏现象发生，罗斯柴尔德银行体系可能将维持欧洲和平。这种体系，或者说是它的创始人内森·罗斯柴尔德现在仍然为这种和平提供坚实的根基：它不再像以前那样能阻止一个国家对另一个国家开战，但它确实可以使人们推翻现有政权变得十分困难……各个政府仅凭宗教信仰难以让人保持和平状态，但罗斯柴尔德的贷款体系在这方面的表现要好得多。

但是，罗斯柴尔德“体系”自身也蕴含了革命的迹象：

它拥有宗教所缺失的道德力量，能够充当宗教的替代品——实际上，它是一种新宗教，老宗教的最终失败将使它提供“礼拜”仪式的替代物。十分奇怪的是，又是犹太人发明了这种新宗教……被谋杀的朱迪亚(古巴勒斯坦的南部地区,曾受罗马帝国统治)与垂死的内萨斯(半人半马怪物)一样狡猾，用它自己有毒的袍子——用它自己的血作为毒药——夺去了罗马大力神的力量，他巨大的臂膀变得软弱无力，盔甲从干瘪的身体上一片片落下，他曾经响彻战场的声音变成了痛苦的呻吟。这种钻心的折磨一直持续了1 000年，罗马最终死于犹太人的毒药。

当然，这段夸张的文字透露了海涅自己对于犹太教模棱两可的态度（与博恩一样，他也皈依了基督教）；这也预示了他后来会有更为清晰的观点，他在《路德维希 · 博恩备忘录》（1840 年）一文中，将罗斯柴尔德家族看成是革命者，而不是反对革命的人。

这篇文章可能是当时最为敏锐的观察，海涅给读者展现了一个让人难忘的悖论：

> 在推动革命方面，没人比罗斯柴尔德家族的贡献更大……而且，尽管它听起来更加奇怪，这些罗斯柴尔德人、国王的银行家、王室财富的保管人，可能因为欧洲国家体系的崩溃而把自己逼到悬崖边，不过，他们头脑中仍旧对革命的使命保持着清醒的意识。

他认为，詹姆斯是“金融界的尼禄”，“像一个至高无上的帝王一样统治着全世界的股票交易所”，但是，与他的前辈、罗马人尼禄一样，他“最终是一个贵族权威的破坏者，以及新民主的奠基人”。

以下的解释可能基于海涅与詹姆斯真正进行的一次对话——两人“手挽手在巴黎的大街上游荡”——尽管海涅可能借别人之口说出了自己想表达的话，但与他之前的异想天开相比，我们应该认真考虑一下他所说的话了。按照海涅自己的说法，詹姆斯向他解释了“他自己如何通过他的政府债券体系，为社会进步以及新秩序根基的建立创造首要条件”。正是因为以公债和其他政府债券形式存在的流动资产的发展将财富和土地联系到了一起，进而使得资产阶级能够聚积到巴黎。“如此多样化的力量聚集在一起，还有如此集中化的知识分子和社会当局，这两方面的重要性长久以来一直被认为具有十分重要的意义。因为，没有巴黎，法国绝不会爆发革命……通过公债体系，巴黎更迅速地成为法国的重要城市。”这促使海涅走得更远：

> 我认为罗斯柴尔德是伟大的革命者之一，他们奠定了现代民主的基石。黎塞留、罗伯斯庇尔和罗斯柴尔德对我来说是三个暴力性的名字，他们预示着旧时代贵族的消亡。黎塞留、罗伯斯庇尔和罗斯柴尔德是欧洲三个最可怕的平均主义者。黎塞留破坏了封建贵族的统治，使其归顺于王权的专制，封建贵族要么被贬为宫廷里的官宦，要么在各省像普通人那样慢慢消亡。罗伯斯庇尔继而宣告了这种压迫人的懒散贵族阶层的灭亡，但是土地保留了下来，它的新主人、新的土地拥有者，很快成为另一种贵族，与之前的贵族相差无几，他们的权势以另一个名义得到了保留。此时，罗斯柴尔德家族的出现破坏了土地的主导性，

通过向大国提供国债系统，使得财产和收入更具流动化，同时使得金钱比土地拥有更为优先的特权。他为此建立了一个全新的贵族阶层，但这种新贵族，由于其建立在一个极不可靠的元素（即金钱）之上，难以像根植于土地的旧贵族一样，能够持久地维持自己的角色。因为金钱比水更具流动性，比空气更难捉摸，考虑到它朝生暮死的特性，人们能够原谅新贵族的鲁莽，转瞬间，它就会消融和蒸发。

海涅在 19 世纪 40 年代一次次回归到罗斯柴尔德权势的主题上。他于 1840~1841 年间在报纸上发表的文章后来结集出版，这便是《卢苔齐亚》，他在其中讽刺了詹姆斯的健康或情绪状态与公债价格之间的联系，并说出了一句著名的话："金钱是我们时代的上帝，而罗斯柴尔德则是上帝的导师。"罗斯柴尔德家族也在《罗曼采罗》、《德国——一个冬天的童话》等诗集中出现。但是他的笔触再没有"路德维希 · 博恩"一文中那么锐利——部分原因可能是，1840 年后，他与罗斯柴尔德家族的私人和金融关系变得有些紧密。我们在后面的章节将会看到，判定罗斯柴尔德家族在支持社会革命以及反对社会革命两方面扮演了同等角色，海涅的这个观点当时非常罕见，即便罗斯柴尔德家族的革命角色并非他所认为的那样自觉。不过，即便在罗斯柴尔德家族集革命性和反革命性于一身的问题上，没人比海涅观察得更透彻锐利，但他并非是提出这一观点的唯一观察家。一个不出名的作家也宣称，"罗斯柴尔德兄弟成为新宗教的导师"，是新"金钱贵族"的奠基人。波旁王朝倒台后，在威尼斯声名鹊起的保守派代表夏多布里昂诙谐地评价说："国王们成为了罗斯柴尔德男爵萨洛蒙的侍从。"

革命与法国公债

人们很容易发现未能预见革命的历史人物身上的缺陷。但是革命并不是可预测力量的必然产物（1989 年东欧事件便是很好的例证），大多数历史学家可能更喜欢事后发现其中的原委。查理十世于 1824 年即位和 3 年后维莱勒政府在公债转换失败后倒台不应该被看做是法国危机的征兆。马蒂尼亚克子爵 1828 年 1 月组成的政府，似乎成功地驾驭了议会里的自由派力量以及王室的保守势力。当内森的女儿夏洛特于 1829 年在巴黎时，她发现詹姆斯举办了"一次晚宴舞会，邀请了自由派人士以及多位大臣，因为与各派保持友好关系是最好的策略"。尽管 4 月的议会会议如夏洛特警告的那样，是一场"风暴"，但詹姆斯仍旧保持着乐观情绪。尽管股市处于停滞不前的时期，以及因收成不好引发"面包"暴动，但作为金融信心的重要晴雨表——公债（价格坚挺），这表明法国政权仍然十分稳固。1829 年 5 月，票面利率为 3% 的公债就维持在76.6点，一年后攀升到了84点，同年12月达到86点的高峰。即便马蒂尼亚克政府解散，并由极端保守的朱勒·德·波利尼亚克于1829年8月9日取而代之，也没有明显地引发危机。实际上，新政府成立时，公债价格仍在上升，一直到1830年5月才出现一点儿回落的迹象。

在这些情况下，詹姆斯不可能鲁莽地在1830年初以高价参与一笔政府贷款的激烈竞争，这笔数目不大的贷款用来资助法国军队在阿尔及利亚的冒险行动。他发现，巴黎媒体反对政府的腔调与金融稳定的实际情况之间存在着矛盾："一方面，整个世界叫嚷着政府正在为法国带来一场革命；另一方面，所有的财团却又在一笔400万法郎的公债交易上争得不可开交。"当议会于3月召开会议时，政府可能会面临"一些非常严峻的局面"，但是股市仍然表现得"非常好"。作为一名银行家，詹姆斯自然地按照市场的判断投入自己的资金。当宪章危机的恐慌心态在股市里表现出来时，他开始参与新的贷款业务，并且为法国政权提供帮助。

1830年的危机提供了一个非常经典的案例，即银行家（和投资者）一直都面临着一个困境：他们必须做出抉择，要么以蒙受损失的方式抛出价格下跌的证券，要么一直持有证券等待价格回涨——但是也面临着进一步下跌的危险。与科尔蒂的看法相反的是，詹姆斯对于即将到来的危机并不是一无所知，他早在2月份就收到了非常明确的警告，当时法国财政大臣向他透露了另一个转换公债（票面利率）的计划。当詹姆斯质疑这些措施是否能够在议会里获得通过时，他得到了非常肯定的回答："如果……议会完全站到了政府的对立面，那么他们就将解散议会，然后通过一项法案进行新的大选，组成一个新的议会。"但是詹姆斯仍旧犹豫不决：

> 你非常清楚，亲爱的内森，议员们和大臣们有共通的地方。当机遇来临时，国王是否有勇气来实施上述计划，议会是否允许这种情形发生，我真不知道。这真是一个艰难的处境……如果我能够将自己解脱出来，我很乐意这么做，因为我一点也不喜欢目前的形势——一位（财政）大臣挑战所有公众。

但詹姆斯并没有"解救"他自己，相反却选择了坚持到底的策略，而且内森也鼓励他这样做，他建议詹姆斯不要"为了一点点利润"抛出公债（言下之意是继续持有，等待更好的价格）。詹姆斯在这个问题上犯错，部分原因是过于信任波利尼亚克的保证。"这里只有一件事能够完成，"他在3月初议会召集前告诉内森，"那就是现在保持平静作壁上观，因为魔鬼还没有他（波利尼亚克）看起来那么黑。"在这样的判断基础上，内森愉快地向查尔斯·格雷维尔保证，"波利尼亚克的政府将在国王的支持，以及他自己的决心支撑下，坚持不倒。"问题是他和他弟弟此时持有一大笔

4%利率的公债——面值约为2 500万法郎（100万英镑）——他们计划慢慢地卖给交易商和投资者，获取利润。如果他们在4%利率公债的价格稍稍低于他们进价时就开始加速抛出，价格非常有可能进一步下跌。詹姆斯称波利尼亚克为魔鬼并不让人感到吃惊：两人刚刚签署了一项“浮士德式”的契约（意指出卖灵魂）。

当议会召开期间，这一切开始变得折磨人了。詹姆斯立刻发现：“国王将被迫在议会和政府之间做出抉择。”但是，他推断说，“我不想做任何事，因为只要我保持坚定的态度，人们就不会有勇气压低公债的价格，因此我能够冲出风暴”。议会以221 ∶ 118的表决结果，向国王递交了一份声明，称“政府的政治观点和人民愿望一致，一切将不复存在，”因此（正如詹姆斯被警告可能出现的情形那样）国王解散了议会，要求进行新的选举。但是，詹姆斯并没有抛出公债，相反，他发现自己不得不再次买进，以支撑市场以及他的“魔鬼”朋友：

> 波利尼亚克向我承诺，他不会发动武力政变，这就是说，他不会采取任何违法的行动，仍和他的大臣们一起保持对国王的忠心，因此我又买进了10万法郎的公债（面值为330万法郎），我告诉过他，“只要你遵守法律，我向你保证（公债的）价格将会上升。”我实现了我的承诺，（3%利率）的公债现在维持在82.40点，开市时为81.40点……由于我们解散了议会，政府可能任命一些新的大臣，事情也将会迎刃而解。如果我们能够在3个月内实现这一点，那么一切都会随之解决。

詹姆斯认为可以在一段时间内避免金融崩溃的情形出现，他是对的，尽管这段时间不是3个月：实际上，3%利率的公债价格坚挺，一直到5月3日，价格仍然维持在84点以上。但是，他并没有处在一个“安全”的位置上，既可以支撑市场，又可以抛出数量可观的公债（尽管他确实在“没人听到我卖出公债的风声”的情况下卖出了一些）。这意味着当市场在新议会组成前便开始下滑时，罗斯柴尔德兄弟仍然持有2 500万法郎4%利率的公债，150万法郎5%利率的公债以及450万3%利率的公债。购买5%和4.5%利率的公债成本分别是106.25点和83.70点。从5月份开始，这些投资的损失开始累加。但无论是詹姆斯还是内森都无法以抛售的方式处理掉它们。詹姆斯仍然心存一线希望，不愿面对政治形势将持续恶化的局面。与此同时，政府对他也抱有极大希望：“如果你未能阻止（公债）价格的下跌，”一个大臣对他说，“所有人都会认为一场政变将会发生，就像你现在担心的那样。”而且实际上，公债的价格在6月10日和12日确实出现了轻微回调的情况。但事实是，罗斯柴尔德家族对于市场的影响力局限之处已经显露。

法国政府远征阿尔及利亚成功的消息——7月第一周就传到了巴黎——完全被选举的结果冲淡，这次选举反对派大获全胜。此时，唯一的希望——急忙冲到巴黎以提供支持的萨洛蒙说，国王能够与议会妥协，解散波利尼亚克政府。但是，詹姆斯意识到，这根本不可能：

维特罗勒（波利尼亚克政府的一个大臣）刚抵达，他说接下来的一个月里，国王将采取坚决的措施来应对议会继续维持的结果……但在站在反对派一边的代表比支持政府的代表要多100人。那么，议会在这种情况下能做些什么？为什么不像英国那样，如果一个政府得不到议会大多数的支持，就自行辞职？但是这里国王却宣称："我将全力支持我的政府。"能做些什么呢？相信我，亲爱的内森，我……失去了勇气。

12天后，他的勇气完全丧失，丝毫不剩："全世界都在抛售公债……所有的大臣也是如此，包括财政大臣。内务大臣告诉我：'罗斯柴尔德，小心点。'我亲爱的内森，你是一个老兵。请诚实地告诉我，你对最终可能发生的事情也感到害怕吗？"

内森甚至没来得及回答，最终的结果就来了。7月26日，查理十世引用了1814年宪法第14章赋予他的特权，颁布了3项法令：终结媒体自由，解散议会以及改革选举制度。其目标是让新选举出来的议会更容易服从他的意志。实际上，这3项法令中的第一项引发了革命：当时议会代表还没有抵达巴黎，但是自由派记者，如《国民报》的阿道夫·梯也尔立刻驳斥了政府的阴谋。当政府试图查封3家主要的反对派报纸时，人们走上街头。内森的大儿子列昂内尔此时刚好抵达巴黎，目睹了之后发生的混乱，他的信非常准确地捕捉到了当时存在的不确定性：

某一时刻，某一个人认为自己身处目睹革命爆发的前夕，但下一分钟，一切却又恢复正常……今天，所有的报社被士兵和武装人员包围，他们拿走了所有的报纸，将编辑抓进警察局，在任何一个自由的国家，仅凭这一点就足以制造动乱了：街上的店铺当然全部关门歇业。皇宫酒店有一个人在卖报纸，但他立刻遭到逮捕，一些男孩子以及普通市民承担起了他的角色，但几分钟内，一切又恢复了平静。皇宫酒店和所有店铺的门全部关闭，这种情形在这里并不算什么，但如果在伦敦，那可是大新闻了，所有大臣的房子前也有武装人员。所有这一切让人们议论纷纷，但最终并没有什么非常不好的事发生……今天将举行全体议会成员会议，他们将要采取什么样的行动现在不得而知，但有报道说，他们将宣布自己是人民唯一的、真实的代表，没有他们的核准，任何事都是不合法的，也就是说1月1日之后，大臣们所做的一切都是非法的。人们不需要缴税……这是反对派的观点，他们认为我们将再次看到非常严峻的形势，但是在另一个阵营、政府派的人完全掌握了军队，他们认为凭借武装力量能够做任何事情。爸爸，国王很快将面临危险。

但是，等到他确实看到危险时，已经为时已晚。两天激烈的战斗夺去了800名示威者以及200名士兵的生命，忠诚于查理十世的军队被赶出了巴黎。温和的自由派人士，诸如银行家雅克·拉斐特和卡西米尔·佩里埃的调停突然变得多余，国王撤回3项法令的声明显然也姗姗来迟。由于首都处在了无政府状态的边缘，类似于18世纪90年代的新机构匆忙成立：一个市政委员会合一支由共和党老兵拉斐特率领的国民自卫军。萨洛蒙于1830年7月不安地向梅特涅报告说："三色旗飘扬在所有公共建筑物的上空。"列昂内尔描述了一个欢欣鼓舞的动荡巴黎：

街上挤满了人，他们笑声不断，似乎刚从舞会上归来一般，国民自卫军和皇家军队的士兵在广场和开阔场地放下了武器，然后列队离开，他们受到了人们欢迎，每个角落都布满了三色旗，每个人都戴了一个红色、蓝色和白色的帽章。在林荫大道和其他街道，每一百码就有一棵大树被砍倒在人行道上，破烂的门窗也堆在街上，这阻隔了行人，这些路障不仅仅存在于主要的街道上，在小街上也比比皆是，因此士兵和炮兵哪儿也去不了。

因此，历史学家儒勒·米什莱偶然瞥到坐在马车里的詹姆斯满脸愁容就合情合理了，詹姆斯将他的债券埋在萨洛蒙位于叙雷讷房子里也不足为奇。

但是詹姆斯熬过了这段艰难的日子。对于这点，传统的解释认为他是一个精明的变节者，他没有为失势的政权提供任何重要的帮助，对于查理十世借钱的请求，他一概予以拒绝。实际上，他的侄子对于查理王朝的倒台感到十分高兴："法国的这个星期无比光辉，这个人做事的方式将受到所有人的敬佩，将使得他们得到重视……这对于其他政府是一个很好的教训。"当波利尼亚克在同年晚些时候受审时，詹姆斯一点都不伤心："我可以向你保证，在我看来，尽管波利尼亚克为我们做了很多事，但他同样应该得到谴责。"詹姆斯同时迅速表明了支持新政权的立场，炫耀性地捐赠了1.5万法郎，用以救治在"巷战"中受伤的人。而且，不仅安塞尔姆为国民自卫军（罗斯柴尔德家族鼎力支持的中产阶级防卫力量）做了一些事，詹姆斯甚至给自己3岁大的儿子阿方斯穿上了迷你国民自卫军的军服。自由党人将中将职位以及后来的王座授予奥尔良公爵的决定，对詹姆斯来说无疑是天大的利好消息：我们已经知道，罗斯柴尔德家族与新国王在19世纪20年代就已经是“好朋友”了。在罗斯柴尔德家族看来，君主立宪制比专制政权更好，比共和制则要好得多：萨洛蒙看完路易·菲利普的加冕宣誓之后，说道：“感谢上帝，我们目前看到的结局很好，否则公债价格不可能维持在79点，而是早已跌到39点了。”詹姆斯与新政府当中某些关键人物——两位著名的银行家拉斐特和佩里埃的关系很好，尽管这些商业竞争对手之间的友谊程度不应该被夸大。塔列朗——路易·菲利普对英外交的核心人物，经过一番游说，与内森建立了银行业务联系。塞巴斯蒂亚尼——1830年后期就任的外交大臣——与詹姆斯“保持了非常友好的关系”，詹姆斯“每天早上”都会给他打电话；詹姆斯与塞巴斯蒂亚尼的继任者德·布罗伊的关系同样紧密。

当海涅说，詹姆斯“首先享受到了路易·菲利普政治力量的好处，而且一直与那个政治大师保持着紧密的关系”，他无疑是绝对正确的。实际上，即便后来的反犹作家德吕蒙说，詹姆斯与路易·菲利普之间的“亲密关系”建立在对于金钱的共同爱慕上，他也没有说错什么：我们知道，詹姆斯在1840年4月给路易·菲利普本人提供了200万法郎的贷款。海涅认为，“罗斯柴尔德在宫廷里得到重视”是因为国王的“财政困境”。尽管司汤达在书中诙谐地提到的关系网庞大的“勒旺先生”，可能并不是以詹姆斯为原型——比如，他不是犹太人，而且他的法语非常好——但他的政治影响力在司汤达的笔下描绘得与詹姆斯颇为相似，《红与黑》一书写于1836年，正是詹姆斯在法国宫廷中如日中天的时候。“报纸大量报道了大臣们拉拢我们的事情，”列昂内尔1834年报告说，“以至于他们不愿意每天都接见我们。”罗斯柴尔德家族的私人通讯揭示了此类报道，而且表明报道内容只有一点点夸张。正如一个奥地利消息人士说的，“在所有的政府和部门中，罗斯柴尔德都有不同级别的官员为他们提供所有信息”。与此同时，复辟王朝时期存在的社会樊篱在“公民国王”的统治下已经不复存在，王室成员以及大臣们和大使们都非常高兴地接受詹姆斯的晚餐、舞会和狩猎活动的邀请。

但是，19世纪30年代，詹姆斯与路易·菲利普政权建立的紧密关系不应该蒙住我们的双眼，以致忽视了一个事实，即至少直到1833年，罗斯柴尔德家族远不相信路易·菲利普能够持久统治法国。他们的怀疑有很好的理由。比如，西班牙当时就提出一个可能：其他王位继承人将发动一场旷日持久的战争。更重要的是，法国当时的历史对于君主立宪制似乎并不欣赏。每当示威人群涌上巴黎街头——比如1830年10月，人们冲上街头呼吁处死波利尼亚克——恐惧就会再次浮现，国王可能会被共和制的支持者无情地打倒在地。12月，詹姆斯被迫采取一些“预防措施”，因为他接到警告称，“他们（共和派人士）计划在今晚攻击（你的）房子，然后劫掠一空。”

列昂内尔的态度也非常实在：“这个政党尽管并不是很大，他们的积极行动也能完成这件事，他们利用了第一次革命的所有荒谬的东西，并希望现在可以全方位地参照第一次革命，这让许多人感到很恐怖。”

更为悲观的观察家，如普鲁士大使韦特警告詹姆斯说，路易·菲利普将“步路易十四的后尘”。“上一次革命爆发的情形与现在类似，”詹姆斯的一位晚宴宾客告诉他，“现在的局势已经表现出不祥的征兆。我们看不到这里任何人有安全感，我们很吃惊地发现，你如此富有，却准备继续在这样一个国家待下去，而且还在这样的一个时刻：每个人在任何时候都不知道明天将会怎样。”而且，让詹姆斯感到担心的不仅仅是一个新共和国；一些波拿巴遗老希望重现帝国的荣光。此外，就是一种新现象的出现：工人阶层的骚动，这不仅在巴黎时有浮现，在里昂和其他工业中心也层出不穷，而罗斯柴尔德家族此时对此却知之甚少。

当时的人们对詹姆斯的一个举动的印象颇为深刻，他很快就恢复了豪华招待活动，在1831年1月15日便举办了一次“热闹而且盛大”的舞会，但这离一次反教权暴乱仅隔一天。奥地利大使形容说，当罗斯柴尔德的宾客们跳舞时，城市上空仍然回荡着马赛曲。路易·菲利普的儿子、奥尔良公爵通过一名助手表达了自己的歉意，他解释说，他是政权的主宰，共和国只是街头上的传言：

> 冯·罗斯柴尔德夫人极度恐慌，想象着她的房子被抢劫的场面，不过尽管那样，我们的舞仍旧照跳不误。当我邀请拉博德小姐共舞一曲时，她母亲告诉我，能够在天空看到的那团红色，是大主教位于孔夫朗的房子刚刚被暴乱者放火烧毁。

“太可怕了，是的，太让人害怕了，”年轻的女士说，“但是我们还是跳舞吧，趁今天还能跳。如果我们必须在明天接受一个共和国，那将意味着宴会和舞会的时代宣告终结。”舞会一直持续到凌晨4点，没有遭遇任何麻烦。罗斯柴尔德先生尽管非常希望自己表现得很轻松，但还是难掩内心深处的悲伤，因为他的钱正在自己的地窖里融化着，就像是热浪中的冰块一样。

这种外表虚张、内心警戒的情形一直持续着，只要巴黎街头的暴力一日未平息，它就一直存在着。这些事件中，人们的情绪一直紧绷着。1832年1月，奥尔良公爵受到了冒犯，他在詹姆斯举办的一次舞会上听到一个正统王朝派的宾客用他的绰号来称呼他——尽管这起事件并不是他后来拒绝前往拉斐特街的原因。

即使在欧洲政局相对平缓的时期，法国政治似乎也是动荡不安（尤其对于在伦敦长大的罗斯柴尔德成员来说更是如此），政府的更迭比英国更为频繁，国王和议会之间的摩擦也比英国多。所有这些复杂的政治转变必须紧紧地跟随，詹姆斯曾一语道出其中的缘由："许多事情的进展取决于我们得到什么样的政府。"比如，1831 年 2 月，焦急不安的詹姆斯寻求从路易 · 菲利普那里获得保证：摇摇欲坠的拉斐特政府不会被一个自由倾向明显的政府取代。他和列昂内尔"欣慰地"听到，最可能的继任者是另一个银行家佩里埃，而且佩里埃倾向于减少国王对政策的直接影响。我们将会看到，这是那个时期，政府中出现的最重大的改变之一——这也是詹姆斯声称由他自己带来的一个变化。但是，佩里埃的政府一直不稳。1831 年 7 月，政局再度出现动荡，因为大选很不幸地与革命周年纪念撞到一起，拉斐特在竞选议会主席的选举中也只是输了一点点。当佩里埃选择辞职时，詹姆斯惊恐不已，不过在他决定重返政府后，罗斯柴尔德家族松了一口气。整个 1831 年，巴黎寄出的信件，其内容都提及了监控佩里埃政府的稳定状况——尤其是其改革上议院时遇到的困难，这就像一群焦急的亲属围绕在一个亲人的病床边。1831 年 6 月，漫画家迪拉波特鲜活地抓住了法国政治动荡不安的状况，将其描述为是一个"杂技集市"。在画面左边，詹姆斯和乌夫拉尔争着控制一个跷跷板；中间，佩里埃正努力地填写"力量计算或力量测试大臣使用说明表"；右边，路易 · 菲利普失去知觉地坐在椅子上（见图 8.1）。

对一个弊病丛生政府的讽刺不幸地在 1832 年春季成为现实——就在列昂内尔开始觉得法国政治出现了真正的稳定迹象时。萨洛蒙焦躁地说，他不得不"非常不快地承认"，稳定"完全依赖于某个人"。这种依赖性的全部意义在巴黎遭到霍乱疫情袭击时突然变得十分清晰，那场瘟疫在 1831~1832 年横扫俄罗斯，夺去了 1.8 万人的生命。霍乱不仅导致巴黎爆发新的骚乱，股市也"完全瘫痪"，佩里埃自己也饱受病魔的折磨。詹姆斯再一次被迫出面给公众以信心，他坚持留在巴黎，而当时数以千计的富人选择了逃往乡下。但总理的死（5 月 16 日）以及波旁王朝的德 · 贝丽公爵夫人在法国南部登陆，给法国政局带来了新的打击。直到 11 月，公爵夫人被捕后，一场内战的危机才被消除。但巴黎仍然经受着共和派示威和骚乱的折磨，比如另一个霍乱的受害者、拉马克将军的葬礼上发生的骚乱。

图 8.1 H · 迪拉波特，《詹姆斯 · 冯 · 罗斯柴尔德和路易 · 菲利普》，《漫画》第 67 期（1831 年 6 月 23 日）

资料来源：鲁本斯，《漫画中的罗斯柴尔德家族》，第 18 插图页；赫尔丁，《漫画中的罗斯柴尔德家族》，第 25 页。（美茵河畔法兰克福市立及大学图书馆）

尽管詹姆斯和列昂内尔对 1832 年之后政权稳定的信心越来越足，他们欢迎每项限制共和派活动的法令，不过整个 19 世纪 30 年代，始终存在着各式各样的政治危机。除了周期性的政府危机，还存在着大量试图刺杀国王的阴谋和 1834 年工人阶层的暴动、1839 年一次“流产”的共和派政变以及 1840 年同样“流产”的波拿巴分子的入侵行动。

近距离地观察罗斯柴尔德家族与“七月王朝”的关系，其实只是表面上的亲密；詹姆斯的私人信件中清楚地说明了这一点，他认为路易 · 菲利普和他手下的大多数大臣都是无能之辈。国王是“墙头草”、财政大臣休曼是一个“浑蛋”、梯也尔是一个“小人”，等等。“我亲爱的阿姆谢尔，”詹姆斯轻蔑地向哥哥描述了 1839 年初法国政府的又一次倒台，“我可以向你保证，两年内这些下台的大臣们又会官复原职，因为我们的法国大臣们就像是餐巾一样：用了一段时间后，他们就需要清洁工清洗一下，修整过后，就会又像新的一样了。”

詹姆斯对国王和政府的蔑视，来源于他在革命期间所遭受的经济创伤。在 1830 年 5 月~1831 年 4 月期间，3%和 4%的公债无情地跌到了 46 点和 75 点的最低点，下跌幅度为 30%~40%（见图 8.2）。尽管 7 月份，股市临时关闭；法兰西银行注资 5 000 万法郎，但直到 1831 年年底的时候，公债价格才显露出稳定的迹象。鉴于危机爆发前夕，詹姆斯和内森持有的两种债券票面价值达到了 600 万法郎（他们实际付出的成本是 536 万法郎），仅公债一项，他们的损失就可能高达 210 万法郎（8.6 万英镑）。詹姆斯在价格谷底到来前，至少抛出了一部分债券，但与以前一样，他很不愿意止损。“我们正坐在一个汤碗里，必须等着它被煮开。”他在 8 月末对内森说，“每天都

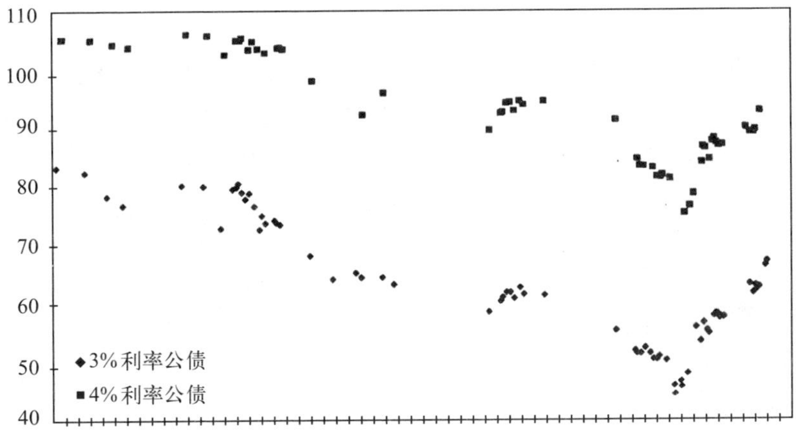

图 8.2　3%利率与 4%利率公债价格走势图（1830 年 5 月~1831 年 5 月）

资料来源：罗斯柴尔德家族档案文件，巴黎寄往伦敦的信件。

有大量的公债寻求出售，但没有一个买家……我希望它们的价格能够上涨，然后才能摆脱这些困境。我已经没有了以前的信心，要获得之前的信任感也将需要很长一段时间。”

他，列昂内尔甚至汉娜——她当时因为女儿分娩来到了巴黎——恍惚地观察着市场每小时的波动，无望地等着危机“突然结束”。实际上，詹姆斯开始购买新的公债，以稳定市场：到 1830 年 11 月，他持有的公债总额可能高达 3 000 万法郎（票面价值）。但是，价格仍然在下跌。他哀叹道：“我们的脖子被太多的公债套住了，不能够与同级的投机者竞争。”5 个月后，列昂内尔向他的父亲坦白说：“我们一直被大量的资金、股市的恐慌以及国王和平的保证所误导，使得我们一直没能下决心卖出公债。”安塞尔姆从柏林写信给巴黎，敦促他们在公债价格进一步下跌之前赶紧清仓。经过激烈的斗争过后，尽管詹姆斯声称自己“不能接受 40%的亏损额”，但他还是被迫在 1831 年市场最低点的时候卖出了大量债券。“不幸的是，”他告诉内森，“我的财富化成了流水，因为我已经卖出债券了。”他的资金“如此枯竭”，以至于他不想再看一眼资产负债表。

此外，法国的崩溃影响到了其他债券。一幅绘制于 1830 或 1831 年的德国漫画显示，4 个罗斯柴尔德家族成员（画中用了虚构的“克拉温克勒家族”一词）正徒劳地用鼓风机试图让下跌的债券飘在空中（见图 8.3）。这个时期，巴黎分行遭受的损失无法精确地计算出来；但伦敦分行在 17 世纪 30 年代损失超过了 5.6 万英镑，占其资金总额的 5%。从这点来看，海峡对面的法国分行遭受的损失应该远超过了 5.6 万英镑。詹姆斯遭受的损失可能赶上了破产的拉斐特，后者的公司在其达到政治高峰时宣告倒闭。

图 8.3　佚名，《克拉温克勒家族试图让债券飘在空中》（1830~1831 年）

资料来源：鲁本斯，《漫画中的罗斯柴尔德家族》，第 17 插图页，第 22 幅。（阿尔弗雷德·鲁本斯藏品，伦敦犹太人博物馆）

事实上，詹姆斯不得不忍受一种尴尬的局面。1830 年 11 月，他被迫中止了原本应提供给政府的贷款。他也无奈地承认，“那个该死的乌夫拉尔”取代他成为股市中呼风唤雨的人物：“过去 6 个月里，这个家伙获得了大量财富，因此整个世界全部跟在他后面，模仿他的一举一动……无论他做出什么样的举动，整个股票交易所都会随即跟上。”当詹姆斯于 1831 年 3 月试图参与一项新的政府贷款业务时，另一个老对手奥廷格直截了当地对他说：“现在，已经有好几个月，你的成就不再有过去的那种影响力，对公众不再具有积极的影响。”詹姆斯感到必须以一种“强硬的语调”与其他银行家说话，并且“向他们显示我的凶狠，他们必须知道，我们不能遭到冷遇”。但是，他在法国金融界重新树立自己的信誉还是花费了不少时间。实际上，列昂内尔开始觉察到他的叔叔像是惊弓之鸟。“詹姆斯叔叔被这次革命大大地动摇了，”列昂内尔在写给父亲的信中说道，“我可以向你保证，他不再是以前的叔叔。如果他认为事情看起来很顺利，他就会说，我们必须回到之前的价格；如果相反的情形出现，公债价格下跌了，他会立刻感到非常恐慌，然后以最低的价格抛出债券。”

詹姆斯在1831年变得更加相信宿命论。“我们现在能够预期法国的动荡将持续数年。”他在7月沮丧地对内森说，“抱歉的是，我担心我们会在这里损失所有的财富，无力阻止这一切的发生，因为人们从不知道他们想要什么。”“我生病已经有一段时间了，”他一个月后在信里说，并要求萨洛蒙的儿子安塞尔姆返回巴黎协助他：

> 每天我们都要经历新的恐慌，每天都会遇到新的惊喜。好消息后面总是跟着股价下跌的消息，而坏消息却又带来价格的上扬。夜晚入睡后，又会被鼓声带来的喧嚣吵醒。“请立刻藏起你所有的证券。”我向你保证，我的胳膊在颤抖，形势对我太不利了。我买进时，价格就下跌；我卖出时，价格却又上涨了。这太让人感到灰心了。

到10月时，詹姆斯感到“有些狂乱”、“紧张”和孤独：“所有人都企图对我不利，我奋力抗争。”直到1832年初，詹姆斯才慢慢找回自信。让人感到好奇的是，他似乎对熬过霍乱疫情感到十分欣慰，而佩里埃的死只使得公债价格下跌了一点儿也让他感到十分惊讶。到了夏天，形势逐渐好转，他准备回到位于布洛涅的房子里，在那里，他筋疲力尽地倒头就睡。

统一公债与宪章

詹姆斯能够熬过一系列打击的主要原因，是其他罗斯柴尔德分行所采取的拯救行动。罗斯柴尔德银行的跨国特性再一次被证明是无穷的力量来源。内森对于巴黎发生的一切的第一反应就是从英格兰银行购买大量银币和金币，仅黄金他就花费77.9万英镑，然后离开发给詹姆斯。这也是詹姆斯一再称赞内森做事“得体”的原因，因为这使得他能够继续按照年初达成的一项贷款协议向法国财政部提供资金——这对于金融实力是一个重要的体现。汉娜自豪地对她丈夫说：“你给（詹姆斯）送去那么多钱，让大家感到非常高兴……你表现得非常好，每个人对你都满意。”内森能够拯救詹姆斯的一个原因，如《泰晤士报》后来报道的那样，是他在革命爆发前成功地抛出了大量的4%利率法国公债。伦敦分行在1831年3月再次成为强有力的外援，当时詹姆斯正寻求参与一项新的法国贷款业务：与伦敦市场的连通性是詹姆斯在巴黎的重要筹码。那不勒斯分行似乎也通过提供银币给予支持；残存的账目显示，那不勒斯分行半年的利润未受到革命影响。基础一直很牢固的法兰克福与维也纳分行也间接地伸出援手。

当然，如果1830~1832年的革命浪潮对其他罗斯柴尔德分行带来的影响如巴黎分行那么直接的话，情况可能就会不同了。1830年，广为流传的不安情绪是那不勒斯以及教皇治下的公国也会爆发革命，德国对于革命的反应可能远比他们在维也纳感受到的强烈。事实上，萨洛蒙在1830年11月向根茨透露，他“比6个月前的资产少了1 000万古尔登”。在法兰克福，同样有担忧的理由，并不仅仅因为临近的黑森-卡塞尔所发生的事件。选帝侯威廉二世（他在1821年继位）是1830年未受冲击的统治者之一，当时卡塞尔、哈瑙和富尔达的市民大会要求召集一次议会会议。起初，人们争论的焦点是威廉坚持与情妇住在一起，但是边境地区海关的劫掠显示，经济因素可能也扮演了一定的角色。自1823年后，选帝侯不再依赖罗斯柴尔德家族提供的财政协助。但是在1830年的危机中，他的官员向阿姆谢尔发出请求，要求获得15万古尔登的一小笔贷款。他的首席大臣道出了其中的原委：“您最忠实的仆人现在找不到其他的途径来获得这笔急需的资金，除了通过罗斯柴尔德银行。”而且，黑森-卡塞尔的请求并非是罗斯柴尔德家族收到的唯一请求：压力重重的汉诺威、符腾堡和奥尔登堡政府也提出了借款请求。鉴于德国爆发类似法国革命的风险越来越大，阿姆谢尔准备只借给选帝侯10万古尔登。

但是，当选帝侯的儿子弗雷德里克·威廉被任命为联合摄政王，并接受了当时德国最自由的一份宪章时，阿姆谢尔改变了主意。1831年，他向新政权提供了两笔总额为135万古尔登的贷款。在许多方面，这类似于詹姆斯背弃查理十世转投路易·菲利普的做法。而且，与法国的情形类似，没过多久，更为激进的自由派便对新统治者感到大为失望。但阿姆谢尔即便在新统治者的支持率下降时，也仍然站在他那一边，就如詹姆斯坚持支持路易·菲利普一样。他仍然担当着弗雷德里克·威廉以及他不受欢迎的妻子的银行家，即便黑森政府重新走回老路（在路德维希·哈森普夫卢格的主导下，他坚决反对自由派）进而不可避免地引发了犹如乱麻的宪章危机。简而言之，阿姆谢尔是紧跟形势的一个人。他和他的弟弟们显然对德国那些竭力保住自己权位的王公们没有丝毫的敬意。萨洛蒙建议阿姆谢尔“不要在意符腾堡国王的言谈举止，因为我对他的了解要多过你：他的观点通常是错误的，他的见解经常变来变去，而且无论他勇敢还是懦弱都没有多大区别，因为我对一个小孩子的看法都比对这个国王的看法更有信心”。德国的革命浪潮在狂欢节达到高潮时，梅特涅让德国人领教了他的铁腕政策，对此，罗斯柴尔德家族并没有感到丝毫的伤心。即便这样一起规模不大的革命，也让阿姆谢尔亏了不少钱，安东尼造访法兰克福时便发现了这一点。1833 年 4 月，由一个小型激进团体在法兰克福发起的叛乱以失败告终，是一个受欢迎的政治风波退潮的迹象。

在伦敦的内森也同样经受了政治动荡的影响。当然，英国发生的事件远没有欧洲大陆那么暴力。但是，如果没有注意到英国改革与法国革命之间的紧密联系，那么便犯下了一个错误，这不仅仅是因为当时的人们对这点十分清楚，还因为无法找到一种方法来确定前者与后者是截然分开的。处在危险当中的问题如此类似：新闻自由；减少宗教干政（这已经导致了 1829 年严重的政治危机）；选举权的扩展；宪章中国王相对于政府的地位以及上院相对于下院的地位；霍乱疫情也传播到了伦敦。更为重要的是，政治危机带来的财政后果也十分类似，可能伦敦没那么紧张刺激。如果英国的改革危机稍微再严重一点儿，那么詹姆斯可能就会发现他哥哥难以给他提供援助了。

从巴黎方面来看，格雷伯爵的辉格内阁起初似乎不可能存活下去。实际上，即便到 1831 年 3 月 5 日，即约翰 · 拉塞尔勋爵提出《改革议案》的 4 天后，詹姆斯写信给萨洛蒙说，他可以保证“皮尔、帕默斯顿和威灵顿即将掌权”。但这只是对他的工党老朋友的美好祝愿罢了（詹姆斯的这一信息来自于赫里斯）。在詹姆斯这方面，他更倾向于认为一个英国革命正在酝酿中，与他之前一年经历的革命相似，“因为如果议案通过了，那么这将给英国带来致命的打击；如果未能通过，那么肯定会带来大量的骚乱事件”。当议会在 4 月解散后，詹姆斯有了一种似曾相识的感觉。他对列昂内尔解释说：“如果改革议案获得通过，那么它会带来类似我这里的结果，国王想要夺走人们的所有权利，此举带来的结果与议案没通过一样的糟糕。”他也直接向内森表达了相同的观点：

> 我可能是错误的，但是英国议会解散给人的第一印象让我感到与……法国极为相似，刚开始，没人觉得需要关注这些事，但随后我们的公债价格暴跌 30%。我希望不要在英国再次出现这样的情形。但是我非常焦虑……我们着手探讨实际情况吧。我对英国目前的形势一点都不乐观。

詹姆斯认为：“出现了大量敌视富裕阶层的情形，英国之所以直到现在仍保持强大的势力，完全是因为政府得到了富有阶层的支持。”改革议案似乎比较温和，但是“改革的支持者之后肯定会提出进一步的要求”。他迫切希望英国能够“叫停让人反感的自由精神进程”。“公众认为，议会改革将带给他们免费的面包和蛋糕，”他警告内森说，“就像这里一样，他们内心深处都是革命者。一旦改革议案获得通过，他们就会提出新的要求。”1831 年 10 月，在布里斯托尔以及其他地区发生的骚乱似乎印证了他的判断。

列昂内尔承认法国和英国之间存在相似之处。“我们这里爆发了革命，但现在仍然很平静；在英国，你身处革命之中，必须等待，直到它结束。”但是，他远没有他叔叔那么担心。这反映了他自由的思想。“我非常高兴地看到，这个改革议案对一些贵族产生了一点影响。”他在写给父母的信中说，“这是件非常好的事，一些大人物真的让人很难忍受，他们一直在各个阶层中制造的巨大差异将很快消失，英国社会将类似这里。到目前为止，这样的环境让人觉得非常愉悦。”

但是列昂内尔的态度是基于一种实用主义的考虑之上的：改革议案与公债价格之间的关系。1830 年 1 月（公债价格为 95.6 点）~1831 年 5 月间，同一公债的价格下跌 20%——下跌的幅度仅比巴黎小了一点儿，但毫无疑问也是一个巨大的跌幅。最严重的跌幅出现在 1830 年 10 月~1831 年 1 月间（见图 8.4），价格一直低于 1829 年的平均水平（91 点），这种情形一直持续到 1834 年。

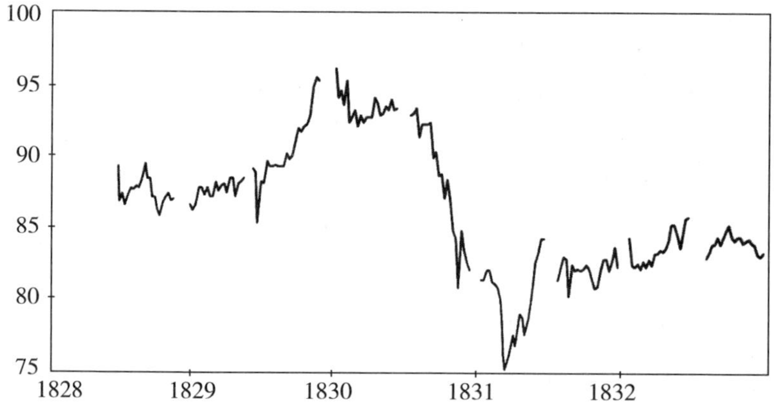

图 8.4　3% 利率统一公债收市价格周走势图（1828~1832 年）

资料来源：《投机者》

尽管国际社会对伦敦的关注极为重要（就如它们对于巴黎的股市一样），英国国内的因素在这场危机中扮演的角色同样重要。比如，威灵顿公爵 11 月 11 日发表的反对改革的言论使得公债价格下挫了 6 个点，尽管下滑趋势两个月前就已经开始。与此同时，随着英格兰银行储备减少，英国在 1830~1831 年出现了严重的货币紧缩状况，这也是激进派的费朗西斯 · 普莱斯第二年提出“制止公爵，索取（指提取）黄金！”

这一著名口号的缘由。简而言之，形势开始表明，金融市场似乎希望改革议案获得通过。在巴黎，詹姆斯早在 1831 年便发现了这种联系，当时议案仅以一票的优势通过了二读。“改革派将获胜，”他在 5 月初说，“在目前不仅能带来积极的影响，而且也能抬升股市。”列昂内尔对此表示赞同，期望议案通过能带来“非常巨大的影响”，他强烈支持塑造新的权贵阶层迫使上院通过议案。两人都开始着手准备，以防上院否决议案进而导致公债价格进一步下跌。

与此形成对比的是，身在其中的人（即内森）对于改革与财政复苏之间联系看得并不那么清晰。这其中的部分原因是内森对威灵顿的认同——这导致他的窗户被示威者砸碎——使他本能地反对改革。但是，这也因为 1831 年 3 月之后的伦敦股市并没有巴黎那么跌宕起伏。实际上，1831 年 10 月上院否决议案时，统一公债的价格仍然保持相对稳定。这甚至让英国政府中的一些人感到迷惑不解。贸易委员会的副主席查尔斯 · 波利特 · 汤姆森随后一个月与詹姆斯共进晚餐时，他宣称：“感谢上帝，我将一部分自己的钱投资在外国股市里，因为我认为我们国家非常虚弱，我很吃惊股票仍然保持这么高的价位。”不过，到 1832 年 2 月，内森似乎已经接受这样的观点，即改革议案将会获得通过。因为没有别的缘由可以解释他之后的态度，当时，威廉四世拒绝增设 50 个新贵族之后，威灵顿被要求组建一个反对改革的政府。当时查尔斯 · 阿巴思诺特对威灵顿说，

> 罗斯柴尔德……来告诉我说，当你与议会接触时，就表明你不会让目前期待改革的民众失望，不管你个人对改革的观点如何……你将会克服一切困难。他说，在富裕阶层中，人们担心反对改革的做法将会引起暴乱……他向我保证说，普遍的感觉是你将克服所有的困难，如果上述人群得到安抚，如果你掌握驾驭局势的主动权，那么你就能够得到他们的支持。他说，他已经下定决心，尽他最大的能力提供资金支持，他非常自信能获得成功。

摩西 · 蒙蒂菲奥里更简洁地总结了内森的观点，即公爵“应该组建一个自由派政府，并且进行一些改革……他必须顺应世界潮流，因为世界不会顺从他的意志”。这相当于委婉地告诉威灵顿，让他自认失败，他在两天后也确实这么做了。

什么改变了内森的想法？比较明显的答案是，他本能地担心遭受另一次金融危机的袭击，上一年秋天，类似的金融危机将威灵顿赶下了台，而且统一公债的价格已经轻微地下跌，从 5 月 9 日的 85 点下挫到 5 月 12 日的 83.25 点——或许（如一些观察家怀疑的那样）内森也警告威灵顿，有关英格兰银行资金储备有可能再次耗尽。但是正如巴黎的“恐慌”没有列昂内尔预想的那么严重一样，预测格雷的回归将推高统

一公债价格恢复至原先的水平同样被证明是错误的。公债价格实际上被威灵顿的辞职或被改革议案通过这件事严重地影响了；如果有什么值得庆幸的话，那便是（改革议案）得到了王室的赞同，使得公债开市时仅轻微下跌。另外一个可能的解释是，英国的罗斯柴尔德成员经历了某种政治换位。我们看到，早在1829年，至少有一些证据显示，内森和他的妻子、孩子的政治立场正在发生转变，因为工党当时反对犹太解放运动。此外，辉格党似乎比工党更有能力应付爱尔兰政治天主教和英国激进主义的新威胁。安东尼与列昂内尔对于辉格党1832年选举胜利的热情是十分真诚的，而且皮尔在国王的鼓动下，试图在1834年组成政府时，没有明显的证据显示罗斯柴尔德给予了支持。另外重要的一点是，内森并不愿意提供1 500万英镑的贷款给奴隶主，当时英国政府已经废除了奴隶制。巴克斯顿关于内森的回忆经常被引用，但是他们一起共进晚餐的重要意义却很少被提及。实际上，巴克斯顿是反奴隶制协会的领导人，他与内森的会面就是在废除奴隶制的法案获得通过之后。就如詹姆斯在法国革命之后，迅速地站到空想自由派一边一样，内森似乎也顺应了辉格党在英国的改革之风。

因此，当海涅试图将“罗斯柴尔德”描绘成一个革命者时，他无疑有些夸张了。但是他对于罗斯柴尔德兄弟无意支持反对党的判断毫无疑问是正确的。当改革来临时，他们便会接受，即使它伴随着暴力而来。

第九章

和平的枷锁
(1830~1833年)

THE HOUSE OF
ROTHSCHILD

那些希望开战的人无疑会找别的银行家。

弗里德里希·根茨

1830年

尽管罗斯柴尔德家族轻易地“背弃”了波旁，转投奥尔良，从保守党转到了辉格党，但他们熬过1830年革命的“法宝”并不完全是紧跟国内政治变化。因为国内的威胁——尽管这种威胁迫使詹姆斯把自己的债券埋到了花园里——从许多方面来说，是当时革命带来的威胁比较小。从金融的角度看，更为严重的威胁是革命可能间接地导致大国之间爆发战争。罗斯柴尔德家族在这个时期的私人通讯最引人注目的一点，就是他们对战争的担忧，而且原因显而易见。一次革命——或即便是一次改革危机——影响的主要是国家债券。一场战争可能导致所有政府证券的价格暴跌。如果伦敦、法兰克福、维也纳和那不勒斯的经济保持稳定，那么在巴黎发生的国内危机，罗斯柴尔德或许能够经受得住。但是，一场欧洲战争影响的将是5家分行。罗斯柴尔德家族的通讯显示，这种担忧在1830~1832年达到了顶峰。“你不能想象，如果战争爆发会带来什么样的结果，但愿不会如此！”詹姆斯1830年10月写道：“如果不幸成为事实，所有的证券价格都会下跌，根本不可能卖出任何东西。”一个月后，他试图量化风险：

> 我们手头上有90万公债（面值3 000万法郎），如果和平得以延续，它们能值75%；而战争爆发的话，它们将跌到45%……我认为如果和平一直持续下去的话，公债价格将在3个月内至少上涨10%……

这也解释了为何当时有如此多的人相信罗斯柴尔德家族不仅热爱和平，而且还利用他们的金融杠杆维系和平的原因。比如，路德维希·博恩就明确地认为，罗斯柴尔德1831年卖出奥地利债券限制了梅特涅的军事外交空间，当时梅特涅急切地希望用武力防止革命扩散到意大利和比利时。同时他强烈地暗示罗斯柴尔德家族乐意看到法国对奥地利采取一种更为和平的政策："如果罗斯柴尔德家族坐在法国王座之上，那么世界就不会经受法国与德国之间那么多的战争折磨。"类似的言论也能从政治圈里听到，比如奥地利外交家普罗克施·冯·奥斯滕伯爵在1830年12月说："这只是方式方法的问题，不管罗斯柴尔德说了什么话都是决定性的，而且他不会给战争提供一分钱。"两年后，奥地利财政大臣库贝克将萨洛蒙与"和平"直接画上了等号。不仅仅是奥地利发现必须屈从于罗斯柴尔德家族的压力，梅特涅和奥地利驻法大使奥波尼声称法国政府比奥地利政府更依赖罗斯柴尔德家族。早在1828年，皮克勒王子便开始拿罗斯柴尔德家族的发迹与拿破仑进行比较，"拿破仑悄无声息地出生在阿雅克肖，却震撼了地球上所有的国王……一只小小欧椋鸟的利爪却引起了一场巨大的雪崩，顷刻间吞没了一个村庄；而罗斯柴尔德，尽管他的父亲是卖绸缎的，但今天的欧洲如果没有他，任何国家都无力发动战争"。普鲁士外交家阿奇姆·冯·阿尼姆在19世纪40年代也提出了类似的看法，他发现没有受到"罗斯柴尔德家族黄金锁链"束缚的政府非常之少。

这些论断很快便成为罗斯柴尔德神话的一个组成部分。阿方斯·图斯内尔在他的反犹小册子《犹太人——新时代的国王》（1846年）中，简洁明了地称："犹太人投机和平，这种现象仍在上升，这也解释了和平能在欧洲持续了15年的原因。"此后的作家则以更为夸张的笔法描述了罗斯柴尔德家族与和平的关系。卡普费格和希拉克据称均援引一个罗斯柴尔德成员的话说："（欧洲）不会有战争爆发，因为罗斯柴尔德家族不希望它发生。"莫顿的话则是，"罗斯柴尔德兄弟成为有史以来最杰出的和平主义者。"居特林·罗斯柴尔德经常信誓旦旦地保证："不会有战争的，（因为）我的儿子们不会提供金钱（资助）。"

在公开场合，罗斯柴尔德兄弟喜欢鼓励这类想法，因为这使得他们看起来既实力强劲又平易近人。"你知道谁是法国的总督，甚至国王吗？"内塞尔罗德伯爵夫人1840年12月问她丈夫，"是罗斯柴尔德。在他最近举办的晚宴上，我与他进行了深入交谈；我没有向他说任何我自己的观点，我让他畅所欲言。他已经厌倦了（法国首相）梯也尔和他的大臣们"：

> "我非常了解他们，"他说，"我每天都见到他们，只要一发觉他们所走的路线与政府的利益背道而驰，我就'召来'国王——我什么时候想见他都可以，我向他说明了我的想法。因为他知道我将蒙受大量损失，而且我想要的只是和

平，因此他对我非常有信心，对我言听计从，我对他说过的话，他极为重视。”

究竟这种餐桌上的话吹嘘成分有多大——就如内森在19世纪20年代向皮克勒王子吹嘘的那样？兄弟几个的私人通讯中，是否包含了外界流行的说法：他们利用自己的地位维系了1829年之后的和平？

这里有必要将罗斯柴尔德对于金融杠杆的使用——主要是拒绝向那些筹划战争的政府提供贷款——与他们充当外交沟通渠道的角色区分开来，后者通常不易被人觉察。第二种功能，即外交渠道功能，在19世纪30年代，其重要性急速提升，尽管罗斯柴尔德的通讯系统是在此前10年已经成型。从根本上说，政客与外交人员开始使用罗斯柴尔德通讯系统是出于两个原因：它比官方用以传递外交信件的信使系统要快；非约束性信息能够通过兄弟几个彼此间的通讯，间接地从一个政府传递到另一个政府。罗斯柴尔德兄弟愿意提供这样的服务，其原因也不难发现：他们能够借此获得比正规渠道知悉的外交政策更多的信息，进而作出更好的投资决定。对于历史学家，难处就在于兄弟几个并不总是明确地区分自己的想法以及大臣们的观点：也是从这个时期起，他们开始在信中使用“我们”这个词，它所包含的并不仅仅是“我们罗斯柴尔德家族”这层含义，同时还代表了“我们的政府”，意指5兄弟此时生活的5个不同的国家。此外，是罗斯柴尔德家族影响政策方向，还是政策影响了罗斯柴尔德家族，确实很难区分。

庞大的通讯网络

因此，罗斯柴尔德兄弟沟通网络的发展和特性对于理解19世纪30年代的金融外交至关重要。与平常一样，一定数量的神话需要被剔除——人们认为罗斯柴尔德家族就如迪斯雷利小说人物西多尼亚一样，是一种近乎超自然的情报部门的核心：“任何一个大臣都没有与秘密特工和政治间谍进行过如此的沟通……通过这些信息来源，他掌握的奇怪和隐藏的事情通常能吓到那些听他讲故事的人……世界历史的秘密是他的消遣内容。”确实，截至19世纪40年代末，罗斯柴尔德兄弟建立了一个庞大的代理人和定期通讯网络，其重要的一个功能就是让纽考特跟上世界经济和政治发展的脚步。但是，在滑铁卢战役之后的20年里（战役结果的消息是罗斯柴尔德通讯渠道的第一个成果），他们的系统初见雏形。与任何一个希望进行国际通讯的人一样，他们的信件——有时甚至是他们的性命——完全依靠运气。1817年，萨洛蒙和他的妻子乘马车从巴黎前往鹿特丹，渡过一条河时遇上了大风暴，他们被认为“99%”淹死了。整个行程持续了72小时，不过这只是一种意外情况：1814年，信件从巴黎寄到法兰克福通常只需48小时；但是伦敦发出的信件需要一周才能到达法兰克福；1817年，信件从巴黎到柏林要花费9天时间。由于兄弟几个似乎都有“写信强迫症”——即便等候见大臣们时，他们也会在前厅草草地写一些信——所以他们一直想方设法加快邮递速度。我们已经看到，从1815年或更早的时候开始，内森便依靠他在多佛和加来的代理人，通过向负责邮件递送的船长支付额外费用的办法，加快他的信件传递速度。他有时似乎还采用多个路线寄信件复件的办法来避免延误造成的风险。1814年，阿姆谢尔提出了一个在法兰克福克服延误问题的聪明办法：如果汇率上升，他的弟弟们用蓝色信封（给他寄信）；如果跌了，则用红色信封，“届时，在邮局里的迈耶就能立刻让我知道收到的是红色信件还是蓝色信件，这能节省半天时间。”

但这并不能解决一个难题，即兄弟几个通过德国各个邮局寄出的信件都控制在奥地利秘密警察的手里，信件会被一一打开，如果发现似乎含有政治敏感信息或有用信息，信件内容将被复制。同样的保密性缺失也让几兄弟放弃了对外交“信袋”的使用，当时这种信袋由特定的信使从一个首都递送到另一个首都。因此，罗斯柴尔德兄弟别无选择，只能雇佣私人信使，他们最晚在1814年便开始了这样的做法。问题是信使的开销十分庞大，兄弟几个也经常因为值不值得使用信使的问题发生争执：如果信使使用过于频繁，运营成本便会上涨；如果不使用他们，重要的消息又会延误。一个相关的问题是，信使抵达也相当于警告竞争对手可能有重大消息出现，于是写给第三方的信件有时会倒签日期，信使也化装出行，避免引起对手的注意。到了19世纪20年代中期，成本不再是一个问题，信使的使用进入正常化：仅1825年12月这一个月，巴黎分行派遣了18个信使到加来（然后再到伦敦），3个去了萨尔布吕肯，一个去了布鲁塞尔，还有一个去了那不勒斯。对信使的使用似乎让罗斯柴尔德兄弟上了瘾：1827年，萨洛蒙因为无法找到一个愿意在圣诞节当天下午10点从维也纳前往斯特拉斯堡的信使而勃然大怒。

不幸的是，就如通讯领域的任何一种发明一样，没过多久，罗斯柴尔德家族的竞争对手也开始使用同样多的信使。此外，没有一个信使能足够快地达到目的地：詹姆斯1833年抱怨，一个从伦敦来的信使“竟然晚了一个小时”，这也是资本家对于更快速的通讯持久渴求的一个经典描述。从1824年起，信鸽也投入使用，尽管很明显，罗斯柴尔德兄弟一直到19世纪40年代，只用信鸽来定期传递密码：“信鸽传出去的信中，AB意指买进股票，消息利好。CD……则意味着抛出股票，消息利空。”直到19世纪30年代中期之后，铁路、电报和蒸汽船的发展开辟了通讯的新时代——这也使得罗斯柴尔德家族利用信息优势“窃取”交易变得更为困难。在詹姆斯第一次提及

"电报通讯"的信件里，他向内森抱怨说："这里的人们信息非常灵通，因此没有任何机会做任何事。"到1840年时，卡尔建议巴黎不要再派信使前往那不勒斯，因为蒸汽轮船和信使一样快，而且只会让一些"小投机者"觉察到一些东西。另外重要的一点是，1830年之后，媒体的审查变得宽松了很多，无需再通过私人信件来传递如此详细的政治消息：到19世纪40年代，纳特例行地让他的兄弟留意法国报纸，而10年前，他的叔叔詹姆斯则要亲自写下刚刚发生的政治消息。

因此，实际上只在一个相对较短的时间里——大约从1815~1835年间——罗斯柴尔德家族的信使对其他的通讯方式有真正的优势。在那些年里，罗斯柴尔德家族能够为那些他们希望拉拢的政治家和外交官提供非常出色的服务。他们不仅能为那些人提供私人银行服务；也能够比正常的邮递途径更快地投送信件。1822年，夏多布里昂在伦敦期间，收到了德·迪拉斯公爵夫人通过她"忠诚的罗斯柴尔德"寄来的"一封重要信件"。同年在维罗纳以及1825年在普雷斯堡，梅特涅使用了萨洛蒙派往维也纳和伦敦的信使，而且很明显信任罗斯柴尔德家族的信使胜过他自己的信使。这种做法也随即风行。到1823年，"从罗斯柴尔德那里得到消息"是内塞尔罗德伯爵夫人的日常事务之一。1826年，有消息说：

> 罗斯柴尔德的办事员充当信使，每个月在那不勒斯与巴黎之间来回一到两次，递送法国、英国和西班牙驻那不勒斯、罗马和佛罗伦萨等地各位大臣的信件。除了这些日常信件外，他们还负责传递那不勒斯王室与罗马以及与驻都灵、巴黎、伦敦、马德里和里斯本等地公使馆之间通讯；同时也负责重要的个人信件。

1826年，法国与奥地利之间的一个小危机爆发时，正是罗斯柴尔德的信使将维莱勒的劝慰信送给了梅特涅。1840年之后，罗斯柴尔德邮递服务最杰出甚至最有权势的忠诚"客户"，是年轻的英国女王维多利亚和她的丈夫阿尔贝特王子。可能是后者——他的叔叔利奥波德是罗斯柴尔德家族的老朋友——将罗斯柴尔德的信使服务介绍给了维多利亚。阿尔贝特登陆英国伊始，他就（通过他的心腹顾问克里斯蒂安·冯·斯托克马和他的英国秘书乔治·艾恩森）定期利用罗斯柴尔德的信使来处理他与欧洲大陆之间的通讯。不久，维多利亚也与他一样开始利用罗斯柴尔德家族的信使，同时还托付罗斯柴尔德家族安排小型的银行服务甚至是预订旅馆。1841年6月，她向利奥波德保证，她"一直"通过罗斯柴尔德将"任何可能引发某种后果"的信件送到德国，因为"它非常安全而且快捷"。

所有这些意味着罗斯柴尔德家族当时所处的地位是：能够给欧洲上层社会提供

独家的新闻服务。重要的政治事件以及机密信息可能赶在官方渠道之前，从一个城市传递到另一个城市。内森对于滑铁卢战役的结果先人一步获悉，这只是许多类似成功的第一例。早在 1817 年，詹姆斯接到了一个“任务”，将法国外交信件的细节从巴黎传递至伦敦，因此这些内容到达法国大使手上之前先到了内森那里。英国驻巴黎大使也开始依赖内森传递来自伦敦的消息。1818 年，一个准备前往亚琛会议的英国外交官，被内森描述的一个宴会的“正确信息”震惊不已，“他对我们宴会的细节以及对出席嘉宾的了解非常准确，其中一些人的名字，我想连外交部都不知道。”1820 年 2 月，贝里公爵被刺杀后，也正是罗斯柴尔德家族将这个消息传到了法兰克福和维也纳。与此类似，卡罗琳女王在 1821 年去世后，仍旧是罗斯柴尔德家族将这个消息传播到了巴黎。我们也已看到，坎宁不喜欢看到罗斯柴尔德家族总是抢在英国大使馆之前公布了相关信息，但是他也不能无视如土耳其人在阿克曼投降的消息。到 1830 年时，正如塔列朗观察到的那样：“英国内阁总是在斯图尔特勋爵的信件到达之前的 10 个或 12 个小时，便从罗斯柴尔德那里获得了相关信息，而且这点也没有什么好怀疑的，因为搭乘罗斯柴尔德信使的马车没有其他乘客，而且随时出发……”维莱勒也被迫留意罗斯柴尔德的信息，即使他（与坎宁一样）严重怀疑几兄弟是利用消息来影响股市。

这当然是罗斯柴尔德通讯系统的大致功能，甚至是它的主要目标，通过第一时间获得政治消息，赶在消息影响整个市场前，买进或抛出证券。但是这一策略并不是总能奏效。

法国 1830 年 7 月革命的消息，罗斯柴尔德家族不仅传给了伦敦的英国外交大臣阿伯丁勋爵，同时（通过法兰克福）传给了当时在波希米亚的梅特涅；这一事实广为人知。但值得一提的是，他们的报告一开始并未得到采信。而且，我们也已看到，革命的爆发也让罗斯柴尔德家族自身感到非常吃惊，以至于让法国分行陷入了经济危机，只有通过非常艰难的拯救行动才得以存活。

银行家的外交

罗斯柴尔德的信件揭示了在 1830 年 7 月之后的动荡岁月里，他们通讯系统的长处与不足。在巴黎，詹姆斯的政治影响力是独一无二的。“（国王与大臣们）经常事无巨细地咨询我的意见。”詹姆斯在 1831 年告诉内森，这一点也一直没改变过：就如他后来告诉内塞尔罗德伯爵夫人那样，他几乎每天都见到国王、大臣和主要的大使。内森似乎同样能够接触到政府的高级别人物，有名的有外交家弗雷德里克 · 拉姆，此外还有主要的驻伦敦大使，如塔列朗、艾什泰哈齐和比洛，但毫无疑问的是，他的影响力要比保守党当政时期要小。在维也纳，萨洛蒙继续享有与梅特涅直接接触的特权；而且，只要其他兄弟的信里含有重要的外交信息，他就会将信件的内容抄送给梅特涅。形成对比的是，法兰克福与那不勒斯分行某种程度上游离在权力圈之外。在其他主要首都——圣彼得堡、柏林、布鲁塞尔和海牙的影响力归结到代理人（比如，加塞尔在俄罗斯，里希滕贝格在比利时）的活动能力或通过偶尔的个人访问。

1830 年，通过罗斯柴尔德通讯进行讨论的第一个外交问题就是大国是真正承认路易 · 菲利普作为法国国王，还是采取干预行动，反对新政权。7 月 31 日，詹姆斯写信给内森说："我希望你的政府不要考虑干预活动，因为他们一旦这样做了，我们就将引发一场大规模的战争。"列昂内尔两周后总结了围绕承认问题进行的争辩：

> 只有一件事是非常迫切的，那就是国王应该立刻得到承认，如果这一点不能很快实现，我们就很难预测最后的结局是什么……只有国王得到承认，相邻的省份才愿意加入到这个政府……法国只希望得到和平，不想从别的国家得到任何东西，也深知只有培育自己的资源才能成为最伟大的国家之一。目前，法国国民近卫军有 150 万人，全部武装等待作战，除此之外还有一整支部队，其他考虑攻击法国的国家能得到什么好处呢？詹姆斯叔叔今天见了国王，他和众人一起向国王表达了敬意；国王向他承诺一定会维持和平，国王也希望尽最大可能推进局势顺利发展。

路易 · 菲利普在那次会面透露给詹姆斯的信息——"我最急切的期望便是欧洲的和平，我希望各国将恢复之前与法国的良好关系"——很自然地通过奥地利大使奥波尼传给了梅特涅。

但是，正如列昂内尔所预期的那样，路易 · 菲利普被承认，并不能阻止革命在其他地方爆发。8 月 25 日，从"暴风骤雨式的革命"在布鲁塞尔爆发的消息抵达巴黎的那刻起，一个新的可能性浮现了：法国外围不断扩散的革命有可能让法国与一个或更多的保守国家，如普鲁士、俄罗斯、奥地利甚至英国爆发战争。相比起直接干预法国，这次的预期似乎颇受欢迎，这有两个原因：第一，其他国家在比利时不仅有条约规定的义务（这要回溯到 1814~1815 年），同时也有自己的战略利益。第二，从外部干预比利时或爆发的其他任何地方，可能会导致法国政权"左倾"，因为共和主义和国际主义之间存在着历史性的联系。梅特涅也并不是唯一记得法国当年"阴谋"的人：18 世纪 90 年代，法国利用国内的"无政府状态"进行了大规模的军事扩张。

詹姆斯获悉比利时爆发革命的第一反应就是举行了一次会议，将法国外交大臣莫莱和普鲁士大使拉到一起，希望两国避免发生直接军事冲突。他同时还敦促内森反对任何英国支持的、以荷兰国王名义进行的干预行动，他（与汉娜以及列昂内尔一起）得出结论认为，比利时宣布独立实际上是（可能主要也是）自卫性的。与此同时，由于担心革命的浪潮会扩散到那不勒斯和西班牙（就像在19世纪20年代一样），詹姆斯将路易·菲利普的一个隐晦警告传递给了梅特涅，即“他会按照君主立宪制给予他的权限，反对各国爆发的革命……但他的地位迫使他必须对于自由派的期望表示出一定程度的尊重”。因此，那不勒斯国王“为了国家整体利益的考虑，以及赶上思潮的发展”的需要做出“让步”。几天后，莫莱告诉詹姆斯，如果法国被“数量庞大的（普鲁士和奥地利）军队包围的话”，法国可能会被迫备战。对于“全面战争”的担忧也在许多外交官那里得到了回应，包括拉姆，他认为英国也可能介入。

不过，塔列朗与阿伯丁会谈之后，各国的担忧消除，比利时问题最终决定由大国在伦敦的代表仲裁解决。但是，在比利时与荷兰的仲裁尚未达成之前，又传来消息称华沙爆发反对俄国统治的革命。实际上，可能正是波兰局势的发展在最大限度上阻止了各国对于比利时的战争，因为华沙革命前，沙皇一直准备从波兰派遣军队支持荷兰。俄国军队从1831年2月直到同年10月才镇压了革命，这可能是全面战争未能爆发的主要原因。但与此同时，革命向东扩展的势头，似乎又增加了国际冲突的可能性。迟迟未决的比利时疆域、它的中立地位以及国王的人选问题，在1831年只是延续了之前的不确定性，罗斯柴尔德家族再次在巴黎和伦敦之间担当了信使的角色，传递各种建议和反对意见。就在这时，传来了意大利爆发叛乱的消息：不是发生在之前预期的那不勒斯，而是在摩德纳和帕尔马公国（1831年2月）以及教皇之下的公国（3月）。

1831年3月~1832年3月之间，欧洲大陆出现了一系列的“革命火花”，而一个或多个大国卷入战争似乎一触即发；每次，罗斯柴尔德家族都竭尽所能地消除各国之间的紧张状况。最先爆发的一起危机不仅让奥地利介入教皇公国成为可能，而法国则准备支持革命者。詹姆斯和萨洛蒙大量地介入巴黎和维也纳之间爆发的口水战。最终，奥地利采取了干预行动，不仅出兵摩德纳（法国默许），同时还应教皇格雷戈里十六世的请求进入博洛尼亚，这次行动或多或少地导致了法国政府面临的战争威胁——这个信息当然也是詹姆斯传递出来的。这可能是最接近于全面战争的时刻，毫无疑问，法国与英国的债券市场跌到了最低点。此时，罗斯柴尔德介入政府间通讯的证据尤为确凿，当时詹姆斯亲自参与起草了法国提交给奥地利的一份声明，呼吁进行国际调停（按照比利时模式）。到4月中，詹姆斯确信“意大利的危机已经结束了”，而且英法德团结起来避免了对比利时的战争。

第二次危机出现在1831年8月，仍旧在比利时。围绕选择萨克森–科堡的利奥波德担任比利时国王的不确定性持续了数月之后（局势还因波兰持续的战争以及奥地利反报复意大利自由派的战争而恶化），荷兰入侵比利时再次使全面战争成为可能。但再一次，各国采取了克制态度。无论是普鲁士还是俄罗斯均不支持荷兰的举动，英国在经过紧张的磋商后，支持法国派遣远征军前往比利时的决定，但同时要求，一旦打败荷兰，法国就必须撤军。截至10月，比利时引发全面战争的危险逐渐消除；尽管比利时11月15日提出的“24条协议”远没有获得预期的突破，普鲁士、奥地利和俄罗斯一直到1832年5月才正式予以承认，而荷兰国王则仍然拒绝签字。

第三次战争威胁出现在1832年2月，由教皇公国的一起暴乱引发。奥地利军队再一次被要求介入，而法国也再一次寻求插上一脚。实际上，这次法国确实派军队占领了安科纳港口，这在詹姆斯看来是一次“严重的失策”举动。但是，这次与以往的危机相比还是要轻得多（市场对其毫无反应便是例证），巴黎与维也纳之间也从未出现真正严重的裂痕。

最后一次战争威胁出现在1832年秋天，当时法国再次威胁以军事干预的方式迫使荷兰接受“24条协议”。即便英国同意采取联合行动反对荷兰，这同样也会再次引发普鲁士或俄罗斯采取报复行动。1832年5月的《伦敦协定》只是一个权宜之计，它让比利时人留在了卢森堡（除去它的要塞）和林堡（除去马斯特里赫特），这违背了24条协议。但它足以维系和平，一直到1839年出台决定性的国际解决方案。

在这些危机中，罗斯柴尔德的信件充当了沟通渠道，通过它们，国王、大臣和外交官的观点和想法得到了快速的交换。它们也让罗斯柴尔德家族不仅能让彼此了解各自的观点，也使得自己的观点可以送达政治人物那里——他们将经过适当翻译的信件提供给这些政治人物。罗斯柴尔德兄弟的评论的中心思想就是他们对于国家和国内政治潜在冲突的警醒。这点在巴黎尤为突出，在那里，对于战争的担忧和对于法国国内政治激进倾向的担忧一直密不可分。“法国王朝完全赞同维持和平，”詹姆斯1830年9月29日警告说，“但如果他们受到的威胁太大，那么国王会说，他不再像是一家之主，人们也不愿被当成小孩子受到恐吓。”詹姆斯一直担心，如果其他国家在镇压比利时或其他地方的革命过于极端，更为好斗的政客就可能在法国登上政治舞台。困难在于，即便他和列昂内尔给予支持的那些大臣们，有时也会屈从于公众情绪，被迫用强硬的口吻发表言论，因此，詹姆斯一再重复地强调，这些言论只是出于国内需要，其他国家不应该按照其字面意思来解读。当塞巴斯蒂亚尼被任命为拉斐特新政府（1830年11月组建）的大臣时，詹姆斯立即见了他。实际上，他能够传递给伦敦和维也纳的信息与国王几周前发出的信息大致相同：“如果他们正在寻找一个对我们开战的借口，那么我们已经作好了迎战的准备，但我们将尽一切可能阻止这样的情形发生。”但是，他乐观地得出结论说：“和平几乎可以肯定能延续下去。”由于俄罗斯并没有以支持荷兰的名义出兵干预，法国也将告知比利时人，“他们不得考虑推翻奥兰治家族，如果他们愚蠢行事，那么就得不到我们的支持”。但如詹姆斯承认的那样，困难在于法国王朝高呼“我们一心为了和平”的同时，又“征召 8 000 人入伍……军队已经出现了狂热的气氛和活动，似乎已经准备在 14 天内开战了。我们的报纸现在高呼战争，昨天整个世界都认为战争即将爆发”。但是，他仍然坚持认为拉菲特是“支持和平的，他只是要求军队捍卫和平”。谈论战争只是“让公众不再想其他的事情”。正是出于这样的原因，詹姆斯敦促法兰西银行避免拉菲特在 1831 年初破产。他认为，如果法国王朝发生变化，将提高战争的威胁。整个 1 月份，他一再向他的哥哥们保证法国政府对于和平的愿望，尽管当时巴黎狂躁的气氛越来越浓。

但詹姆斯很快也被迫承认，即便在法国王朝内部，围绕比利时事件的开战呼声也越来越高；而且在摩德纳和帕尔马爆发革命的消息传到巴黎之后，这种呼声更为高涨。詹姆斯采取了适当的应对措施。根据他自己的说法，他告诉路易 · 菲利普：

> 你被推进了战争的境地，尽管你对比利时的任何疆土都毫无兴趣……法国采取如此高傲的姿态明智吗？现在你希望我们继续向前，然后对外国人宣战吗？殿下，你被蒙蔽了。你的大臣们对公众失去了信心。你应该任命佩里埃（掌权），届时所有的人，包括富有阶层都会支持他，而且这也将证明你是认真的。
>
> 他告诉他的哥哥，拉斐特完全屈从于“彻底的混乱”：
>
> 今天早上，我去了拉斐特的家里，他对我说：“如果法国不对奥地利宣战的话，那么 3 周之内，国王将不再是国王，而且将被推上断头台。”我对他说，他怎么能给国王提供如此糟糕的建议？他回答说，国王已经不再咨询他的意见了。简而言之，拉斐特认为局势已经失控……明天，我会问问国王，可能我今天就会去见他。

似乎詹姆斯“与国王的谈话收到了预期的效果”：拉斐特一周之后便递交了辞呈。

詹姆斯对于佩里埃的支持与他的一个想法密不可分：即佩里埃将寻求一种和平的政策。同样地，詹姆斯知道只有其他国家做出一些妥协，佩里埃的位置才能坐稳。这也正是詹姆斯用以实现法国稳定的策略。在一封明显是写给梅特涅看的信里，詹姆斯敦促萨洛蒙，奥地利应该“支持”佩里埃担任法国总理，因为他是最不可能开战的政治家：

> 现在，我亲爱的萨洛蒙，你必须看到，如果我的朋友佩里埃组成政府，他

就应该得到支持，因为3 200万人发动的革命对所有国家来说都是一个威胁。“而且，”佩里埃告诉我，“如果人们希望为国王做些事，他们应该将比利时的一块土地划给法国，那将真正地稳固国王的地位，但是他并不会以武力去夺取。”现在，我告诉你，佩里埃何时能掌权取决于其他国家是否开战……我告诉所有人，各国只期望和平……我们现在还不能判断将来会发生什么，但是我对佩里埃很有信心，因为如果我们进入了战争，他的财产和工厂也将蒙受损失；出于这样的原因，我对和平很有信心……如果我们能够确定国外和平将持续的话，国内的和平就一定能够持续。

“佩里埃，”他向内森保证说，“是上帝带来的意外好运，因为他将维持和平，或至少我希望他能。”詹姆斯和列昂内尔甚至相信，“如果佩里埃当政，他的一个条件就是允许奥地利介入意大利事务，而法国对此不会有任何异议。”当佩里埃的任命获得通过后，詹姆斯再次发出了寻求奥地利支持的呼吁：

我们现在有了一个期望和平的政府，他们想做的只是尽自己所能来捍卫和平。但是如果其他国家希望和平能够延续，他们就应该巩固“和平政府”的地位，使其能够向（公众）表明，其他国家无意攻击法国。现在，如果俄罗斯和奥地利能够发表声明，表明自己愿意停留在国界线那边，不会攻击法国，那么这将会起到非常重要的支持作用，这样的举动也会平复人民的情绪，因为现在人们坚定地认为，一旦俄国人解决了波兰问题，他们就会转而攻击法国……我去见了国王，并向他指出，我的财富和家人全部在法国，因此我不想使他在其他国家开战，我误导他或哄骗他相信它们是想维持和平；再说了，这样的图谋谁能获益？如果他们选择佩里埃，他们的信誉将会提升，一切也会改善……现在一切依赖于外国（的举措），你必须朝着这个方向努力，如果我们未能维持和平，那么没有一个国家能够维持它的信用度。

5天后，他“急切地恳求”萨洛蒙继续让梅特涅相信“巩固这个政府以及维持和平的重要意义，欧洲急需和平，而王子（梅特涅）独自一人就有能力维系和平”。“所有的一切完全依赖于战争或和平的问题，”列昂内尔3月31日写道，“这个政府支持和平，但必须得到其他大国的支持，必须能够站到公众情绪的对立面，否则就会给反对派更多的力量，进而使我们立即进入战争。”

但即便佩里埃组成了政府，也没能减轻詹姆斯对法国激进因素的整体忧虑，尤其是奥地利不顾巴黎政府已经更替的事实，仍计划派兵进入教皇公国的消息公布后，詹姆斯更是焦躁不安。发生在意大利、比利时和波兰的事件间歇性地刺激了巴黎的自由派思潮，最终使得政府除了开战或倒台外别无选择。1831年夏天，采取更为激进的政策甚至有了经济方面的缘由，列昂内尔曾评论说："法国太多的年轻人失业、缺钱，要除去他们，战争是必要的；如果不开战的话，我们就会看到国王被赶下台。"路易·菲利普似乎采纳了这个观点，詹姆斯惴惴不安地观察着局势的发展，当时佩里埃的地位似乎危在旦夕。当佩里埃8月初提出辞职后，詹姆斯预测如果一个"极端自由派"政府取而代之的话，"战争将在4天内爆发"。佩里埃在其他国家的默许下，对荷兰采取了有限的军事行动，最终保住了自己的政治地位，此后，各国与法国政府之间的默契情形屡屡出现。

相同的情形在1832年1月和2月或多或少地再次上演。詹姆斯先是警告如果比利时协议的最后条款未能满足法国要求的话，佩里埃将会辞职。之后，作为对奥地利军队再次进入教皇公国的回应，佩里埃派军队占领了安科纳港口。即便在佩里埃死后，这一模式仍被沿用。苏尔特在1832年10月再次匆忙地派兵对抗荷兰时，詹姆斯寻求获得英国的支持，他警告内森说："如果这里的政府不能支撑下去，我们就会等来一个共和政府，届时我预料一切都将十分黑暗，但愿不要出现这样的情形。这也是为何一切都有赖于比利时问题（的解决）的原因。如果英国决定不支持法国的话，我们将变得非常虚弱，因为整个世界都反对教条派。"

在英国，国内外政策同样存在类似的联系。保守党政府可能打破作壁上观的传统以及介入反对法国革命的可能性，尽管遥远但却一直没有完全消失。另一方面，当辉格党1830年上台后，詹姆斯立刻提出了一个类似的警告：如果英国新政府被证明是"激进"的话，那么"我们的政府将不得不表现得更为自由，届时比利时问题将更难解决，英国可能会与法国达成一项协议，最后我们会发现自己得与欧洲的其他国家开战。""现在的一切全部取决于英国，"詹姆斯1831年1月写信给内森，当时正在寻找合适的比利时国王，"其他国家没有英国作为盟国的话，就不可能发动战争……你看，亲爱的内森，你一直保持警惕是多么重要，因为我们是否进行战争，取决于英国是否愿意在比利时问题上作出让步。"但是内森的保守党朋友并没有采信詹姆斯的话，尤其是他支持佩里埃之后更是如此。在英国改革议案开始辩论后不久，内森写信给詹姆斯：

> 赫里斯说，皮尔肯定会被邀请入阁，威灵顿将成为外交大臣，而且除非法国愿意让步，否则他认为英国军队将前往德国……你最好告诉你的国王，他必须保持克制，不能与英国玩火，因为她（女王）不是一个可以戏弄的对象……

英国对法国的大臣们没有信心，他们只想着革命。你的国王和他的大臣们只能表示他们不想开战：他们不得改变之前的腔调。去见国王，告诉他皮尔、巴麦尊和威灵顿即将上台。

这种“鸣枪示警”很大程度上解释了罗斯柴尔德家族后来从保守党向辉格党的转变（缘由）。辉格党的立场如内森在3月18日传达的那样，与詹姆斯的想法有很多重合的地方：“如果法国不能保持冷静，而是对其他三个国家采取行动的话，我们将站到三个国家那边；但是如果其他三个国家攻击法国的话，我们将站到法国那边。”因此，詹姆斯对于改革议案可能遭遇失败、保守党重夺政权的担忧，更多的是考虑国际形势，而不是他个人对这一议案的支持，因为“威灵顿政府会毫不犹豫地与法国开战”。列昂内尔1831年6月观察到，英国政治的混乱将减少比利时解决问题的希望，因为“荷兰国王一直期望（英国）政府有所改变”。詹姆斯4个月后也提出了相同的观点：“你们议案的通过正被紧密地注视着，因为人们认为政府将会辞职，我们将进入战争。”当俄罗斯对批准比利时的24条协议犹豫不决时，列昂内尔提出一个问题：“俄罗斯人能做什么？所有事情都取决于改革议案，如果它获得通过并且现任政府留任的话，英国和法国就足够强大，能够找其他国家的麻烦。”

这也说明了威灵顿在1832年5月出人意料地重新掌权时，内森决定不提供支持的原因。这不仅是因为内森害怕如果反对改革的政府掌权，将引发国内“暴乱”；还因为“外交大臣们”——他是指塔列朗、魏森布格尔和比洛——都“处于非常焦虑的状态，防止荷兰国王从新政府获得支持，从而可能导致战争”。这种分析在6个月后得到了响应，当时辉格党竞选获胜的消息受到了詹姆斯、列昂内尔和安东尼的热烈欢迎，他们认为它是“欧洲和平以及法国政府稳定的最好保证”。在比利时，危机即将平息，俄罗斯干预的可能性最后一次浮现时，内森在一封写给詹姆斯的信里道出了他政治立场改变的幅度和本质：

你必须写信给我们的萨洛蒙，告诉梅特涅不要被俄罗斯扯进战争中，因为波佐（俄罗斯驻巴黎大使）和国王站在一起，不怎么受人欢迎，他和列文（俄罗斯驻伦敦大使）正游说奥地利和普鲁士宣战。但是，我已经通过可靠途径（可能是比洛）获悉，普鲁士不会参战，他们正在犯一个大错误，因为英国和法国联手，能够做很多事。只要我们保持和平，就不会有战争……写信告诉萨洛蒙，诺伊曼（奥地利大使）一直与波佐交往密切，而且认为我们的政府将变得虚弱。这个人十之八九判断错误，现在波佐已经不受欢迎。国王邀请他前往布赖顿，他坐在离国王6个座位以外的地方。国王问他将在这里待多久，他回答说，“6个星期”。现在我们知道俄罗斯想发动战争，梅特涅正被这些人欺骗着。波佐和那些人变得十分荒唐，他们并不了解英国，因此要让萨洛蒙告诉梅特涅王子，不要让自己被俄罗斯蒙蔽。波佐来这里只是为了刺探情报，我确信英国现在比威灵顿时期更加强大。现在，我亲爱的弟弟，不要让你自己被任何人蒙蔽。如果英国和法国紧密地站在一起，那么谁也无法撼动他们。把这一点写信告诉萨洛蒙。

在维也纳，尽管没有革命威胁，但也存在着国内政治斗争，而且这种斗争带有重要的国际含义：因为它是国外干预行动的支持者与反对者之间的斗争。当萨洛蒙1830年10月初回到维也纳时，他是带着命令“让梅特涅王子知道现在维持和平是何等的重要，”因为“战争或和平完全依赖于他一个人”。这有点夸张，因为当时奥地利对于比利时问题的影响力有限；相反，如果维也纳领头的话，俄罗斯（可能还有普鲁士）或许更富侵略性——这也是1830年8月达成的卡尔斯巴德协定的寓意所在，这一协定重申了神圣同盟反对革命的立场。在意大利问题上，梅特涅的态度则毫不含糊。他在1830年11月告诉萨洛蒙，他准备“派遣军队……让这个国家保持平静”，我们看到，他也确实向摩德纳和博洛尼亚派了军队。直到1831年4月，萨洛蒙除了将奥地利的计划传达给巴黎外，其他什么都做不了（不过仍起到了很大的作用，因为他的信到达詹姆斯手里时，总要比奥地利驻巴黎大使奥波尼的官方文件早到3天）。但是，当沙皇在波兰问题上寻求帮助时，萨洛蒙就能够发挥他的影响力了，他预先通报了梅特涅的竞争对手科洛弗拉特伯爵，后者“毫不迟疑地”介入，反对向沙皇提供这类支持。到7月时，他能够自信地向他的兄弟们保证：“我们内部对立严重，奥地利不可能参战，也不希望看到战争爆发，正在尽一切可能避免战事的到来……我确信即便英国和法国对俄罗斯宣战，对奥地利也没有影响，我们将保持……中立。”

即便不在维也纳，萨洛蒙也继续对梅特涅施压，使其避免陷入战争。1832年3月，他从巴黎给梅特涅写了一封冗长而且饱含感情的信，敦促他不要对佩里埃派兵占领安科纳的举动反应过激。11月，当法国军队突然出现在安特卫普时，库贝克抱怨说：“梅特涅王子很像一个钟摆，在塔提切夫（俄罗斯驻维也纳大使）的战争与萨洛蒙的和平之间摆来摆去。”

金融杠杆

如果不是凭借他们的金融实力，我们很难评估罗斯柴尔德兄弟对于和平的持续游说能够获得多大的成功。如上文所述，罗斯柴尔德家族有两根“杠杆”可以使用：他们不仅从自己扮演的非正式外交沟通渠道的角色中施加影响力，同时还借助了实实在在的财政压力——如果一个政权准备开战，向他们寻求贷款，他们就能予以拒绝；相反，他们能够向一个有和平倾向的政权提供财政支持。这里有必要再次强调罗斯柴尔德影响力的有限性，不仅在那些在1830~1833年间没有大规模提升军费开支的国家（英国和普鲁士），就是在那些确实提升了军费从而有贷款需求的国家（法国、俄罗斯和奥地利），他们的影响力也同样有限。

罗斯柴尔德的金融杠杆在那些没有合伙人的首都，其作用最为有限。在柏林，罗斯柴尔德兄弟被1830年爆发的革命撞个正着，当时他们正在进行一次债券转换行动，目的是将他们此前借给普鲁士的英镑贷款对应的债券利率从5%转换为4%。从一开始，这就不是一桩被看好的交易。萨洛蒙、安塞尔姆和罗斯柴尔德家族的“老朋友”克里斯蒂安·罗特尔进行多番讨价还价之后，终于在1830年2月达成协议，罗斯柴尔德家族将以98点的价格发行一批新的4%利率的债券，其收益用于赎回此前的5%利率债券。新发行的债券总额为380万英镑。此外，围绕1822年发行的一批债券，类似的转换行动也被提上了议事日程。但是，截至法国革命2月爆发时，仍有一半的4%利率债券没有卖出去。随着欧洲金融市场的暴跌，除了急剧打折外，再没有其他的办法来处理这些债券：2月，新债券的交易价为79.5点；新的抛售无疑进一步挫低了价格。但罗斯柴尔德兄弟仍需按照合约的规定，以98点的承销价格向普鲁士支付现金。罗斯柴尔德家族能够承受履行合约必然产生的损失（据罗特尔估计超过了36.7万英镑）吗？可能，但由于此前在法国4%利率的债券上损失太多的钱，所以不难看出他们为何如此决断地想从这次巨亏交易里抽身。

安塞尔姆自然地被派回了柏林，进行一轮冗长而又格外艰难的谈判，普鲁士多名官员和大臣使出的计谋让谈判难上加难，这些官员和大臣因反对取消转换协议而紧密地团结在一起。最终，卡尔也被派去柏林协助安塞尔姆，双方才能够达成妥协。实际上，支付了大约14万英镑的罚金后（实际支付时，经过各种扣除只付了5万英镑），罗斯柴尔德被允许延期转换债券，直到欧洲金融市场恢复稳定。

从罗斯柴尔德家族的角度来看，这是一次成功的行动，避免了遭受更多的损失，但是普鲁士官方为什么同意妥协？罗特尔对普鲁士国王、弗雷德里克·威廉三世的进言是基于个人利益的。“如果内森·迈耶·冯·罗斯柴尔德的公司被迫严格执行合约规定，”他指出，“不顾当下不利的情况，那么他们就可能在所有的市场里以任何价格抛售全部的4%利率债券，进而给我们的公共信誉带来严重打击。我们以往的经历告诉我们，冯·罗斯柴尔德公司涉及的金融交易中，如果它扮演的不是中间人，而是反对者的角色，那么这些交易肯定会失败……”换句话说，罗斯柴尔德的弱点同样会给普鲁士政府带来负面冲击，尽管迫使它履行合约，普鲁士能够在短期内获益：

> 最近的1830年1月的法国贷款以及转换普鲁士签约于1818年的债券（后者联合了多家其他银行业公司），使得他们遭受了大量损失，罗斯柴尔德银行在这类交易中已经完全丧失了信誉……尽管他们的财富仍然十分可观，但仍缺乏这类交易所需的现金，因为他们的财富大多由欧洲各国的债券组成，目前不能在任何一个交易所兑现。罗斯柴尔德银行因此拒绝为了赚取佣金而直接接手任何大额的贷款业务，而且他们在账目上的垫款还将增加，他们接下来就会寻求以极低的价格抛售新近发行的债券，这将损害相关的国家。

但这番话如果不是因为普鲁士自身也需要新的基金来应付备战所需的各项开支，也不会有任何作用。用詹姆斯的话说，普鲁士尽管“在所有大国之中，最不希望开战，最希望避免战争爆发”，但它仍然不能忽视1831~1832年间发生的重大战争威胁。罗特尔写给国王的信显示，他可能接受了阿姆谢尔的劝阻，取消了发行新债券的计划。罗斯柴尔德家族提供了大量的短期现金垫付款，总额达到了500万泰勒元，以国库券作为抵押；他们还向一笔彩票贷款提供了支持。正是这些资金的提供，在延缓债券转换的谈判中起到了决定性的作用，双方决定在1833年恢复债券转换，而到这时，普鲁士的4%债券价格已经恢复到了92点，而且“目前的政治形势不再是引起严重关注的因素”。换句话说，罗斯柴尔德家族在柏林仍拥有一些财政支配能力；但是它只能确保在债券转换问题上获得普鲁士方面的妥协。这个时期，没有任何证据显示他们试图采取任何举措影响普鲁士的外交政策：罗斯柴尔德家族从弗雷德里克·威廉那里得到的只是一些瓷器以及（纳特的）私人商务政务员的头衔。

如果说他们在柏林的力量有限的话，罗斯柴尔德家族在圣彼得堡的影响力几乎是不存在的。确实，俄罗斯在对付波兰人时比任何大国都需要金钱。但是罗斯柴尔德家族与俄罗斯财政大臣坎克林的关系一直不好，因此即便是俄罗斯人1831年初直接联系了他们的代理人加塞尔寻求一笔贷款时，詹姆斯仍然十分谨慎。“（俄罗斯财政）大臣一定非常缺钱，”他说，“这意味着他将不能履行（偿还）义务，如果他不能支付利息的话，那我们届时就很难办了。”他认为任何贷款只以收取佣金的方式提供，而且以分期的方式一小笔一小笔地发放，他反对内森立刻提供40万英镑贷款的决定。“为了防止战争爆发，”他警告说，“无论是法国、俄罗斯还是普鲁士都难以履行支付利息的义务，他们将利用一切围绕战争的借口来为自己无法支付利息开脱。”另一方面，如安塞尔姆认为的那样，如果战争的危险消除——尤其是俄罗斯赢得了对波兰的决定性胜利后——这些政府将不再需要他们的服务。只要危机持续，继续用钱的政府会“接受任何条件”。实际上，詹姆斯真正的担忧是政治上的：他并不反对提供俄罗斯政府多达500万英镑的贷款，只要这一事实不被巴黎方面知晓即可，因为法国极为同情波兰。“可以预料的是，”他指出，

> 我们将遭到报纸的严厉批评，除此之外，在此基础上提供贷款，我没有任何异议……如果波兰人能够获得胜利的话，就能在相当大的程度上缓解许多事情的紧张程度，因为我们必须尽一切所能与自由派合作。有没有可能声称（俄罗斯财政）大臣与加塞尔安排贷款并以加塞尔的名义提供？我建议我们应当非常谨慎地考虑，防止我们介入这件事的消息为公众所知。

他一周后重申了自己的疑虑：“我可以向你们保证，如果我们支持俄罗斯打击波兰的消息传出去，我不能确定自己会不会被乱棒打死，因为这里的公众极为同情波兰。”但是，他很显然准备冒触犯众怒的风险提供贷款，只要相关条件足够吸引人。值得注意的是，这些讨论发生于波兰在奥斯托卡彻底战败前。实际上，内森在这场战役后的几天中，成功地向俄罗斯政府兜售了一些枪支。詹姆斯对于收获的利润感到“异常开心”；再一次，他唯一担忧的就是被公众知悉已发生的交易：

> 以上帝的名义，我请求你不要提供你的名字，除非迫不得已，如果以“罗斯柴尔德”的名字登记卖了枪支，那么请将这一信息严格保密，否则我就可能被枪杀，因为人们会说是我卖出的枪屠杀了波兰人。昨天，我的一个朋友来看我，他是一家报纸的记者，他给我看了一则报道，说我们正向卢森堡提供资金以帮助他们镇压比利时人。他并没有写这样的文章，因为他相信我。亲爱的内森，由于公众的思想已经转向自由主义，我们必须更加小心谨慎。这就是你为何要尽一切可能防止卖枪的信息走漏给报纸的原因。
>
> 1832年年末，一笔100万英镑的贷款请求再次浮现。詹姆斯再一次感到忧心不已，他认为英国媒体“将把我们撕碎，会声称我们正向沙皇提供贷款，使得他能够发动战争”。但他再一次准备冒险。毕竟，“似乎没人能够用100万英镑来征服世界。”而且为了确保安全，列昂内尔认为“为了防止战争爆发……必须有条款规定……战争爆发后我们不一定要继续付款”（这一条款也用在了这一时期以及之后的罗斯柴尔德贷款中，我们在之后的章节里将看到）。但是，如詹姆斯预料的那样，坎克林再次“欺骗”了内森，他只是把罗斯柴尔德的贷款意向当做了一个筹码，来迫使俄罗斯政府的传统银行家霍普提供更好的条件。罗

斯柴尔德家族竞争这笔贷款的传闻让那些法国流亡者——查理十世的支持者，他们为俄罗斯领头的反对革命的行动提供银行服务——感到吃惊不已，他们认为罗斯柴尔德家族“在革命的影响下，已经衰弱到令人吃惊的地步”，目前“在伦敦（内森）和塔列朗的领导下为革命运动”提供服务。毕竟，这是俄罗斯可能进行干预，从而让荷兰避免接受24条协议的最后机会。内森和詹姆斯可能本能地意识到，如果他们取代霍普处理这笔贷款，他们就能够向俄罗斯施加压力，迫使它不要采取干预行动。相反地，内森在成功取代霍普之后发出的俄罗斯将开战的警告是一个幌子。因为这让人很容易得出结论，认为他准备对俄罗斯的军事干预行动视而不见，只要能够赢回他在圣彼得堡的影响力就行。

詹姆斯则认为他哥哥获得俄罗斯的业务过于艰难。“在我看来，俄罗斯可能会走向衰败，没有他们，我们能够更高兴地做生意，”1834年，他在另一笔贷款发放时写道：“在任何情况下，你都不应该亲自写信给彼得堡，因为你被拒绝过太多次了。不要给他们另一个让你难堪的机会。”“你认为我们会与俄罗斯达成友好的条件吗？”他两年后又问。他显然认为不可能。这也再好不过地说明了罗斯柴尔德金融实力的局限性。

即便是合伙人居住的地方，同样有困难存在。在伦敦，保守党权势衰落——从天主教徒解放运动开始，1834~1835年的皮尔政府倒台宣告其彻底失势——毫无疑问削弱了罗斯柴尔德家族对于金融政策的影响力。1830年12月内森试图讨好格雷的财政大臣奥尔索普时，后者对他几乎不屑一顾。“冗长的谈话结果，”奥尔索普提及，“就是我满意地看到，他一定认为我是这个世界上有史以来最蠢的一个傻瓜，否则他绝不会认为他能够如此轻率地骗我按他的意愿行事。”而且，不管内森对于格雷政府寄予了多大的同情，他从未得到过太多的政府内部信息：实际上，格雷在1834年的辞职让他大吃一惊。但是，内森政治影响力的下降与辉格党“将他拒之门外”的关系不是很大，主要的原因是19世纪30年代，英国的财政政策让他变得相当多余。除了一个例外——1835年补偿奴隶主的1 500万英镑贷款——这个时期，英国政府再无其他大笔的借贷。政府开支逐渐下降，而收入则保持平稳，尽管间接税继续呈轻微下降趋势。出于这样的原因，内森在伦敦的影响力比詹姆斯在巴黎的影响力要小得多。尽管内森也愿意充当政府间的信息渠道，但是他很难影响信息的内容。辉格党政府希望避免比利时战争，更多是靠运气，而不是罗斯柴尔德的精心设计。

与之形成对比的是，詹姆斯在巴黎很明显地成功利用金融杠杆打压了法国的激进政策，尽管他的实力不应该被夸大。革命让巴黎分行处在了一个极度脆弱的状态，背负着大量不断贬值的3%和5%利率的公债，以及为发行4%利率的波利尼亚克贷款而欠法国财政部的1 000万法郎。另一方面，新成立的法国政府被迫立刻开始借贷，发行大量的国库券。詹姆斯的第一反应带有他的鲜明特性：早在1830年他就告诉内森，“这里将有大买卖要做”，而且他打算参与其中。尽管他猛烈批评了拉菲特的外交政策，但是他在讨论资助政府财政方面一点也不迟疑。他的原因也是显而易见的。他在1831年向他的哥哥们解释说：“我认为，与现任政府做生意，将推高公债的价格。”而且，“商人们全都同意提供贷款，我应该加入他们的行列中，因为我不想被排除在外”。

问题在于，其中的一些钱显然是用于军事用途的（这也被“军队收受我贿赂的一个上校”证实）。实际上，詹姆斯和内森在这一时期，向法国政府兜售了大约2.8万支英国枪械和其他一些军事装备——一种值得注意的“对冲”举动，这主要是他们口头上一直宣扬和平主义。也不存在真正意义上的保证称法国的军备完全是用于防御目的，更多的是因为战争的高昂费用难以承担。詹姆斯对这样一个想法寄予了很大的希望，即“战争的爆发对于（法国政府）非常危险”，他还说，“我可以向你保证，他们一笔又一笔地借贷，用新借来的钱偿还之前的利息”。当塞巴斯蒂亚尼在1831年2月提到法国拒绝“听人使唤”时，詹姆斯表示怀疑：“他们基本上没有任何资金储备。他们拿什么发动战争？因此，我认为我们不会爆发战争，不管别人怎么说。”

这也解释了为何詹姆斯会支持佩里埃的原因，因为后者似乎认识到了财政对于法国政策的束缚：

> 佩里埃告诉我：“……如果我们选择战争，我们将难以承担我们的债务，因此我不希望加入政府的第二天，财政部就陷入破产状态……”简而言之，除非得到维持和平的保证，否则他不会组建政府……如果佩里埃不加入政府，那么我担心面临破产的财政部将被迫发行5%的债券。

这也解释了詹姆斯给佩里埃提供财政和道义支持的原因所在，它不仅仅是因为和平以及合适资助的贷款能够带来公债价格的上涨：

> 我将与佩里埃沟通一下，可能接受委托发行一笔贷款。财政部需要资金……我们必须提供资金协助政府，并确保银行家参与其中，给这些人提供资金符合我的利益，因此……我能够从这些事中抽身……我认为佩里埃将推高你的股市……我想告诉你，我们或许能够与佩里埃做生意。

但事实是，詹姆斯无力阻止通过发行债券筹得资金用于战争中。他只是缺少讨价还价的筹码来坚持内森建议的条款，“为防止战争爆发，这些协商好的款项支付……不能是强制性的”。他能够做的只是希望佩里埃“（对奥地利入侵博洛尼亚）不要摆出过于好战的姿态，因为我们必须牢记人们希望获得贷款。”确实有一些证据显示，这种财政上的考虑使得法国政府在教皇公国问题上避免了与奥地利开战。市场对于贷款将稳定财政状况的期望抵挡住了战争危险带来的悲观情绪。实际上，法国财政大臣路易利用4月市场的一次轻微上扬提出了对自己更为有利的贷款条件，这也被詹姆斯认为是政府期望和平的一个迹象。而潜在敌对国的大使，比如韦特（普鲁士）和波佐（俄罗斯）个人也对参与贷款业务感兴趣，也向列昂内尔暗示，和平将被维系。但是，詹姆斯在1831年春天体会到的一种感觉十分重要。“我现在什么都不是，”他向内森坦白说，“今非昔比，以前，这样的贷款完全由我们自己包揽。”

实际上，1831年的贷款数额并不足以解决法国政府的财政问题，詹姆斯从一开始便意识到了这个问题。此外，财政部同时进行的公众订购“国家贷款”的计划以失败收场：8 000万法郎的“国贷”只卖出去2 500万法郎，剩余的最后只得卖给银行财团。如果当政的是一个比佩里埃更为激进的政府，那么它肯定会效仿18世纪90年代的做法，通过印钞票来追求一种更富侵略性的外交政策。但是，只要佩里埃仍然在任，金融现实主义就一直占据着上风。8月，随着比利时危机逐渐缓和，詹姆斯很高兴地听到政府准备再筹集1亿法郎的贷款来减少流动债务。两个月后，他和列昂内尔再次确证，佩里埃说他“将实现维莱勒没能做到的事，他将发行5%利率的债券，然后再减少它们”，这是一个削减开支的明确信号。此外，维持偿债基金的决定也让詹姆斯和列昂内尔感到十分高兴。1832年，他们再次在法国金融市场上发力。5月，罗斯柴尔德为首的财团竞得了4 000万法郎的巴黎市的贷款。这为获得另一笔1.5亿法郎的政府贷款铺平了道路，同样也是由财团共同运作。重要的是，詹姆斯坚持等到荷兰放弃对于比利时的宗主权，然后再提供贷款。到这个时候，认为法国可以无须英国同意就能采取单边军事行动的想法并不被认同。詹姆斯在1833年初被要求考虑提供另一笔贷款时，外界对于法国的侵略性担忧已经消退，这一点可以从公债的价格走势上看出来，2月，3%利率的公债价格短暂地达到了80点。实际上，法国政府选择削减了军队规模，继而控制国防预算，而且，很快就开始讨论实行另一次债券转换计划，降低现存的债务成本。类似的事4年后仍在讨论。

简而言之，法国政府在财政上受限，但这种限制并不是罗斯柴尔德家族独自施加给它的，而是由巴黎所有的大银行联手施加的。最重要的一点是，19世纪30年代，不存在罗斯柴尔德垄断法国公共财政的现象了，因为这个时期的贷款都是由银行团体公共运作的；与此同时，国库券的售卖业务参与者更为众多。詹姆斯拜访佩里埃和其他大臣，更多的是为了获得敏感的财政消息，而非发挥自己的金融杠杆作用。他在1832年1月谈道："与萨洛蒙一起去拜访佩里埃，打探他是否有什么消息，进而根据他提供给我的信息来决定我将来的行动，因为我们目前持有大量的公债，因此行事必须万分谨慎。"

因此，或许可以这样认为，如果普鲁士、俄罗斯和法国在19世纪30年代决心在比利时或波兰问题上开战，那么罗斯柴尔德家族根本无力阻止。不过，这也低估了这一时期梅特涅的奥地利在中欧以及东欧所扮演的领导角色：如果没有奥地利的参与，实际上更是领头，反对革命传播的保守远征是难以想象的。这点让我们关注到萨洛蒙在维也纳所扮演的角色，他有时被描绘成具有决定性意义的人物，避免了1830年7月之后爆发战争。

早在1830年11月，萨洛蒙便暗示根茨，罗斯柴尔德兄弟遭受重大损失之后，已经无力资助发动一场战争。类似的是，当梅特涅派奥地利军队进军博洛尼亚时，詹姆斯对佩里埃进行干预，他提出了一个明确的财政疑问，在战争前夕，他问："奥地利如何能够支付它的（债务）利息？最好不要拿自己的全部身家（去赌一场战争）。"与詹姆斯一样，萨洛蒙在维也纳也没有占据垄断的地位。1830年春天，当奥地利政府发行3 000万古尔登的4%利率公债时，萨洛蒙只是承销的4家银行之一，而且他也未能从贝特曼手里夺得5%利率债券的转换业务。革命之后，他与他的兄弟一样，无力去想政府贷款被他的竞争对手攫取这样的事情。梅特涅1831年3月要求发行3 600万古尔登的5%公债，以资助在意大利的干预行动时，萨洛蒙和其他3家维也纳的银行共同接下了这笔生意。此外，合约条款里有这样一条规定：如果爆发战争，贷款需要在3个月之内偿还。但是，萨洛蒙对于梅特涅秘密的借贷没有采取任何反对举措，当时梅特涅从法兰克福分行借了2 000万法郎，这些钱自1815年巴黎协定签订时便以日耳曼联邦的名义存在法兰克福分行。此外，他在1832年初，威胁梅特涅，如果他不批准比利时的24条协议，他将撤回财政支持，但此举似乎没有收到什么效果：

> 殿下应该知道我们承接了上笔5 000万法郎贷款的四分之一，而且还在交易所买进了证券以支撑公债的价格，而且我们也正在进行其他的重要金融活动，也在谈判新的交易。而这些都会受到政治事件最直接的影响，我希望一身轻松地去看我的兄弟，我谦卑地恳求您，殿下，让我的经理……知道你对目前形势的看法，奥地利政府是否将承认比利时并批准声明。

梅特涅急忙向他保证"由于他非常清楚俄国沙皇的基本态度和意愿，他可以保证沙皇的态度与奥地利国王一样倾向和平”。但是这只是在打太极；奥地利又过了3个月才批准了协议。

萨洛蒙明确利用金融杠杆的举动出现在1832年6月，当时他在巴黎。他在一封特意写给梅特涅的信中，以前所未有的强硬口吻写道：“我不能装着漠不关心……听说奥地利政府将在1832年再发行一批公债，但愿不会如此。”

> 你知道，我们在法兰克福、巴黎、伦敦和维也纳所持有的奥地利公债，数量总额达到了数百万。现在，你不能脚踩两条船；如果我们公司被迫抛售……我们能期望得到什么样的价格呢？我们将被迫兑现我们的公债，不论我们是否愿意这样做。资本家以及商业世界对于一年内发行两批公债会作何反应？而且第一批公债的款项支付直到今年12月才完成？这样的举动可能会导致公债价格的急剧下跌。政府就不可能以较低的利率来得到另一笔贷款，这样的打击继而会伤害奥地利的财政，而政府也将难以实现既定的目标……此外，公众又会如何评价新的贷款？“一定要打仗了，一定要打仗了，因为奥地利又筹集另一笔贷款了。”即便我们不会被迫抛售，我们目前也是这样做的，但价格仍然会骤然下挫，奥地利的信用将严重受损……这就是我对于今年筹集另一批贷款的看法，即便只透露出一点点风声，后果都可能不堪设想。

乍看起来，这番话似乎并不像是要施加财政压力，从而限制梅特涅采取激进的行动。但重要的是，这封信出现在国际形势相对平缓的时刻：奥地利已经批准了24条协议，围绕安科纳的争议也已经解决。仔细地分析，它更像是一个金融建议，以避免奥地利公债价格下跌，进而损害罗斯柴尔德维也纳分行的收益。萨洛蒙并不反对筹集贷款：纯粹出于技术原因，他坚持认为“如果确实需要钱，发行国库券是一个更好的选择，进而为银行进账1 200万银币……这一过程几乎不用政府付出任何代价，而得到的资金能够使用6~8个月。”一年后，他和其他三家维也纳银行兴高采烈地参与了另一批公债的发行，总额达4 000万弗罗林；1834年又向一笔价值为2 500万古尔登的彩票贷款提供了支持。如果这些是和平的锁链，那么他们绑得并不紧。

承销和平

实际上，罗斯柴尔德家族对于各国外交政策的影响所使用的两个途径，其分量并不相等，拒绝提供贷款的情形与提供资金支持相比要少得多。最经典的例证就是他们对爆发革命的国家提出贷款请求的回应方式。

罗斯柴尔德家族自 1827 年开始，便与位于比利时的兴业银行有生意往来。布鲁塞尔爆发革命后的数天内，詹姆斯重新与兴业银行取得了联系，随后在超过 1 个月的时间里，提供了 100 多万法郎帮它抵挡革命的风暴。与此同时，他和内森讨论是否向荷兰提供贷款，可能是作为劝说荷兰国王接受比利时独立的“胡萝卜”；萨洛蒙将这类贷款看做有助于“控制我们的战争贩子”。但是内森同时也挥舞起一根大棒：当荷兰在 1831 年 8 月侵入比利时的时候，他立刻向布鲁塞尔政府出售了枪支。直到荷兰撤兵并且似乎准备接受失去比利时的事实，他和詹姆斯才准备向荷兰提供一笔利率为 6%的贷款，“因为如果有了钱，他就不会再考虑任何类似于战争的行动”，当然不用说，“从荷兰政府那里能够赚很多钱”。

在比利时这边，尽管詹姆斯认为“那里有大笔钱可赚”，但兄弟几个直到 24 条协定得到利奥波德签署后才采取行动。1831 年底，与比利时银行家厄希合伙，他们提供了一批总额为 275 万英镑的贷款——是前一年提供给荷兰的贷款数额的 5 倍。这或许被认为是一场“豪赌”，因为用外交途径来解决两方争议被认为不切实际。有趣的是，当时一幅英国漫画《协议——骚动的社会》显示，各国代表齐聚唐宁街，画面左方的内森抱怨说：“你们的协议没有任何用处；先生们，如果你们不替我争取好处，我就不再借钱给你们。”（见图 9.1）同一时期的一幅版画描写内森正在猛拽一只比利时鹅，嘴里嘟哝着：“你和你的比利时债券见鬼去吧！我拿不出一便士买它们；在我看来，它们没有西班牙债券那么值钱。”（见图 9.2）

图 9.1　S · W · 福里斯，《协议——骚动的社会，或惊慌失措的与会者》，唐宁街速与（1831 年）

资料来源：鲁本斯，《漫画中的罗斯柴尔德家族》，第 18 插图页。（罗斯柴尔德父子有限公司）

安塞尔姆有一个担忧，“我认为比利时在许多年里都没有能力支付红利，这很让人担心”。另一方面，他又说：“那里确实有钱可赚……我们必须装着若无其事，然后从傻瓜身上赚取利润。”由于债券发售给投资者时，荷兰国王并没有重新对比利时采取敌对行动，作为债券承销商的罗斯柴尔德家族赚了一些利润；如果荷兰再次入侵，按照“现有的一则条款，如果战争发生，我们无需再提供任何东西”。正如詹姆斯报告的那样，经纪人和银行家甚至在债券发售前“吞进（债券）就像是吃甜麦粗粮面包一样”，尽管债券发行时罗马动乱及比利时协议推迟签署的消息在一定程度上削弱了购买需求，迫使詹姆斯不得不回购托市。

到1832年春天，由于荷兰陷入了外交孤立状态，罗斯柴尔德兄弟准备（在比利时）做更多的生意。外交解决方案使得布鲁塞尔新政府背上了欠荷兰的债务的名声，这也浮现了一个明显的可能性。“那里有钱可赚，”詹姆斯写信给内森说，“只要你给塔列朗一点好处，我亲爱的内森，他将安排你担任处理这些债务的代理人，就像巴林在1815年充当法国与其他大国的中间人一样。”如果“我们将自己置于比利时和荷兰之间，就能赚到钱”——当然前提是两国之间不会再爆发战争。1832年8月，第二批190万英镑的贷款提上了议事日程，其中1/3的债券由罗斯柴尔德家族在巴黎发行——尽管当时法国政府发出了警告，“我们此刻给比利时人钱简直是疯了，这相当于给他们提供了开战的便利条件。”花花公子和日记作家托马斯·雷克斯却有着不同的看法，他在9月12日写道：“比利时问题已经马上就要解决，局面就如12个月前一样。”

图9.2　“J.W.W”，《拽住那头鹅或比利时得到了她的朋友和盟友的支持》（1831年）

资料来源：鲁本斯，《漫画中的罗斯柴尔德家族》，第14插图页。（阿尔弗雷德·鲁本斯藏品，伦敦犹太人博物馆）

> 委任统治毫无用处，荷兰不会放弃一丁点儿要求。利奥波德希望屈服，但比利时人不愿这样做。他的国库空空如也，如果不能限制比利时人再次开战，罗斯柴尔德就不会提供贷款。但将会出现更多的投机行为，套利的行为必然盛行。欧洲所有的国家都需要钱，资金的缩减幅度超过了任何其他灾难。

但是，当法国军队在第二年11月开进比利时，迫使荷兰接受相关条约时，轮到詹姆斯有些迟疑了，当时比利时大臣希望他提供一笔1 000万法郎的短期贷款。“我们必须帮助这些人，”他有些焦虑地写道，“否则，他们就不知道该做些什么，只会再次采取愚蠢的行动……简而言之，这些人……没有钱，而且……也不会赚钱。”他满腹牢骚地说，比利时是“一个差劲的国家”。直到形势变得明朗——而且得到了路易·菲利普和梅特涅的双重保证——荷兰已处于外交孤立状态，并且默许比利时继续占领卢森堡和林堡，罗斯柴尔德家族才答应了比利时的借款请求。与兴业银行的合伙当中，巴黎分行获得了一半以上的新发行国库券。从许多方面来说，借贷给新成立的国家是一场赌博，因为罗斯柴尔德家族无从得知外交对立能否和平解决。但是这种“豪赌”收益颇丰，不仅仅是因为比利时被证明是欧洲工业化的发动机之一。

但是，在波兰则是一个截然不同的情形。尽管罗斯柴尔德在华沙的商业联系与在布鲁塞尔一样，但他们对波兰起义的胜利从没有认真地考虑过。除了同情——“可怜的波兰人，我怜惜他们。”夏洛特给她母亲写信说——他们没有给起义者提供任何帮助；相反，正如我们看到的，他们希望借钱给俄罗斯，并成功地向圣彼得堡兜售了枪支。

在意大利，支持革命也不是问题。即便在政治形势得到控制之前，罗斯柴尔德兄弟就与意大利银行家托洛尼亚合伙，安排了一笔40万英镑的贷款提供给教皇。与罗斯柴尔德家族在19世纪30年代的其他交易相比，这笔贷款更让当时的人们感兴趣，一个犹太银行借贷给天主教廷的事实让他们感到可笑或恐惧。比如，卡尔1832年1月听教皇布教引来了如潮的评论。“现在世界终于进入上帝造世的时候所期望的秩序。”博恩讥讽道：

> 一个贫穷的基督徒吻了教皇的双脚；一个富有的犹太人亲了他的手。如果罗斯柴尔德以60点的价格获得贷款，而不是65点，那么就能够给主教管家1万通用金币，那么他就可能被允许亲教皇的脖子了。罗斯柴尔德家族确实比他们的祖先犹大·伊斯卡里奥特高贵，他收了30枚小银币，就出卖了基督；如果他也拿来卖的话，罗斯柴尔德家族一定会把他买下来。

“与异教徒时期的罗马一样，基督徒的罗马也被攻克了，甚至还要被迫高唱赞歌。”更有同情心的海涅调侃道，他脑海里浮现的是一个胖胖的教皇特使，抵达罗斯柴尔德位于拉斐特街的办公室里，向“一个浅灰色头发的年轻人转达罗马的颂扬……这个年轻人比他看起来要年老一些，冷静坚定，他气定神闲的表情让人以为他的口袋里装着这个世界所有的钱。而实际上，他确实把全世界的钱装到了他的口袋里；他的名字叫詹姆斯·冯·罗斯柴尔德……那么，《犹太法典》进一步的要求是什么？”“犹太银行家说：‘上帝给了我对财富的忠诚以及对富有的理解，它是社会的权杖。’”阿尔弗雷德·德·维尼1837年写道：“现在，一个犹太人凌驾于教皇和基督徒之上。他为国王们提供‘薪酬’，用钱购买国家。”

实际上，罗斯柴尔德家族自身对于接近教皇持有怀疑态度。起先，詹姆斯倾向于让两家英格兰银行：威尔逊公司和赖特公司领头，他是出于两个原因：

> 第一，我们是犹太人，如果这个教皇是个邪恶的人，他将对自己说，可以

拒绝付钱给犹太人以获得一张通往天堂的门票；第二，我认为教皇的财政状况是很糟糕的，与西班牙的情况类似，但如果他们决定不支付利息的话，那么我们就不会直接介入贷款行动。

同时，他和列昂内尔又担心被英格兰银行发现很容易就能卖掉他们的债券份额，因为“他们能够让他们的天主教朋友购买他们的份额”，而罗斯柴尔德家族的“关系网差异很大，而且不具备教皇朋友们的信心；要么不接这笔贷款，要么被迫投入我们自己的钱”。这也解释了罗斯柴尔德家族提议分三期提供贷款的部分原因，而且第一批发出后，他们保留撤回的权利。另一方面，稳定教皇国财政至少能够提供短期的外交利益，因为（佩里埃、波佐和奥波尼全都同意）“教皇，如果他需要钱而且得到了满足，那么他将能保证和平将持续下去”。此外，公众对于贷款的需求远远超出了詹姆斯的预期，他连忙重新订立了合作条件，置威尔逊公司以及赖特公司于不利境地，两家公司发现自己相当于被赶出局。债券以70点的价格发行，很快升到79点，被认为是一次“最棒的小生意”，列昂内尔如释重负地报告说。尽管1832年2月再次出现的动乱使得价格出现了轻微下挫，但到了夏季，价格冲到了83点；到1835年，只差一点点就达到了面值。

乍看起来，这其中包含了某种自相矛盾的东西，海涅也指出了罗斯柴尔德家族对于革命模棱两可的态度：他们既给革命的国度，如比利时提供贷款；同时又给保守的教皇国提供资金。仔细分析，其基本原理是一样：罗斯柴尔德家族向新国家提供资金，只要它们得到了5个大国的支持。正式或非正式的担保让贷款有了吸引力，无论它们是提供给独立的比利时还是给肤浅变革的教皇国。在这个意义上，他们只是运用了19世纪20年代便实行的政策，当时的人们将他们错误地解读为神圣同盟的银行家。他们支持比利时也有先例，那便是提供给希腊的贷款。早在1830年2月，当时萨克森–科堡的利奥波德被当成了新王国（比利时）的国王人选，詹姆斯敦促内森：

> 拜访一下你的科堡朋友，那里有希腊的生意可做。英国已经同意，如果科堡准备好接受（王冠），那么他们将担保每个月向比利时提供等额贷款，就与法国以及俄罗斯一样；他也正在与他们谈判，争取让英国与法国、俄罗斯一起提供担保。

这有点言之过早。直到1832年5月，几国才签订一项条约，为一笔提供给新国王的贷款提供担保，而且新国王来自巴伐利亚，而不是来自科堡（更不是路德维希·博恩所预测的荷兰王子）。但是罗斯柴尔德仍然决定负责处理这笔贷款，并且费了九牛二虎之力赢得了对巴伐利亚银行家戴希塔尔以及西班牙银行家阿瓜多的竞争。希腊自身可能“没有价值”，但法国、英国和俄罗斯提供担保的6 000万法郎贷款看起来是板上钉钉的事。这种感觉也是相互的。奥波尼道出了所有外交官的心声，他说：“罗斯柴尔德先生，如果没有你的参与，这笔各国都感兴趣的巨额贷款将无法筹集。”形成对比的是，对各国难以达成一致意见的地方——比如葡萄牙，1830~1834年多姆·佩德罗从巴西回归并且成功地夺取了他兄弟多姆·米格尔的王位——罗斯柴尔德家族则敬而远之。

在一个多极的世界里，5个利益截然不同的大国寻求以和平的方式解决国际危机；罗斯柴尔德家族在确保和平方面所做的事，与他们兜售和平相比要少得多，因为他们的实力比人们认为的要有限得多。

罗斯柴尔德家族是现代银行业的奇迹……我们看到，经过2 000年的迫害，犹太人的后代凌驾于国王之上，地位高过了帝王，他们将整个欧洲大陆攥在了自己的手里。罗斯柴尔德家族统治了一个基督徒的世界。任何一个内阁提出议案时都少不了他们的建议。他们轻松地伸出手，从彼得堡到维也纳，从维也纳到巴黎，从巴黎到伦敦，从伦敦到华盛顿。罗斯柴尔德男爵，这个家族的领头人，是真正的犹太人之王，是万能之王，人们一直期待的救世主。他掌握着战争与和平、祝福与诅咒的钥匙……他们是欧洲国王以及美洲共和国首脑的经纪人和顾问。他们还想要些什么？

《奈尔斯每周纪事》
1835~1836年

第十章

世界的银行家

THE HOUSE OF
ROTHSCHILD

1832 年之后的岁月里，随着对于革命以及战争的担忧渐渐消散，罗斯柴尔德家族似乎扩大了他们金融影响力的地理范围。上面引用的美国报刊的评论只是这种扩张带来的诸多评论中的一条。差不多在同一时期，托马斯·雷克斯在他的日记中写道："罗斯柴尔德家族，他们从曼彻斯特的一家店铺起步，成为欧洲的金钱帝王。通过位于巴黎、伦敦、维也纳、法兰克福、彼得堡和那不勒斯的分行，他们掌控了欧洲的汇率，此前任何人都没有实现过这一点；现在他们似乎掌握着大量的国库。当下，任何一个帝王如果少了他们的支持，都无法获得贷款。"皮克勒王子用一个德语双关词"Glaubiger"（信奉者或债权人）做了解释，"伟大的罗斯柴尔德可以与苏丹媲美，因为后者是所有信众的统治者，而前者则是所有统治者的债权人。"德国经济学家弗里德里希·李斯特对此表示赞同：罗斯柴尔德是"以色列的骄傲、大财主，是旧世界金银币以及金块银块的主人，在他的钱箱前，国王和帝王们谦恭地低下了头"——简而言之，他是"万王之王"。威廉·梅克比斯·萨克雷在早期并不怎么出色的诗句里也表达了类似的观点，这些诗 1833 年发表在昙花一现的《国民旗帜报》上：

看，这是交易所的支柱！它是内森·罗斯柴尔德本人，
他的名声在天下所有的交易所里回荡；
借助钱财的荣耀，他成为第一个犹太人男爵，
他不是"犹太人之王"，而是"驾驭国王的犹太人"。

他是金钱和公债的伟大化身，

1/8，1/2 和 1/4，借据，期权和股票；
他将新国王玩弄于股掌之中，就如年轻的小姐戏弄宠物一般；
国王将是无可置疑的公牛和熊。

漫画家响应甚至细化了这些评论。一幅可以追溯到1829年的漫画显示，内森变成了“嗡嗡作响的贷款陀螺”，国王在他们面前谦恭地低着头，他给他们分发着硬币（见图10.1）。

图 10.1　“A.C.”（克洛希尔），《贷款大陀螺》（1820 年）
资料来源：鲁本斯，《漫画中的罗斯柴尔德家族》，第 11 插图页，第 10 幅（罗斯柴尔德父子有限公司）

这类漫画中，可能最有力（轻蔑）的一幅画出自一个德国漫画家之手，时间大概为1840年。《大水泵》把一个怪异的犹太人——很明显是一个合成的罗斯柴尔德——描绘成了一个巨大的钱泵，作者借用了德语单词“pumpen”的双关含义，意指泵水或借贷（见图10.2）。画中人站在齐膝深的口袋里，口袋里装满了黄金；他膨胀的肚子是地球，一个路易金币（写着“地轴”）代表北极或肚脐；头上戴着纸做的王冠，上面写着19世纪20年代和30年代罗斯柴尔德的主要贷款名称（提供给普鲁士、俄罗斯、那不勒斯、奥地利以及葡萄牙的贷款）。

根据他外套上的口袋数量来看，他简直是“世界所有王室的遗嘱执行人”。两只手分别有两个小人抓着手指，似乎正在操控水泵（尽管并不清楚他们实际能在多大程度上控制它的动作）。左边一个代表的是土耳其，右边其中一个是奥地利。下面全是罗斯柴尔德金钱的接受者，硬币正源源不断地流进他们的钱箱和帽子里。埃及统治者穆罕默特·阿里和他的儿子易卜拉欣·帕夏在画面左边，正在用勺喂苏丹；他们下面坐着一个戴眼镜的人，跟前趴着一条大头狗，可能是英国国库大臣（尽管站在他身后的两个人无法确定身份）。另一边，毫无疑问是路易·菲利普和法国政治家阿道夫·梯也尔；他们右边那个一眼很难看出来是谁的人，可能是西班牙将军巴尔多梅罗·埃斯帕特罗。但尽管

图 10.2　《大水泵》（大约 1840 年）
资料来源：维也纳历史博物馆。

这些人物都是罗斯柴尔德金钱的接受者，他们都痛苦地被带刺的藤蔓缠绕着，这些藤蔓根植于膨胀的钱袋。他们下面也有两个小一点的人物：站在已经关闭的海关的那个人，手里举着“禁止进口”的牌子，另一个从开放的海关通过的人手里举着“允许进口或新的收入”；士兵在莱茵河右岸集合；埃斯帕特罗下面的人则在哀求拿到他们“没有发放的薪水”。这幅漫画暗示，罗斯柴尔德不仅将金钱泵到全世界，而且还像一个巨大的心脏那样把它们吸回来。

内森的主导地位

但是，这种壮丽的图画与内森 · 罗斯柴尔德以及他的兄弟们十分平凡的实际表现之间存在巨大的差异。真正的罗斯柴尔德家族与《大水泵》中的人物没有多少重合的地方。曾经有许多好奇的访问者到过皇家交易所（伦敦股票交易所）看内森做生意，按照其中一个人的说法，他是“一个长相非常普通的人，面貌粗俗，松弛下垂的嘴唇以及突出的金鱼眼。他的体型肥胖，显得笨拙，穿一件翻领大衣”。我们现在有大量描绘内森这些特征的画像和漫画。比较早的一幅由理查德 · 戴顿绘制，标题为《皇家交易所一览》，1817 年 10 月第一次出版（见图 10.3）。这是一个穿着黑色外套、戴着高帽男人的侧影，挺着肚子，一只手插在口袋里，另一只手拿着一张纸。这幅画被证明是众多插画家喜欢的一幅：内森以类似的姿势出现在乔治 · 克鲁克香克的《皇家交易所》（1821 年），以及他的《布赖顿美人》（1826 年）之中。但是，每次再版时，都会有一些精细的微调。托马斯 · 琼斯在他的 1829 年版本的《交易所之柱》中增加了一个细节，这幅画将内森安排在了他最喜欢的交易所东南角的一根柱子前（见图 10.4）。两者编列起来有着特殊的含义：内森就如柱子一样坚硬、固执，但同时也暗示了两者之间的对比之处——柱子白色均匀，内森一身黑、肚子突出。

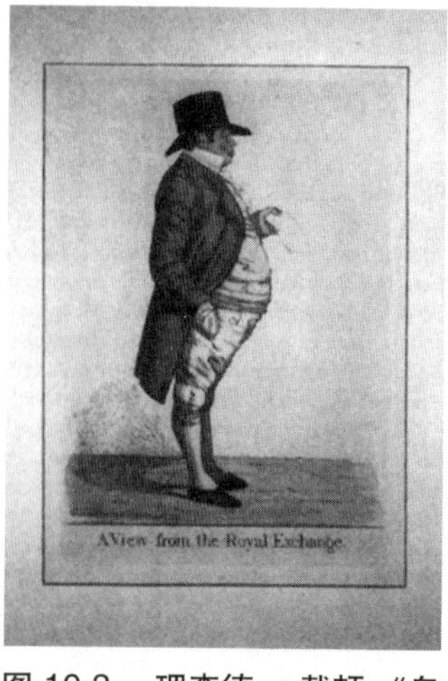

图 10.3　理查德 · 戴顿，《皇家交易所一览》（1817 年）

资料来源：鲁本斯，《漫画中的罗斯柴尔德家族》，第 1 插图页，第一幅。（罗斯柴尔德档案馆）

没那么“讲究”的艺术家更进一步，夸张表现了内森突出的下唇和肚子，这种方式无疑带有敌意。比如，法国艺术家让-皮埃尔 · 当唐在 1832 年制作了一尊内森陶瓦小雕像，它是当时嘲笑罗斯柴尔德艺术品中最怪异的一例。内森的嘴唇突出，与帽檐一般长，并且松垮地垂着，就像是鳕鱼的嘴；他的大肚子沉重地压在两条细腿之上。萨克雷在他的素描《N · M · 罗斯柴尔德先生》，同时配了上文引用的诗句（见图 10.5），忽略了内森的肚子，但是最后一节诗文毫无疑问地显示，作者发现内森的外形丑陋：

> 啊！财神！你的魅力奇妙地给予了我们！
> 否则，我们肯定会认为你有失体面，
> 当人们的好感增加后，它会给你带来上帝般欢乐，
> 混合了猪和猴子脸孔的脸上绽放出笑容。
>
> 就如他尖尖的脑袋那么明显，
> 亲爱的读者，我们详详细细地将他展现给了你们；
> 然后我们将把犹太人独自留在他的荣耀中。

图 10.4　托马斯 · 琼斯，《交易所之柱》（1829 年）
资料来源：鲁本斯，《漫画中的罗斯柴尔德家族》，第 9 插图页。（罗斯柴尔德父子有限公司）

内森死后，大量他的黑色半身侧面影——大多数使用“伟大人物的身影”字样作为标题——包含了比较多的同情意味，它们其实也不是献媚。即便罗斯柴尔德家族请人给内森画了大量的肖像，实际上也不是试图赋予其光辉的形象。在许多人眼里，内森的伟大本来就存在于日常的工作与生活中。一些人看待工作中的内森时，觉得他周围笼罩着一种英雄般的光环。这篇开头引述的那个美国访者宣称：“他周围的气氛以及他的处事方式中，有一种统帅一切的感觉，那些接触他的人主动表现出的恭敬，显示出他并不是一个普通人。‘那是谁？’是自然而然的问题，‘犹太人之王’则是答案。”但是，尽管他的性情与拿破仑有诸多相似之处，但是金融界的帝王却从没有受到过英雄般的对待。当时人们看到的只是一个胖子在买卖一张张纸片：

> 人们挤在他的周围，举着各种汇票。他会扫一眼某张汇票，还给对方，然后肯定地点一下头；接着转向另一个寻求建议的人。两个俊朗时髦的年轻人站在他身边，做着记录。他们的讨价还价控制着当天整个欧洲大陆的汇率。

他的弟弟詹姆斯同样易于接触。1837 年，一个巴黎的记者“要见冯 · 罗斯柴尔德先生本人……他是人人传颂的人物，公债的大东方组织（欧洲最老的共济会组织）以及欧洲安全的关键枢纽”。这个记者惊讶地发现，“国王”走进他的“首都”时是那么的普通：

> 冯 · 罗斯柴尔德先生只露面一小会，从下午 3 时到 3 时 25 分，这就是说，

THE
NATIONAL STANDARD,
And Journal of Literature, Science, Music, Theatricals, and the Fine Arts.
No. 20. SATURDAY, MAY 18, 1833. Price 2d.

REVIEW OF NEW BOOKS.

Service Afloat; comprising the Personal Narrative of a Naval Officer employed during the late War, and Journal of an Officer engaged in the late Surveying Expedition under the command of Captain Owen, on the Coast of Africa. In two volumes. London: Bentley, 1833.

We have received this book too late to make any report of it. We shall return to it next week; and in the meantime, to enable our readers to form an opinion for themselves, we shall give them a few extracts.

N. M. ROTHSCHILD, Esq.

Here's the pillar of 'Change! Nathan Rothschild himself,
With whose fame every bourse through the universe rings;
The first* Baron Juif; by the grace of his pelf,
Not "the king of the Jews," but "the Jew of the kings."
The great incarnation of cents and consols,
Of eighths, halves, and quarters, scrip, options, and shares;
Who plays with new kings as young Misses with dolls;
The monarch undoubted of bulls and of bears!
O, Plutus! your graces are queerly bestowed!
Else sure we should think you behaved infra dig.
When with favours surpassing, it joys you to load
A greasy fused compound of donkey and pig.
Here, just as he stands with his head painted thus,
At full-length, gentle reader, we lay him before ye;
And we then leave the Jew (what we wish he'd leave us,
But we fear to no purpose,) a leer in his glory.

图 10.5 威廉·梅克比斯·萨克雷,《N·M·罗斯柴尔德先生》,《国民旗帜报》(1833 年 5 月 18 日)
资料来源:鲁本斯,《漫画中的罗斯柴尔德家族》,第 24 页。

收市前 5 或 10 分钟……他通常由一个侄子陪着来到交易所,他的出现引起的骚动不是一般的猛烈。人们急切地围住他,尤其是那些纠缠不休的交易员,但这并没有干扰他倾听他们的声音,然后用他惯常的幽默回答。他自己会向一些关系紧密的银行家打招呼;他与别人的交谈从不冗长,说话时也没人交头接耳;当铃声响起时,人们四下散去;人们走后,他也如别人一样离去——没有到来时的那种仪式。

萨洛蒙在维也纳似乎更平易近人:“每天,从 12 点股市开盘到下午 4 点收市,他一直被交易员和投机者围绕着,他们向他焦急地报告着市场的走势,并急切地希望得到并执行他的交易委托。”

那些曾经进过罗斯柴尔德办公室的人也被他出乎意料的谦虚所震惊——尽管对外面的人来说有些不可思议。1826 年,皮克勒王子第一次见内森时,吃惊地发现“伦敦城的统治者……实际上……待在一个毫不起眼的地方……在他账房的小院子里,我见了这个神圣同盟中神通广大的人,狭小的院子里还摆放着一辆装着银锭的货车。”详细描述内森时代纽考特内部情况的文档无一留存下来,但我们或许可以从迪斯雷利的小说《坦克雷德》中找到一些相近的描述(尽管作者可能有所修饰)。与皮克勒当年一样,坦克雷德拜访时,发现与罗斯柴尔德相像的西多尼亚已经与一个外国大使在小房间里谈事:

坦克雷德进到斯金花园,巨大的台阶下停着一辆带有外国王室花冠的两轮马车。一个又高又胖的门房接待了他,门房看到这个年轻人停下来不再往前走,于是懒洋洋地从一个带有顶棚的椅子里站了起来,问这个刚进来的年轻人有什么事。

“我想见德·西多尼亚先生。”

“现在不能见,他正忙着。”

“我有一张便条要给他。”

“噢,给我吧,我会给你送进去。你可以坐在这里。”门房打开了一个接待室的门，但坦克雷德不愿意进去。“我在这里等就行了，谢谢你。”坦克雷德说，他环视着橡木做成的大厅，墙上挂着几幅肖像；一条楼梯蜿蜒而上，这种豪华的楼梯在现代的伦敦别墅中绝不会见到。

“（门房说）我现在不能打搅主人；西班牙大使正和他在一起，其他人还在等着。当大使离去时，一个秘书会把你的信以及其他信一起拿进去。”

此刻，坦克雷德仍在大厅里逗留，进来了好几个人，而且跟门房连招呼都没打，直接向房间里走去。

“那些人要去哪里？”坦克雷德问。

门房带着一丝不解和轻蔑的神情瞪了他一眼，然后有些自言自语地回答他说……“我想，一些人去账房，一些人去银行。”

这件事过后，年轻的造访者又被晾了一会，直到一声“驾”宣告西班牙大使终于离去：

“现在你的信将和其他信一起被送进去了。”（魁梧的门房）对坦克雷德说。

坦克雷德被带进一间宽敞而且相当长的房间，房间全部用老橡木装饰，散发着浓郁的奢华气息……土耳其地毯，深红色绸缎做成的窗帘，几张巨大的桌子上铺着纸，几张休闲椅。墙边有几个铁柜子，这些就是房间里的全部家具。房间的一角是一扇玻璃门，透过玻璃门可以看到用做账房的房间，里面挤满了办事员。平时门会用一块厚羊毛毯遮着。

这段描述让人感到怀疑的地方就是罗斯柴尔德其他分行的氛围与此完全不同。比如，詹姆斯的办公室通常能够轻易地进入。梅特涅的儿子维克多 19 世纪 20 年代末拜访詹姆斯时，他发现：

办公室就像是一个电影放映机，各种各样的人以及各种各样的声音不停地进来、出去。那天，这种来来往往尤为引人注目，因为在交易所交易的证券价格剧烈地波动。这个大银行家本人也表现出了一丝焦虑，平时他总是保持着冷静。我们的谈话很快被一个向老板报告股价的职员打断。

根据当时人们极为稀少的描述，法兰克福分行在其设计上也是“开放式的”：

他坐在办公室里的职员之间，就像一位君王；他下面是他的秘书们，四周能看到一群来来往往的交易员。他会跟每个人说一两句话，他像是个商业天才，能够立刻知道如何回答每个问题，能够对任何放到他面前的生意做出决定……

要跟他私下里说一些生意上的事几乎不可能；他在办公室里做的每件事都是公开的，就像是在法庭里。

换句话说，罗斯柴尔德各个办公室里发生的事与各个交易所的情形没有太大的差异：交易员来来去去，相互交换着各种纸张。

因此，那些期望去他们办公室看到一些能够彰显他们权势东西的人，无疑会感到失望，因为他们只要看一眼交易员的日常工作，就能知道罗斯柴尔德几兄弟的工作情形了——不过这也是试图探寻罗斯柴尔德成功的无形动力的一个诱惑：比如，希伯来护身符，或像巴尔扎克小说主人翁纽沁根那样，靠精心编织的骗局发迹。当时的人们唯一能够发现、可以用来证明罗斯柴尔德家族非凡成功的线索，就是内森进行复杂金融计算的速度和轻松度，他将这归功于他的记忆力。“即便没有儿子协助，”另一个作家评价说，“据说他也能够记住每一笔交易。”他的讣闻撰写人后来在《泰晤士报》上也提出了相同的观点：

他在计算利率方面，无论是提取还是存入，都不会有丝毫的障碍；他的记忆力如此之好，以致不管每天经手多少交易，他从来不用记笔记，回家后能够丝毫不差地口述给办事员。

内森死后，另一个作家写道：“他的野心就是比别人更快、更有效地实现自己的目标，他会以自己全部的能量勇往直前。到达终点后，目标对他而言已经失去了所有的魅力，于是他就会将自己永不知疲倦的头脑转向别的东西。”

对有些人来说，这种不知疲倦的才能甚至被认为有些诡异。一个看过内森工作的人发现：

他个性中的僵硬和紧绷会让你好奇地觉得似乎有人正努力地要将他挤到身后去，而他也不害怕或羞于承认这一点。眼睛通常是解读灵魂的窗口，但是在内森身上，你会得出结论：这扇窗开错了，或透过它们你看不到任何灵魂。眼睛里没有丝毫的光线透射出来，即便偶尔出现一点点闪烁，也是四下散射。给你的唯一感觉就是一张空空的皮囊，你会怀疑，里面什么都没有，它是怎么站立在那里的？其他人一个接一个地走向它，它会向旁边移两步，瞬间固定的灰色眼睛里闪出你从未见过的光芒，就好像一个人从剑鞘里拔出一把剑一样。进来的人，可能只是偶然经过，只停留一两秒，但在这短暂的过程中，他脸上表情的变化（多种多样），尽管你不能用语言形容，但你能感觉到一定有着重要的意义。这一切过后，他的两眼再次暗淡无光，他再次恢复了雕像一样的姿势。

整个早上，大量的人来到这里，所有人受到了同样的接待，也以同样的方式离开；最后，这个人自己也消失在空荡荡的交易所里，留下你恍然若失地思索着。

尽管这番描述有些过头，但它捕捉到了当时的人们评价内森时经常提到的一点：内森集冷静与突发惊人行为于一身，两者能在瞬间实现转变。1821 年，据说他接到有人要暗杀他的警告，当时他“带着一丝微笑，感谢了提供情报的人。给人的感觉似乎是他没有对任何一个人做过错事，他不能接受有人会策划如此残忍的行为，因此他认为警告不值得关注”。但是，两年后，当他发现一个陌生人占据了自己在皇家交易所经常使用的位置后，他变得“如此激动，花了好些时间才恢复平静，并开始交易”。《给银行家的传单》指出，内森“坚强并且不受拘束的意志”以及“新的地位带给他的高傲，使得他对任何个人风险不屑一顾”。我们也提到，这种傲慢的品性经常渗透进他的信件里。一个显然目睹过内森发火的人回忆说：“罗斯柴尔德先生的愤怒盖过辨别力时，他所使用的语言仍不会超越赚钱所允许的范围……他的口述信件通篇渗透着赚钱的思想，即便他发现一张汇票出乎意料遭到拒收而让他勃然大怒，但在信件到达收件人那里时，其语言已经转化成了商业词句。”

但是，几个兄弟之间都是亲笔写信，其他四兄弟就没有商业伙伴那么幸运了。我们也看到内森在写给兄弟的信中是何等的粗暴；这一点并没有随着年龄的增加而改观。1828 年，萨洛蒙的儿子安塞尔姆写信给列昂内尔：“请告诉你的好父亲，以后不要写这么暴躁的信给阿姆谢尔大伯了。我可以向你保证，它们伤害了他的健康。出于什么原因？因为他写信给你父亲，说他希望拿一些钱，那是你们欠他的。考虑到大伯年纪已老，身体虚弱，如果你们不注意写信的措辞，他就不再收信了……”6 年后，纳特报告说，阿姆谢尔的“健康状态让他非常担忧”并“非常强烈地”建议父亲“在你的信里哄他开心一些，不要斥责他，因为这对他的伤害超过你的想象”。内森与詹姆斯之间偶尔也会发生摩擦。比如，1832 年，詹姆斯“非常强烈地反对”向希腊提供贷款，直到他接到纽考特寄来的信才最终同意，信里是这样说的：“在任何情况下，你都不能让这桩生意从你的手里溜走。”当内森改变主意时，詹姆斯欣喜若狂，内森给他寄了第二封信：“有关希腊的事，不要采取任何行动。”两人在 1835 年的葡萄牙贷款的问题上也有类似的碰撞。

仅以内森的个性还不足以解释罗斯柴尔德家族在金融方面的成功，尽管他的个性相当重要。19 世纪 30 年代兄弟间逐渐增多的争吵并不是因为内森的主导地位。比如在 1831 年，列昂内尔转达了一条信息给他父亲：“詹姆斯叔叔希望爸爸不要仅为自己的利益在伦敦做法国公债方面的生意，因为这将破坏巴黎分行与伦敦分行之间的生意，到最后其他人将乘虚而入。”两年后，纳特从法兰克福写信说，他的阿姆谢尔大伯“抱怨爸爸跟他做的生意太少了……我能肯定，亲爱的爸爸，你会看到大伯想要什么，他特别希望你能像以前那样跟他做生意”。由于没有收到纽考特方面的任何回馈，纳特被迫再试一次：

> 他恳求爸爸你能够尽可能多地跟他做生意，那样会很好；他抱怨你给巴黎和维也纳太多的优先权了。我必须说，他是非常优秀的人，如果可能的话，和他做一笔生意吧，让他高兴一些……但是，不理会争执也是明智的。

除了争执，阿姆谢尔的抱怨里说出了一些事实。到19世纪30年代初，由于兄弟几个相互见面的次数变少，伦敦分行与法兰克福分行之间的金融联系似乎也松懈了不少。这也不是离心力起作用的唯一迹象。仅仅1年后，卡尔在那不勒斯向詹姆斯提出了非常类似的指责。这次，内森被迫充当两个弟弟之间的调停人。“亲爱的内森，关于我们的兄弟卡尔写信跟你说我没有定期给他写信的事，”詹姆斯在一封信里对卡尔的指责做了回应。

> 为了维持良好的关系并遵照你和萨洛蒙的期望，我实际上已给他写过5封信了，我也彻底忘记了他写给我的那些愚蠢的信……我当它们不存在。请让那不勒斯将我的信转寄给你，这样你就会了解我确实写信了，因为我想维持和睦的关系，不想发生任何争吵。我做到了一个诚实的人为他的兄弟所能做的一切。他们可以抱怨我，但是我不会再给他们写信，除非我收到他们的信，因为我仍然是罗斯柴尔德家族的人，我对这一荣耀的坚持与我们的兄弟卡尔一样。

当然，兄弟之间发生争吵时都写信给内森的事实，也表明内森的“司令”地位是何等的牢固——他是整个罗斯柴尔德大厦所依赖的支柱，就如皇家交易所的柱子一样不可撼动。但是诸如这类的争论也表明，维持这座大厦的稳固，其他的墙壁也是必要的。

罗斯柴尔德机制

如果罗斯柴尔德成功有一个“法宝”的话，那应该是他们5家分行之间的合作机制，这使得他们成为世界最大的银行（以整体来看），同时将自己的金融影响力通过5个主要金融中心扩散到全欧洲。这种跨国机制由合伙人协议监管着，这份协议每几年重新修改、签订一次，它实际上是一个金融联邦的宪章。我们知道，最早的这类协议起草于1810年，但这并不是协议范本，因为当时迈耶·阿姆谢尔还处于掌控地位，而且当时的战事也让内森没有签约。1815年签订的五兄弟间3年协议才是真正意义上的“联邦”协议。这阶段最关键的事情是伦敦分行的庞大财富。根据协议的序言，五兄弟的“合伙财富为50万英镑左右”，但很显然，大多数钱是内森的。协议寻求重新定义五兄弟的财产总额，除去一些项目（可能是房产），然后以5万英镑本票的形式将内森给其他四个兄弟的20万英镑分配到位。结果，33.6万英镑的份额是内森的，占整体的27%；阿姆谢尔与萨洛蒙各自占20%；卡尔与詹姆斯分别占16%。此外，几人同意所有的开支用伦敦分行的收入来支付，每年年终的时候几方平均分配利润。

在协议有效的3年期间里，兄弟5人的资本以指数级增长，从33.6万英镑升至177.2万英镑。如此大幅度的增长要归功于内森在统一公债方面的大量成功投机，尽管总体资金或多或少保持原状，但他的兄弟们此时同意在分配利润时偏向内森。正如卡尔所说的那样：

> 内森应该获得多于五分之一的利润。他有一个大家庭，他需要更多的钱。无论你们怎么安排，我都同意……你告诉我，你也认为内森应该给予一些特权。我们获得的一切，确实都归功于他。他拯救了我们。我们希望早一点抛售，但他阻止了我们。

此时，技术上已经有了“五个合伙人共同运作下的三家联合商业组织”：伦敦的N·M·罗斯柴尔德公司、法兰克福的M·A·冯·罗斯柴尔德兄弟公司以及詹姆斯在巴黎的新据点：冯·罗斯柴尔德兄弟银行。因此，伦敦分行的一半利润将归内森所有，他的兄弟每人得到利润的1/8；内森同时还会得到其他两家分行1/4的利润，其他兄弟每人分得3/16。1818年的协议同时还引入一个新的制度，即每个合伙人每年获得自己资金份额的4%，用来支付各种费用（生意和家庭开支）；任何用于遗产、房产或地产上的大额费用将从个人的资金份额中扣除。此外，“为保持账本和账目的规整……需要作出规定，尽管三家分行组成共同利益集团，但自定汇率、经纪费、邮资和邮票价格，三家分行相互间的利率定为5%”。为了增强集体身份的感觉，协议特别要求每家分行每周向其他分行通告自己的交易情况。

尽管这份协议最初只打算使用3年，但实际上它一直延续到1825年。但是，如果认为这份协议是兄弟和谐的一个标杆，那就错了。除了我们在前文叙述过的五兄弟在这段时期常见的争吵外，欧洲大陆的四兄弟曾另外订立一份协议，其内容反映了他们与内森之间严重的分歧。因此，1825年代协议恢复了1815年的机制：利润将平均分配，这反映法兰克福与巴黎分行的资金增长迅速，有望超过伦敦分行。另一方面，内森的个人份额仍然超过了联合资金的1/4，此时的数额超过了400万英镑。此外，尽管萨洛蒙和卡尔或多或少地定居在维也纳和那不勒斯，他们的分行并没有获得前三家的同等地位，继续被当成法兰克福的“分支机构”，1828年前没有任何独立的资金(这之后也只拥有相对较少的资金)。这可能阻止了上述的离心倾向。几个合伙人此时确保“知会彼此所有的交易，不管其内容是什么，过程和结果如何”，不过是每个月通知一次，不再是一周一次。

1825年的协议也第一次将第三代人吸纳进了公司，在萨洛蒙的儿子安塞尔姆与内森女儿夏洛特结婚后，他成为了合伙人之一。罗斯柴尔德兄弟第一次增加了道德方面的内容：1825年的文件包括了一项条款，允许安塞尔姆退出生意，如果“工作变得过于艰巨”；并且寻求遗产问题可能出现争执的解决办法，即规定每个合伙人的后代无论继承的资金份额是多少都必须接受，不能诉诸法律。协议特别声明，如果一个合伙人的后代起诉其他尚在人世的合伙人，这个后代继承的资金份额的1/3将被罚没，然后分发给法兰克福、伦敦和巴黎的穷人。

只描述他们所定的条件，很容易忽视这些协议所包含的秘密特性，保密做法也一直被流传了下来。当兄弟几个1828年8月在法兰克福会面，总结相对让人失望的3年时，内森的妻子汉娜和儿子们也一起去了那里，但他们全部被排除在协商会议之外，8年后依然是这样的情形。“爸爸和他的兄弟以及安塞尔姆几乎一直忙着商量安排他们所关心的事，”汉娜说，“会议在（阿姆谢尔的）花园的塔楼里秘密举行。”她能够说的就是“每件事似乎都一致通过”。这对她来说让她放心了不少，1828年的协议显示，尽管内森的个人资金份额维持不变，但伦敦分行的相对重要性继续下降。它所占总资金的比重只为27%多一点儿，而在1818年，这一数字是42%。这一份额在之后的8年里只上升了非常小的幅度，而且还是因为1836年法兰克福会议前的一件事发生才实现了这一改变——内森的意外去世。1828年的协议，由于伦敦主导地位相对降低，使得欧洲大陆的合伙人能够确立利润分配的有利方式：从那之后，内森可获得伦敦分行60%的利润，但只能获得法兰克福、那不勒斯和维也纳分行10%的利润，其余四个兄弟每人获得10%的伦敦分行利润，22.5%欧洲大陆分行的利润。这条法则——毫无疑问提高了伦敦分行的相对自主性——在内森死后也仍旧保留：他所有的权利全部转移给了他的4个儿子。

毋庸讳言，罗斯柴尔德家族在金融上是成功的。实际上，1850年前，他们资金的增长速率以及规模在银行业历史上都是空前的。表10–1总结了19世纪上半世纪各个分行的总资金数额：

表 10–1：罗斯柴尔德总资金（1797~1844 年，单位：千英镑）

	1797	1807	1810	1815	1818	1825	1828	1836	1844
法兰克福	9.9	50.6	72.7	68.0	680.0	1 450.0	1 534.1	2 121.4	2 750.0
巴黎				55.0	350.0	1 490.0	1 466.4	1 774.2	2 310.6
伦敦				90.0	742.0	1 142.0	1 183.3	1 733.4	2 005.1
维也纳				68.0			25.0	110.4	250.0
那不勒斯				55.0			129.6	268.3	462.5
总额	9.9	50.6	72.7	336.0	1772.0	4 082.0	4 338.4	6 007.7	7 778.2

备注：1815 年资本总额或许过低：关于资本总额是 50 万英镑还是 33.6 万英镑的协议并不明确。同时注意，1815 年的数字是各个合伙人个人的份额，而不是分配给各个分行的份额。1807 年的数字由古尔登转为英镑，当时 1 英镑兑换 10.16 古尔登。1828 年的数字也是由古尔登转换而得，当时 1 英镑兑换 12 古尔登。

数据来源：档案文件

罗斯柴尔德家族资源的庞大规模怎么强调都不过分：就拿 1825 年来说，他们的资金总额是巴林兄弟资金总额的 9 倍，是詹姆斯在巴黎主要竞争对手拉斐特的 11 倍。他们的资金总额甚至超过了法兰西银行（此时大约为 300 万英镑）。记录 1830 年以前的各个分行资金数额的资料残缺不全。比如伦敦分行，1809 年的总账保存了下来，但 1828 年之前的损益账目全部没有留存下来。图 10.6 给出了截至 1850 年的"结果"数据：每年年初的上年度利润占资金总额的比例。这些数字中表明了几点：第一，他们的业绩存在巨大的波动，有非常成功的年份（1834 年），当时的利润接近资金总额的 1/4；也有遭受严重挫折的年份（1847 年），公司接近 1/3 的资金亏损了。平均下来，利润实际上并不可观，尽管这部分反映了计算净利润前扣除了各种开支的事实。

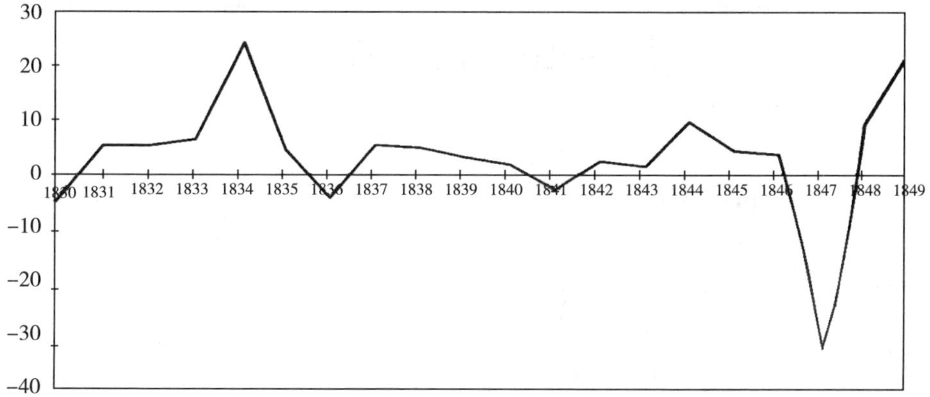

图 10.6　罗斯柴尔德父子公司年度利润占资金的百分比（1830~1849 年）

来源：附录 2，表格 b。

利润（或亏损）的数额只是简单地加到前一年的资金总额里（或从中扣除）；这一机制与罗斯柴尔德家族最大的竞争对手巴林所采用的机制截然不同，巴林倾向于计算毛利润，并且将毛利润分配给各个合伙人。罗斯柴尔德家族与他们竞争对手最大的不同可能是他们将利润重新投入了生意中，因此他们的资金总体上出现的是增加趋势，而巴林兄弟或多或少地保持资金稳定，寻求能够保证自己生存的最大化利润。1829~1846年，N · M · 罗斯柴尔德公司的资金总额增加了90%，而巴林兄弟只增长了50%。

其他几家分行里，分类账目得以保存下来的是相对较小的那不勒斯分行。考虑到它的规模，那不勒斯分行的利润有些不可思议，尤其在它创立的头10年里。1825~1829年，它的平均年利润超过了3万英镑，当时它的资金总额还不到13万英镑；整个19世纪30年代和40年代，它的年平均利润为2万英镑。与伦敦和巴黎分行不同的是，它似乎从没有出现过亏损的情况，即便遭遇了1825年、1830年和1836年的3次危机。卡尔可能被当时的人认为是5兄弟中天赋最差的一个，他的信也反映出他处事有些迟钝，但是毫无疑问，他在金融方面仍然十分精明。

不幸的是，没有这个时期的巴黎、法兰克福和维也纳分行利润的完整数据。巴黎分行唯一残存的是1824~1828年间的数据，它所告诉我们的，是1825年危机给詹姆斯造成的伤害程度（他的损失不少于35.6万英镑）以及他从挫折中恢复的速度（他的利润在随后两年里分别是4.4万英镑和12.4万英镑）。不过，我们可以从资金总额表上推断出每个分行的年度利润（见表10–2）。这些数字有些出人意料地显示，伦敦分行的盈利能力实际上比其他三家主要的罗斯柴尔德分行要低：1818~1844年间，法兰克福与巴黎分行的平均年利润都高过伦敦分行。内森的兄弟们，尤其是阿姆谢尔经常要忍受与他们认为的“司令”相比较的痛苦；但即便在内森占主导地位的那段时期，法兰克福也比伦敦更具盈利能力。维也纳，考虑到它较小的资金规模，其盈利能力也是相当高的。

表10–2：5家罗斯柴尔德银行年平均利润（1818~1844年，单位：千英镑）

	1818~1825	1825~1828	1828~1836	1836~1844	1818~1844
法兰克福	110	28	73	79	80
巴黎	163	–8	38	67	75
伦敦	57	14	69	34	49
维也纳		8	11	17	N/A
那不勒斯		43	17	24	N/A
总计	330	85	208	221	204

数据来源：档案文件

当然，问题是当5家分行仍被认为是不可分割的合伙人时，进行这样的比较是否准确。罗斯柴尔德家族的通讯表明，5个分行依靠一种集体策略获得了各自利润的一大部分，这种策略1836年之前的订立者是内森。如果没有这种有效获益的策略，兄弟之间就无须如此频繁地相互写信，信的内容也无须如此详细。如果各个合伙人不再觉得需要依靠别的合伙人，那么利润摊分的基本原则就不会持续如此之久。那不勒斯的资产负债表给出了很好的例证，说明了5家分行是如何紧密地结合在一起的：1825~1850年间，它的资产中属于其他分行的资金很少低于18%的比例，有时甚至多达30%。这种情形在其他分行似乎也是一样。1828年，巴黎分行31%的资产是欠其他罗斯柴尔德分行的钱，主要是欠纽考特（伦敦分行）。

几兄弟究竟是怎么赚钱的？截至目前，我们主要关注的是罗斯柴尔德家族经营政府债券方面的生意，（从他们的信件内容来判断）这也是他们在1836年之前最感兴趣的活动；而且这一活动给当时的人留下的印象也最为深刻，因为它包含了明显的政治寓意。表10–3提供的数字是伦敦与法兰克福分行（其他分行的数据无法获得）在这一时期发行的贷款（债券）面值总额。

表10–3：伦敦与法兰克福分行发行的债券面值（1820~1859年，以每10年计，单位：英镑）

	NMR	MAR
1820~1829	58 715 366	4 892 947
1830~1839	43 194 150	3 599 512
1840~1849	35 169 611	2 930 801
1850~1859	88 485 900	7 373 825

数据来源：《金融世纪》第16~81页，艾尔著；《迈耶·阿姆谢尔》第29~42页及第206~228页，伯格菲尔著。

这些数据证实，罗斯柴尔德家族（尤其是伦敦分行）在这一时期是国际债券发行的主导力量。1815~1859年间，伦敦分行一共发行了50笔贷款，主要是提供给政府，面值总额约为2.5亿英镑，占到了19世纪50年代英国海外资产的10%。形成对比的是，巴林兄弟在同一时期只发行了14笔，面值总额为6 600万英镑。表10–4提供的是1818~1846年间，伦敦分行贷款的流向地域——包括少量的大笔私人贷款。这些数据显示，当时人们认为罗斯柴尔德家族是“神圣同盟的银行家”的说法有些夸大；伦敦分行最大的客户是法国和英国，而普鲁士、俄罗斯和奥地利远远地排在后面。

表 10–4：伦敦分行发出的贷款（1818~1846 年，按照借贷者）

借贷者	总额	占贷款总额百分比
英国	44 938 547	29.2
法国	27 700 000	18.0
神圣同盟*	29 029 566	18.8
普鲁士	[12 300 400]	[8.0]
俄罗斯	[6 629 166]	[4.2]
奥地利	[3 100 000]	[2.0]
那不勒斯	[7 000 000]	[4.5]
葡萄牙	5 500 000	3.6
巴西	4 486 200	2.9
比利时	11 681 064	7.6
其他**	5 843 750	3.8
私人部分	24 900 000	16.2
总数	154 079 127	100.0

*普鲁士、俄罗斯、奥地利与那不勒斯。**荷兰、希腊与丹麦。
数据来源：《金融世纪》第 14–42 页，艾尔著。

阐明政府债券在罗斯柴尔德各个分行资产负债表中的重要性相对容易。伦敦分行现存最早的资产负债表（1818 年）显示，它的资产中非常大的一部分——超过了 1/4——投资在英国政府债券之中。如果算上它持有的丹麦政府债券，这一比例超过了 37%。同年，法国分行 35% 的资产是 3% 利率的法国公债。“国家证券账户”在维也纳分行的资产中占据了同样的比例，这也显示了罗斯柴尔德大胆的策略：保持“最上等”的证券所占资产比例为 1/3 左右。但是，计算这些债券发行所产生的利润非常困难。正如我们看到的那样，每一笔收取的佣金和其他费用都不相同；一些债券的发行实际上带来了重大的损失（比如 1830 年的法国贷款）。不管怎样，兄弟几个在债券市场挣到的大部分钱并不是来自于发行新债券，而是来自于对现有债券的投机。这其中，要找出精确的数据也非常困难。从现存的记录来判断，各分行账户的构成主要基于对各种业务或交易回报的计算，并且确保各个分行之间不存在差异。与大多数 19 世纪公司的总账一样，伦敦分行并没有按照种类来组合记录交易：各种买卖行为按照实际发生的时间相继记录，年底时再合计。理论上，计算买卖政府债券获得的利润是有可能的，但是这无疑要花费大量精力，总账也没有试图厘清这方面的数据。那不勒斯分行有一个“公债账户”，但是它也保持了其他政府证券，如那不勒斯、罗马政府债券的独立账户。由于它经常改变每半年的会计惯例，建立新的账户用于继续进行的交易，因此要对它的活动得出让人深刻印象的评价几乎不可能。最多可以说它绝大多数利润来自 5~10 个联合账户，有些是与其他罗斯柴尔德分行的联合账户，有些是与意大利银行的联合账户；利润也来自于为第三方进行交易收取的佣金，来自于各种没有列出明细的贷款利息。

当然，如果罗斯柴尔德只经营政府债券，那这就没什么问题，但他们在银行业里的活动实际上多种多样，而且随着时间推移，这种趋势更为明显。政府金融是他们的最爱。如果按照生意的成交量而不是利润来衡量，相对重要的是伦敦“商业银行家”的经典业务：接收商业票据或汇票。按照 1882 年《票据法》的规定——它给已有 300 多年历史的这种业务形式进行了精确的定义——汇票是“某个人（出票人）填写地址（并签名）后提供给另一个人（付款人）的无条件支付命令……要求……付款人（当他签署票据后变成了承兑人）在未来……确定的日期……支付给特定对象或持票人……确定数额的款项”。换句话说，某些货物的卖家可以向买家开出汇票，以便向他提供一段特定时间（通常是三或四个月）的赊账期，这样就能够让他在货物抵达并卖给制造商或零售者之后，再支付款项。商业银行扮演的角色是双重的：代表买家（收取一定的手续费）充当汇票的接受人或以一定的折扣（收取利息）从开票人手里买入汇票。贴现也可以再次打折将汇票卖给中央银行，在汇票上增加自己的签名或背书。承兑汇票的银行家是在有效地“兜售他的名声”，这也就是说，他的名声是有信贷价值的。

这类商业票据的买卖是内森·罗斯柴尔德主要的活动之一。它的重要性也能够从残存的资产负债表中推断出：1828 年的“应收票据”占了伦敦分行资产的 1/4；“应付票据”占了债务的 5%。这类业务在欧洲大陆的罗斯柴尔德分行重要性要低一些，反映了 19 世纪大量国际贸易通过伦敦运作的事实。内森 1832 年在银行委员会作证时阐明了这一点，“从整体的角度来看，这个国家是全世界的银行……在印度、中国、德国以及全世界进行的交易，都受这里的主导，并通过这个国家达成协议”。但是，内森也解释说，其他罗斯柴尔德分行在他的业务运作中仍然扮演了重要的辅助作用：

> 我买入伦敦银行家和商人手里从利物浦、曼彻斯特、纽卡斯尔以及其他地方开出的汇票，每周我会购买 6 000 或 7 000 英镑的汇票，有时会买 1 万英镑，然后将它们发送给欧洲大陆的分行；欧洲大陆分行用它们购买本国用于购买酒、毛纺品和其他商品的汇票……如果这个国家的国外汇票数量不足的话，我们就

要被迫从巴黎、汉堡和其他地方运来黄金。

这对于当时进行的业务是一个合理的总结。罗斯柴尔德家族并没有试图凭借收取票据手续费来赚钱（实际上，内森收取的费用一直比其他公司低 0.5%）；他们的目的是利用欧洲各个市场之间的汇率差异获得利润。罗斯柴尔德家族的通讯经常提及此类套汇交易："伦敦"（开给英国的汇票的简称）的价格高于巴黎或法兰克福的幅度足以让内森向詹姆斯或阿姆谢尔发送大量的汇票吗？"现在，亲爱的内森，"詹姆斯在 1832 年一封具有代表性的信中写道：

> 我再次忙于汇票业务了，请你准确地评估一下你发送给我们的（汇票）。我们在这里购买伦敦汇票的价格是 25.65 法郎，加上 3% 的利息，相当于是 25.845 法郎；你送过来 2.1 万英镑的巴黎汇票价格是 26.075 法郎，加上 4% 的利息，相当于是 25.79 法郎，即便不计算手续费也有 20% 的亏损。我将这一点告知你，唯一的目的就是我不想在处理汇票生意时蒙受损失。

这其中涉及了复杂的计算，兄弟几个试图利用的是非常微小的汇率差异。作为跨国的合伙人企业，他们在这类生意上有得天独厚的条件。

但是罗斯柴尔德家族在票据市场中的地位并不像他们在债券市场中那么有掌控力。沃尔特 · 巴杰特在名为《伦巴德街》(伦敦金融中心)的伦敦影响力调查中，称他们为"最伟大的……外汇交易商"；但是这一赞美用在巴林兄弟头上更合适。1825 年，内森承兑的总金额为 30 万英镑，巴林兄弟则为 52 万英镑。25 年后，纽考特的承兑额上升到 54 万英镑，但是巴林兄弟的数额则是 190 万英镑；而且 19 世纪下半叶，随着诸如克莱沃特这样的新来者加入竞争，罗斯柴尔德家族与巴林兄弟之间的差距仍在拉大。除了罗斯柴尔德家族将政府金融放在第一位的因素外，这主要反映了一个事实：票据生意很大一部分是由跨洋贸易带来的，而不是英国与欧洲大陆之间的交易带来的，后者罗斯柴尔德家族更有优势。上文也提到，罗斯柴尔德也试图提高在美国市场的份额，但他们只刚刚站住脚；整个 19 世纪上半叶，巴林兄弟在那里一直占据上风。

票据交易很自然将大量活动联系到了一起。从非常早的时期开始，其中最重要的一个交易便是国际金银市场。正如内森 1832 年作证时说的那样，对应英国进口的汇票与出口的汇票总额之间存在着差距；按照当时经典经济学的观点，贸易赤字或盈余自动地会带来金属货币流进或流出伦敦，只要这些货币的数量足够大，足以涵盖装运和保险费用，以及必要时的融化和重铸费用。当汇率达到所谓的"黄金点"时，就需花钱进口或出口黄金（在一些国家是白银）。对罗斯柴尔德家族来说，将黄金从英国运往欧洲大陆是 1815 年前直接参与英国战时金融活动的重要途径，兄弟几个也从没有失去对金银生意的兴趣，他们与英格兰银行以及法兰西银行进行了大量这方面的生意。这也是内森写信给一个汉堡银行并用傲慢的口吻提及的一点："我的生意……完全由政府交易和银行业务组成。"这方面的业务也涉及了复杂的计算，尤其是硬币被融化成金条（银条），然后在另一个市场重铸时更是如此。"现在，亲爱的内森，"詹姆斯在另一封具有代表性的信中写道，"以 1 谷令（0.0648 克）黄金的价格买入银币，其余的可以作为利润，很大一部分取决于分析，因为 0.5 谷令等于 1 法郎的 0.875%。因此，59.125 谷令等于 25.82 法郎，这其中，我们就有机会赚取利润。因此，我强烈地建议你不要错过这个机会。"挡住皮克勒王子前往纽考特去路的"装满银块的货车"并不是罕见的场景：从兄弟几个的信件来看，价值数以万计英镑的金银块定期在巴黎和伦敦之间运来送去。

另一个相关的活动领域是直接参与商品贸易。当然，买卖货物与买卖证券相比，一直是迈耶 · 阿姆谢尔生意的一部分，内森自己的职业生涯也是从纺织品商人起步，后来又参与了"殖民地货物"的贸易业务。但是，从几个人的通信来看，罗斯柴尔德家族对这类生意的兴趣在 19 世纪 20 年代似乎有所减弱，直到 1830 年后，才慢慢转回来。与巴林兄弟买卖多种货物不同的是，罗斯柴尔德家族更喜欢专门化，希望在一些经过挑选的领域中确立主导地位。引起他们兴趣的主要商品是棉花、烟草、糖（主要来自与美国和加勒比海）、铜（来自俄罗斯）以及最为重要的水银（来自西班牙）。在下面的章节中我们将予以更详细的阐述。他们偶尔也会接触一些其他的货物：比如铁、毛纺品和酒。怀有敌意的漫画家刻画了一个沿途叫卖的"布劳斯柴尔德"，他卖"各种东西"，但这其实是错误的：罗斯柴尔德家族从没有大包大揽地做贸易生意（见图 10.7）。举一个例子，尽管他们的亲戚沃姆斯兄弟在锡兰建立了一个茶叶种植园——这个种植园甚至以"罗斯柴尔德"命名——但是他们从没有真正地涉足茶叶生意。

图 10.7　I · 纳斯盖格，《骑马人》

资料来源：赫尔西，《漫画中的罗斯柴尔德家族》，第 52 页。（美茵河畔法兰克福市立及大学图书馆）

罗斯柴尔德涉足的最后一个生意领域是保险业，这也是他们贸易活动带来的一个结果。19 世纪上半叶，保险业开始繁荣，大量保险公司在伦敦和其他地方成立。

内森参与了1824年联合保险公司的创立——他唯一感兴趣的合资公司——其原因多种多样，但没有一个能让人感到满意。根据该公司的历史记载，这是他与连襟摩西·蒙蒂菲奥里一次偶然碰面的结果；还有人认为他的主要目标是帮助他们的亲戚本杰明·冈珀茨获得公司精算师的职位。第三个假设在此基础上更进一步，认为当时已有的保险公司歧视犹太商业人群。实际上，罗斯柴尔德家族对保险业的兴趣已持续多年，因为1815年前为了确保运往欧洲的货物与金银块的安全，他们不得不提前支付高昂的保险费用。1823年，更进一步的推动力来自萨克逊–科堡公爵的帮助请求，他提出的一项新寿险条件遭到了两家伦敦保险公司的拒绝，包括当时新成立的卫士公司。最重要的是，内森似乎希望打破劳埃德（他在皇家交易所的位置刚好在内森的头上）的卡特尔，他的伦敦保险公司和皇家交易所垄断了伦敦的海上保险业务。“英国与国外人身安全与火灾联合保险公司”以500万英镑的资金成立后几天，新公司的稽核员之一的托马斯·福韦尔·巴克斯顿议员就向下院提出了一项议案，寻求打破海上保险业务的垄断状态。与此同时，内森也希望得到老朋友赫里斯（此时是财政部的金融秘书）的支持。“这个公司的目标，”他用当时流行的炫耀口吻写道：

> 就是通过确保资金平稳流动，进而促进各种国家产业的发展，并通过向航运以及任何可能遭遇风险的财产提供保险，来保护商人以及商业社群。该公司还有其他有益的经营方向，将促进制造业的发展，同时吸引以及留住国外商业机构。
>
> 这是此刻整个欧洲大陆的政策：每一个地方，每一次努力都是要引进商业的精神，让贸易凋零的地方重新焕发生机，并发掘新的渠道……我请求你将这一主题提交给利物浦首相考虑，他毫无疑问会认为这些事实对于他的政府一直所坚持的自由原则是额外的支持，因为它们清除了开放、自由以及没有约束的贸易之路上的一切障碍。

这是提交给推行经济自由政府的一个判断正确的提议，但随后事情的关键时刻出现了。按照内森的说法，现存的海上保险公司缺乏：

> 活力以及那些必要的自由观点；在当下，为了保持优势，他们只能依靠继续垄断。我可以断定，如果保险业继续墨守成规，欧洲大陆任何一个角落的类似企业兴盛起来，并最终从它们手上夺去它们目前独家经营的业务。

显然，英国政府被说服了，因为议案6月在上院获得通过。但是，新公司的一个股东（同时也是劳埃德公司的一个保险商）成功地拿到了一个指令，限制联合公司参与海上保险业务，理由就是这超出了它最初确定的业务范围。结果，第二家公司被迫成立，即“海上保险联合公司”，投资资金同样是 500 万英镑。

图 10.8　“一个业余爱好者”，《纽考特防火墙》(1824 年)，H · 福雷斯出版

资料来源：鲁本斯，《漫画中的罗斯柴尔德家族》，第 4 插图页。（阿尔弗雷德 · 鲁本斯藏品，伦敦犹太人博物馆）

罗斯柴尔德家族担当保险人的新角色一开始就受到了公众的一些质疑。当时的一幅漫画（由名为“一个业余爱好者”的人所画的《纽考特的防火墙》）中，一辆驿站马车装载着一群乡下的投资者和他们装着钱的袋子，停在写有“虚伪同盟防火与人生安全办公室”字样的建筑物前（见图 10.8）。办公室有 3 个入口：一个写着“德国门房的小屋”，一个写着“英国门房的小屋”，中间的那个，门前站着 3 个人（罗斯柴尔德 · 蒙蒂菲奥里和冈珀茨）用法语交谈着。内森说：“这次，我们从这里进去吧。”蒙蒂菲奥里回答说：“继父，你这样做太对了。”冈珀茨则嘟哝着说：“吃一堑长一智啊。”一个标志写道：“除了大热天和 11 月的第五天外都不休息。”另一个标志则写明办公时间为：“从太阳升起到月亮放光。”中间那扇门上方是一则启示：“禁止进入，除了那些头脑空空腰包鼓鼓的人。”英国门房对新来的投资者说：“不！我们全部要。”但是德国门房喊道：“不！不！你开门准备足够的地方招待我的贵族朋友。”

但是这种愤世嫉俗的评价是没有来由的。与当时诸多投机公司不同，联合保险公司不再是一个欺诈幼稚投资者的工具，而是一个踏实创立的企业，它有着长久、繁荣的前景。两年后，它搬到了巴赛洛缪巷，就在纽考特街 4 号，紧挨着罗斯柴尔德家族的公司。这也不是罗斯柴尔德家族涉足保险业的唯一事例。1839 年，他们参与了（尽管不是直接参与）迅速发展的莱茵兰市场，向奥本海姆与其他人共同创立的科洛尼亚火险公司提供了支持。这种联系即便经历了 19 世纪 40 年代的动荡事件（尤其是 1842 年代汉堡大火，它差一点耗干了公司的全部资源）仍然维持了下来；此外，1852 年，伦敦、法兰克福和巴黎分行共同成为了科隆再保险协会的股东。

罗斯柴尔德网络

不断上升的罗斯柴尔德家族的业务量，金融活动的多样化以及生意利益在地域的扩展，不可避免地超出了五兄弟的能力范围。之前，谈判大笔政府贷款时，其中一个合伙人前往布鲁塞尔、布拉格、柏林或马德里通常是可行的。但是，如果他们希望在这些首都城市定期运作正常的生意，就需要做出其他的安排。同样地，如果在关键市场中没有可靠、有效的代表处存在，买卖诸如棉花、烟草、糖、铜以及水银这些交易是不可能进行的，这些关键市场是指纽约、新奥尔良、哈瓦那、圣彼得堡和马德里。整个19世纪20年代和30年代，不仅需要吸纳更多的新一代家族成员成为合伙人，加入5个分行的管理之中，而且也需要增加5个分行中办事员的数量，并建立一个经过挑选的付酬代理人团队，用以照顾5家银行在这些新市场中的利益。从伦敦、巴黎、法兰克福、维也纳和那不勒斯往外辐射，与这些代理人的通讯路线形成了一个复杂的新网络，大大提供了通讯的数量，同时也提高了以罗斯柴尔德的名义进行的生意数量。这个网络并不具备牵动全局的影响力；相对重要的是与其他银行、股票经纪商、中央银行和金融报纸形成的更为全面但更为松散的联系网络。如果每个人或公司与罗斯柴尔德家族存在正常的通讯联系，就将其视为他们网络的一部分，那么这个网络无比庞大。

合伙人的扩充包括了萨洛蒙、内森和卡尔的儿子们，詹姆斯最终也稍加抗争，为自己的儿子争取到了资格。下一代中年纪最大的成员——安塞尔姆和列昂内尔——似乎毫无保留地接受了他们世袭的职业，毫无抱怨地度过了一系列罗斯柴尔德学徒阶段：在父亲的银行工作，然后去叔叔的银行工作一段或几段时间，最后独自接受一项国外任务。安塞尔姆在1826年正式成为一名合伙人，但是一直到1830年，五兄弟才足够放心地让他参与柏林的敏感谈判，而且即便到了这个时候，他事先仍要接受他父亲的仔细指导，萨洛蒙给了儿子最经典的罗斯柴尔德建议“多听少说”：

> 你现在是所有兄弟中享有全权的人了……所有兄弟将以相同的方式来证明自己，从根本上来说，做生意必须承受一定的风险，因此要多写信……努力工作，忙碌起来，将所有这些托付于万能的主，他能给你带来运气和祝福。

实际上，没过多久，安塞尔姆就具备了足够的自信来表现出一个合伙人应有的权威。不到一年，他就很自信地批评起叔叔们在七月革命之后的投资策略，詹姆斯很快就要求他前往巴黎协助他做事，因为“他真的很有个性”。这是一种先见之明：在下一次更为严重的革命危机横扫欧洲时，安塞尔姆在减少5家银行遭受的损失方面扮演了决定性的角色，即便这是以他父亲的感情为代价的。

内森最大的儿子列昂内尔也顺利通过了学徒生涯。1828年，他正式“加入生意”，当时内森带着列昂内尔前往法兰克福与其他几个兄弟见了面，列昂内尔被任命为“中将”。“现在你是指挥自己的将军了。”詹姆斯在信里给予了鼓励，“你毫无疑问能够非常好地参与生意。”“像一个男人一样，做几笔好的生意。”詹姆斯在几天后又说，“证明你是一个聪明的好商人。”3 年后，当詹姆斯苦于应对 1830 年革命带来的冲击时，他已经完全没有了之前似乎高高在上的语气：

> 亲爱的内森，你能否暂时让（列昂内尔）离开一段时间，你知道，如果你能够让他来这里帮我，那将是让人何等高兴的一件事。两人一起努力总要好过一人独自支撑。尽管我们这里很不幸，生意很少，但两个人共同运作还是大有裨益。如果让他来这里不是很方便的话，我将被迫请求你派另一个儿子过来，我一直把他们当做我自己的儿子看待。我希望列昂内尔对我不会抱怨什么，愿意回到我这里。

当列昂内尔被派往布鲁塞尔时，詹姆斯对“只留下我一个人”在巴黎感到了一丝不安。到 1833 年，列昂内尔在他姐姐眼里似乎成为了“一个彻底的生意人”：“他在早上过来问候，然后晚上 7 点吃晚餐时我们才能再次见到他。”他在 1835 年的马德里之旅被认为是成功的；他在 1836 年继承父亲担当大任显然也没有任何困难。

与此对比的是，列昂内尔的弟弟们对银行业则有些抵触。安东尼因为一段感情而被迫缩短了在法兰克福的第一段学徒生涯，而且他的父亲并不同意他所选择的姑娘，他由此对那个“让人讨厌的地方”产生了深深的厌恶感（另外两个弟弟也有同感）。与巴黎以及伦敦相比，法兰克福并不提供奢侈的生活；更糟糕的是，他们的大伯阿姆谢尔比侄子们工作的时间还要长，这是常事，他从早上 8 点一直工作到下午 7 点，每周工作 6 天（内森并没有像要求自己那样鞭策自己的儿子）。即便在生活条件差不多的巴黎，安东尼仍然感到有所欠缺。詹姆斯曾机敏地解释道，尽管他“努力工作”，但他仍然不能“确保生意一直保留在将来的后代手里”。他的叔叔们尽了他们最大的努力。詹姆斯鼓励他参与谈判一宗大合约时，注意“观察所有的细节”；萨洛蒙寻求“灌输给他一定程度的坚定意识，但一方面不要动不动就吵架，另一方面脾气不要过于火暴”。但是安东尼一直没有抹去自己不可靠的名声：一直到 1840 年，他的哥哥纳特感到被迫要在心里用“非常粗俗的语言”来向他提出抗议。“我不喜欢他给我写信的方式，我就像他的仆人一样。”他向列昂内尔抱怨说。“我想我不是一个容易发怒的人，但是总是有那种容易冒犯人的说话方式，而我们的好兄弟比利（安东尼的昵称）有时就习惯用这种方式。”

总体上，纳特的脾气比安东尼要平和得多，但他似乎也对学徒生涯的约束感到苦恼不已。“你必须知道，”他向姐姐夏洛特坦白说，“我在伦敦待了差不多一个月，通常与爸爸一起待在账房里，并尽可能地多努力，争取成为一个合格的商人，但我发现这是一件十分困难的事。”当他被派往那不勒斯的时候，他更不乐意，他向哥哥列昂内尔抱怨说：

> 我现在要触及一个不成熟的主题，这就是我自己。我一直写信跟你说我对那不勒斯是如何厌恶，我可以向你保证，这种厌恶与日俱增；我也可以向你保证，无论我多么试图不要在意那些感觉，但是我害怕在这里做不好事，如果我留在伦敦做事的话，我肯定学习做生意的时间会是这里的二十分之一，而且要比这里好20倍……让最敬爱的拉比给爸爸写信，告诉他让我们回家。

最终，詹姆斯再次接管了这件事，让纳特接受了一整年的训练，“就像其他任何一个学徒一样，确保他学到如何做好账目的本领。”詹姆斯向内森保证说，纳特是“一个非常好的小伙子……这点我可以担保，如果他能够听进去，他会成为所有兄弟中技术最好的一个”。实际上，纳特似乎成为了詹姆斯最喜欢的侄子：他很快就谈论“把我知道的一切都教给这个好样的年轻人”。到1833年，詹姆斯感到这个“被保护人”做好了承担国外任务的准备，尽管目的地——君士坦丁堡，在希腊贷款问题的争吵期间——的选择可能并不明智。最终，纳特注定要在詹姆斯的阴影下生活以及工作大半生，他失落的心情也一直没有停息过，在巴黎，他就像是一个被流放的英国绅士，经常被法国的政治动乱弄得沮丧不已，以及经常要在“让人恶心的账房”里埋头待呆上数小时。

为何内森和他的兄弟们有如此多的儿子——一共有12个，他们却没有按照父亲的做法，至少让其中的一些孩子在新的金融中心开辟天地？这个问题并不容易回答。在他们的儿子还年轻时，五兄弟似乎考虑过在马德里或圣彼得堡设立新的分行。后来，他们断断续续地还提到了派一个年轻的成员前往美国。但是在大西洋彼岸开设“第六分行”的计划最多只是一个想法而已。对于这点，最好的解释就是他们认为其中的5个年轻人——安塞尔姆、列昂内尔、迈耶·卡尔、阿道夫和阿方斯——作为他们的继承人，足够让五家分行继续繁荣下去，但其余的几个的能力还不足以承担设立新分行的重大职责。因为，如果安东尼和纳特被叔叔们认为缺乏对金融的热情以及奉献精神，但他们相对于内森希望当乡绅的小儿子迈耶以及痴迷正统犹太教的威廉·卡尔来说，至少还有一点优势。另一个阻碍似乎是内森的遗孀汉娜，她坚决反对将年轻的儿子派到国外。

于是，罗斯柴尔德家族只能依靠少数付薪的代理人。当然，自犹太街时期起，他们就雇用了家庭成员以外的人担任办事员。我们对这些影像朦胧的信件书写员以及簿记员知之甚少，这是因为罗斯柴尔德家族倾向于将他们排除在执行活动之外：他们被看做工蜂，辛勤地工作，得到良好的待遇——但也被牢牢地监控着。一些人的地位只比仆人好一点，就如雅各布，他的马车在1814年运送黄金前往华沙的途中遭遇事故，他受了伤但仍然十分高兴（“弄伤腿比损失黄金要好”，他开玩笑地说）。其他一些人是技术性的语言学家和会计师。1818年，法兰克福分行至少有9个办事员：拉迪乌斯和克雷姆，负责记账；贝伦茨，负责管理通讯和法兰克福所有交易的总账；盖格尔，同时处理法兰克福与息票有关的业务；盖格尔的父亲，负责现金账；汉堡，负责处理有头衔顾客的通讯；汉堡的兄弟处理外国信件；海斯勒，处理汇票；还有凯泽，负责处理国内事务。此外，在会计室还有一个办公室人员以及一个信件备份学徒。在卡尔那里，办事员“全部是年轻人”，当他计算办公室运营成本时（每年15万古尔登，约合1.4万英镑），他怀疑他们“欺诈”——毫无疑问，他想起了父亲在希尔舍 · 利布曼偷钱一事中的经历。巴黎分行的办公室规模更小（费用也更少）：差不多同一时期，詹姆斯估计每年支付给8个办事员，一个门房，一个信使，两个仆人以及一个车夫的所有费用为3.4万法郎（1 700英镑）。

通常，办事员都是从类似于罗斯柴尔德家族的分支中招募。在维也纳，一个关键的角色就由戈尔德施密特家族担当，这包括萨洛蒙的首席秘书莫里茨 · 戈尔德施密特，他在1803年与萨洛蒙一起从法兰克福搬到了维也纳；他的儿子尤利乌斯、雅各布和亚历山大分别在维也纳、法兰克福和巴黎工作。戈尔德施密特家族的亲属也被认为是值得信任的人选：莫里茨的一个侄子在阿姆斯特丹为罗斯柴尔德家族工作，可惜早逝。另一个侄子（莫里茨）在伦敦分行工作了18年，另一个侄子（伊格纳茨 · 鲍尔）被派往西班牙协助威斯维勒。

不可避免地，为了跟上业务量的步伐，职员的数量必须增加，因此截至19世纪30年代，仅纽考特一个地方就雇用了30~40人，每年的薪酬从50~500英镑不等。但是合伙人“家长式”的态度流传了下来。“但愿让办事员们享用一顿好的晚餐，”列昂内尔在1836年的婚礼期间写道，“不醉不归，或者，如果他们喜欢的话……我想他们可以去格林尼治（内森的乡下别墅）举办一个舞会；如果他们中的一些人觉得不够尽兴的话，让他们办两次，让他们带上自己的另一半。”最接近鼓励的一个做法是“我们即将成为英国和国外两笔贷款的签约者，这使得办事员们能够享受到一些好处，这些应在近几年我们一直给他们的圣诞节赏钱之外另给。”当纳特和安东尼很明显将离开伦敦和巴黎前往法兰克福，照应临终前的父亲时，一种前所未有的恐慌浮出水面：第一次需要让两家分行的资深办事员担当起负责人的角色，这一职责之前一直由家族内部的人把持着。在伦敦，对于选择谁来临时接管产生了一些疑问，这反映了办公室里缺少一个正式的接班人。这个问题的部分原因是内森在执行决策方面的垄断地位，让他的雇员产生了惰性，他们无须作出艰难的抉择，获得几乎是确定的收入。

这也解释了罗斯柴尔德家族经历的一个难题的原因所在，他们难以将遥远的城市，比如马德里、圣彼得堡的商业利益交给那些从办事员起步的人料理。因为，这些代理人不能仅仅被当成办公室职员对待，只听从合伙人每天发来的命令，不用承担任何真正的责任。不管纽考特寄去多少封信，代理人肯定更了解当地的情况。有时，他们需要快速地作出决定，因此咨询伦敦或巴黎只会延误时机。此外，无论他们如何频繁地强调自己只是伟大的罗斯柴尔德家族的代理人，也很自然地会在当地获得有利于他们的地位。所有这一切，罗斯柴尔德家族发现都难以忍受。他们总是怀疑最有价值的代理人对自己不忠诚——首当其冲的，就是他们用自己的户头进行交易——并一再抱怨代理人的无礼、独立和不能胜任工作。“我注意到加塞尔（圣彼得堡代理人）对我们的生意毫无兴趣。”詹姆斯在1829年写信给内森，谈到了加塞尔对一大批白银要运往俄罗斯的反应：

> 换成另外一个人，意识到如此多的白银将要到达，肯定会说：“我会给你汇款。”但是没有，他什么都没说。他写信给我，询问我是否愿意与他建立一个为期3个月的联合账户，这样让他有更多的勇气运作生意。如此一来，我们将被迫要从这里派一个人过去，一个对我们公司非常忠诚的人。感谢上帝，你的儿子们很快就成人了。

加塞尔不断地成为这类批评的靶子。1838年，詹姆斯威胁停止支付他的薪酬（每年1.4万卢比），他认为这一薪酬过高，而用另一种方式支付薪酬：“无论我们与他做了什么生意”，给加塞尔1/4的利润提成。罗斯柴尔德家族对加塞尔最频繁的指责是他将自己的利益置于公司利益之前。“无论在什么情况下，哪怕你只写一个字给加塞尔，”暴怒的詹姆斯一年后写道，“那条呆板的狗，为你带来的伤害也肯定会多于好处。他只乐意把我们的钱据为己有，自己不用付出任何代价。”即便拉扎尔——1832年被任命为罗斯柴尔德家族第一个全职代理人——有时也被贬为“混蛋”，他竭力地讨好詹姆斯，詹姆斯的指示到达之前他就已经犯下了错误。

可能19世纪30年代最重要的罗斯柴尔德代理人应该是丹尼尔·威斯维勒了。威斯维勒当时是马德里的代理人，他的名字第一次出现在考虑人选中是1834年。当时，威斯维勒显然已经在法兰克福分行赢得了作为一名“商人”的名声，但没过多久，他也被怀疑忽视了主人的利益。到1843年的时候，甚至出现了考虑替换他的想法：“那个年轻人，按照（安塞尔姆）的说法，一年比一年自负了”：

> 我真认为这个人把自己看得太重要了……今天我会写信给父亲，让他做好前往马德里的准备……最好的办法是我们当中的一个人能够或愿意前往马德里……但你可以信任我，我不会在信里提到迈耶，我知道你母亲希望他留在英国。我认为兰多在马德里熟悉环境之后会做得很好，他非常干净……而且出身于一个值得尊敬的家族，他绝不会表现出如此荒谬的自傲。威斯维勒不仅现在自傲，今后仍将如此。

这些威胁毫无作用。威斯维勒可能表现出“无比的虚荣”，但是他已经让自己变得不可或缺。罗斯柴尔德家族派迈耶前去马德里待几个月，只是因为威斯维勒要到国外结婚，对此，纳特曾说，“威斯维勒的离开迫使托普（迈耶的昵称）施展自己的能耐，能够立刻让他把自己变成那里的主人，但只要威斯维勒回来了，迈耶就会立刻感到难以找到合适的位置。”当安东尼试图推倒威斯维勒时，他没有取得任何进展：

> 他一如既往地抱怨，仍旧如冰一样冷，直到我明确地告诉他，只要他在马德里为我们做的生意让我们满意，我们就不会有任何改变，但是如果他继续抱怨我们的给予不足的话，那么他就不可能继续待在马德里，我们当中的一个人将被迫去那里取代他……他是一个非常聪明的代理人，要取代他十分困难，但是我很少或从没有见到比他更冷淡、更精于算计的代理人。他虚荣过了头。

相反，另一个派往美国的代理人哈瑙在那里立刻因为过于草率的交易引发了罗斯柴尔德家族的不满——尽管有人怀疑，如果他花更多的时间来学习有关事项，他可能又会被批评为懒惰。也只有罗斯柴尔德家族能够从一个“将他的大部分注意力倾注到为我们寻找生意的过程中”的代理人身上找到缺点。

为纠正一个长久以来的错误理解，将诸如威斯维勒的付薪代理人与那些跟罗斯柴尔德家族有定期往来以及优先生意关系的伙伴银行区别开来非常重要。要将这些银行全部列出来将会十分枯燥：到 19 世纪 40 年代末，罗斯柴尔德家族已经与世界多个地方的银行建立了伙伴关系，我们只列一些比较重要的城市：阿姆斯特丹、巴尔的摩、柏林、科隆、君士坦丁堡、佛罗伦萨、汉堡、米兰、奥代萨、罗马和的里雅斯特。德国银行业中两个著名的名字在早期经常被错误地认为是罗斯柴尔德家族的代理人：瓦尔堡和布雷克劳德。实际上，它们只是伙伴银行中的两家银行而已。1848 年前，它们在银行网络中扮演的角色没有什么特别的地方。但是，这两家银行引起了人们的兴趣，是因为它们证明了小银行（尤其是德国的银行）通过与罗斯柴尔德建立某种联系为整个网络增加的价值，尽管它们与罗斯柴尔德家族的联系只有那么一点点。

瓦尔堡家族早在1814年就开始游说代理罗斯柴尔德在汉堡的生意，但一直到19世纪30年代，定期业务关系才真正建立；之后，这一偏好转给了卡尔·海涅（诗人海因里希·海涅的叔叔），一直到19世纪60年代。差不多以同样的方式，萨穆埃尔·布雷克劳德试图排挤掉门德尔松银行成为罗斯柴尔德家族在柏林的首选银行家；再一次，尽管极尽谄媚，一直到19世纪60年代，他的儿子格尔松才获得了一定的特殊身份，而且主要还是因为他与俾斯麦走得很近，以及他所提供的高质量的政治消息。即便到了这个时候，他仍受到蔑视："布雷克劳德？"有人曾听到詹姆斯对赫伯特·俾斯麦大声说道，"什么布雷克劳德？布雷克劳德得到的都是我给他的，而且只占（全部利润的）1%。"许多其他银行在罗斯柴尔德注意的运作中扮演着相同的角色，他们参与了大额债券发行，对大量金银块的输送提供了援手，有时还参与汇率套利交易：科隆的奥本海姆银行、伦敦的施罗德银行以及法国的波尔多银行，当然还有更多，我们只列3个出来。它们在这个阶段，都还是很小的玩家。

形成对比的是，罗斯柴尔德家族在那些大银行身上花费了大量时间，他们主要视这些银行为竞争对手，但是在进行一些非常大的业务时，他们也会寻求合作，这些大银行有：伦敦的巴林兄弟，托马斯·威尔逊和戈尔德施密特；巴黎的拉菲特，奥廷格和马莱；维也纳的盖米勒、希瑙和埃斯克尔，以及法兰克福的贝特曼和贡塔德。1814年之后的10年里，这些大银行之间爆发了你死我活的竞争，但罗斯柴尔德不希望这些竞争者出现不良的状况，他们越来越将这些对手看做自己生存的补充成分，当然，前提是自己的行业领袖地位不可撼动。19世纪30年代和40年代，在所有主要的金融中心，我们都能看到辛迪加组织以及银行间松散联合情形的出现。同时，通过扩展自己的规模，罗斯柴尔德家族认为自己承担着一定程度的职责来维护银行系统的总体稳定。这也解释了他们不希望竞争对手倒台的原因。在19世纪20年代，他们以一种近乎麻木的无情眼神看着帕里什破产。截然不同的是，在随后的数十年里，他们为了维持金融稳定，偶尔愿意拯救竞争对手，比如1831年以及1838年帮助拉斐特的举动。萨洛蒙在1841年帮助盖米勒的建议也说明：

> 我们作壁上观，看着一个65岁的人破产，他的银行存在了那么长的时间，也是这里第一流的银行——却不能提供帮助……这是不可能的……如果施泰纳和盖米勒确实停止支付款项，这将呈现何等的景象，这将给海外、法兰克福和其他德国市场带来什么样的冲击，因为数百万——多达三四百万古尔登的承兑款和汇票将从这两家银行流失。

在这件事上，萨洛蒙提供帮助的建议最终被他的兄弟和侄子们否决。但是，他对于金融总体稳定的观点也影响了列昂内尔对英国货币政策争执的态度。1839 年，他向叔叔报告说，“将制定为法令的举措应该考虑股份制银行的利益”（罗斯柴尔德新一代从 19 世纪 20 年代起将股份制银行发扬光大）以及它们“可能对我们内部资金的影响”。他解释说：“问题是如何让这些先生们在有足够的油水捞的同时让他们以及整个国家接受约束，避免流通出现阻滞。”

综上所述，罗斯柴尔德家族思考问题的方式从本质上来说越来越像中央银行的银行家们。这其实一点也不奇怪。在 19 世纪上半叶，英国和法国的央行仍旧是私营机构的一部分，尽管逐渐承担了法令监管的公共职责。从它们的资源方面来讲，它们也是唯一能与罗斯柴尔德家族抗衡的银行，尽管它们是国家性的，而罗斯柴尔德银行则是跨国性质的，而且罗斯柴尔德家族对各央行对于通货发行的垄断权毫无兴趣。因此，罗斯柴尔德家族与欧洲各央行之间的关系一直紧密，有时甚至是共生关系。我们已经看到内森如何在 19 世经 20 年代利用英格兰银行短期贷款的，以及作为回报，他是如何在 1825 年拯救英格兰银行的及英格兰银行如何在 1830 年提供了拯救詹姆斯所需的黄金。内森 1832 年向银行委员会提供的证词如此正面也不足为奇：“我感觉到它（英格兰银行）的管理挺好。”1830~1832 年危机过后，詹姆斯似乎与法兰西银行也建立了类似的关系，而萨洛蒙与奥地利国立银行的关系更为密切。

交易商的主人

1836 年，詹姆斯给他的侄子们提供了一些如何在巴黎股票交易所卖证券的建议：

> 当你买进或卖出公债时，不要想着赚取利润，你的目标应该是让那些交易商习惯于一个想法：即他们需要跟随你……这就需要在刚开始的时候做出一点牺牲，这样一来人们才会逐渐形成需要跟随你的观点，我亲爱的侄子们，这就像捕鸟一样，需要先撒些食物出去。

历史学家很容易忽视被罗斯柴尔德家族“食物”吸引的大量交易商，最简单的原因就是他们进行的大多数交易都是口头达成的，而非通过信件。但是交易商是 19 世纪金融行业不可或缺的工蚁。与罗斯柴尔德有生意来往的银行中，有一些他们最喜欢的银行：比如伦敦的梅内特和卡齐诺夫银行，它仅在 1834 年一年就为罗斯柴尔德家族卖出了 200 万英镑的外国股票，在随后的一年里卖出了 140 万英镑；此外，约翰 · 赫尔伯特 · 伊斯雷尔与他侄子约翰 · 瓦格建立的合伙人银行。但是，即便这些银行也只是被当成偶尔雇用的“打猎伙伴”：艾尔弗雷德 · 瓦格回忆说：“每两周一次的结算日期间，我祖父或父亲就会拿着流动情况表前往纽考特，列昂内尔男爵会给500英镑或1 000英镑的费用作为我们的固定报酬，数额则是以他的心情来定。”无论如何，与许多交易商的交易带有一种战术色彩，这主要是因为一些业务需要偷偷地进行。

当时的人们称内森是“交易商的主人”，他们并没有过分夸大他的地位：到19世纪20年代末，他所取得的地位被其他交易员密切地关注着，他们信任他也是合情合理的，因为他拥有超越常人的信息以及直觉。这意味着公开的罗斯柴尔德买卖行为将可能引发对某一只股票的抛售或抢购潮，这是罗斯柴尔德几兄弟不愿看到的连锁反应。有关内森隐藏技术的故事时有耳闻。“如果他得到消息称基金将会上涨，他就会委托交易商以他的名义先卖出50万。”“这个大投机家惯用的一个操作手法就是让一帮代理人卖出，另一帮人买进同样的股票，这样一来，他的真实动向就难以判断。”在维也纳，萨洛蒙将大多数股市业务托付给了一个投机者，他给这个“支付1.2万古尔登的固定薪水，此外还有大量的佣金”：

> 这个人通常每天一早就恭候着罗斯柴尔德，两人碰到一起时会讨论当天业务的计划。投机者不仅在交易所有他的代理人和客户，在“蓬杜尔小店”（非正式的交易所，位于一个咖啡馆里，交易所正常交易时间之外的交易能够在这里继续）同样存在，萨洛蒙与他推断出他的买卖数量。他雇用了许多传递消息的人，他们唯一的职责就是在投机者与罗斯柴尔德之间来回传递价格波动的报告。

这个时期，作为金融信息（以及错误信息）越来越重要的一个非独家来源当然是媒体。可能有人会认为，19世纪报纸的发展侵蚀了罗斯柴尔德家族利用自己的通讯网络获得的优势；从某种程度上来说，这确是事实。另一方面，报纸金融版面的存在也提供了一个影响市场的新机会，罗斯柴尔德家族也迅速地抓住了这一点。这在刚开始的时候并不容易实现：正如我们看到的那样，19世纪20年代，罗斯柴尔德家族经常是媒体攻击的靶子，而不是它们的操控者，而且一直存在着激进、反动的报纸对他们充满了敌意。但是，逐渐地，罗斯柴尔德银行对一些报纸至少能够施加一些影响力。我们之前也看到萨洛蒙如何通过根茨对德国《汇报》施加压力的；19世纪30年代，启用海因里希·海涅作为一名记者也保证了对詹姆斯活动报道的正面性（当然有时也会有些挖苦）。詹姆斯本人似乎也逐渐提升了对诸如《世界箴言报》以及《辩论日报》等报纸的影响力。“昨天，有一份报纸登了不利于我们的文章，”詹姆斯1832年写信给内森说，“如果这篇文章出现在一份大报上，我们就要在报纸上做出回应。”5年后，他在西班牙进行了敏感谈判之后，对侄子们说：“我正安排在报纸上发表几篇文章，这可以给马德里和伦敦留下深刻的印象，因为你们英国报纸经常跟随我们法国报纸的脚步。能够操控公共舆论真的很好。”1839年，他能够很自信地向侄子们保证说，如果法国政府贸然地反对他的铁路计划，那么“所有的报纸将群起攻之”。“如果一个人无法让自己受人爱戴，那么他只能让人敬畏。”他宣称，重申了他最欣赏的一句迈耶·阿姆谢尔箴言，“报纸能够带来强劲的冲击”。

内森应对早期媒体攻击的策略也是与当时最有影响力的英国报纸《泰晤士报》建立持久的友好关系。在19世纪20年代，他遭到了《晨报》大量的攻击：比如，该报在1829年声称它的对手《信使报》利用外交办公室有关法国政府更迭的内部信息作为基础，与内森一起进行了一次股市投机。《晨报》编辑声称“《信使报》（将消息）告诉了蒙蒂菲奥里，蒙蒂菲奥里又告诉了罗斯柴尔德，一个精密的投机阴谋以闪电般的速度形成了”。实际上，其实是内森经常向报纸提供消息——尤其是他的兄弟从维也纳与巴黎传递过来的政治信息。事实上，正是双方对于高速通讯的共同兴趣让《泰晤士报》与罗斯柴尔德家族走到了一起：到19世纪30年代末，他们有效地分享了布洛涅与伦敦之间的信鸽邮递服务。可能更为重要的是，内森与托马斯·马萨·艾尔萨格确立了友谊，后者1817年加入了《泰晤士报》，也是该报直至1846年的顶尖金融作者之一。尽管罗斯柴尔德家族与《泰晤士报》之间的紧密程度不应被夸大（艾尔萨格有时会对英国资金输出的规模表示忧虑，而内森比任何人都鼓励资金输出），但是激进派和民权运动人士指责《泰晤士报》是“犹太人的竖琴”并不完全是凭空捏造的理由。1842年，安塞尔姆写信给他的堂兄弟，提及了“普鲁士政府将颁布的针对犹太人的新法令”：

> 普鲁士国王非常虚荣，很容易受到《辩论日报》或不认同他的政府的英国报纸影响。因此，非常需要这些报纸不时刊登有利于犹太人的文章。由于你十分熟悉《泰晤士报》的主导人物，你能够很容易让他们插入这些文章，我会发一些德语文章给你，你可以让人翻译一下。

当然，对媒体的这类控制与今天的模式大致相同，而且很难指责罗斯柴尔德家族寻求对那些敌意媒体施加影响力的做法。现代读者很难判断的一点就是当时的金融运作，因为那时几乎没有正式的监管措施，金融革新的快速步伐也让这方面的立法出现了滞后情况。毫无疑问，罗斯柴尔德完全利用了金融环境的流动性，但是如果将他们的行为上升为“内部交易”或任何现代形式的欺诈，那就是一个时代性的错误了。巴尔扎克的《人间喜剧》中的纽沁根——以詹姆斯为原型的德国犹太银行家——通过一系列伪造的破产行为累积起了自己的财富。他把这些行动非常详尽有趣地描写了出来，但是它们在经济学上根本说不通，他们与罗斯柴尔德家族的实际运作也丝毫没有重合之处。实际上，似乎只有几起针对内森错误运作行为的法律指控，而且只有一起指控最终成立。比如，1823 年，一个购买 1822 年那不勒斯债券的人声称内森试图扣留他的 1 255 英镑的存款：这个案子未被受理，而且似乎实际上是原告、一个名叫亨宁斯的伦敦玉米商人自己背信弃义（当法国入侵西班牙导致债券价格下跌时，他拒绝付款；在价格恢复后，他又试图补交款项）。

针对内森被立案的指控出现在 1829 年，原告是一个叫做布鲁克曼的人，他声称罗斯柴尔德家族存心给他提供一个糟糕的投资建议，然后收取买卖股票的费用，而事实上这些买卖根本没有发生。布鲁克曼声称，1818 年，内森建议他卖出 2 万法郎的法国公债，投资由伦敦分行发行的普鲁士债券。这不仅是一个糟糕的建议——法国公债价格上涨了 10%，而普鲁士债券则下跌了 7%——这其中还包含了欺诈的因素，内森并没有将布鲁克曼的法国公债卖给第三方，而是自己保留了下来。随后，内森又采取了与布鲁克曼指令相反的行动，卖出普鲁士债券，重新买进了 11.5 法郎的法国公债。“与之前的情形一样，原告一买进某只股票，价格就会立刻下跌；然后原告被建议抛出……而原告的公债卖出后，市场则再次上扬。”布鲁克曼接着被要求将钱重新投进法国公债，但没过多久就再次接到抛出的建议。根据巴黎分行的账户记录，每笔交易都会从布鲁克曼的账户里扣除“交易、利息、中介费和佣金”等各种费用，但实际上，围绕法国公债并没有发生任何交易，它们一直停留在罗斯柴尔德家族的手里。内森的律师试图证明布鲁克曼只是一个“老练的投机者”，受质疑的账户 10 年前就已经设立，其中的记录是伪造的，但法庭并未采信。根据法院的严厉判决，内森“不合理声明”的罪名成立，他被勒令向布鲁克曼支付“损失的或应该得到的钱”，再加上 5%的利息和各种支出费用。可以预料到的是，这起案件激发了另一幅漫画《知道如何讨价还价的人》的浮现，它描绘的内森穿着旧衣服，拿着一个写着“法国债 2 万公债”的袋子（见图 10.9）。

图 10.9　“一个神枪手”,《知道如何讨价还价的人》(1829 年 7 月 14 日)

资料来源：鲁本斯，《漫画中的罗斯柴尔德家族》，第 4 插图页。（阿尔弗雷德·鲁本斯藏品，伦敦犹太人博物馆）

但是，这种类似于纽沁根的行为得到重视，只是因为它似乎是独一无二的。实际上，罗斯柴尔德家族在这段时间内，更多的是扮演了欺诈受害人的身份，更不用说那些堂而皇之的盗窃了。1824 年，一个叫多洛雷的法国人——他也在那不勒斯债券问题上提出了针对内森的指控，但并不成功——从伦敦分行以欺诈手段获得了 9 670 英镑的汇票，然后在巴黎分行兑现。一年后，詹姆斯的一个办事员盗取了大量纸币（可能多达 150 万法郎），他将那些钱藏在一条特制的腰带里带出了办公室。类似的盗窃案于 1838 年在纽考特也发生过，一个名叫萨穆埃尔 · 格林的 18 岁办事员带着一张 2 900 英镑的支票逃之夭夭。1839 年，巴黎分行再次遭遇这样的情形。6 年后，马德里遭遇了更为严重的一次盗窃案，价值 4 万英镑的黄金和证券被盗。1845 年，一个价值 5 600 英镑的装着西班牙金币的箱子在伦敦运往巴黎的途中被盗。而且，欺诈和盗窃并不是罗斯柴尔德家族必须面对的所有威胁。1863 年，一个在交易所损失惨重的年轻人试图用威胁信敲诈詹姆斯 10 万法郎。这些罪行可能是罗斯柴尔德家族为自己的知名度必然付出的代价。因为在 19 世纪，还有比世界级银行家更有诱惑性的目标吗？

他无疑是熊和牛（指股市）的君王！

西多尼亚已经预见到……欧洲经过了25年战争的折磨后，必定需要资金维系和平。他的远见收到了应有的回报。欧洲确实需要钱，而西多尼亚也做好了借钱给欧洲的准备。法国希望能得到一些资金；奥地利希望得到更多；普鲁士需要一点儿；俄罗斯需要几百万。西多尼亚都能够满足它们的全部要求……我们不难看出，经过10年的拼搏，西多尼亚已经成为欧洲举足轻重的人物之一。他在大多数主要城市派驻了一个兄弟或可以信赖的亲戚。他是世界货币市场的主人，当然也几乎是一切事物的主宰。他毫不夸张地将南意大利的收入作为提供贷款的抵押；所有国家的帝王和大臣们都期望得到他的建议，并且在他的建议引导下行事。他仍然精力十足，而且不仅仅是一部赚钱的机器。他拥有与他的地位相称的睿智，如果能从自己巨大的企业中得到一些休息的机会，他希望将精力投入到公益事业中去。但是在他的财富达到巅峰时，他却溘然长逝。

迪斯雷利《科宁斯比》

第十一章

领头人的去世 (1836年)

婚礼与葬礼

1836年6月15日，一场婚礼在法兰克福举行。新娘是卡尔的女儿夏洛特。她在两天前刚满17岁，她的美貌得到了大家的公认。夏洛特未来的婆婆——一位苛求的“法官”——发现她“真的如其他成员说的那么漂亮，而且彬彬有礼”，“单纯而且亲切”，这不仅仅是家人对她的评价。当本杰明·迪斯雷利在次年第一次碰到夏洛特时，他被她“高挑，优雅，清澈”的外形深深打动：她看起来“像是穆律罗（西班牙著名画家）的画中人”，受到“全世界的景仰”。他小说中的两个人物便是以夏洛特为原型——《坦克雷德》中的埃娃·贝索以及《恩迪米恩》中的那沙泰尔夫人——两个人物都十分迷人，带着异国的美丽，尤其是前者：

> 她的脸带有东方美人的完美特征；这样的美人只有伊甸园里才有，只有在人们最向往的地方、最喜爱的种族中才能偶尔发现……椭圆形的脸蛋，小巧玲珑。肤色既不浅也不深，它拥有北方的明亮，却少了它的干枯，拥有初升太阳般的光晕，却少了它的湿气。她的脸上满是柔和与宁静，皮肤如此白皙，你偶尔能够看到脉络隐约显现的美妙景象，犹如漂亮水果表面美丽的光影一般。她的双眼和它们圆圆的弧度诉说着所有的东方之美……

她的新郎——也是她的堂兄——内森的长子列昂内尔，此时27岁，已经是一位经验丰富的商人，最近在父亲接手的西班牙复杂交易中扮演了关键角色。从他的信件内容判断，他是一个比较严肃认真的年轻人，已经清楚地认识到作为长子所承担的巨大责任——维持他父亲所取得的伟大的金融成就，同时也提高了对犹太人解放事业的认知，不仅仅要在他出生以及成长的英国推进犹太解放运动，而且要扩展到全欧洲。他外形俊朗，毫不多情。

数周以来，家族的女性一直在法兰克福准备着这件大事：居特林，一对新人的祖母，此时已经 82 岁；他大儿子阿姆谢尔的妻子埃娃；新娘的妈妈阿德尔海德；还有列昂内尔的姐姐夏洛特——她在 10 年前嫁给了堂兄安塞尔姆，已经生育了 3 个孩子，另一个也即将出生。罗斯柴尔德家族在法兰克福的房子被“洗刷一新”，以招待出席婚礼的家族成员，房子主要有：位于法兰克福北郊的阿姆谢尔的房子，当然还有他心爱的花园，并且有位于蔡尔的奢华城中住宅；安塞尔姆新近在新美茵茨街获得的“宫殿”；此外还有卡尔在法兰克福期间住过的房子，它与安塞尔姆的新家在一条街上。位于犹太街的家族老房子——居特林仍然坚持住在那里，尽管她的儿子们富甲一方——似乎没有被考虑用做盛会的场所。

在伦敦的罗斯柴尔德成员中，列昂内尔是第一批到达的人；他最小的弟弟迈耶当时已经在那里，当时他即将完成在德国的学习。他们的父亲 6 月初从伦敦启程赶往法兰克福，同行的还有汉娜以及两个未婚的女儿：活泼好动的汉娜 · 迈耶和喜爱音乐的露易丝。留在伦敦照看纽考特办公室的是内森的第三个儿子纳特。另一个儿子安东尼当时在巴黎，他在那里也将扮演与纳特类似的角色，因为他的叔叔詹姆斯也将前往法兰克福。詹姆斯 6 月 4 日动身前往德国，他的妻子贝蒂以及 4 个孩子（11 岁的夏洛特、阿方斯、居斯塔夫和还是婴儿的萨洛蒙 · 詹姆斯）先他一步启程。他们 8 天后抵达法兰克福。詹姆斯的哥哥萨洛蒙与他的儿子安塞尔姆先他们一步从维也纳赶到了法兰克福。萨洛蒙他们自然地住进了新美茵茨街的房子里，安塞尔姆的妻子夏洛特已经在那里等候他们了，不经常去法兰克福的访者被安排住在宾馆里：伦敦的罗斯柴尔德成员被安排在罗米斯彻 · 凯瑟尔酒店，巴黎的罗斯柴尔德成员住在鲁斯切霍夫酒店。在一切准备就绪的时候，总共有 36 个家族成员聚集到了法兰克福。或许这并不让人感到惊奇，宴会几乎没有邀请其他宾客：现存通讯中提到的唯一“外人”是迈耶的导师施莱默博士以及詹姆斯和列昂内尔共同的朋友、作曲家焦阿基诺 · 罗西尼，其角色仅仅是“活跃我们宴会的气氛”。

安东尼第一次被独自留下掌管巴黎分行，他感到局促不安，尽管这更多是由于无聊，而不是职责负担所致。“我精神很不好，”他向同样独自一人留在伦敦的纳特抱怨说，“没有什么比独自一人待在这里更让人讨厌的了。一切都那么单调……你自己一个人如何取乐？你比我在这里还要好一些，他们全部走了，关了家门，我每天只能在一家餐馆吃饭。”巴黎市场处于传统的“夏季忧郁期”，他的叔叔詹姆斯从布鲁塞尔——詹姆斯和内森在那里短暂停留处理生意——发来的指示并不鼓励他拓展新业务：

> 在我看来，你应该试着把一切事务放到一边，直到你父亲回来；如果有人向你提出建议，你应该回复说，需要首先咨询你父亲的意见。这样做你会得到一些时间和一些平静。听从我的建议，抓紧你的钱，不要乱花。

与他形成对比的是，纳特压力重重，因为内森更希望他离开的时候可以让儿子忙起来。他刚抵达法兰克福就发回了一封让人焦虑不安的信件，不仅敦促纳特买卖证券，同时还间接地向巴黎的安东尼施加压力：

> 你必须要让安东尼注意卖出，因为他属于“牛派”，不喜欢卖出。当价位较低时，你可以买进一些，并且要鼓励比利（安东尼）做生意，同时写信给他。你对他的汇款以及所做的一切都感到满意和高兴。我已经写信告诉他，让他每天不管价格如何都要做些事情，你也可以这样写信告诉他。

几天后——在詹姆斯抵达法兰克福前——内森直接写信给安东尼，要他“维持生意运转”并“让自己忙起来”。无论是安东尼还是纳特，接到父亲和叔叔截然不同的指示都让他们感到很不舒服。

列昂内尔也有些不高兴。他等不及想要结婚。尽管这次结合只是一次包办婚姻，主要目的就是加强伦敦与那不勒斯家族分支之间的联系，以便阻止家族宝贵的财富流到外人名下；但他实际上已经爱上了他未来的妻子，或至少已经说服自己相信了这一点。他同时也急于离开法兰克福。他在写给安东尼的信里说，他“越早离开美丽的法兰克福，越让人高兴”；与所有在英国长大的罗斯柴尔德家族年轻成员一样，他发现父亲的出生地不仅地理位置偏僻，而且社会环境也让人觉得不舒服。在法兰克福，即便他和他的家族某些程度上已经拥有地位和权势，但犹太人整体仍然要屈从于法规歧视，这种情况在巴黎或伦敦已经比较少见。他的不安情绪随着父亲从布鲁塞尔到达法兰克福更加强烈，后来一系列的延误情况更是如此。

除了婚礼本身，这次大规模的家族聚集有两个秘密的动机；这次聚会是 19 世纪罗斯柴尔德最大型秘密会议的其中之一，毫无疑问也是最重要的一次。列昂内尔与夏洛特的婚姻并不是家族历史上的第一桩联姻：我们也已看到，他们的叔叔詹姆斯在 1824 年娶了他们的堂姐贝蒂（也是詹姆斯的亲侄女）；两年后，安塞尔姆娶了他的堂妹夏洛特。这种家族内部通婚后来不止一次出现。唯一的问题，正如列昂内尔所说的那样，便是“家族里更为年轻的分支如何同意（联姻）”；或更准确一些说，谁将被与谁撮合成一对。这也是众多年轻的家庭成员出现在法兰克福的真正原因：为他们寻觅潜在的结婚对象。因此卡尔的儿子迈耶·卡尔被试验性地确认为列昂内尔最小的妹妹路易丝的合适对象；路易莎·蒙蒂菲奥里被列为安东尼可能的妻子；约瑟夫·蒙蒂菲奥里遭到了汉娜·迈耶和路易丝的“双重打击”；他们的哥哥迈耶被排除出詹姆斯女儿夏洛特未来夫婿的考虑人选。婚姻市场显然为母亲们提供了更多的消遣，但女儿们则不是这样：汉娜·迈耶抱怨“每天可怕、单调的聚餐”，中间还穿插着德语和刺绣课。心里慌乱的路易丝写信给伦敦的哥哥纳特说：“唯一解闷的事就是坐在祖母和埃娃婶婶中间，然后被塞得饱饱的，以至于难以呼吸。”单调和枯燥的环境只在每天跟随罗西尼学习音乐时才得以缓解。

家族团聚的第三个原因，也是最重要的一个：生意。尽管他们习惯用定期通信的方式确定大多数生意的决策，但有时罗斯柴尔德五兄弟也发现面对面探讨是必不可少的。在 1836 年之前，詹姆斯跨越海峡与内森碰面，内森有时也会到巴黎去；萨洛蒙是五兄弟中最经常走动的一个，他经常前往巴黎，同时定期在法兰克福与维也纳之间游走；而卡尔则把他的时间分成了两半，一半是在做生意的那不勒斯，一半在法兰克福，因为他将孩子放在那里接受教育。不过这种定期走访随着兄弟几个年岁渐大而逐渐减少，他们的生意以及家庭认同感越来越趋向于各自居住的地区。五兄弟上一次聚首还是在 1828 年。

他们在 1836 年日程表上最重要的事项便是他们将来彼此间的关系。我们也看到，自 1810 年以来，罗斯柴尔德公司一直是一个合伙人公司，主要建立在一个详细、有法律约束力的合约以及不同合伙人的意愿之上，后者决定了公司里各个份额如何传递给下一代继承人。每五年修订一次合伙协议已经成为一个传统：因此 1815 年、1818 年和 1825 年出现了新的协议；1825 年萨洛蒙的儿子安塞尔姆成为合伙人后备人选，1828 年再次签订新协议时，他正式成为合伙人。从那时起，内森三个比较年长的儿子都进入公司开始他们的学徒生涯。到 1836 年，内森觉得他最大的儿子已经做好了准备，可以跟随安塞尔姆的步伐成为一名合伙人，兄弟几个这次会面的主要目的，就是讨论批准列昂内尔成为合伙人的事情。

除了新合伙人协议，兄弟几个还需讨论其他一些事情。1836 年是他们在西班牙业务史上关键的一年，那里一场血腥的“内战”正在上演；与此同时，还有准备与希腊、那不勒斯以及比利时进行的交易，几个兄弟在这三个国家都有切身利益。此外，三个兄弟已开始参与一个全新的生意里：资助铁路建设。尤其是詹姆斯，他深深地卷入到争夺快速发展的法国铁路网的控制战当中——这项生意某些程度上依赖于他通过内森联系上庞大的英国资本市场。但是，内森自己是否同意公司业务的新方向还很不明朗。英国铁路第一次“狂热”在1836年达到高峰，至少29家新的铁路公司挂牌营业；但是内森并没有参与其中。他的首选是将伦敦分行的触角伸到美国去，继续主营政府贷款和贸易金融业务，而不是投资在工业领域。但是，这其中也存在需要讨论的事项，不仅仅是因为大西洋彼岸也正酝酿着金融危机，还因为在几兄弟会面前夕，美国金融危机的迹象已经开始显现（伦敦出现了货币紧缩现象）。

几个合伙人之间的协商继续以严格的秘密方式进行：所有其他家庭成员一律不得参加。“他们现在全部聚齐了，”列昂内尔向他的兄弟报告说，“这是说，四个人单独聚在爸爸的房间里，我们则被关在了外面。我认为爸爸说了一些关于我们要获得伦敦利润份额的事（意即增加一个合伙人）。他们似乎同意了他的提法。我不知道……他们是否会与他好好说话，解决所有事情。”“家族事件安排进行得非常平和，”他的母亲汉娜认为，“不存在分歧。”到6月12日，似乎内森已经达到目的，而且没有遇到他儿子担忧的“愤怒的话”：

> 爸爸提议，我们应该获得伦敦分行一半的利润，他也只需获得其他分行一半的利润。所有的事情立刻得到了同意，没有任何异议。我并没有在房间里，但今天早上却听说了这件事……我肯定你知道这件事也会很高兴，他们彼此也很高兴，一直没发生争执……他们对各个现金账户的状况感到非常满意，他们没有想到几个分行会如此繁荣。

“所有各方”似乎都“愿意保持和平”。这种兄弟间的和睦显然有些不寻常。“直到现在，感谢上帝，他们兄弟之间没有出现一句气话。”列昂内尔在信中显然也感到十分惊讶，“他们在爸爸的房间以及账房里度过了大部分时间，然后一起在家里用晚餐。”非常罕见地，五兄弟达到了他们所信奉的三句箴言中的第一个标准——“和睦”。法兰克福艺术家莫莱·丹尼尔·奥本海姆捕捉到了这种和睦的氛围，充分体现在了他的画作中。

只有一个阴影一直悬在五兄弟协议以及婚礼之上，那就是内森·罗斯柴尔德面临死亡的事实。说得准确一些，他病了；没人能够想到，这个自他们父亲于1812年去世之后就一直是罗斯柴尔德家族的领头人，会在他的权势达到巅峰状态的时候突然死去。在布鲁塞尔时，内森就出现了旧病复发的迹象，可能是坐骨直肠窝脓肿。正如他妻子所说的那样：“一个最不受欢迎的访客再次拜访了他，一个最不方便的地方生了令人难以忍受的毒疮，这让他非常气恼，尤其是坐下来的时候。”他的儿子说得更为直白：“爸爸的屁股上长了一个可怕的毒疮，他受尽了折磨。现在只能卧在床上，经受了难以忍受的苦楚。坐马车的旅程加重了病情，因此他现在需要大量休息。”

内森·罗斯柴尔德最后的病情以及死亡是一个研究19世纪医药匮乏的案例。可能并不是德国医生的干预治疗“杀死”了他们的病人，这种治疗的目标就是放出脓血，这并非没有道理；但是这会给内森带来难以忍受的剧痛，因为当时没有任何麻醉剂。在内森抵达法兰克福后不久，医生就实施了穿刺手术，但另一个脓疱很快出现，“与第一个（脓包）一样给他带来了疼痛，并限制了他的行动。”“亲爱的安东尼，”焦虑不已的汉娜写信说，“这让人非常担忧，因为这些（病痛）太痛苦了……但是医生向我们保证不会有危险。你知道爸爸如果生病，他根本受不了。”列昂内尔在6月13日报告说：“大开孔的情况很好，不会有其他手术。切利亚斯教授今天早上抵达这里，发现两个伤口的好转情况超过了他的预期；实际上，他十分满意它们的好转趋势，并向我们保证，爸爸恢复健康只是时间问题。”他的母亲也同样得到“这位来自海德堡著名教授”的保证，“不会再有其他脓包形成，开孔状况良好”。

毋庸讳言，内森的病情影响了婚礼的喜庆气氛。尽管新娘的父母决定继续举行原定于6月13日的舞会，但新娘自己觉得太过“焦虑”而不能出席。但是内森不同意因为他的缘故而推迟婚礼的意见。实际上，他坚持自己也会出席婚礼。婚礼那天，如他的妻子记录的那样，“他鼓起勇气早上6点起床，走到夏洛特住的地方，这一切他尚能支撑，后来又穿上礼服，去到查尔斯（卡尔）的家里，准备出席庆祝仪式。”“一切进行得非常顺利。”如释重负的新郎下午能够向当天未到场的兄弟们报告说。“爸爸身体恢复得很好，能够来参加婚礼了……就如他抱怨的那样，他是唯一感受痛楚的人，做到这些需要一点毅力，你们知道爸爸最不缺的就是毅力了。不过仪式只持续了半小时，而且很肃穆……它进行得异乎寻常的顺利，因为爸爸到场，我们的家族完美无缺。”实际上，内森似乎特地淡化了他的病情，试图“开各种玩笑……缩短令人尊敬的拉比的演讲，让到场的人忍俊不禁。”这其实是在掩饰。仪式一结束，“他就被极度的疼痛击倒，与往日一样，这种病痛大约在下午2点出现，持续6个小时。”他并没有回到旅馆，而是被抬到他女儿家里的床上。一对新人则出发去威斯巴登度过为期24小时的蜜月，越来越烦躁的内森再次接受了医生的手术。尽管他忍受了“所有手术，嘴里微微地哼着歌”，但他此时已经十分担忧，坚持让在纽考特的医生兼邻居本杰明·特拉弗斯赶到法兰克福。

整整6个星期，整个家族只能默默地等待内森康复。到6月底，他已经好了很多，可以继续通过列昂内尔向纳特发去口述指令，但是合伙人协议的最后谈判被推迟了——主要是因为詹姆斯，他抱怨眼睛疼痛，需要泡温泉。列昂内尔也显得难以忍耐。“爸爸恢复得很好，但是很慢。”他对兄弟们说，“每天，全家人都在一起用晚餐，冗长而且单调。他们一整天只是从这个房子跑到另一个房子，什么都不做，什么都不说。”但是医生们继续进行治疗并排出伤口里的脓血，伤口并没有出现真正好转的迹象。内森在“苏打水、熏衣草、橙子和水果”中寻找缓解痛苦的一丝安慰，这些东西全部是信使从伦敦运送过来的。“第二个（伤口）今天早上进行治疗了，”列昂内尔7月9日报告说，此时距内森抵达法兰克福已经有一个月，“爸爸以最大的勇气接受了手术，一直在开着玩笑。伤口比第一个要大，因为脓包非常深，那一定非常疼。”病情一直没见好转，越来越明显的金融危机可怕地映射了内森的病情。

最终，在7月24日，内森陷入了“持续”高烧，情况“十分危急”——可能是败血病引起的症状。第二天，在一种焦躁、近乎昏迷的状态下，他把儿子叫到身边。焦虑不已的列昂内尔写信给纳特说：

> 他立刻让我写信，希望你继续卖出英国证券和国库券以及2万英镑的印度股票。你同时还要寄一份手头持有各种股票数量的账目过来。我不知道我是否错误地领会了他的意思，但是我不想他再解释。(他还）要你卖出……葡萄牙政府用做还账的证券，不要在意一个或两个百分点（的损失)。

对列昂内尔来说，所有这些抛售——而且不在意多达2%的损失——似乎与父亲的性格并不相符，以至于有些难以理解。突然，他意识到父亲可能感觉自己快死了，纳特和安东尼随即准备前往法兰克福。7月28日，在他们赶到之前，内森的兄弟、妻子和两个儿子守在他跟前，他此时已经奄奄一息。

这是罗斯柴尔德公司历史上决定性也是最痛苦的一刻：在新的合伙人协议签署之前，家族的领头人已经走到了生命的尽头。萨洛蒙在弟弟去世后的两个星期内写给奥地利首相梅特涅的信中说：“我们已经确定了今后3年的协议，敲定了每个细节，只等着签署了，因为我们仍然相信，在上帝的帮助下，我们的兄弟能够康复。但是，事未遂人愿。”不过内森还是有足够的能量进行最后一次的全权指挥。萨洛蒙描述道：“去世前3天，他告诉了我有关遗嘱的所有想法和愿望，然后草拟了出来，我随后按照他的意思全部写了出来。”内森此时的意识已经不那么连贯，兄弟们评价说，他一会提出“更有决定性的要求”，一会“他的话又被疼痛打断、湮没”。但是他留给整个家族的信息十分明了。最重要的，他们要维持“和睦，长久的相爱和紧密的团结”——与他父亲的遗愿如出一辙。这些话在实际中意味着什么，他也给出了详细的说明。

第一，内森要求他的儿子“继续保持以我的名义创立的伦敦分行和睦”。第二，他强调儿子们做这些事的时候，必须咨询他们的母亲：“我亲爱的妻子汉娜……在所有重要的事务上将与我的儿子们合作，在所有咨询事项上有发言权。我衷心地希望，他们进行任何重要的交易前，都应该先咨询他们母亲的建议……”第三，他急切地希望：

> 目前由我的4个儿子打理伦敦公司，与我4个兄弟主导的其他分行之间能够维持联系，也继续把合伙人团结在一起……因此，我建议我的儿子们在生意中，能够一直遵循我兄弟们的建议和推荐……

最后，正如他的兄弟们回忆的那样，内森对新合伙人协议提出了一系列的修正：

> 临终前，内森让我更改合约，改为与他的儿子们签，里面的条款5年内不得失效……这样一来，N·M·罗斯柴尔德公司（即伦敦分行）就不会有什么变化，他的4个儿子以一个整体出现，在合伙关系里只享有一个投票权。其他4个兄弟以及N·M·罗斯柴尔德公司的全部资金今后5年内不得染指，任何人不能撤出运作资金，同时我们把从其他4个分行获取利润的份额降到3%，如此一来，合伙人关系在上帝的帮助下，在今后5年里会有进一步的提升，因为能够被动用的基金比例减少了，年轻人也就没必要卷入投机冒险中去。

这些愿望也全部适当地收录进了匆忙起草的补充协议里。未来的实际操作条款也被确定，内森提供了一些建议：

> 他要求他的长子和其他没有赶到的儿子要尽一切努力保持生意的完整性，不要从事任何高风险的投资。他给了他们很多中肯的建议，要求他们躲开一切邪恶，坚守美德、正直以及对信仰的忠诚。我故去的兄弟告诉他们，现在整个世界都试图从我们身上赚钱，因此要更为小心。而且他评价说，每个儿子是否得到5万英镑对他来说没有任何意义。重要的是，他们能够紧紧地团结在一起。

萨洛蒙写道："在掌握了一切权力的时候，他死了；去世前10分钟，按照我们的习俗给他临终祷告时，他说：'没有必要为我祈祷这么多，因为，相信我，以我的良知来说，我没有罪。'"然后他又转向我的女儿贝蒂，她向他告别时，他用非常英国的方式说：'永远晚安了'。"

5天后，一只信鸽从布洛涅将消息纸条传到了伦敦，上面只有简单的3个字："他走了。"

遗产和传奇

整个19世纪，只有少数几个人的去世带来的经济影响能够赶得上内森·罗斯柴尔德去世所带来的冲击。一年前，奥地利国王弗兰西斯去世时，维也纳股票交易所发生了小规模的恐慌，奥地利政府债券价格急速下跌；但是罗斯柴尔德家族的干预再次抬升了市场。当时，内森的病逝就如市场最大的支柱倒了一般。在他去世的消息正式公布前一周，金融媒体就一直焦虑地报道着他的健康状况。7 月 27 日，《泰晤士报》(错误地）报道说，内森的病情“一点也不危险”。8 月 2 日，它又断然否认了其他报纸报道的内森已经去世的消息。但是，正如“货币市场与城市情报”专栏承认的那样，伦敦城的看法不那么乐观：

> 根据法兰克福的消息，罗斯柴尔德先生的状况仍然非常危险；今天，这再次对西班牙和葡萄牙的证券带来了影响，它们的价格又下跌了 1.5%……似乎人们普遍认为，公司可能会召回罗斯柴尔德先生之前放出的贷款，因此焦急的借款人将抛出他们的股票，以便还款。今天出现了大量抛售的情形，但是由于市场本来就已虚弱不堪，因此成交的数量可能不大……股票市场今天几乎没有生意可做。统一公债的价格从星期六的衰退中恢复了一点，表现得非常坚定，因为法兰克福传来的消息使整体市场利好。

当内森去世的消息最终在第二天得到证实后，市场反常地只出现了轻微的震荡，说明市场持久的关注已经降低了这件事的冲击力：

> 所有类型的政府证券，尤其是那些外国市场里的政府证券因预计这件事即将发生，其价格一周以来一直处于下跌状态，但是消息得到证实后，它却带来了相反的效果，可能是人们认为他的生意在他儿子的管理下，将一如既往地运作。

但是，这只是暂时的现象。因为内森的死恰好遇上或可能加剧了国际金融危机的冲击，这场危机在他生病期间一直发展着。

1834 年 5 月~1836 年 7 月间，国际金融处于一个总体平稳的状态。统一公债的价格只有几周的时间低于 90 点，价格高于 91 点的时间持续了 6 个月。但是从 8 月第一个星期起——内森去世的消息公布——直到年末，公债价格一路向下，在 11 月达到了最低点 87（见图 11.1）。就在几天前的 7 月 21 日，银行利率（实际上是英格兰银行的基准贷款利率）9 年里第一次从 4%上升到 4.5%；9 月 1 日，它再次上调 0.5%。罗斯柴尔德家族的损益表显示，1836 年伦敦分行遭遇了 1830 年革命后的第一次亏损——总额超过了全部资金的 4%。这些亏损情况有可能发生在下半年。

内森在《泰晤士报》的讣闻记者——可能是他的朋友托马斯 · 马萨 · 阿尔萨

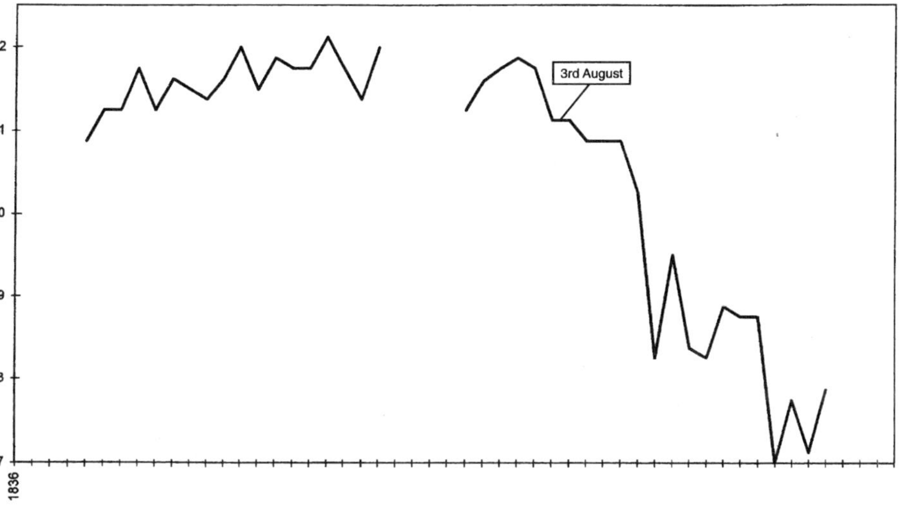

图 11.1　1836 年 3% 利率统一公债周收盘价

数据来源：《投机者》。

格——称内森的死是“伦敦甚至全欧洲最重大的事件，它已经发生了很长一段时间”，他并没有夸大其词：因为他的“金融交易肯定已经遍布了整个欧洲大陆，也可以说，过去的岁月里，他对所有的货币生意都产生了或多或少的影响力。”亚历山大·巴林评价说：“所有股票的异动以及它们价格的剧烈波动似乎大多由内森的死引起。最终，货币市场的解放将是一件好事，但是一种专横法则的突然消失很容易造成这些动荡的现象。”几个月后，戴维·萨洛蒙斯论述货币事务的小册子里也提出了类似的观点，他形容内森的死是“重要的事，能够引起国家的流通混乱”：

> 众所周知，那个著名的人是如何灵活地管理汇率；他如何自豪地利用庞大的资源，因此他的任何一项行动都不需要从英格兰银行提取并长期持有黄金（或白银）；尽管这迫使他需要将汇率维持在一个人为的状态中，并最终会带来坏的结果，当这种人为的支撑在一个不适当的时机突然撤回，必然恶化已经显露出破坏力的市场状况。自他死后，我们所经历的困难告诉我，在平衡汇率方面，没有谁的能力能够超过他（内森）；我将后来大多数窘境归结于积极性、热情以及事业心的匮乏，而这些正是他在金融艰难时期所表现出来的。尽管他的银行的所有业务活动将继续下去，但是绝不可能有人能立刻取代他的精神影响力，那个公司的领头人的良好判断已经得到了大家的公认，他的这一声誉不仅传遍了英国，而且响彻整个商业世界。

因此，金融世界对他给予了高于一般人的尊敬是可以理解的。如《泰晤士报》描述的那样，8月8日早上给内森送葬的队列：

> 由4人一排的警察方队带领，后面是一名骑着马的巡视员；再后面是另外一些官员，他们身后跟着的便是灵柩了。他的儿子和直系亲属坐在送殡车里跟在灵柩后面；所有车辆达40辆，上面坐着的是戈德斯米德、科恩、萨穆埃尔和伊斯雷尔等家族各个分支的成员。送殡车后面是亡者与两个儿子的马车，他们后面是市长谢里夫·萨洛蒙的马车以及一长溜儿外国大使以及贵族们的马车，这些车辆的数量为35辆。因此整个队伍由75辆马车组成；整个队伍穿过康希尔用时超过了15分钟。由于前来围观的人为数众多，许多店铺不得不关上店门以防窗户被人群挤破，而且沿路没有一个窗户前不是挤满了围观的人。

整个场景近似于纪念。随后出现的石版画《伟人的身影》刻画了已经众所周知的内森侧面剪影，他还是站在皇家交易所的柱子前，手里握着4把钥匙，象征着继承他事业的4个儿子（见图11.2）。这一影像也被几位不同的艺术家复制，包括内森的一名办事员（见图11.3）。

图11.2　蒙斯·爱德华《伟人的身影》，J·奈特、斯坦迪吉与莱蒙公司出版（1836年8月6日）
资料来源：鲁本斯，《漫画中的罗斯柴尔德家族》，第4插图页，第20幅。

就在葬礼后两天，蹩脚诗人威廉·赫塞尔廷出版了他的《N·M·罗斯柴尔德先生墓前的沉思》，诗文以陈词滥调的文笔颂扬了“这片土地上的大富豪”，不过也反映了一点现实：

> ……时光倒流，欧洲的国王
> 寻求并发现了你的援助。
> 在许多血腥的胜利，
> 以及大量的恐慌里，
> 你的黄金比他们的剑收获得更多……
>
> 在你人生奋斗的旅途上
> 既有引路的明灯，也有灰暗的阴霾，
> 从艰辛、悬疑和争吵
> 到最终的胜利！
> 从那时起，与自私、狡猾、善于奉承之徒
> 一直不断的冲突中，
> 你灌输了自己的精神。

这是何等的奇迹，尽管沾了一点儿瑕疵，
但包容了你内在的价值。

尽管在一个陌生人看来有些冷漠，
但你的心慷慨无比，
你也不像巴斯树（有毒的树），
令周边的灌木枯萎；
你身边的朋友，得到了庇护，
随着你的成功而昌盛
安全而又富足：
就犹如来自埃及的救星，
一切以以色列的名义传颂。

图 11.3 R · 卡伦《已逝 N · M · 罗斯柴尔德先生的身影》(1837 年)
资料来源：《罗斯柴尔德勋爵》，第 72 插图页，罗斯柴尔德著；《英国犹太人画像》第 103 页，鲁本斯著。

市面上出现了纪念内森的戒指和胸针，还有一种铸有内森头像的徽章。甚至还有一种印着图案的纪念围巾，上面仍然是站在柱子前的内森，同时还有简洁的颂词（以四种语言呈现）——“杰出的商业才能和事业心，伟大的善举和乐善好施的行为”——还有他最著名的贷款和总资产的表格。这些纪念物（就如围巾上用多国语言写就的颂词所表明的那样）也受到了国际范围内的关注。围巾在维也纳也进行了销售；赫塞尔廷的诗句也激发了类似的德国颂歌；讣闻不仅出现在英国媒体上，同时也出现在法国的《辩论日报》和德国的《汇报》（萨洛蒙从中策划）之中。

毋庸讳言，不仅仅是金融领域对内森的死感到哀伤。就如《泰晤士报》报道所描述的，外交和政治圈的要人也出席了葬礼：吊唁者当中有普鲁士、俄罗斯、奥地利和那不勒斯的大使，以及斯图尔特勋爵，有人说马尔伯勒公爵也在其中。当时，犹太社区居民也成群结队地出现在葬礼现场。“大量犹太人……葬礼开始前的几个小时就聚集到了那里”，此外还有犹太人自由学校的孩子组成的特别队伍负责抬灵柩。在公爵广场的犹太大教堂，首席拉比所罗门 · 希舍尔做了布道；内森的遗体最后安葬在怀特查珀尔路犹太墓园的西北角。犹太大教堂的 7 名成员每天前往纽考特，以满足进行祈祷所需要的男性成员人数，按照犹太教传统，为亡者祈祷需要至少 10 名 13 岁以上的男子。

我们如何解释公众对于一个德国出生的犹太银行家的死如此超乎寻常的兴趣？最明显的答案是，内森 · 罗斯柴尔德是英国最富有的人，鉴于英国当时的经济领导地位，他几乎也是世界上最富有的人。他与四个兄弟共同运作的五家银行的资金中，到他去世为止，他的份额为 1 478 541 英镑（占总资金的 1/4）。他在去世前还给了孩子大约 80 万英镑，他在遗嘱中能够留给儿子和其他家庭成员另外的 1 192 500 英镑。这意味着内森的全部财富——不包括他在皮卡迪利以及冈纳斯伯里花园的资产，但包括订立遗嘱前给孩子们的钱——大约为 350 万英镑。

这笔财富远远超出了罗斯柴尔德家族在伦敦财产最接近他们的竞争对手——巴林兄弟，后者的资金在内森去世那年只有 776 650 英镑。他也轻易地超过了同时代工业家所积聚的财富，以及继承祖业的英国最富有贵族地主的财富。在鲁宾斯坦罗列的英国百万富翁的名单中，并没有具体指明 1858 年前财富超过 100 万英镑的人；但是名单中出现的 1810~1856 间的 11 位人物，留给继承人的财产能够比得上内森的，最接近的是银行家威廉 · J · 丹尼森，他在 1849 年留下的遗产为 230 万英镑，其中包括价值 60 万英镑的房产。直到 1857 年，才有留给后代的遗产多过内森的人——纺织品仓库老板、英裔美国银行家詹姆斯 · 莫里森，他留给后代 400 万~600 万英镑的遗产。内森死时不仅比钢铁大亨理查德 · 克劳谢和棉花纺织商罗伯特 · 皮尔和理查德 · 阿克赖特要富有，同时也将昆斯伯里公爵、萨瑟兰公爵和克利夫兰公爵远远地抛在身后。

当然，要比较内森以金融资产形式为主的资产与大地主的财富孰多孰少实非易事。但是，不同形式的资产带来的收入是可以比较的。目前能够找到的数据显示，少数几个贵族拥有相对丰厚的收入：诺森伯兰公爵，格罗夫纳伯爵，斯塔福德侯爵以及布里奇沃特伯爵在 1819 年，“除去所有（开支）”，另外还有 10 万英镑的收入；距离他们不远的是贝德福德、里士满、萨瑟兰、巴克卢公爵、威斯敏斯特、比特侯爵，以及德比、朗斯代尔、达德利和莱斯特伯爵。举一个例子，第六位德文希尔公爵在内森去世的那个 10 年里，收入在 8~10 万英镑间。与此对比，内森在去世前 5 年（以伦敦分行的平均收入作为近似数额）每年平均收入为 87 623 英镑。

但是，这些数字忽视了内森相对于同时代贵族拥有的金融优势的一个重要因素。他有债务人，后者则欠债。截至 19 世纪 30 年代，德文希尔公爵奢华的生活方式已经使得债务成为他的一个沉重负担，欠债总额从 59.3 万英镑上升到了 70 万英镑；这些债务的利息消耗了他一半的收入，每年还有 3.6 万英镑的收入要支付查茨沃思的家庭开支。实际上，就在内森去世的时候，大量的地主遇到了财务危机。到 1844 年，德文希尔公爵的债务离 100 万英镑只差一点点儿，他不得不卖出更多的土地以便于周转。1848 年的时候，白金汉公爵实际上已宣告破产，当时他的债务超过了 150 万英镑。内森 · 罗斯柴尔德死后“留下 5 000 万英镑财产”的传言自然引起了公众的好奇甚至惊讶，因此它也出现在了纪念围巾的正中间。这个数字可能有少许的夸大，但是这完全可以理解。从净资产的数额来讲，内森确实是无人触及。

更值得注意的是，内森 · 罗斯柴尔德去世时的身家比他刚到英国时多了多少。按照他自己的说法，他抵达英国时只有 2 万英镑。此外，他一路打拼，从纺织行业起步，闯进了伦敦；他在英国最初的经商生涯是曼彻斯特的一名布料商人。与 19 世纪大多数富有的犹太人不同的是，他真的是“白手”起家，最终成了富豪。因为这一点，他完美地阐释了 19 世纪正在形成中的自力更生理念。当然，他也不是唯一富有的罗斯柴尔德人。米尔施泰因的数据显示，詹姆斯可能已经是法国最富有的人。在不那么繁荣的欧洲大陆，阿姆谢尔、萨洛蒙和卡尔领先对手的距离甚至更大。几个兄弟加在一起，罗斯柴尔德家族无疑是世界上最富有的家族。

尤其对较为贫困的犹太人来说，内森超乎寻常的致富故事有着近乎神秘的重要意义——因此出现了“希伯来护身符”的传说，内森好运的来源将他与犹太传说联系到了一起。这个不寻常的故事——其中的一个版本由一个匿名作者发表，那时内森去世仅过了 4 天——也是所谓的“罗斯柴尔德神话”早期最为怪异的一个事例。尽管故事的作者很明显是个犹太人，但是它实际上是一个反犹作品的可能性也不能排除，因为它的语调具有明显的挑衅性。实际上，故事引用了 19 世纪 40 年代公开反对罗斯柴尔德的小册子的作者荒谬的论断。

故事由一个神秘的幽灵讲述，他自称“厌恶……基督的追随者，是一种最神圣、最炙热的厌恶”，并且“因为一个基督徒的报复”而使得他“经受了多年的痛苦”。他是一个护身符的保管人，这个护身符能给持有它的人以魔力。“我不能驾驭黄金？我不是有护身符吗？我说错了什么？不能买下整个邪恶的种族，从他们错误的先知到最低级别的魔仆？我不能用午夜的咒语驱使他们干活？看！看到太阳升起，不足以让我的族人感到高兴吗？”他的目标是将护身符送给一个“极为憎恶基督徒的人——这个人非常希望他们堕落腐化……他是犹太人为自己所受错误对待而采取报复行动的拥护者。”

这个幽灵在拿破仑占领期间抵达了法兰克福，他目睹了法国军队的劫掠场面。法兰克福犹太人更是成为系统掠夺的目标。在犹太社区的一个遭到劫掠的办公室里，他遇到了一个年轻人，“他的眼睛红红的，含着眼泪，脸色苍白而且憔悴，他哀叹着，还有失眠带来的困顿”。就在这时，一个法国士兵冲进了办公室，要求得到更多的钱。“‘亚伯拉罕、伊萨克和雅各布！’年轻人喊着，他跪了下去，颤抖的双手伸向东方，‘（还要）多久，上帝！还要多久？……异教徒的胜利，你的人民沦为上帝的玩笑还要持续多久’？”法国人不为所动，拿走了他仅有的一点值钱的东西：家族的神龛。法国士兵走后，年轻人“诅咒基督徒，以愤怒的语气祈祷，希望自己能有打垮他们的力量，并以常人忌讳说的耶和华的名字发誓，他如果有机会一定拿走他们所有的财产，并践踏、踩碎他们黑色而且不虔诚的心脏”。“现在，”幽灵说，“有了一个伟大主人的奴仆——有了一个适合伟大事业的拥护者。他的过错……将使他成为仇视基督徒最忠诚、最热心的信徒，无论那些基督徒在哪个国家。最终，这个人将建造起神庙，让世界各个角落的犹太人感到敬畏并顺从。”

幽灵讲述者于是现身（“穿着飘动的远东长裙”，“加上灰白的头发和胡须……惨白得像一具尸体”，“大大的黑眼睛，向前喷射着可怕的火光，任何凡人都不敢正视，在我面前无不战栗”）。“我念着咒语，护身符再次托付给我受压迫族人中的一个成员。”这次护身符是“一个戒指”。“我给了那戒指魔力，它可能拥有了伟大的所罗门封印的力量。做完这些之后，我命令那个年轻人说出三个愿望，它们立刻可以实现；按照我的指示，他把戒指戴到食指上，接着听从其他的步骤。”一个人走了进来（后来被证明是一个王子），卸下了他扛来的一袋金子，并把金子交给了年轻人。毋庸讳言，口袋里装着的金子“正是他第一次施展护身符魔力时大声喊出的数量”。

“他是受诅咒和被劫掠种族的成员！”幽灵宣称，最终揭示了他所选择的人选的身份：

> 年轻的犹太人，我将护身符托付给了他，他将会见识它浩瀚的力量，那个人就是内森·迈耶·罗斯柴尔德。他的财富迅速增加，比任何人都要富有，他的财富震惊了异教徒。他们说的话非常有理，即如此让人吃惊的财富任何人都不可能在如此短的时间内积聚起来，绝非人力所为——他们是正确的，它是护身符的力量。

随后是内森从法兰克福遭劫掠后的废墟中成名以及致富的故事，篇幅虽短但带着经典的神话色彩。“他遵照我指引的方向，进入了提供贷款和投机的天堂里，成为欧洲货币市场的主宰……变成了异教徒国王的贷款提供人、批发商和债主。”当拿破仑（受幽灵蛊惑）入侵俄罗斯，“罗斯柴尔德立刻决定了他走向毁灭的结局——而且无法回头”。当拿破仑从厄尔巴返回时，“谁让他的希望破灭？就是拥有护身符的内森·迈耶·罗斯柴尔德”。英国政府需要金钱支付威灵顿在滑铁卢的军事开支，同时贿赂“法国的将军和议员”，使其背弃拿破仑。“只有一个人能够也愿意提供数百万英镑的金币，这些钱是英国大臣所急需的。那个人是罗斯柴尔德。在我的指示下，他让大臣得到了黄金……”

它暗示，所有这一切都是为了一个更高的目的：内森借钱只为了“一个目的……犹太王国的重建——重建塔楼，哦！耶路撒冷！”

历史肯定会说，最精心编制的拙劣玩笑就是犹太人罗斯柴尔德借钱给老基督徒利物浦勋爵，钱的数量足够打败拿破仑·波拿巴，他这样做的动机是为了牟取25%的利息。如果这样写，写历史的人与平常一样，是在撒谎……罗斯柴尔德被命令提供金钱……是为了换取犹太人重归古老的民族；英国担保犹太王国获得独立……12小时内，英国大臣得到了数百万的金钱，罗斯柴尔德获得了一项秘密协议，上面盖有皇室的印章，英国承诺将拿破仑彻底赶出法国的21年后，将重建犹太国。

故事随后发生了转折：

> 到了今年（1836年）我的任务应该完成了；但是他，罗斯柴尔德……在第12个小时的时候被证明犯了错……他长久以来的成功让他越来越散发着铜臭气……因此他亲口说他已经卑贱地将犹太复国的协议卖了，用来换取一个小规模的英国犹太人解放法案，以及他自己的一个贵族头衔；我听到后并没感到惊讶，更多的是伤心。这个令人欣喜的工作、这种高尚的交易应该在接下来的一年中实现，届时，散发着铜臭气的高傲以及傲慢的背叛有望获取500万英镑的价值。他已经有了4倍以上的钱了。

当时，由于他背叛了导师，这些虚荣的梦想只能破灭。“他的护身符消失了，我让他知道，它永远地消失了。他再没去交易所冒险，或者说他的遗嘱起草人将能够节省很多麻烦和时间。”

我给他护身符，从而使他能够让他的家族挤入贵族阶层？或者用财富的重压蒙蔽了他的良知？没有一个犹太人能承担得起这项伟大的事业，回望过去，好好生活。

在这个怪诞的故事里，内森的死是因为未能履行将巴勒斯坦交给犹太人的承诺而受到的惩罚；幽灵继续搜寻“上天任命的拥护者”来接受护身符。就如犹太版本的尼伯龙根传奇魔戒被赋予魔力时，它就会使人道德败坏；“希伯来护身符”的故事鲜活地刻画了1840年便开始围绕内森·罗斯柴尔德与他兄弟的神秘色彩。

这类传说广泛传播便是很好的证明，内森去世后不久，美国一份报纸——很明显不是犹太人的报纸——报道说：

> “葬礼结束后，一些看守人将长时间守在墓园，以阻止任何可能发生的亵渎亡者的事情发生。”有传言说，有人出高价买他的眼睛——据说一只“犹太人的眼睛”值很大一笔钱。

内森死后，一个神话诞生，它将被证明与19世纪的任何一个神话一样，具有持久的活力和危险性。

继 承

现实中，罗斯柴尔德家族的“司令”去世后，这个家族的领导权“护身符”传给了谁？传统的假设一直是，五兄弟中最小的詹姆斯立刻继承了内森的衣钵。这也是他朋友海涅的观点。海涅在内森去世后不久写道，“自从他杰出的哥哥去世后，罗斯柴尔德家族的所有政治影响力”全部集中到了詹姆斯手里。“这个家族的首领，或更像是家族的大脑，是詹姆斯男爵，一个杰出的人……”海涅为何这样说的原因也不难看出。在1841年3月写的一篇文章里，他将詹姆斯近乎描述成了一个金融帝王，在拉斐特街道“宫殿迷宫，财富营垒”的中心运筹帷幄。实际上，他注意到詹姆斯——效仿他哥哥内森——开始用“那些从他手里贷过款的欧洲国王的半身像”装饰办公室。与内森一样，詹姆斯的本性也咄咄逼人。“人们必须尊敬这个人，”海涅写道，“只是因为他让别人产生了这种敬畏之感”：

> 我最喜欢造访他银行的办公室，在那里我可以带着思考去观察人们——不仅是特定的人群，还有其他所有的人——在他面前卑躬屈膝。你所看到的脊骨扭曲、弯折的情形，即便最高超的杂技演员做起来都有些难度。我曾看到，人们一接近伟大的男爵便会出现痉挛似的举动，如同触电一样。即便走近他私人办公室的门口，许多人都会产生一种敬畏感，就如摩西在他的门口，觉得自己好像站在何烈山上一样，意识到自己站在一块圣地之上。摩西于是脱去了鞋子，众多敢进入詹姆斯办公室的交易员或委托代理人都自愿脱去了鞋子，当然前提是不必担心自己脚上的气味会冒犯到别人。

“内室实际上是一个非凡的地方，”海涅继续说道，“它激发了宏伟的思想和感觉，就如看到浩瀚的海洋或星光闪耀的宇宙一样。在这里，我们可以看到人的渺小以及神的伟大。”

当然，海涅也充分发挥了他的戏剧想象力，他描述了“一个股票投机家”在詹姆斯的“巨大”夜壶前，摘下帽子以示敬意；或者一个身份不明的朋友“愿意不惜一切代价”来换取与詹姆斯共进午餐的荣耀。但是交易所一个小人物埃内斯特·费多的回忆生动地证明了詹姆斯在巴黎近乎帝王的地位，一个嘈杂宫廷里的暴君，从早上9点开市到下午4点收市，他被一群阿谀奉承的交易员、投机商和食客随从包围着。费多回忆（他在19世纪50年代经常造访拉斐特街）说，

> 詹姆斯被迫接受所有这些沉闷、忙碌的人们的奉承，有时这些让人厌恶。

几乎所有的人都奴颜婢膝，他们的恳求无趣迟钝，他们的奉承奴颜屈从。詹姆斯靠在椅子上，心不在焉地接过这些无趣的人递给他的报价单，他很少看上一眼，有时会故意地把报价单扔进废纸篓里，不过通常情况下只是把它直接递还，然后再转向下一个人。

尽管费多日复一日地见到这些令人沮丧的场面，不过他从未停止过对詹姆斯的惊奇，“男爵在地狱般喧嚣、令人困惑的混乱中，运作最为庞大的金融活动；每天都是如此，没有片刻休息。”他的办公室：

充满着震耳欲聋、无休无止的声音，关门以及拿着派遣单或寻求签字的员工来来去去制造了无尽的喧闹纷乱。寻求交易指令的交易商办事员以及投机者为喧嚣又增加了不少嘈杂，从而使得“男爵先生”的办公室很像是巴别塔。在这里，能听到世界上所有的语言，包括希伯来语。一群囊括了三种性别的人——男人、女人和乞丐——整天一个接一个地来到办公室里，询问有关消息。珠宝商会来到男爵的跟前，打开他们的盒子，展示宝石；瓷器和艺术品交易商前来推销他们的精品。漂亮的女人到处走来走去，凭借自己的魅力搜罗信息或别的东西。在这个无尽折磨的过程中，百万富翁的大脑在数据和计算不断累积的情形下近乎爆炸，但他最小的儿子——个头高，胖乎乎的一个小男孩，我至今还记得他的样子——不时地冲进来嬉闹，把父亲的手杖当做马来骑，还吹着他的小喇叭，就像是约萨法特山谷（《圣经》中的圣谷）的天使。

可怜的男爵没有一句怨言，即便皱眉都很少见。

他“甚至没有安安静静吃饭和睡觉的权利。无论冬夏，从早上5点开始，递送以及等待消息的人就围满在他的门前……如果生意需要，他就会和所有家人在办公室旁边的一个小房间用餐，用股票交易行情表作为佐料，而交易商仍然不断地走到他的餐桌旁，无情地打断他用餐”。实际上，对费多来说，詹姆斯有时并不像一个掌握宫廷的帝王，更像是一个被自己的职业道德监禁的囚犯。除了强迫性的习惯和值得赞美的职业野心，还有其他的原因来解释为何一个如此富有的人仍然愿意在如此繁重累人的条件下工作吗？

但是，最终，由于詹姆斯对于其他人——包括费多所实施的“暴政”，人们对他的怨恨多过了同情：

他有一个恶毒的习惯……就是一句话不说，甚至看都不看来访者，将他晾在那里，一脸的尴尬；来者手里拿着帽子，一条腿站着，将他的报价表依次递给他（詹姆斯）的家人，后者也几乎是看都不看一眼。一天，他对我耍这个卑鄙伎俩时，我表露出了一丝不悦，他感到必须对我施以恩惠，以便让我平静下来。那是在1月，桌上的盘子里盛着大草莓。他用叉子挑出了一颗最美味的草莓，然后递给我，就好像喂一只鹦鹉一样，并且说：

“你想吃一个吗？”

费多自然被这种丢脸的对待弄得难堪不已，尤其是在詹姆斯的妻子和女儿都在场的情况下。但是，他勇敢地面对了这一切：

“您真是太客气了，”我回答说，向后退了一步，

“但是我更想得到一个交易指令。”

男爵没有感到不安。他的话让我惊呆在原地：

“现金买5股北方（公司）的股票。”

5股北方股份的价格大约为50法郎，我从这样一个具有吸引力的交易中只能够赚12法郎50生丁。

这种冷酷对待下属的做法，按照费多的说法，司空见惯（这一说法也得到了亚历山大·赫尔岑的印证，他在1849年造访了拉斐特街）：

“你让我非常生气！那不是真的！让我安静一会！”这些便是他展示给我的礼貌……只要我对一个交易指令发表自己的看法，这样的情形便会上演。需要牢记的是，由于他所用的怪诞语言以及他的口音，经常很难听懂他说的是什么。

一天，提及一只股票的价格时，他暴跳如雷，把我的报价单撕成两半，然后强迫我再次粘起来，并称我是“该诅咒的白痴！”

其他人，甚至他的犹太同胞同样得不到他的好脸色：“‘啊！你敢这样，你这个该死的德国犹太佬！’有一天他骂一个去他办公室的犹太同胞……那个不幸的人目瞪口呆地站在那里，灰心丧气，哑口无言，脸色灰白。”一个名叫曼努埃尔的交易员敢于向詹姆斯说出自己的想法成为交易所神话的一部分。“早上好，男爵，”他进到詹姆斯的办公室里，然后说，“您今天怎么样？”

“这跟你有什么关系？”詹姆斯没好气地回应说。

“您说得很对，”曼努埃尔大声说道，“我站在这里的时候，您或许会暴毙；而我才不在乎一条狗的死活。”

当时如此多的巴黎人认定詹姆斯是内森的继承人，一点也不奇怪。

但是詹姆斯在罗斯柴尔德家族内部是否也有他哥哥那样的权威，远没有那么清

楚。在内森死后，毫无疑问他立刻试图将自己的权威施加到侄子们的头上。他在1836年新的利润分配时写给列昂内尔以及他的弟弟们的信，以非常肯定的口吻说：

> 我请求你们，我亲爱的侄子们，能够耐心地读我的信，因为我今天十分坦白，因为我非常希望按照我与你们过世的父亲合作的方式，继续与伦敦合作。不要（让我）被迫写言辞激烈的信，因为要管理好企业，只有在小生意上花费的注意力赶得上大生意上花费的精力才行。

信的后半部分内容指出了伦敦分行犯下的3个“罪过”。这些冲突在之后的10年里不时地出现，詹姆斯经常挂在嘴边的批评就是他的侄子们光顾着读信，而很少回他的信。特别暗示内森在世时做事的方式，也并不是詹姆斯一个人这么做，其余3个兄弟同样如此。“你们现在应该明白我当时是何等的正确，”萨洛蒙要人领情式地在1837年写道：

> 我就生意问题曾写信给你们，你们现在必须承认，我亲爱的侄子们，我们必须推进生意。这是你们父亲过去一直说的一句话。无论他什么时候看到别人试图将我们排挤出交易，他就会在信里说：“我亲爱的兄弟，我们必须渡过难关。”现在也是一样，无论我们遭遇亏损或收获利润，无论我们赚到什么或失去什么，我们都不能让别人骑到我们头上，或将我们挤到一边。我希望你们听从我的建议，我亲爱的侄子们，不管我们是收获利润还是遭遇亏损，我们都要推进生意。

不久之后，詹姆斯写信给伦敦指出：“你们爸爸在世的时候，他通常会以2.5%的利率给我们提供贴现票据，但现在优质票据在伦敦也已按照3%的利率贴现，其他银行在这方面会取得优势……因此你们如果希望能够与他们竞争并做生意的话，你们必须给我们提供同样的条件。”阿姆谢尔也经常在这个问题上唠叨。他和詹姆斯在1839年感慨道：“失去我们的兄弟内森是一个可怕的打击，我们不能期望年轻一辈会表现出与上一辈同样的尊敬、恐惧和信任。”

就如詹姆斯抱怨贴现利率一样，欧洲大陆的罗斯柴尔德分行抱怨最多的就是伦敦分行忽视他们的利益；这与内森生前出现过的指责一模一样。实际上，从另一个角度说，这也证明内森的儿子们成功地捍卫了他们相对自治的地位，从而使得内森去世一年后仍然会出现类似的指责。这种指责在这之后也一再出现。比如，1839年9月，詹姆斯指责伦敦分行获取了西班牙生意一半的利润，但却让巴黎分行承担了所有的风险。他抱怨说：“我认为唯一正确且合理的方式是，我们下一次的行动中，巴黎分行应该与伦敦分行承担同等的风险，两家银行的地位平等，不能有一家凌驾于另一家之上。

因为只要一家发现这类（不平等的）行为，就会引发不信任的感觉，那么所有事情都会搞砸。这是绝对不能发生的事。”一周后，他再次诉说了他的“冤屈”。“只要我活着，”他对纳特说，“我绝不会支持我们当中的一家银行试图寻求对另一家的优势地位，或对另一家做不公正的事情。”但是“当你们（指伦敦分行）看到一宗交易进展顺利时，你们就会说，‘我们把它留在这里’，而如果它进展得不顺利，你们就会把一个份额给巴黎分行。我亲爱的纳特，这种态度只会带来障碍，只会导致相互间在信里彼此指责。”围绕集体账户的利益引发的小争端变得非常频繁。1840~1841 年间也发生了摩擦，詹姆斯和阿姆谢尔同时指责他们的侄子们将汇票给了他们在巴黎和法兰克福的竞争对手。

对于内森的四个儿子来说，他们经常感到被几个叔叔弄得火冒三丈。“我可以向你保证，要安排那些对钱如此敏感的人将是一个大麻烦。”安东尼向列昂内尔抱怨说，当时他们的 4 个叔叔似乎对他的婚姻计划过于关注。“我可以保证，尽管查尔斯叔叔（卡尔）是你的岳父，但是与这位先生越少接触越好。”阿姆谢尔经常通过修改他的遗嘱来对他的侄子们施加某种控制力，则是另一个引起不满的根源。

从资产方面来讲，伦敦、巴黎和法兰克福此时的地位已经相当平衡，因此他们中的任何一个都无法像内森当年一样取得“一家独大”的地位。“我亲爱的侄子们，”詹姆斯在 1838 年 3 月的一次争执后，不得不向他们道歉，“我为你们感到高兴，我急切地请求你们不要按照字面意思看待我说过的话，当一个人必须忍受这类痛苦时，他有时会变得非常极端和不高兴。我很容易生气。”在与几个兄弟的关系中，詹姆斯也无法占据主导地位。阿姆谢尔经常威胁退出生意，当他以健康为由威胁退出时，詹姆斯连忙赶到法兰克福劝慰。不过萨洛蒙、他的儿子安塞尔姆以及卡尔的大儿子迈耶·卡尔承担起了家族的职责，这也反映了法兰克福、维也纳和那不勒斯之间的紧密商业联系。当詹姆斯自己在 1838~1839 年的冬季患上重病时，任何扮演“司令”角色的想法都被迫放到一边。实际上，1848 年之前，他很少，甚至没有反对过三个哥哥的意愿。正如纳特所评论的那样，当萨洛蒙要求获得更大份额的铁路和政府生意时，“我们这里总是习惯给法兰克福让路”。

与之前一样，老一辈的罗斯柴尔德成员试图阻止公司的离心倾向，他们所用的方法仍是呼吁空洞的兄弟“和谐”原则：“直到现在，我们的力量存在于哪里？”詹姆斯 1839 年责备道，当时他与侄子们再次发生了口角，“只存在于这样的想法里，即一个地方的人将给另一个地方的人提供支持……你们都十分了解，在我的心里，我们家族的繁荣比其他任何东西都要重要。”1841 年，阿姆谢尔对相互间的摩擦感到非常担忧，他给所有的兄弟和侄子们发出了热切的呼吁，希望保持家族团结，这也让人想起当年迈耶·阿姆谢尔的做法。詹姆斯在随后一年也呼吁：“让我们再次平和、和睦地做生意，彼此间不要再争吵。如果我们能保持和平，这只会给我们带来财富和祝福，你们和我们都不应该缺少平和。”

可能非常明智的是，几个合伙人于 1841 年在巴黎碰面时，决定维持 1836 年的协议不变，用汉娜的话来说：“老一辈的几兄弟似乎对目前的情况很满意，要求不作任何改变。”但是，她又强调说：“每家分行的账房有自己的资金，它们应该各自独立；而且他们必须监控每家的收入，以便让有关各方获得平等的利益；老一辈成员的资金如此庞大，他们有更多的话语权。”这也是她几个儿子的想法。两年后，列昂内尔按照这个方向准确地修改了合伙协议。列昂内尔和弟弟们正式从合伙资金的个人份额中取出了 340 250 英镑，从而将他们的比例下调到与他们叔父相等的水平，终结了内森一直是最大“股东”的情形。

这样做，人们会认为列昂内尔主动放弃了一个筹码。实际上，他放弃的比这个还要多，因为他并没有修改 1836 年协议确定的利润分配方案，协议明确规定欧洲大陆分行只有 10%的利润归伦敦分行所有。“我十分肯定，提及修改利润分配必然会带来更多不开心的纷争或讨论，”列昂内尔向他的弟弟们报告说：“我也很肯定，我们肯定不会从中得到任何东西，因此我才不会提利润分配更大份额的事；为我们已经拥有的而感谢上帝，希望下一次我们碰面时能够分到同样多的钱。”但是，列昂内尔的目标主要是保持伦敦分行相对自治的地位。他真实的胜利是要击败詹姆斯的提议——早在 30 年前便提出的一个建议：五家分行的合伙协议应该公开：

> 詹姆斯叔叔拟订不提及我们资金内容的合伙协议，以便他在巴黎遇到谁是家族合伙人的问题时能够出示——现在，就如我们在伦敦经常说的那样，我们的银行与其他银行没有任何关系，我们希望避免任何人出示合伙协议的情形，涉及所有资金事务的协议不可能拟订出来，但（詹姆斯叔叔的）这个建议可能很容易导致合伙协议被公众获悉，因此不能拟订，他们立刻同意了我的观点。

多亏了列昂内尔，五家分行联系的准确情况一直隐藏在神秘之中，合伙人和他们的律师才了解其中的秘密。这种保密做法是罗斯柴尔德的一个传统；但似乎很容易合理地推断，列昂内尔倾向于不再与其他四家分行保持过于紧密的联系。

“为我们已经有的感谢上帝吧”：这是内森的儿子们最典型的想法。纳特和安东尼在几个月前都用了几乎一模一样的句子：“我们必须要为我们已经得到的感谢上帝并努力保住它。”实际上，很容易将对于事业的态度方面的“代沟”作为他们 19 世纪 30 年代和 40 年代不和的一个解释。毫无疑问，此时的纽考特已经比内森时代的纽考特在财政上更为稳定：比如，减少了债券市场的投机，更多地从事汇票承兑业务。“我们喜欢利润微薄的大量交易，持有非常大数量的股票，等待非常高的价格。”纳特从巴黎写给兄弟们的信里说，这是他写到纸上的众多经商箴言的其中之一。由于被“流放”到海峡的对岸，他倾向于用国家特性的因素来解释纽考特与拉斐特街之间的差异。“我看得越多，”他的弟弟1846年到访巴黎时说道，“我越相信，这里没一个地方像我的老纽考特。如果我们没有给它们提供支持的话，法国的股票会是何等的垃圾？我想我们应该给自己一些自信，做一个和其他人一样的伟人。”很难想象内森能够说出这样的话。尽管列昂内尔与他的叔叔之间只相差了16岁，但他们对于生意的态度相差颇多。对詹姆斯和他的兄弟来说，仍然保持着法兰克福犹太聚居区带给他们的焦虑和不安全感。“无论什么时候我写信给你们，别人都会更留心发生了什么事，然后会去做更多的生意，但你们却立刻认为我们是要和你们吵架。”詹姆斯在1845年写给侄子们的信中有些感伤地说，“但是，我可以保证，我亲爱的侄子们，我丝毫没有那样的想法，但是我看到每个人都在竭力把我们挤出所有的交易时，我的心都碎了。即便墙上的石头都心怀妒忌，也成为我们的敌人。”这种认为所有竞争都是威胁的倾向自然不是下一代能够继承的东西。

但是，即便没有态度上的差异，五个分行之间的摩擦可能也会越来越多，因为这是成功不可避免要付出的代价。到19世纪30年代中期，每家罗斯柴尔德分行都已经成为所在国家金融领域的主导力量。各个大国在1830~1833年的革命危机后，都倾向于缩减借贷的，这是公认的。除了1835年提供给西印度奴隶主的贷款，英国、法国和奥地利一直到1839~1841年才开始大量地借贷。但是，19世纪30年代所经历的革命危机拉近了三家罗斯柴尔德分行以及它们所在国的关系。对于列昂内尔和他的弟弟们来说，他们显然对英国有了某种程度上的认同感。萨洛蒙也是一样，受他与梅特涅紧密关系的影响，也日益倾向于优先考虑奥地利帝国的利益。即便是詹姆斯，尽管他极为蔑视路易·菲利普的大臣们，但也不能完全回避法国优先的考虑。如果欧洲的和平得以维持，这些国家认同感不会带来多大的影响。但是当大国之间的利益发生冲突时，罗斯柴尔德家族也就越来越难以保持中立了。

罗斯柴尔德家族对于各个大国资金需求减少的自然反应就是到别的地方寻找生意。但是，世界上几乎不存在欧洲列强没有踏足的地方，没有任何一个地方，列强们的利益能够完美地协调一致。在四个地区——伊比利亚（古西班牙）、美洲、低地国家（指荷兰、比利时、卢森堡三个国家）和近东——要达成一项符合罗斯柴尔德家族集体利益的政策是一项挑战，因为当时这几个“当地”政府的国家利益正处在冲突的状态中。即便内森仍然在世，这也是项十分困难的任务；没有了他，则变成了近乎不可能完成的任务。

第十二章

爱情与债务

THE HOUSE OF ROTHSCHILD

今天的社会抵制你，是因为你在你妹妹的问题上对它不是十分友好，你妹妹的行为违反了家族的期望；同样还是这个社会，只要你坚持你的原则，它就会友好地对待你，而且会让你获得更多的尊重……

詹姆斯致纳特

1839 年 7 月 16 日

1839 年 4 月 29 日，一起灾难降临到罗斯柴尔德家族中——或者说，对于当时的家族似乎如此。在内森突然去世后不到 3 年，他的第二个女儿汉娜 · 迈耶放弃了犹太信仰，准备嫁给一个基督徒。

从任何一个角度来讲，亨利 · 菲茨罗本应是德国犹太移民女儿的最理想，实际上最梦寐以求的夫婿人选。诚然，他是南安普敦勋爵的小儿子，因此不太可能继承爵位或太多的土地；但另一方面，32 岁的他已经（从牛津大学莫德林学院以及剑桥大学三一学院毕业）是北安普敦郡的官员，同时还是刘易斯郡地区的议员，未来的仕途不可限量。但是汉娜 · 迈耶考虑的并不是这些；在 1838 年的某个时刻，她深深地爱上了这个黑头发、蓝眼睛的年轻人。她的背教行为永远都不能得到宽恕。

汉娜·迈耶的罪行和惩罚

19 世纪小说的经典主题就是贵族家庭不同意与商人联姻。菲茨罗伊的家族毫无疑问坚决反对两个年轻人的决定，中断了对他的资助。但是，他们的反对远没有罗斯柴尔德家族那么激烈。实际上，这并不是汉娜 · 迈耶第一次与一个异教徒产生恋情：根据记载，在她父亲死前，埃德蒙 · 德 · 克拉里王子曾经在巴黎向她求婚。内森当时就断然反对；当他的弟弟詹姆斯听到汉娜 · 迈耶与菲茨罗伊的新恋情之后，他不再有任何同情：

我亲爱的列昂内尔，你在信中提到了让你感到痛苦的社会环境以及汉娜·迈耶的恋情，这让我感到心碎。你能够想到我为何会有这样的感觉，因为没有一件事能够比这个决定更能够威胁我们家族、我们的持续安宁、我们的好名声以及我们的荣耀。我甚至不敢提到它。背弃我们的宗教，背弃我们先祖迈耶·阿姆谢尔·罗斯柴尔德的信仰——这种信仰让我们变得如此伟大。

但是，詹姆斯从一开始对再次阻止汉娜·迈耶持悲观态度。主要原因不是他缺少内森家长式的权威；而是内森在他的遗嘱中正式地表明，他小女儿的婚事必须征得她母亲和弟弟们的同意，其他几个叔叔只有在发生分歧的时候才出面作决定。真正的问题是，用于强化这项条款的经济制裁不足以制造障碍。内森死后，汉娜·迈耶得到了 1.25 万英镑，而她成年时就已获得相同数额的钱，此外存在家族银行里属于她的 5 万英镑，每年会有 4%的收益。如果她出嫁时得到家人的祝福，她还会得到另外一笔 5 万英镑的嫁妆；但是这笔钱她显然知道肯定拿不到了。詹姆斯建议列昂内尔把汉娜恋爱的事告知萨洛蒙，但是他对于萨洛蒙能否“在这件事上取得比我还好的结果”表示怀疑。他也同意在 2 月 20 日前赶到伦敦，亲自劝说他的侄女。“但是，”他有些悲观地写道：

我们的旅程能否获得成功以及对公众带来何种印象，我难以预测，或者汉娜·迈耶是否愿意接受我们善意的劝告，她十分清楚我们前往伦敦的唯一目的就是阻止她的爱情冒险。我更倾向于认为，鉴于这个女孩独立的性格，我们此举可能会适得其反，更加不可能说服她放弃这份错误的爱情。但是，我更希望看到我们家族的安宁，什么都不能阻止我去伦敦……我十分关注这件事。

实际上，詹姆斯因为突然生病而未能前往伦敦。相反地，他建议汉娜·迈耶——由她母亲陪同——前往瑞士与他住上一段时间，他计划在那里继续休养。但是这个“转移注意力”的建议来得太晚。就在詹姆斯发出邀请的那天，婚礼在汉诺威广场的圣乔治教堂举行。罗斯柴尔德家族只有汉娜·迈耶的弟弟出席了仪式，新娘的母亲只把她送到了教堂门口。几周后，“丑闻”被《泰晤士报》公之于众：

已经证实，罗斯柴尔德小姐嫁给菲茨罗伊先生的条件是她需要皈依基督教。这是第一次看到罗斯柴尔德家族的一个成员放弃他们祖辈的信仰，这种信仰深深地烙上了他们出生地（法兰克福）的印记，他们自那以后，一直以自己坚守犹太教义而将自己与别人区分开来。据说，新娘的叔叔们对于改变信仰实现联姻感到十分不高兴。

这是留有余地的说法。“我十分坦白地承认，”盛怒的詹姆斯在信中说：

> 关于汉娜·迈耶的那篇报道让我如此难受，我几乎没有勇气提笔在信中写到这件事。她不幸地夺走了我们家族的自豪，给我们带来如此严重的伤害，它永远都难以弥补。你说，我亲爱的纳特，她得到了一切，除了信仰。但是，我认为（信仰）意味着一切。我们的好运和我们的祝福全要依靠它。因此我们要把她从我们的记忆里抹去，在我的有生之年，我或任何一个家族的成员绝不要见她或接待她。我们现在致以她最好的祝愿，然后把她从我们的记忆里消除，就好像她从未存在过一样。

即便她的母亲也有类似的想法。她告诉儿子纳特：“最近的婚事给我的第一印象，就是萌生出一个急切的念头，一定要避免如此违背习俗和我们意愿的事情重演。”尽管她承认，“如果每天都收到家人的消息，以及那个我仍然关心的人的消息，我会非常开心，”那个人无法回头地“与我分开了”。只有纳特一个人支持汉娜·迈耶。7月，他写信给詹姆斯，辩称他妹妹“只不过在一个基督教国家嫁给了一个基督徒而已”。他叔叔的回应值得我们详细地引述，它反映了老一辈对于这类婚姻的态度。詹姆斯吼道：“从一开始，我就正确地预言了……这件不幸的事……将破坏家族的团结……我可以告诉你，这件事让我如此难受，我想我或许难以承受它的重压。”

> 我想知道，一个人能做什么能比背弃他（她）自己的信仰（更坏），而且自从15岁开始就公开宣布了这一点。我亲爱的纳特，作为你的朋友和叔叔，我希望跟你说说我的观点……我们已经决定，只要万能的上帝保证我们的健康，我们或我的孩子不会再与汉娜·迈耶来往，因为这不仅是这一件事（让我做出了这个决定），还有很多的事，我可以无穷无尽地写下去。

詹姆斯的话部分地提及了家族内部的权威结构以及年青一代应该服从上一代(的决定)：

> 当一个女孩说：“我将违反家人的意愿出嫁。”这将给我们的孩子树立一个怎样的榜样？我甚至不想把信仰问题牵扯进来……我应该被期望欢迎并招待这个女孩，就像什么都没发生过一样？我的孩子们或我孩子的孩子，如果不接受惩罚的话，会遵循他们父母的意愿吗？

但是“问题的关键”，如他所说，正是“信仰”：

我和我们家族其余的人……从我们后代的孩提时代便教导他们，他们的爱只能局限于家族内部的成员，他们彼此间的依附将阻止他们嫁（娶）家族之外任何一个人的想法，这样一来财富将留在家族内部。谁将给我保证，如果没有惩罚的话，我的孩子仍将遵照我的命令行事？如果我自己的女儿出嫁后却说："我很悲惨，因为没有嫁给一个公爵，尽管我有足够的钱可以这样做，而且我发现，尽管这个女人背弃了她的信仰，尽管她违背了家族意愿嫁了人，但她仍然被家族所接纳。"我该怎么办？如果不阻止这个想法，你真会认为所有精心筹备的（联姻）计划（都会有所收获）——这是说，迈耶将娶安塞尔姆的女儿，列昂内尔的女儿将嫁给家族里的另一个成员，这样做才能使巨额的财富以及罗斯柴尔德的名字继续保持荣耀并传给后人？

最后，詹姆斯对这桩婚姻的社会影响提出了自己的一些观点（显然是回应纳特的看法）：

当然，我们或许可以采取一些措施来阻止这件事的发生，但社会或许会鄙视这类举措。这可能是事实，但是我个人不完全认同这个观点……今天的社会抵制你，是因为你在你妹妹的问题上对它不是十分友好，你妹妹的行为违反了家族的期望；同样还是这个社会，只要你坚持你的原则，它就会友好地对待你，而且会让你获得更多的尊重。诚实正直的人通常会看重与自己类似的人。

此致。

詹姆斯还为这番言论加了一条"免责声明"。纳特"应该将这些只当做我自己的想法和感觉，不要认为我试图影响你的母亲或家族里的其他成员。那将是一件不体面的事，我不会那样做。每个人都有资格做他想做的事。"这些完全是无意义的话。他结尾时要求纳特将这封信给他的哥哥列昂内尔看一下，"我肯定他会认同我的观点。"自他的哥哥内森死后，詹姆斯第一次以家族新领导人无可置辩的语调表达了自己的观点，他的地位因为了解到大多数家族成员处在恐慌之中而得到了保证。安东尼（他当时在巴黎）第二天寄出的一封信证实了这一印象：

他们希望我们做的就是目前不要接待汉娜·迈耶，这很容易理解。他们说：一个姐妹违反了家族的意愿嫁了人；如果两个月后你接待了她——那将会给家族其余的人树立什么样的榜样？他们说：如果我的女儿看到她的堂姐违背家人的心愿嫁人后，仍然受到了他们的接待，那么她会嫁给我希望她嫁的人吗？——不会，她也会爱上一个基督徒，而且天知道男孩们会怎样做……我建议你……现在为了你自己的利益着想，同时维护我们之间的团结——目前不要接待汉娜·迈耶。

纳特做了最后的努力来维护他的妹妹，但是他的叔父一句都没听进去。

当然，詹姆斯回应最引人注目的一点就是他将“信仰”与同族婚姻画上了等号：“以信仰而自豪”意味着在罗斯柴尔德家族内部通婚，“这样一来财富便会留在家族内部”。我们或许会问这种极端实用主义的原则与“信仰”究竟有多大的关系。因为詹姆斯的观点并不是要年轻的罗斯柴尔德成员与其他犹太人通婚，而是应该只与另外的罗斯柴尔德成员婚配。汉娜·迈耶的反叛行为会鼓励家族其他成员按照自己的意愿行事，进而威胁到了“所有精心筹备的计划……迈耶将娶安塞尔姆的女儿，列昂内尔的女儿将嫁给家族里另一个成员的孩子”。在迪斯雷利的小说《科宁斯比》中，据说年轻的西多尼亚“根本没有考虑过与一个基督徒结婚，进而破坏他引以为傲的种族纯正性”。但在现实中，在一些罗斯柴尔德家族成员的眼里，“其他可能的考虑”与种族或信仰的纯正同样重要。詹姆斯在他的信里近乎承认了这一点：“我亲爱的纳特，不要认为我扮演了一个教派人物的角色，但是我必须承认我对自己的信仰感到十分自豪，并且非常希望我的孩子也将这样做。”这与我们所知道的他对于信仰的“伪信”相符：纳特也非常了解这一点，詹姆斯在遵守交易方面远没有那么严格。与他的兄弟一样，詹姆斯忠实地履行了犹太族群中的义务，在1843年给贫困犹太人救助协议提供了资助，并在1847年询问教育大臣，“为何没有一个犹太人被任命为波尔多学术委员会的成员”。我也像任何一个罗斯柴尔德人一样致力于改善法国（其在1830年实现了宗教平等）以外的犹太族群的公民权益。但从根本上来讲，他对自己信仰的虔诚是有门户之见的：很少甚至没有其他的犹太人能跟罗斯柴尔德家族平起平坐；但是，每个罗斯柴尔德成员必须是犹太人。

詹姆斯的呼吁得到了重视。汉娜·迈耶结婚一个月后，安东尼被怀疑也有类似的倾向，他的大伯阿姆谢尔严格地要求他遵守“精心筹备的机会”，娶他的表妹路易莎（有时也称她为路易丝）。这次压力生效，不仅仅是因为安东尼立刻变得那么浪漫，而且比他妹妹顺从。“阿姆谢尔大伯经常催促我结婚，”他向自己的兄弟抱怨说，“他还写信给萨洛蒙伯伯说，我只有等到他死后才能娶一个基督徒……”对安东尼，詹姆斯显然没有阿姆谢尔那么担心。“我绝对相信，”他从那不勒斯发信说，他的这封信表明了几个叔叔此时对于婚姻问题的重视，

安东尼不打算娶那个姑娘。他是个非常脆弱的人，但是我想即便只有片刻，这样愚蠢的念头也不能进入他的头脑里。他很脆弱而且容易引导，我可以向你

保证，我也不会对这件事置之不理，等我回到巴黎，我会尽我所能把这件事了结。我在巴黎的时候，就经常跟他讨论这个问题，但是你也十分清楚，我亲爱的阿姆谢尔，人总是喜欢躺在现成的、温暖的床上。遗憾的是，他认为整件事更像个笑话。你也知道，现在人们不能再像以前那样要求年轻人如何做事情了。由于萨洛蒙也要去巴黎，我们届时可以讨论一下这件事……我很高兴地看到与卡尔儿子的讨论成功结束，一切都会好起来，但愿如此。

詹姆斯最后一句话提到的事情是指一个同时进行的“计划”，即撮合迈耶·卡尔与路易丝，后者是汉娜·迈耶的妹妹。

詹姆斯的自信一一得到了印证。“我很高兴地发现，我亲爱的安东尼，你现在陷入爱河了。”他在 1839 年 11 月已经能够满意地这样说；几天后，安东尼与路易莎·蒙蒂菲奥里宣布订婚；1840 年 2 月，他们结婚，安东尼得到了非常热烈的祝贺。3 年后，按照预定的日期，迈耶·卡尔在伦敦迎娶了他的堂妹路易丝。同年 8 月，纳特娶了另一个堂妹——詹姆斯的女儿夏洛特。最后这次奢华的场景与 1836 年（列昂内尔）与 1839 年（汉娜·迈耶）悲惨婚礼形成的对比十分强烈：

婚礼在费里埃酒店举行，人们专门为了这次婚礼在花园里搭了举行仪式的帐篷，通向它的路都铺上了玫瑰花瓣。仪式过后，一些人回到了巴黎，但大部分人留了下来，打扑克，玩桌球，在花园里散步等……比利和我拿了一瓶香槟豪饮。晚上 7 点，我们在橘园里用餐，菜真的太可口了。好多人都喝醉了，你的詹姆斯叔叔在非常动听的演讲里祝国王身体健康。

一个模式自此建立——更准确地说，重新建立——它一直持续到 19 世纪 70 年代。

一个悬而未决的问题是，这类包办的家族联姻有多幸福。詹姆斯与贝蒂的联姻被许多当时的人看做是美女与野兽的组合：“她漂亮，但他粗俗。”这是英国外交官威廉·拉塞尔 1843 年的一句评语；其他人则被贝蒂优雅的举止和高深的文化修养震惊（这也是海因里希·海涅对这对夫妇的印象，虽然他从没有低估詹姆斯的智力；这与巴尔扎克笔下的纽沁根以及他的妻子相差不远——尽管他从没有低估纽沁根夫人骨子里的强硬）。不过贝蒂的信显示，她对丈夫有着真实、深厚的爱意，而且也没有证据显示两人婚姻生活中曾经有过不和。

在伦敦，列昂内尔和他的堂妹夏洛特在一些外人看来，也是不般配的一对。列昂内尔是一个勤奋、审慎、正直的人，全身心地投入到父亲的公司业务以及犹太解放运动中，但是对个人关系缺乏热情，文化品位也有匮乏。迪斯雷利描写的西多尼亚，“他拥有极深的情感，但不是用于个人”，可能与现实中的列昂内尔相差不远。而夏洛特不仅仅长相甜美，而且也是她那一代罗斯柴尔德成员中天分最好的一个。从她大量的书信和日记所用的尖刻甚至恶毒的语句来看，很难相信她履行了“德 · 罗斯柴尔德男爵夫人”的全部职责——妻子、母亲、女主人和社会改良家。“自从我成为你的妻子，”她在一次罕见的吵架中写信给丈夫说，“我不得不做别人希望我做的事，没有一件是我希望做的事。我只能祈祷将在天堂里得到补偿。”迪斯雷利在小说《恩迪米恩》中通过描绘那沙泰尔夫妇的关系，影射了列昂内尔与夏洛特之间的关系：

> 阿德里安非常年轻的时候就结婚了，妻子是父亲为他挑选的，那似乎是个好选择。她是一个著名银行家的女儿，自己也拥有银行很大一部分的资产，尽管这没有太重要的意义。她是一个集才干与高素养于一身的女子……但是那沙泰尔先生并不是一个容易满足的人；尽管她非常欣赏丈夫伟大的品质，甚至以敬畏和爱慕的眼光来看待他，但她很少将他的欢乐当做自己的欢乐。出于这样的原因……那沙泰尔先生不仅蔑视金钱，甚至非常憎恶它……从某一方面来讲，阿德里安和他妻子之间并非一个不幸的关系……阿德里安……过于专注于他自己的伟大事业，同时也是一个性格十分平和，意志超群的人，他妻子的优雅对他的一生几乎没有一点影响。

但是，无论族内通婚策略给个人带来什么样的伤害——我们也只能假设存在这些伤害——所有相关的人感觉到或逐渐意识到排他性的集体认同感，这也是他们先辈所希望秉持的。没有什么比汉娜 · 迈耶后来遭到家族其他人报应式的对待更能说明这一点。

汉娜 · 迈耶不是遭到了永远的驱逐。到 1848 年或更早的时候，她和她丈夫与她的大哥列昂内尔的关系相当好，她能收到哥哥给她两个孩子阿瑟与布兰奇的礼物；并邀请他到他们位于加伯尔迪舍姆的家里做客。更让人惊奇的是，贝蒂在 1849 年跟她的儿子说，她已经“与汉娜 · 迈耶和好”，汉娜全家在巴黎的时候，她“邀请她到了我住的地方”。不过在家族的圈子里，汉娜 · 迈耶一直受到维多利亚时代的人对“沉沦女性”所持有的蔑视；与“好多维利亚女性”一样，她的妹妹路易丝和她的堂姐以及嫂子夏洛特也难以抑制地把她所遭遇的种种不幸归结为某种神圣的惩罚。1852 年，她们在对汉娜 · 迈耶的“盛怒”中感觉到了一丝冷酷的满足——她的丈夫未能当选海军部大臣。当她的儿子 6 岁时夭折时（从马上摔下意外身亡），即便她们只有 15 岁的侄女康斯坦丝也“忍不住地认为，汉娜 · 迈耶姨妈遭遇的所有不幸和烦恼，都是背弃父辈信仰以及没有征得母亲同意便出嫁的惩罚。她带给母亲的所有痛苦，此刻让她受到了双倍的煎熬”。第二年亨利·菲茨罗伊的去世让神圣惩罚一说近乎圆满。此时所缺的是汉娜·迈耶与她女儿布兰奇一个比较可怜的结局。而这并没有相隔太长的时间，至少在夏洛特·德·罗斯柴尔德看来是这样的，她写给最小的儿子利奥波德的信记录了菲茨罗伊家族逐年衰落的经历，她表面上同情，内心则带有一丝欣喜。

从 1864 年 2 月开始，汉娜·迈耶患了重病，夏洛特报告说，她“背上长了一个巨大的肿块，就像是骆驼的驼峰”，而且“看起来非常的可怕——她的脸色苍白、瘦削，脸上深深的皱纹也反映出了身体内部的痛楚。看到她如此痛苦，真让人心碎。她背上的肿块非常巨大，而且很热。尽管疼痛让她颤抖不已，但她还是念念不忘舞会……她总是念念不忘自己的婚姻。”汉娜·迈耶唯一的挂念就是为女儿找一个合适的丈夫。由于罗斯柴尔德亲属不可能成为考虑人选，所有的“候选人”都是基督徒；此外，她的理想与实际的竞争者之间存在着差异——“她不会听到”拉夫伯勒、塞夫顿、考文垂勋爵的名字，尽管布兰福德侯爵被认为是可以接受的人选。布兰奇可能很漂亮，而且有贵族气质，但是与罗斯柴尔德家族切断了联系，而且她父亲在家族里的地位又低，所以她很难找到称心的夫婿。

成功的合适人选被证明是艺术家及建筑师库茨·林赛，一个有钱但是生活放荡的人，年龄是布兰奇的两倍，在苏格兰有一处房产，每年进账 1 万英镑；他被怀疑与弗吉尼娅·萨默斯女士有染，并且有多个情妇和私生子。曾数次探访过汉娜·迈耶的夏洛特再次带着恩人式的姿态和猥亵的心态前往汉娜·迈耶的家里——表面上是要向后者表示祝贺，

> 她发现她（汉娜·迈耶）病得非常厉害，已经完全被病痛打败；她一直喊着、哭着，甚至会大声尖叫。这样的情形让人太可怜她了，祝贺的话我始终没能说出口。不要跟别人说，她非常不满意女儿的婚姻，因为新郎人选已经年届 40，都已经有了白头发。可能她本来的打算要高很多，要为她的女儿选一个有更高头衔的贵族。

似乎是合理的惩罚，布兰奇效仿了汉娜·迈耶 25 年前的例子，为爱选择了自己的丈夫而不顾及母亲的意愿。尽管后者“尽力把损失减少到最小”——她坚称，库茨是“我遇到过的最迷人的人”——夏洛特仍旧毫不留情地挖苦了新郎（他“像画一样”，“只有一面”，他给未婚妻的礼物非常吝啬，等等）。

这并不是汉娜·迈耶最终的“惩罚”。订婚以后，布兰奇似乎逐渐疏远与母亲的关系，而且几乎完全断绝了与罗斯柴尔德家族的联系。按照夏洛特的说法——她既同

情堂妹汉娜·迈耶，同时又讨厌“林赛”夫人，后者尽可能地逃避看望生病的母亲。夏洛特描述布兰奇的称呼多种多样，“没心没肺”、“冷酷的新娘”、“无情狡猾的人”、“一根冰柱”、“一个可怕的骗子和无情的伪善者”、“那个无情、让人难以理解的女人”、“不近人情的女儿”以及“那个可怕的布兰奇”。这些尖刻词汇攻击的目标“对林赛夫人来说感到极其开心，以至于对她遭受病痛折磨甚至可能要死的母亲一点都不担心”。夏洛特探访了布兰奇之后，她发现“那个无情的人问起母亲的病情时，格格地傻笑起来，好像她可怜的母亲只是患了感冒一样”。

11 月中旬，结局开始显现。“可怜的汉娜·迈耶姨妈，她的婚姻以及寡居生活已经成为痛苦和折磨的一部分。”夏洛特对儿子说，“为她考虑，没有一个人希望延长她在世的时间。而对于布兰奇——任何一个人都无须浪费片刻时间去同情她。她要么是个怪胎，要么是个谜。她看起来不太像是后者，不过不要分析她的性格。”“我感到非常难过，”她第二天又说，“当我想到如此受折磨的一生，如此孤独地等待死亡。布兰奇晚上 5 点来了一趟，待了 5 分钟，然后就走了。不要提这个无情的行为，这实在是丢我们家族的脸，而且也肯定会让家里的人感到震惊不已，他们希望永远保持团结。”这种情形也一直持续了下去，“她借口说她母亲太过虚弱，以至于每天难以忍受亲人超过五六分钟的探访，她从没有在晚上 5 点之前进入母亲的家里，因为她在林赛先生的画室中的绘画活动一直到傍晚才结束；她来的时候，手里拿着小说，而她不幸的母亲则在与疾病和死亡做着徒劳的抗争。”

1864 年 12 月 1 日，汉娜·迈耶的生命走到了尽头。夏洛特用精心挑选的词句形容她的一生是“一次冗长的殉难历程”；实际上，在她生命最后的几周里，她有时看起来“就像是意大利画廊和教堂中那些受人敬仰的可爱殉道者之一”。但是夏洛特与她的叔叔詹姆斯一样，并没有将汉娜·迈耶的衰败完全归咎于宗教信仰：让她感到气愤的是汉娜·迈耶的遗嘱忘了处置一个存有 7 000 英镑的存折，结果这笔钱自动地归入林赛一家。罗斯柴尔德家族的钱落到外人手里的想法仍让他们心痛，即便汉娜·迈耶最初的过错已经过去了 25 年。报应甚至一直跟到了墓地和葬礼之后，夏洛特仍然没有漏过布兰奇·林赛的任何一个过错，尤其是她缺席了她母亲的葬礼（而且“格拉夫顿公爵、查尔斯·菲茨罗伊勋爵和南安普敦勋爵对亡者知之甚少，也很少看望过她……葬礼上他们一个字都没有提到她，谈论都是铁路和赛马等事情”。）以及她试图卖掉所继承的罗斯柴尔德祖父母的肖像（“要卖掉她的外祖母和外祖父，真是让人难以置信”）。每样东西——拉斐尔时代以前风格的穿着、发胖的体型以及不断下降的视力——都可以解释为她母亲所犯的罪导致的后果。即便到了 1882 年，汉娜·迈耶尽管遭到了惩罚，但她的罪行似乎并没有得到宽恕。

城市与乡村

没有其他东西比罗斯柴尔德家族对待汉娜 · 迈耶那样更详尽地告诉我们这个家族对于血缘关系尤为极端的感觉。矛盾之处在于，对她的迫害恰好与罗斯柴尔德家族逐渐加速的社会以及文化融合进程重合。汉娜 · 迈耶不仅嫁给了一个基督徒，而且还皈依了基督教，她跨越了罗斯柴尔德家族以及欧洲社会精英阶层留存的为数不多的障碍之一，而且可能是罗斯柴尔德家族自己唯一希望保存的东西。

萨克雷在他的讽刺文章《势利人脸谱》（1846~1847 年出版）中，将“巴黎、那不勒斯、法兰克福等地的沙尔拉赫 · 罗斯柴尔德家族”描述成“银行业势利小人”的典型，他们“把全世界收进了自己的圈子里”，摆出“君王般好客的姿态”并“用宴会招待全世界，甚至包括穷人”。这与现实情况相差并不太远。内森死后的第一个 10 年里，罗斯柴尔德家族大量增加了社会与文化追求方面的时间，詹姆斯是一个先锋。首先，他们的住宅变得宽敞了许多，而且数量众多，不管是城里住宅还是乡下别墅。1836 年，詹姆斯雇用一个建筑师、设计师兼剧院建筑商夏尔–埃德蒙 · 迪蓬谢尔翻修并重新装饰位于拉斐特街的住处，而且全部免费。翻修之后，它成为典型的百万富翁宫殿，并融合了奢华的古典装饰以及现代的舒适感。迪蓬谢尔诸多大手笔其中之一是文艺复兴风格的会客厅，里面全部用约瑟夫–尼古拉 · 罗伯特–弗勒里文艺复兴时的名画装饰（包括查理五世在西班牙，路德传教以及亨利八世的狩猎场景），巧妙地凸显罗斯柴尔德与美第奇（15 世纪意大利著名银行家）平起平坐的掌控能力。（还有一个桌球室，里面用弗朗索瓦–爱德华 · 皮科所画的庞贝风格的壁画装饰。）但是这一切都是融合了现代化生活设备的复古主义。位于地窖的 4 个砖砌的烤炉为一楼以及餐厅提供了中央供热，各层都有顶楼水箱提供的自来水。地窖里还有 4 个封闭的垃圾箱，此外还有煤气灯——长着胡子的小雕像举着的小火炬。萨洛蒙位于隔壁的房子也进行了同样的翻修，詹姆斯 1838 年在更为现代的圣弗洛朗坦街买的塔列朗大厦也如法炮制。

效果显然令人难忘。1836 年，詹姆斯举办了一次舞会，展示他重新装修的房子，海涅以羡慕的口吻描述了他口中的“金钱王朝的凡尔赛宫”：

> 这里的一切凸显了一个理念，即 16 世纪能够发明的东西以及 19 世纪能买到的东西；在这里，视觉艺术的杰作与罗斯柴尔德的才智交相辉映。整个宫殿和它的装潢一直持续了两年，开支数额据说非常巨大。每当别人问起这方面的事，德 · 罗斯柴尔德先生总是笑容满面……但是，人们必须钦佩实现这一切的

鉴赏能力，它与高昂的代价一样不可或缺。

巴黎的一份日报《邦东》的报道更为传神：两栋连接在一起的建筑“似乎把《一千零一夜》的神话变成了现实。这样的奢华让那些不具备他们在那不勒斯、巴黎以及伦敦股票交易所掌控能力的人感到无比敬畏。”洛奈子爵羡慕地说：“盖壁炉架的是用金丝编织成的天鹅绒。靠椅的罩子是绸缎制成；四周的墙壁全部用刺绣、织锦以及金属织物覆盖，它们如此厚实、坚硬，自身都可以竖立；实际上，如果需要，移走墙壁的话，它们也能起到支撑作用。帘幕漂亮得难以置信；整个宫殿到处可见，两层的，三层的……每件家具都是镀金的；连墙壁也镀上了黄金。”奥地利外交官奥波尼，也参加了海涅所写到的那个舞会，似乎没那么容易被打动：他发现文艺复兴风格的室内装饰“并不适合巴黎的大厦；我更希望在一个城堡里看到它们。”但是即便是他，也不得不承认“不可能看到更好的仿制效果了”：

> 画作以金色描底，都是由杰出的艺术家创作，壁炉都经过了精心雕琢。椅子都是用镀金黄铜制成，靠背非常高，上方是珐琅质地的罗斯柴尔德家族支柱人物。地毯、枝状大烛台、枝形吊灯以及用大量流苏装饰的帏帐，其用料都是金银——简而言之，每件东西都是相同的风格；镶嵌在瓷质底座上的座钟，还有用宝石和珍珠装饰的纯金花瓶。总之，它的奢华超出了想象。

这也成为所谓的“罗斯柴尔德风格”——这种风格在此后的批评者看来，“囊括了它此前的所有最富有的元素……金色飞檐，绸缎做成的幕墙，精心编织并加了流苏的热那亚天鹅绒，大理石和镶木地板……其中没有一样东西……是新的，除了煤气吊灯”。

在现代人的眼里，所有煤气照明时代的镀金装饰显得过于沉重，但当时这是风行的一种时尚。“它绝对比他媳妇（原文如此）家的房子要豪华。”德·迪诺公爵夫人在参观了萨洛蒙的“殿堂”后报告说，“因为空间更大；它的奢华缺乏思想，但很有品位，完全是文艺复兴的风格，没有掺杂其他任何风格……在主会客厅里，靠椅不是用描金木头制成，而是用镀金黄铜造就，每把造价达 1 000 法郎。”年轻的迪斯雷利对此也表示赞同。“所有值得看的东西当中，”他 1843 年从巴黎向他的姐姐萨拉写信说，“首当其冲的是萨洛蒙·德·罗斯柴尔德男爵家里举办的舞会——他的府邸装潢超过了梯尼黑所有的宫殿——仆人和随从的数量超过了梯也尔家族，菠萝多得像黑莓。这栋无可匹敌的宫殿，它的品位能够与它装饰的灿烂、奢华画等号。”他后来在自己的小说《科宁斯比》中，描写西多尼亚在巴黎的住所时借用了对罗斯柴尔德府宅的印象。

（这座房子）在他手里经过了如此大规模的翻新，最初的装饰……几乎一点不剩……大理石的台阶，从一个巨大的庭院升到一个非常宽敞的大厅，它同时也是一个橘园和一个雕像走廊。室内的灯光独特、柔和，与周围的静谧，空气中漂浮的异国芳香融合在一起。雕像走廊通向一个内厅，它的风格截然不同；奇异、闪闪发亮、五彩斑斓；摆满了奇形怪状、谜一样的物品。

屋顶以蜂窝式风格雕刻和镀金而成，这种风格盛行于撒拉逊式的建筑；墙面覆盖了皮革，图案丰富鲜活；地板用了大量的镶嵌装饰，装饰许多真人大小的黑人雕像，面部表情栩栩如生，他们伸展手臂，拿着银质的火炬，它们闪烁着夺目的光芒。

这个内厅里有一个大理石楼梯通向了一系列的套间。

诸多这些高大、宽敞的大厅主要由慕尼黑最著名的艺术家绘制的壁画装饰。三个主要的房间相互间只是用柱子隔开，房间里悬挂着各式各样的幕帷，不过今晚都收了起来。每个房间的装饰物都充分体现了房间的用途。在宴会室的墙上，女神和英雄在西西里如画的风景中或湛蓝的爱琴海岸边漫步。天花板上的女神向宾客抛下花环……一个大会客厅里摆放了大量的垫脚软凳和安乐椅……

詹姆斯也花费了大量的钱翻修巴黎郊外位于费里耶尔的城堡，将它变成了一个艺术人士的乡间休闲场所。这里的主题是英国。建筑师约瑟夫-安托万·弗勒利歇尔仿都德风格建造了一个洗衣店；詹姆斯在1840年加了一个示范性农场，派房产负责人去英国学习一些经验。他后来增加了一个英国风格的奶牛场和一个砖窑以及英国造的机械，为庄园制造水管。那里同时还有一个马厩、一所骑术学校和一条跑道，当然不用说还有一间橘园和普拉西德·马西设计的一个新花园。当他的嫂子汉娜1842年造访时，她发现整个庄园“非常壮观”。奥波尼和利芬公主之类的贵族宾客两年后去了那里，却没那么容易被打动。根据奥波尼的说法——尽管能感觉到他的话里包含了一种贵族式的讽刺——利芬公主对詹姆斯和贝蒂在地上修建的“超级洗衣店”印象深刻。但是，当公主被领进自己的房间——过世的奥尔良公爵曾经住过这个房间——她抱怨床垫全都“又硬又湿”，因此它们必须“更换，烘干，打软，再放进来，再换”。奥波尼本人则对詹姆斯建造的马厩冷嘲热讽：“一个极好但完全被夸大了的建筑，而且还是路易十三时期的风格。”“可能它有点太漂亮了，”他调侃道，“这个宫殿某种程度上胜过了城堡本身。”这位高傲的外交官同时发现了池塘的缺陷，他认为它“太靠近房子了”，此外也缺少正式的花园和花圃。“公园和花园是不能分开的，”他不赞成地评价道，“这样一来，游戏直接进到了城堡的大厅。”但即便这么挑剔的宾客对于城堡内的装修“想不到还缺什么”：

每样东西都品位高雅，非常壮丽。有许多漂亮的画作以及不计其数的漂亮东西，大量用金银象牙制成的兵器、雕像与大口罐，上面还镶嵌了珍珠和宝石；古老漆器里的铜质、铁质和银质的小物件。然后是各种各样用宝石装饰的瓶子；接着是象牙、银和佛罗伦萨马赛克装饰的古董橱柜。客房的家具也都十分舒适，没有过分的奢华，但是配备了上好的地毯、长靠椅、靠椅、镜子、床、洗脸盆和大量的毛巾……

客人们还能够带去参观罗斯柴尔德家族位于布洛涅和叙雷讷的城堡里的花园。在前者当中，花园一直不断地扩大，餐厅与一个用于夏天晚餐的橘园结合在一起。詹姆斯还增加了一个仿造的牧场，养殖了奶牛、鸡和外国品种的绵羊。尽管萨洛蒙很少去叙雷讷城堡，但他在那里花了不少钱。城堡进行了扩建和重新装修，四周增加了玻璃走廊。与他的弟弟詹姆斯一样，萨洛蒙也玩起了农牧业，他建了一个奶牛场，饲养的猎鸟数量也越来越多；但他最爱的是花园，他毕生都在扩充花园，后来增加了一个温室以及浇灌系统。威廉·拉塞尔勋爵于1843年造访叙雷纳时，他发现“自然向金钱低了头，在夏天结的果、开的花，都出现在春天”。两年后，据说詹姆斯从默伦向叙雷讷“移植了大量非常高大的成年紫杉树”，可能作为礼物送给了萨洛蒙。“每棵树，”《泰晤士报》惊讶地报道说，“需要11匹马才能拉动。这足以与路易十四在凡尔赛宫栽种的树相媲美。”

英国的罗斯柴尔德成员也为乡村和城市里的住宅投入了大量的资金，尽管其规模赶不上法国。当迪斯雷利1843年出席汉娜在冈纳斯伯里花园举办的一个盛会时，给他留下深刻印象的是“一个非常漂亮的花园和一个抵得上一位意大利王子身家的别墅，尽管装修的品位和奢华只有旧时代的法兰西银行家才能与之匹敌……漂亮的庭院、亭阁以及带有路灯的小径”。如果小说《坦克雷德》当中，西多尼亚乡下的房子内部装饰部分以冈纳斯伯里花园为原型，这似乎比较有可能，它的一些地方与法国的罗斯柴尔德住所有所不同：

穿过一个大理石砌成的前厅，坦克雷德被带进了一个房间，它一半是会客室，一半是图书馆；精心装订的书卷，数量并不是很多，整齐地摆放在入墙的书架上；书架入墙就不会挤占房间的空间。这些墙壁粉刷得五彩斑斓，与圆圆的屋顶相得益彰，后者的装饰风格也大致相同。如果需要，一条紫色天鹅绒窗帘会遮住偌大窗口透进来的光线；透过窗户，可以看到一个布满了花朵的阳台以及绿树成荫的花园；一张阿克斯明特地毯，无论是制造的色彩还是设计的图案，都与房间融为一体；大量奢华的坐椅；一张用象牙镶嵌成图案的大桌子上，有一个雕刻的银钟，它曾经属于一位教皇；一条美人鱼，她手里捧着的金色罐子，是一个墨水瓶；一些短剑被用做裁纸刀，一些法国的书刚刚送到；最近刚从埃及古墓中发掘出来的许多漂亮瓶子排放在孔雀石做成的架子上；一位政治要人的肖像，一位国王的半身像以及壁炉里的火光，与周围的一切让整个房间沉浸在一种有趣而又舒服的氛围里……

如果这比仿文艺复兴风格、五星级的巴黎府宅还要舒服的话，就应该是刻意追求的效果。在英国的成员眼里，拉斐特街的房子似乎太大了。1830 年路易斯告诉她父亲（萨洛蒙买下房子的第 17 天，她就去了那里）："装修完成后，我想它将是最为豪华的房子，它无比巨大，几乎能够容纳三个家庭的人。"列昂内尔于结婚前夕在巴黎买了一栋差不多的房子时，也表露出类似的复杂感受："可以……媲美任何宫殿；在巴黎，一个富人，不论是一个银行家还是一位王子，都会做同样的事，但是在其他任何地方，这样的房子会显得有些荒唐。用做起居室的二楼十分奢华，前几天就花了如此多的黄金，这让人都有些疑惑了。""这里的房子都十分豪华，"纳特两年后写信给列昂内尔说，"你知道这些，贝蒂婶婶的房间非常漂亮，实际上是太漂亮了。"

英国与法国的乡下住所有两个不同之处。詹姆斯一生中绝大部分的时间都住在巴黎：无论是费里耶尔还是布洛涅都离巴黎很远。与他不同的是，他的英国侄子们在他们的父亲去世后 5 年内，开始寻找比郊区的冈纳斯伯里花园更为遥远的乡村房屋。它仍能满足一定的社会功能，英国的罗斯柴尔德家族也乐此不疲：汉娜把继承得到的 76 英亩土地又扩大了 33 英亩，列昂内尔在 1840~1873 年间把冈纳斯伯里花园占地面地扩大了至少 620 英亩。但是，正如迪斯雷利在《科宁斯比》中称艾诺家族的房子一样，它并不"时尚"。最重要的是，它太接近城市，使得它的主人不能尽情地享受维多利亚时代英国人最喜欢的一种娱乐项目：狩猎。他们为冈纳斯伯里花园增加了占地面积的同时，也开始寻找更为遥远的土地，可能也是受到了他们的母亲汉娜对于德比郡两处房产热情描述的鼓舞。但是，对于"伦敦人"购买离伦敦如此远的土地仍旧有些不切实际；但是白金汉郡似乎具备了真正乡村生活的所有优势，而且距离适中。这方面，迈出的第一步出现在 1833 年，当时内森租赁一间房子作为避暑别墅。3 年后，汉娜在艾尔斯伯里东北角的蒙特摩尔附近买了一些土地；1842 年，迈耶受一则报纸广告的启发，在当地买下了几块农场，奠定了罗斯柴尔德家族乡村王国的根基。当时的安东尼正在巴黎出差，他对纳特的举动感到羡慕不已："把钱投入到土地上没有害处。我如果知道一个好地方，我也会做同样的事，我希望这些天内就能找到一处。”

与他们的看法相反的是，罗斯柴尔德家族购买乡村土地并不标志着他们资本家的“精神”出现了稀释，或与“封建”旧政权达成了某些妥协。列昂内尔是少数对他所探访过的贵族府宅不感兴趣的人之一：他认为霍华德城堡“是一个好地方，但没有什么漂亮的东西。它实际上与布莱纳姆宫很相似，只是小了许多……总而言之，这个地方不值得去看”。他和他的弟弟们在19世纪40年代所做的事便是购买农场土地，如果他们不是将这些交易至少部分当做投资的话，那么这样的情形就有些反常了。当家族试图获得克莱斯罗的一处房产时，列昂内尔无疑经过了艰难的讨价还价。“我不会介意买下它，”他在1844年对弟弟们说，“33%的买卖将会给我带来3%的回报，那里周边有许多小地方，它值这个价，加上周边的土地可能会带来合理的收益率。”实际上，他和弟弟安东尼后来在蒙特摩尔南部购买的土地（当时白金汉公爵破产，第二年约翰·达什伍德爵士去世）是典型的罗斯柴尔德猎物：在市场最低点时买入。我们还将看到，在一个郡购买几处房产还有一个次要但同样出于实用考虑的原因：英国地方政府和议会代表制度使得如此大规模的土地变成了施加政治影响力的有用工具。（根据一项记录，这也是他们的土地代理人霍伍德和詹姆斯建议他们只在一个地方买土地的原因。）直到19世纪50年代，兄弟几个才开始修建自己“堂皇的家”。

我们也看到，在法国和英国之外，作为犹太人的罗斯柴尔德家族获得多少土地，是受到约束的。1830年之后，这些约束开始变得宽松。1841年，卡尔在那不勒斯附近买了皮尼亚泰利别墅，这座房子给他的女儿留下了美好的记忆，“人间的天堂，可以一览海湾与岛屿；坐落在著名的维苏威火山山麓，那里有最富活力的街道和皇家别墅那不勒斯肯辛顿花园。”但是在维也纳，购置房产还是比较困难；萨洛蒙继续住在租来的房子里。当然，他在别处拥有房产：巴黎和法兰克福。但是有个想法却正在酝酿中，萨洛蒙于1837年向梅特涅提交的“特别呼吁”中说，这个想法是有关“我们共同信仰族人的命运……如此多父亲的希望以及数以千计族人最高的期待。”当政府再一次拒绝解除任何形式的歧视，以防“公众……突然得出结论认为，政府正在筹划犹太人的完全解放”——萨洛蒙面临着一个两难处境；梅特涅暗中告诉他，国王在经过考虑之后，愿意以特权的形式，允许个别犹太人在维也纳拥有自己的房子。这是王子与“宫廷犹太人”之间的老故事，国家收了犹太银行家的钱，进而给了他们特权。萨洛蒙并没有立即使用这个特权；直到5年后的1842年，他才向国王屈服。他希望在城里拥有自己住宅的要求很快得到了批准，允许他购买了星光酒店以及相邻的房子，他将这些房子拆除并重新修建。他承认，拥有住所以及随后获得了荣誉市民的身份，让他“在我的族人当中成为一个拥有特权的例外，他们应该也享受到其他宗教信徒们所享受到的同等权利。”

有人可能会认为，萨洛蒙的这种妥协与家族其他成员在犹太人公民权问题上的立场相冲突，但是，与他们之前的迈耶·阿姆谢尔一样，罗斯柴尔德家族认为犹太人的整体权利和个人特权是相互补充的，而不是两个独立的东西：如果前者难以实现，那么后者是可以接受的。萨洛蒙并没有因为接受了梅特涅的条件而受到指责。实际上，他在英国的一个侄子就敦促他“得到梅特涅王子的允许，在波希米亚购买一处房产”。1843 年，萨洛蒙接受了这个侄子的提议，尽管实际上住所就购置在邻近的摩拉维亚，他不仅希望国王批准他购买房产，而且还允许他可以传给后人。他再一次被迫用谦恭的语调，列出了他对于王国的各种财政贡献，作为“他坚决效忠奥地利国王的证据”，并表达了他自己“最热切的希望，期待能在一个统治者向他发出如此多支持信号的国家拥有自己的房产”。这次请求同样得到了批准，其实萨洛蒙当时已经预订了摩拉维亚的房子。如当时一个官员解释的那样，萨洛蒙“社会地位如此有别于他人，他已经完全脱离了犹太人普通的生活环境；他高贵的品质和罕见的才智，使得加诸在其他犹太人身上的法令用在他身上显得有些不合适。”大法官因扎吉伯爵更为直率，他认为：

> 人们热切地希望，罗斯柴尔德男爵把他的钱投入这个国家的房产中，从而更紧密地与奥地利帝国联系在一起；如果……他特别希望永久居住的国家拒绝向他提供特别的权利，会给国外的人带来一种非常奇怪的印象，因为他在这个国家积极地参与（金融）活动已达数年，他通过大量重要的交易与征服建立了联系，这在以前是从未出现过的。

萨洛蒙除了在摩纳维亚的科里斯查购买了房产——加上他在维也纳的房产，总价达 200 万古尔登——他还在普鲁士购置了房产，在 1842 年买下了席勒斯多夫城堡。正是普鲁士这处房产所附属的权利引发的争议，让海涅在 1846 年提出了警告：“普鲁士贵族希望借普通民众之手，煽起反对‘特殊家族’（这个词语经常被用来形容罗斯柴尔德家族）的公众舆论。”

让人有些惊讶的是，鉴于法兰克福官方 1814 年之后要求犹太人重返聚居区的举措，“特殊家族”在法兰克福购置新的房产理应受到敌视，但实际上他们并没有遇到——这可能反映了法兰克福在 1830 年之后，政治气候发生了变化。1831 年，阿姆谢尔犹豫许久之后，最终委托在巴黎学习过的弗里德里希·伦普夫重新设计并扩建他的房子——当然是位于他心爱花园里的那座房子。伦普夫将原来像个立方体的房子改造成了带有中央塔楼的仿古别墅，增加了带有科林斯式支柱的两翼，并重新规划了花园，使其严格对称。这种混合巴洛克式和文艺复兴风格的建筑形式，是这个时期城内异教徒最为喜欢的一种形式，这反映了阿姆谢尔拥有了一种全新的自信——这与他刚得到这个房子时的不安全感形成了鲜明对比。在随后的岁月里，他对于这个房子的热情没有丝毫减弱的迹象：1844 年，汉娜看望自己出嫁的两个女儿夏洛特和路易丝时，发现花园里又增加了“一个漂亮而且很大的橘园和许多种类的高大树木”。

认为自己与贝特曼和贡塔德家族平起平坐的另一个更为清晰的信号出现在 1834 年，阿姆谢尔当时在著名的蔡尔街 34 号购买了一栋 4 层的城中住宅。同年，安塞尔姆在附近的新美因茨街（45 号）购买了一套类似的“宫殿”（实际上出自同一个建筑师之手）；卡尔于 1818 年在这条街 33 号购买的住宅比安塞尔姆的还要大，而且后来委托伦普夫又增加了一个文艺复兴风格的新屋并扩建了房子。伦普夫后来还受迈耶 · 卡尔的委托扩建了他在 1846 年购买的缅因河岸的房子，不过此时，单纯的模仿已不是罗斯柴尔德的目标。乌特缅因凯街 15 号——现在是法兰克福犹太人纪念馆——1821 年，银行家约瑟夫 · 伊萨克 · 施派尔在一排漂亮的仿古风格的房子末端修建了自己的房子，当时它的意大利文艺复兴风格让它与邻居区别开。（转手给罗斯柴尔德家族后）伦普夫通过自己的改造，让它更加特立独行。尽管他保留了原有的一些特色，尤其是多边形的前厅，他把它的长度增加了一倍，增添了一些截然不同的东方特色（两个突出的窗，摩尔人风格的角柱和阿拉伯风格的栏杆）。这种设计效果领先于街上其余的建筑——也标志着罗斯柴尔德家族此时在这座城市的经济生活中已经确立的主导地位。

在这个时期，罗斯柴尔德家族也在法兰克福附近购置乡村的房产。1835 年，阿姆谢尔在格鲁纳堡买了一栋乡村城堡；两年后，卡尔也购置了类似的房子。实际上，“城堡”有些夸大了这些房子的规模，它们占地面积为 150 英亩左右，相对来说只是中等规模。但是，在另一个方面，法兰克福的罗斯柴尔德人比他们的亲戚更富野心，因为他们是第一批建造自己乡村房屋的家族成员，而不是简单地翻修已有的房子。这也使得家族内部对于审美方面的争论越来越多，在其中，英国成员（安塞尔姆的妻子夏洛特和迈耶 · 卡尔的妻子路易丝）的意见完全未受到重视。

1840 年，迈耶 · 卡尔委托伦普夫在冈瑟斯堡建造一座新的“乡村住所”。它的设计与乌特缅因凯街的房子并不相同，一楼和二楼用的是多利克式壁柱，再上面用的是科林斯柱式。“房子很大，装修结束后一定是个豪华的住所，”迈耶 · 卡尔的岳母汉娜在信里说，“但是地面以及花园不符合英国的品位。”她儿子的看法也大致相同：它将是“一个非常豪华的房子，大得足够把我们全部装进去”，花园会很“漂亮”，“但可惜的是，这样一座大房子不是坐落在离城区 10 英里地方，也不是位于 1 万英亩的土地中间。”当安塞尔姆决定在格鲁纳堡建造一座新的“花园式房屋”时，出现了同样的争论。他妻子夏洛特无疑难忘在冈纳斯伯里度过的童年时光，她坚持新房子一定要以“完美的英国样式”来建造，并让她的兄弟从伦敦发去设计图。“我还在伊丽莎白式和乡村别墅式之间徘徊。”她告诉母亲，“她想要的是混合了哥特式、伊丽莎白式和其他各种样式的房子，”列昂内尔有些蔑视地报告说，“它不是一个宫殿，只是一栋尺寸比较大的房子。”但是她的建议显然遭到了否决。她和她丈夫最终同意的设计是一个长方体形状的房子，是卢瓦尔风格的城堡。四角有塔楼一样的尖顶，地板由砂岩铺就，加上栏杆、方尖石塔、螺旋形楼梯以及烟囱，整个是一座“折中”而成的大厦。唯一向夏洛特作出让步的地方是一个高高的仿歌德风格的砖塔，位于花园的北端——很明显带有英国特色。

精英追求

这种对于建筑风格的争议是内森去世以后，罗斯柴尔德家族态度发生突变的一个标志。我们发现，1836 年之前，内森和他的兄弟们倾向于用实用的眼光看待购置更宽敞住所的举动：除了更舒适之外，它们还能作为招待达官贵人的地方——并获得有用的消息或利润丰厚的生意。1836 年之后，无休止的晚宴派对和舞会仍旧继续着。詹姆斯在 1836 年 3 月举办的舞会，展示他重新装修的住所可能非常具有代表性，海涅写道：“罗斯柴尔德的所有晚会上，宾客的名单都是精心挑选过的，出席的都是名望响亮，或官衔很高的人，或漂亮优雅（的女士）。”当时的人都认同这一点：1830 年之前，仍然有一两个复辟时代的贵族拒绝詹姆斯的邀请；“中产阶级王朝”出现后，住在近郊的那些贵族们就没有什么继续保持疏远的理由了。“出席的全部是巴黎的上层人士。”这是迪斯雷利对萨洛蒙 1843 年举办的舞会出席宾客的简要评价。詹姆斯给出的宾客名单也说明了这一点。

在伦敦，罗斯柴尔德招待客人的活动也变得更为奢华，更为时髦。1838 年 7 月，列昂内尔在冈纳斯伯里举办了一个奢侈的夏季舞会，他邀请了 500 多位宾客，其中包括剑桥、萨塞克斯、萨默塞特和威灵顿公爵。顶尖音乐家和歌唱家表演的音乐会过后，是丰盛的晚餐，接着是（按照摩西 · 蒙蒂菲奥里的描述）“一个盛大的舞会……在特地搭建的巨大帐篷里举行”。剑桥公爵一家在同年的 9 月再次赴冈纳斯伯里参加晚宴；5 年后，他们出现在另一次舞会上，当时出席的还有格洛斯特公爵夫人和萨克森-科堡的恩斯特一世。即便在法兰克福，最后的社会樊篱似乎也被打破。比如，1846 年，列昂内尔的姐姐夏洛特在那里举办了“一个盛大的舞会”。这个时期，法兰克福罗斯柴尔德家族的宾客名单中，能够见到符滕堡国王，勒文施泰因王子和维特根施泰因王子。迪斯雷利再次描述了当时的场景（这次是在小说《恩迪米恩》中）：

> 在非常短的时间里，不仅大使和大臣的夫人们出现在了游园会、舞会、宴会和音乐会上，变幻无常的时尚界也像一个被突然推翻的国家一样举手投降。造访纳沙泰尔家族成为一种时尚；所有人都请求成为他们的宾客，一些请求显然徒劳无功。

这类描述出现的频率显示，罗斯柴尔德接待客人的规模和阵势从没有停止过迷惑当时的人们——尤其是有抱负的作家，如迪斯雷利。在小说《坦克雷德》中，有一段对西多尼亚家里精美晚宴的描述："餐具是紫色的塞夫勒瓷具；一头骡子驮来你的盐罐，或一个海里的女神用新鲜的贝壳给你盛来，或者你发现它躺在一只鸟巢里；每位宾客面前的盐罐都不相同……桌子的形状变换着，就如施了魔法一样，如梦一样轻柔。"在《恩迪米恩》中，他描述了在冈纳斯伯里参加的一个周末舞会。"星期天真是棒极了，皇族和股票交易所的人是常客；他们通常会得到机会接触到一些公众人物，有时能碰到财政大臣，或枢密顾问官。"晚宴上，一个名叫圣巴布——萨克雷的一个漫画人物——的阿谀奉承可以看出作家对主人大为赞赏：

> "这是怎样的一个家族！"他说，"我之前对财富没有概念！你看到那些银质盘子了吗？我一只手都拿不动……它如此的沉。我想全世界都没有这样的盘子……但是他们的财富是他们应得的，"他接着说，"没人因此而妒忌他们。当我吃松露时，我觉得心里冒起了一股暖流，我必须向主人致以谢意……纳沙泰尔，他是一个伟大的人。如果我一年前就认识他的话，我肯定会把自己的小说献给他。他是那种能够立刻给你一张支票的人……如果你把小说献给一位勋爵，他最多会邀请你共进晚餐。"

说实话，对罗斯柴尔德家族本身来说，这些场合被看做是一种责任——早期的一种生意款待——而不是一种快乐。"我们这里每晚都会举行舞会，"纳特 1843 年向他的兄弟们抱怨说，"你们不知道，一曲长的华尔兹之后，那些法国老夫人的汗味有多浓烈。"招待外交官和政治家的晚宴也没多少欢乐可言：1847 年 4 月 30 日，即便宾客中有荷尔斯泰因-格吕克斯堡王子、德文希尔公爵和霍兰德勋爵夫妇这样的人，奥波尼也注意到纳特的妻子感到"非常的头疼"。至于 19 世纪上层社会最典型的娱乐项目：扑克牌游戏——这似乎也是那不勒斯主要的娱乐方式——一段时间后，也变成了例行程序式的活动。家族的大多数成员对于每年在艾克斯、加斯泰因、维尔德巴特和基辛根的温泉中花费的时间也显然有不同的意见，泡温泉最初为詹姆斯在19世纪30年代早期采用。尽管这是件“做过的”事，但詹姆斯对于接受一次“治疗”没什么热情，他似乎主要把它看做一种必要的治疗方式，每次生病或一段时间的高强度的工作后，他就会去泡温泉。年纪越来越大后，他更多地用这种方式来避暑，恢复精神。不过他还是一如既往地用措辞专横的信件呵斥在巴黎的侄子或儿子们，并坚持要求知悉生意上的任何进展。萨洛蒙在1841年对加斯泰因的“空气、山峦、瀑布和温泉”念念不忘，安东尼开玩笑说，温泉对詹姆斯的性欲有帮助；但是迈耶对维尔德巴特的反应更为经典。“你们不知道，”他在1846年向列昂内尔解释说，“这个地方多么无趣，要不是我已经下定决心泡完规定的次数，我早就冲出去了。”

不过，想冲出去的念头揭示了19世纪30年代另一些更为有趣的娱乐项目，詹姆斯和他的侄子们当时正在发掘。这些项目中，狩猎是早期的最爱。这里需要对三种不同的狩猎活动进行一下区分，不过它们都是罗斯柴尔德家族主要的嗜好。第一，用枪捕猎，对象主要是野鸡，这是詹姆斯19世纪30年代初在费里耶尔最常做的事。第二，狩猎牡鹿，这是19世纪40年代吸引他的英国侄子们前往白金汉郡的一个活动。最后，与狩猎有关的赛马，尽管这需要精心挑选马的品种并要加以训练——更不要说请专业的骑手了。

在这三种形式的狩猎活动中，第一种与19世纪20年代形成的社会交往模式联系最紧密。1832年9月，七月革命的余波仍在振荡，列昂内尔“陪同蒙塔利韦和奥波尼出去打猎，可能其余任何时候打猎都要比现在更有意思，但目前与这些人在一起能够听到局势的进展，而不是为了娱乐”。这种实用的方法也反映了他叔叔詹姆斯这个时期的态度，最明显的是在1835年，他为了招待奥尔良公爵一家，安排了一次“大屠杀”，猎杀了506只鹌鹑，359只野兔和110只野鸡。这是一种比较怪异的招待方式，不幸的鸟儿和野兔等都是特地买来的，每个贵客配备一名仆人、一只狗和一支枪。不可避免的，老练的猎人对这样的大屠杀会嗤之以鼻。卡普费格对费里耶尔的运动主题就大加鞭挞：“糟糕的狗舍，糟糕的猎犬，马跑了一圈就跑不动了，贪婪的猎场看守，廉价的游戏，鹿骨瘦如柴，仆人傻笑着，一点头脑都没有。”即便詹姆斯的侄子，都意识到狩猎招待有改进的空间。1843年，为了再教育他们的叔叔，他们邀请他前往苏格兰打鸟。“用枪打猎与我们习惯看到的方式不同，尤其与我们的叔叔在费里耶尔的那种方式更是不同，他在那里所有的游戏都是围绕他转，他只要开枪就行了。”列昂内尔有些尖酸地评价说。

> 在这里，我们必须跟在猎狗后面，寻找猎物；这样的游戏具有更大的刺激

性也更累人。刚开始的时候，男爵（詹姆斯）显得非常急切，与猎狗配合得挺好，而且很幸运地打到了15只鸟，但是他很快就累了。那时我才有空开几枪，打到了与他差不多数量的鸟……行路有点累人，因为大多数地方的灌木齐膝深。

年轻一辈显然对“男爵”的狼狈举动暗暗发笑：纳特和安塞尔姆很开心地看到詹姆斯返回巴黎时“就像一个真正的高地苏格兰人，穿着格子呢绒衣服，手里拿双刃大砍刀，粗壮的腿露在外面”。

詹姆斯的英国侄子们喜欢的狩猎模式是骑马带着猎犬的狩鹿活动。可能是在迈耶的鼓动下，他们从1839年开始带着一群猎狗在艾尔斯伯里河谷狩鹿。正是这种新的爱好，促成了3年后蒙特摩尔的房屋买卖。到1840年的时候，“出去狩鹿”不仅仅成为吸引罗斯柴尔德男性成员的一项消遣活动，也吸引了他们的妻子前往白金汉郡，尽管直到5年后，他们才觉得做好了进行一次公共狩猎活动的准备。提及狩猎乐趣的罗斯柴尔德家族的记录来自纳特这个流放到巴黎的英国成员，他早期的信件提到了狩猎活动。“在那里，穿上皮革短裤是多么神奇的一件事，”他1842年写信回家说，“我真想穿上一件，然后在布洛涅的灌木丛中飞奔——老托普（迈耶）会喊道，‘去吧，你这个伦敦人！’多写点有关狩猎的事，老托普跌进了肮脏的黑色水沟，H·菲茨罗伊怎么和你们一起带着猎狗出去打猎的——对于我们这些可怜的人来说，任何事都十分有趣。”同一年：“今晚我们将去艾尔斯伯里女士的家里。我宁可奔跑40分钟穿过河谷，也不愿看着她那张没有戴面纱的丑脸。”1841年，弗兰西斯·葛瑞特爵士受委托画一幅四兄弟骑马打猎的场景，四人穿着深红色的外套，戴着高高的帽子。实际上，四兄弟很少能够一起打猎。

这很容易让人得出结论，认为狩鹿的爱好只是富家少年寻开心时做的事，不过它后经瑟蒂斯和西格弗雷德·萨松之手，变成了流传至今的一项运动。但是，纳特的一句话暗示了这种活动还有更多的含义。“骑术就像是王牌，”他在1840年劝告他的兄弟说，“不要让女王的人知道我们骑术不精。”在巴黎，狩猎不可避免地带有重要的社交意义：它意味着与贵族阶层的人混杂在一起，包括陪同骑手的那些随从。自己骑马越过白金汉宫所有的树篱和障碍门，这对于纺织品商人内森·罗斯柴尔德的儿子们来说意义重大。当然，这也是一项很好的锻炼：这是他们局限在犹太街的祖父难以接触，让他们的父亲不屑的一项运动。很可能，老一辈罗斯柴尔德成员久坐不动的生活习惯引起的疾病夺走了内森的生命。另一方面，纳特一次在骑马意外中受伤，也证明他父亲多年前就发出的一个警告：银行家与马匹是不相容的。

几兄弟涉足赛马领域也极为类似。我们从巴克斯顿那里获悉，内森曾经满足过他儿子对阿拉伯马的喜好，列昂内尔自己也坦白地承认，在巴黎学徒期间，他在马匹上面的花费“非常惊人”。但是，一直到 1840 年左右，安东尼才开始拥有赛马资格并参与赛马比赛：在那年，他的一匹赛马在巴黎获得了 3 月冠军。这在某种程度上是那个时期罗斯柴尔德追求上流社会喜好的一个顶峰，当时巴黎最知名的赛马拥有者莫过于奥尔良公爵。他在 1842 年马车事故中丧生也让赛马领域某种程度上得到了开放：如迪斯雷利那年 10 月所写的一样，“安东尼接过了奥尔良公爵对赛马场的赞助，并为各种比赛提供了价值不菲的奖杯，他的赛马经常在这些比赛中获胜。”仍然沉浸在河谷狩猎记忆中的纳特对弟弟的做法提出了异议，他警告说：“赛马都是一些难以对付的东西，当它们赢得比赛时，你会因为收获颇丰而欣喜若狂，但一旦输了，则完全是相反的情形……亲爱的托普，坚守深红色的外套而不是丝绸夹克，前者对健康更为有益，也没那么昂贵。”但是迈耶显然受安东尼成功的鼓舞，不久之后便在纽马基特建造了一间马厩，也正是他在 1843 年以深蓝色和黄色为罗斯柴尔德家族的特征色。

投资艺术

投身野外并不是詹姆斯和他的侄子们在 1830 年之后发现的唯一乐趣。另一个更为重要的新的快乐和威望源泉，便是赞助艺术；这方面，我们能够清楚看到罗斯柴尔德家族做了很多，而不仅仅是“模仿”贵族的习气。

当然，有一些人错误地将詹姆斯 · 德 · 罗斯柴尔德当成一个市侩的人。“如果我有罗斯柴尔德（那么多）的钱！”冈普利诺（海涅大约写于 1828 年的《卢卡浴场》草稿中的人物）喊道。3 年后，海涅离开德国前往巴黎：

> 但它们对他有什么用处？他缺少文化，对音乐的理解如未出生的小牛，对绘画的理解像猫，对诗歌的理解如阿波罗——这是我的宠物狗的名字。像他这样的人，如果没有了钱，他们就不存在于这个世界上了。什么是钱？钱是圆的，可能会失去的，但是教育却是永恒的……如果我将失去我的钱——但愿不要如此——我仍然是一个艺术、绘画、音乐和诗歌方面的行家。

15 年后，他已经非常了解詹姆斯，他的看法也变得完全不同，尽管赞美的话藏在字里行间。此时，他承认：

> 詹姆斯已经有能力找到，甚至能够判断出大部分领域的顶尖从业者。他的这一资质可以与路易十四媲美；与他在巴黎的同僚们也确实形成了对比，后者

> 喜欢将一堆庸才揽在身边，而詹姆斯·冯·罗斯柴尔德男爵身边围绕的似乎都是任何领域的杰出人物；即便他对一个主题一无所知，但他知道谁是这方面的专家。他可能并不理解任何一个音乐音符；但是罗西尼一直是这个家族的一个朋友。阿里·谢佛尔是他的御用画家……冯·罗斯柴尔德男爵丝毫不懂希腊语；但是希腊文化研究者列特络尼是他最推崇的学者……诗歌，不论是法语的还是德语的，也非常突出地代表了冯·罗斯柴尔德男爵的情感；尽管这对我来说……似乎男爵对当前的诗歌没有对过去的诗歌那样狂热，比如荷马、索福克勒斯、但丁、塞万提斯、莎士比亚、歌德等，都是已经过世的诗人、人类文明的天才，他们全都摆脱了尘世的束缚，远离了名利的需求，而且也不会要求在他的北方铁路中占一个份额。

我们也将看到，最后的评价所指的是海涅自己与詹姆斯的关系，但除了那个，上述这段话（1843 年发表在《奥格斯堡汇报》）所写的詹姆斯很显然不可能对艺术毫无兴趣。即便詹姆斯自己不是专家，但是他欣赏专业人士——而这与市侩人士有着天壤之别。当另一个有抱负的年轻作家（与海涅一样，也是皈依了其他教派的犹太人）此前一年在巴黎的晚宴上第一次遇到詹姆斯的时候，他的印象颇为切实。“我发现了他，”本杰明·迪斯雷利告诉他的姐姐，“一个法国花花公子和粗犷男孩的快乐混合体。他很随和地跟我说，‘我想你应该认识我的侄子’。”用“粗犷男孩”来形容詹姆斯，最明显的原因是他说法语时浓厚的法兰克福口音，以及他与伦敦的哥哥一样的不容置疑的处事风格；而“法国花花公子”则是内在的詹姆斯，他通常喜欢带着一群艺术家、音乐家和作家。一个英国人于 19 世纪 50 年代在巴黎也注意到了这一点，她说“德·罗斯柴尔德夫人……诗一样的住宅更像是富有艺术家的宫殿，而不是一个百万富翁的府邸。”尽管处事风格粗犷，但詹姆斯内心深处有点像个审美家——甚至是个波希米亚人（极其脱俗）。从他的英国侄子们身上也能看到类似的特征，他们对于狩猎的热爱只是他们在账房高墙之外广泛爱好的其中一种。

正是在其他地方的墙上，罗斯柴尔德家族文化方面“代代相传”的效果立刻显现了出来——尤其是在他们自己房子的墙上，它们逐渐地被非常名贵的画作所覆盖。罗斯柴尔德成员购买的第一幅名画是法国艺术家让-巴蒂斯特·格勒兹的《乡村新嫁娘》，这是典型的后洛可可风格乡村风情画作，詹姆斯早在 1818 年便将其收入囊中。格勒兹也是罗斯柴尔德家族最喜欢的一个艺术家：詹姆斯 1845 年从费什主教房产拍卖会上买了他的另一幅画《拿花的小女孩》。列昂内尔开始他的艺术品收藏生涯也是从购买格勒兹的画开始的，他在 1831 年从拍卖商手里购得了他的《美德蹒跚》；他后来又获得了格勒兹的另外4幅画，包括《临别之吻》。他的弟弟安东尼也收藏了两幅，其中一幅是《幼儿园》。这些画作补足了这个家族的藏品，他们之前收藏的都是一些古董家具和装饰品，比如詹姆斯拥有的安托瓦内特书桌和塞夫勒瓷器。罗斯柴尔德家族推崇的另一个艺术家是17世纪西班牙艺术家巴托洛米·埃斯特班·牟利罗，列昂内尔可能是1834年前往马德里时发现了牟利罗的画作。列昂内尔承认，他当时“花费了我所有的空闲时间……搜罗画作，它们数量众多，但珍品甚少。”到19世纪40年代末，列昂内尔、詹姆斯以及列昂内尔的母亲收藏了牟利罗的全部作品。

但是17世纪荷兰的艺术品对于罗斯柴尔德家族来说才最具吸引力。1840年，詹姆斯从乔治四世的收藏品中购得了伦勃朗的《领袖》，他把这幅画挂在拉斐特街的住宅里；他同时还藏有伦勃朗的《一个年轻男子的肖像》（挂在詹姆斯的卧室里）以及佛兰斯·哈尔斯的《一个贵族的肖像》。此外，他的收藏名单上还有安东尼·范戴克、彼得·保罗·鲁本斯、雅各布·梵·雷斯达尔和菲利普·沃弗曼的作品。1836年，列昂内尔在法兰克福购得了杰拉德·特·伯赫的《年轻女子与她的侍从》。一年后，他又在贝里公爵夫人藏品出售中买到了4幅沃弗曼的作品以及3幅范德海登的作品，其中包括《罗森达尔城堡》和《哈勒姆风景》。1845年，他又从乔治·鲁西手里购得沃弗曼的另外两幅作品以及皮特·德·霍斯的一幅作品。大约在1850年，德国艺术专家居斯塔夫·瓦根探访在皮卡迪利的詹姆斯时，后者的藏品包括了3幅迈因德特·霍贝玛的画作，3幅范勒伊斯达尔的画作，一幅波勒斯·波特尔的画作，一幅凯勒·杜·雅赫丹的画作，一幅亚当·班阿克的画作，两幅扬·韦南茨的画作和一幅阿德良·奥斯塔德的画作。他后来又增加了两幅尼可拉斯·贝甄的画作，5幅阿伯特·盖普的作品，包括他的《冰河的风景》，6幅范梅里斯父子的作品，两幅加斯帕尔·内切尔，3幅赫拉德·特尔·博尔希，7幅小达稚特·泰尔以及扬·戴维·德海姆、扬·惠瑟姆、拉赫尔·吕希、扬·韦尼克斯和彼得·居泽尔（Peter Gysels）的静物画。列昂内尔这方面的品位显然也得到了他弟弟安东尼的认同：1833年他购买一幅带有伦勃朗签名的作品，内容是一个护士和一个孩子与山羊玩耍，后来这幅画被证实是尼可莱斯·梅兹的作品，画上的签名是伪造的。1850年，他已经收藏了沃弗曼、泰尔尔、范戴克、鲁本斯和范奥斯塔德的作品。

集体性的“罗斯柴尔德品位”在这个时期形成并不是一件让人吃惊的事，这个家族几乎一致参与，他们彼此知会重要的买卖，并为彼此在不同的市场中进行买卖。1840年，詹姆斯要求安东尼“如果有利可图的话，处理掉伦勃朗的画”，而他“经过思考”后，决定不通过他的侄子买进一幅穆律罗的作品。1841年，他和他的侄子们试图确保一次重要的罗马收藏品拍卖在巴黎举行，而不是在伦敦。“我们想一起运作它，”詹姆斯在信里写道，“我们或许能得到一些漂亮的画作。”比较典型的是，当穆律罗的作品 1843 年在巴黎拍卖时，纳特考虑替他的母亲买下那些画，尽管最终他把画全部留给了萨洛蒙的妻子卡罗琳。汉娜去世的时候，她的收藏品中包括了穆律罗、盖普和泰尔尔的画，可能全部是她儿子买给她的。此外，罗斯柴尔德成员在搜集宗教题材的作品方面有着很自然的相似性——这可能也解释了他们为何如此青睐荷兰艺术家的原因——尽管这远不是一条规则。有趣的是，罗斯柴尔德家族不仅购买了《旧约》场景的作品（比如保罗 · 德拉罗什的《摩西在芦苇丛中》），也购买了明显带着基督教特征的画作。1840 年，列昂内尔从一个伦敦交易商的手里购得了穆律罗的《襁褓中的基督》。他后来又买了多米尼基诺的画作和安德里亚 · 德尔 · 沙托的《圣母与圣婴》。詹姆斯则买了扬 · 凡 · 艾克和彼得鲁斯 · 克里斯蒂以及卢伊尼的一幅《圣女与圣子》。1846 年，安东尼的岳父送了一幅范戴克的画作。但是，即便在开始收藏的初期，夸大罗斯柴尔德收藏品的和谐性也是错的。当纳特购买了委拉斯凯兹的《执扇女子》，他发现“画作有点像女人，每个人必须让自己感到开心，按照自己的品位进行挑选……这幅画不会让所有人满意，因为她的脸庞并不漂亮，尽管画得很好。”他的哥哥列昂内尔对 18 世纪的英国艺术家推崇有加，但詹姆斯对此却毫无兴趣。1846 年，列昂内尔从佳士得拍卖行得到了约书亚 · 雷诺兹的《贝迪尔大人的肖像》，这是雷诺兹最早的一幅作品。后来，他又转而收藏托马斯 · 庚斯博罗的作品，1871 年以 1 500 英镑的价格购买了后者的画作，第二年又从佳士得拍到了《谢里登夫人》。他同时还拥有乔治 · 罗姆尼的《爱玛》和《汉密尔顿女士》，以及威廉姆 · 毕奇和约翰 · 霍普纳的作品。对这些与罗斯柴尔德家族没有关系（甚至可能一无所知）而且时间相对较近的个人作品有如此大的热情，确实让人有些吃惊，尽管这类作品在 19 世纪后期变成了抢手货。列昂内尔的弟弟迈耶也拥有一幅庚斯博罗的作品——描写的是一个猎狐的场景——他也购买了克拉纳赫和提香的作品，当时其他家族成员没有收藏这两个人的画作。

法兰克福的罗斯柴尔德成员再次出现了截然不同的收藏品位。比如，很难想象威廉 · 蒂施拜因的《歌德在罗马乡村》（迈耶 · 卡尔于 1846 年购得）能够挂在巴黎或伦敦的房子里。不过，迈耶 · 卡尔对金银装饰物的兴趣远远大于画作。尽管他的英国堂兄弟们也收藏此类物品——列昂内尔引以为傲的藏品中，有一件“莱克格斯酒杯”，古亚历山大或拜占庭的玻璃酒杯——但是他们缺乏系统性。到 19 世纪 70 年代，迈耶 · 卡尔积聚的“黄金物品”已经达到了惊人的 5 000 件，在它们当中包括文策尔 · 雅姆尼策的“餐桌中心装饰品”，德国文艺复兴时期的一件杰作——实际上是同时代的莱因霍尔德 · 瓦斯特斯仿制的一件赝品，不过那也是件杰作。

显然，罗斯柴尔德家族对于他们当时的艺术品没有什么兴趣——尽管神话制造者们将这种漠视夸大了。詹姆斯因为一幅肖像画的讲价行为而与两名艺术家雅丹与霍勒斯·韦尔内交恶的故事似乎并不真实；韦尔内也不太可能在《通往部落之路》一画中，把詹姆斯画成那个懦弱的犹太人，因为后者与詹姆斯或其他罗斯柴尔德成员没有任何相似之处。真实的情况（只有极个别例外）是，罗斯柴尔德家族所拥有的同时代画作是他们委托画家给他们画的肖像画：比如，阿尔弗雷德·德·德勒笔下《驾马车的列昂内尔》（1838 年），弗朗西斯·格兰特爵士画的《四兄弟狩猎图》（1841 年），阿里·谢佛尔画的詹姆斯女儿夏洛特的肖像以及让–奥古斯特–多米尼克·安格尔绘制的《贝蒂肖像画》（1848 年）——更不用说无数幅莫莱·奥本海姆画的家族画像，以及夏尔–埃米尔·卡普马丁、路易–阿米埃·格罗克洛德和希波利特·佛兰德林绘制的詹姆斯的肖像。

如果将收藏的一切行为仅仅归结为家族（或个人）的“品位”，这无疑是一个错误。“早期绘画大师的作品”吸引詹姆斯、列昂内尔这类人的不仅仅是因为严格的审美观点。著名的画作在当时远不是被作为一种“社会地位象征”来对待的，更多的是被当成一种投资形式，就如今天一样。詹姆斯全部藏品保价 1 000 万法郎的事实就是这个时期投资规模的一个衡量指标：1844 年，这个数额相当于詹姆斯在家族资金份额的 1/4。此外，市场相对活跃，法国革命带来的涟漪仍在荡漾：如此多的法国贵族被推翻，从而使得大量的私人收藏品流入市场，拍卖的方式也一直贯穿整个 19 世纪。也正是 1830 年的革命最终带来了贝里公爵夫人藏品的拍卖，她售出的藏品是罗斯柴尔德家族早期收藏品的重要来源；1848 年又进行了斯托大拍卖。尽管这类交易经常进行，但是对“早期绘画大师的作品”总是供不应求。迈耶 1843 年购买伦勃朗的《执扇女子》花了 1.27 万英镑，比 6 年前银行家阿瓜多买入时的价格翻了 3 倍多，这一事实说明了这类作品的抢手程度。

鉴于他们巨大的财富，罗斯柴尔德家族几乎能够买下所有人的作品，家族里的一些成员似乎也确实有此打算。迈耶 1846 年购买意大利的雕像时曾经说，“我们应该总是买最好的东西，而不要在意价格”，因为“最好的东西”只会增值。但是 1848~1849 年的政治动荡，导致艺术品市场与金融市场一样急速下挫，使迈耶对这个牛市的判断受到置疑。詹姆斯在晚年的岁月里竞买一幅画时，如果觉得价格过高，便会收手，任由别人买走。1860 年，他出 3 000 金币竞买一幅鲁本斯的作品，但那幅画最终被别人以 7 500 金币的价格买走。“难以置信的价格，”詹姆斯评价道，“我没钱去买一幅开价 1 万金币的穆律罗作品”（尤其是 20 年前，他的《襁褓中的基督》才值 3 000 英镑）。当然，詹姆斯并不缺钱，但是作为强迫型的投资者，他不愿在市场最高峰时买入。

对音乐的热情

那时，艺术既是一种投资也是一种装饰。但罗斯柴尔德家族对于音乐的热情可能不太容易解释。罗斯柴尔德家族资助19世纪一些著名的作曲家和演奏家是众所周知的事；此举最明显的一个原因是这些音乐家对于舞会的成功必不可少。比如，1828年1月，内森便以伊格纳茨·莫舍勒斯的演奏招待了用过正餐的客人，莫舍勒斯是费利克斯·门德尔松的导师。类似的，之前一年，卡斯特拉内元帅与詹姆斯共进晚餐时，明星演奏者是罗西尼；他是5年前经梅特涅介绍，认识了萨洛蒙。而且也有说法称——尽管学术界对故事的真实性存在争论——肖邦在巴黎的职业生涯便是从1832年在拉斐特街的一次演出开始的。他在1843年与他的学生卡尔·费尔茨克在那里再度出现，据说詹姆斯对他们的演奏十分“敬仰”。其他在罗斯柴尔德家族府宅中表演过的著名的演奏者包括门德尔松自己、弗朗茨·李斯特、钢琴家和指挥家查尔斯·哈莱以及小提琴家约瑟夫·约阿希姆。

但是，比他们作为演奏者角色更为重要的，是他们作为老师的角色。这对于罗斯柴尔德家族的女性成员尤为重要，她们从很小的年纪就开始被鼓励在琴键上玩耍(19世纪与现在的电视最接近的东西应该是钢琴了，唯一的差异是后者需要演奏技巧)。内森和他的兄弟们给自己的女儿们提供了金钱能够“买”到的最好的老师，这点并不让人感到吃惊。夏洛特的留言簿（她让老师写下一些音乐上的指导）上记录了他们中的许多名字：默舍尔出现在其中，门德尔松也是如此，此外还有文森佐·贝里尼，题献了1821年作曲的一首歌)、路易·施波尔提供了自己的一首歌)、罗西尼和贾科莫·迈耶贝尔（提供了一首叫做《罕见的花朵》的歌曲)。在19世纪40年代，夏洛特的导师还包括年迈的路易吉·凯鲁比尼和肖邦。罗西尼也为她写了一首厚达6页的钢琴独奏曲，作为一个“小小的纪念品”。夏洛特的妹妹汉娜·迈耶也是一个接受过全程教育的竖琴演奏师，并学习了帕里什·阿尔瓦斯的课程；当她们最小的妹妹路易丝展现出对音乐的爱好时，罗西尼亲自教授了她歌唱课程。她对父亲说，罗西尼“性格非常随和，总是在我喜欢的时间和日期前来（上课)”。当两人3年后在法兰克福再次相遇时，她每天都跟着罗西尼上课。肖邦也给罗斯柴尔德家族的许多女性上过课：不仅包括内森的女儿夏洛特，还包括她的女儿汉娜·玛蒂尔德以及贝蒂的女儿——另外一个夏洛特。实际上，他还为这个家族的两个成员写了两首曲子。拥有如此富有启发性的资源，罗斯柴尔德家族的女性努力地摸索作曲就不足为奇了：小夏洛特出版了4首比较短的钢琴曲、汉娜·玛蒂尔德则谱写了钢琴曲、一部管弦乐华尔兹和6部歌曲，谱写的对象包括维克多·雨果、特奥菲尔·戈蒂埃、歌德和朗费罗的作品——其中最成功的一首（《如果你不听我说》）由女高音歌手帕蒂在巴黎歌剧院演出。

但是，罗斯柴尔德家族不仅雇佣音乐家演出和教课，他们还与音乐家一起参与了社交活动，他们喜欢音乐家的陪同。比如，迈耶贝尔于1833年与贝蒂和詹姆斯共进晚餐；1836年，罗西尼以朋友的身份受邀出席了列昂内尔的婚礼——“以增加我们宴会的庄重性”——而不是以一个演奏者或教师的身份。如他自己所说的那样，“全部的目的……就是前往法兰克福参加我最亲爱的朋友列昂内尔·罗斯柴尔德的婚礼”。在他们的一生中，詹姆斯与罗西尼一直保持着友好关系。类似地，肖邦据说“热爱罗斯柴尔德家族，而且这个家族也喜欢他”，他在1848年英年早逝，他的学生夏洛特保留了“一件让人动容的纪念物”——她亲手给他缝制的一个靠垫。与音乐家如此亲密的关系有些不合传统。当罗西尼一家在婚礼前不久与内森共同出席一个贵族参加的晚宴时，格伦维尔女士有些轻蔑地评述道：“我想这是罗西尼夫人……第一次出现在如此高贵的场合。”但是罗西尼和他的妻子在那里出现的部分原因是为了让婚礼的过程更为活跃。安东尼记述的李斯特在1842年给他私下演奏的故事具有启发意义，这表明了罗斯柴尔德家族不仅从这些19世纪浪漫主义巨星的演奏中获得了快乐，而且也从他们的陪同中得到了收获。“这个世界上最超凡的演奏家，”安东尼向他的妻子写信说，

> 看起来与传言中的一样令人好奇，（演奏中）他长长的头发有时会垂到脸上，但他的头猛地一甩，头发又全部甩到了后面；他大大的眼睛不停地打转，有时似乎在说“我神气吗？”大部分时候，他完全陶醉于自己的表演当中。最亲爱的，他是一个和蔼可亲且健谈的人，毫无疑问是一个亲切而又令人感到快乐的同伴。

音乐家也不仅仅通过他们的演奏施教和提供娱乐。作为回报，罗斯柴尔德家族很乐意向他们欣赏的音乐家给予一定程度的财务资助——通常是以个人银行服务的形式提供。老约翰·斯特劳斯1838年的英国之行由列昂内尔提供了部分资助；1842年之后，罗西尼在巴黎罗斯柴尔德兄弟银行办理业务；尼科罗·帕格尼尼通过罗斯柴尔德银行将2万法郎作为礼物送给了柏辽兹；而帕蒂在阿根廷巡回演出时，从罗斯柴尔德巴黎分行借了4 000多英镑。即便音乐上极度反犹的理查德·瓦格纳据称也与罗斯柴尔德家族有过银行业务方面的接触，他的第二个妻子在巴黎分行有一个账户。受

惠人得到的特权比他们意想中的要好：罗斯柴尔德家族通常只给那些忠诚者和政治精英提供这些便利。这是他们对于自己与音乐世界的关系表示重视的一个迹象，可能只来源于一定程度的吸引力。就像一个自力更生致富的百万富翁崇敬他的钱一样，音乐巨星对自己精湛技巧的极度爱慕也是19世纪的一个现象。这两类人在某种程度上都是新贵（也都是外国人），内森在上述的宴会上与罗西尼夫妇的地位其实一样。实际上，19世纪最有名音乐家当中的许多人，如罗斯柴尔德家族一样，从犹太解放运动中获益。

受惠的作家

音乐家教授私人课程并参与演出。与他们形成对比的是，19世纪的作家为广大公众写作，因此被认为能够脱离金钱资助的束缚。但是，作家们其实也是罗斯柴尔德家族的受惠人——两个记录得非常详细的例子就是海因里希·海涅和巴尔扎克，两人在19世纪30年代和40年代与詹姆斯形成了非常紧密的关系。（由于其重要的政治意义，列昂内尔与迪斯雷利之间的紧密联系将单独在后面讨论。）

表面上来看，让人感到困惑的是巴黎最富有的银行家、国王和大臣的心腹知己与这两位作家之间能走得如此近。仅从政治方面来看，这两个作家都是激进人士：海涅因为他的自由派观点而被德国放逐，而且他一生都对革命和民族主义事业保持了高昂的热情。与海涅不同的是，巴尔扎克从性情上来说还是个浪漫的保守派，他曾在1831~1832年间寻求参选成为波旁王朝的一名立法者，而且毕生都在用一种不那么献媚的笔触描绘七月王朝统治下的社会。从个人财务方面来说，他们都比较窘迫，毫无疑问，与罗斯柴尔德家族建立良好关系是有利益动机的。最重要的是，他们不时地把詹姆斯写到自己的作品中，而且他们所运用的方式，如果对于一个敏感的人来说，肯定立刻冲去找律师（对付他们了）。但是詹姆斯明显很欣赏这两位作家，他与他们之间形成的并非是纯粹的朋友关系，但似乎他希望他们是自己的朋友。没有其他事比这件事更能洞察詹姆斯复杂的个性了。

我们已经看到，海涅针对1830年前后罗斯柴尔德家族的权势进行了非常锐利的评价。现在，有必要说一下他与这个家族的关系了。海涅是汉堡银行家萨洛蒙·海涅的侄子，他母亲一直希望他成为一名银行家；1827年，他在伦敦有些偶然地遇到了内森——“一个肥胖的犹太人”。实际上，内森可能是“著名的商人，我希望成为他的学徒”，但内森认为他“没有经商的潜质”。但是，到1834年，他与法国的罗斯柴尔德家族建立了一种完全不同的关系。现存的许多逸闻将海涅描绘成了詹姆斯男爵家中可以肆意开玩笑的人。当奥地利剧作家格里尔帕策在罗斯柴尔德的家里跟海涅（和罗西尼）共进晚餐时，他非常吃惊地发现："很明显，主人们畏惧海涅，他则利用这种畏惧，抓住每一个机会狡猾地取笑他们。但是如果你不关注某些人，就不应该与他们共进晚餐。如果你轻视某个人，也不应与他共进晚餐。实际上，这次晚宴之后，我们的熟悉程度并没有增加。"

格里尔帕策提及的尖刻言语，常常使得詹姆斯成为海涅身边迟钝的滑稽剧配角。"海涅，"他问，"你能告诉我为何这种酒叫做'拉克利玛 · 克里斯蒂'吗？""你要做的就是翻译（我的话），"海涅回答说，"当基督看到富裕的犹太人能够买得起这种好酒，而如此多的贫困家庭却饥渴难耐时，他禁不住流下了眼泪。""你们是怎么找到我的'chenil'的？"詹姆斯欢迎宾客入到家中时说道。"难道你不知道'chenil'意思是狗窝吗？"海涅说道，"即便你如此妄自菲薄，也不应该广而告之啊！"詹姆斯辩称尽管塞纳河污秽不堪，但它的源头却非常干净，海涅则回答道："是的，男爵先生，而且我也听说你过世的父亲是一个非常诚实的人。"有一个人表达了非常想见詹姆斯的愿望。"他只是想去了解他，"海涅讽刺道，"因为他根本不了解他。"

按照海涅对于詹姆斯更为尖刻的报道来看，这些讽刺话语看起来似乎挺合理的。但是，现存的信件却表明了两人之间其实一直是截然不同的关系，海涅越来越多地扮演了谦恭乞求者的角色，希望得到詹姆斯慷慨的资助。我们也看到，海涅对詹姆斯最初的一些描述出现在《路德维希 · 博恩》一书当中，他在其中认为詹姆斯金融资本的增长使得他变成了与黎塞留和罗伯斯庇尔一样的社会"革命者"。尽管这三人有着惊人的相似之处，这样说还是有些夸大了詹姆斯的影响力，但这并不是要羞辱詹姆斯。让人吃惊的是，海涅对自己的冒昧之举感到非常不安——很明显，提及的是他与詹姆斯进行的一次私下交谈——他采取了一些警戒措施，寄了一份证据的复印件给了詹姆斯的妻子贝蒂。"到你手里的是我的一些'犯罪事实'，它们让我很不安。"他在信中写道，"我还能在你们面前出现吗？……或许你们会用一个微笑宽恕我。对于我自己，我如何苛责自己都不为过，因为对于一个隐藏了如此多高尚情感和善良意愿的家族，我竟然如此评价，尽管没有恶意，但方式极不合适。"

在这之前的几个月，海涅公开否认自己是《每日》专栏中一些恶毒言论的始作俑者，这些言论针对的是詹姆斯举办的一次舞会。19 世纪 40 年代初，在他发表于《奥格斯堡汇报》的文章里，一再重复地赞美詹姆斯。比如，将詹姆斯与其他诸如贝诺伊特 · 福德等银行家进行了有利于詹姆斯的比较，并表扬了他的博爱工作。最令人感到不适的——依稀带着玩笑的成分——颂扬出现在 1843 年 6 月出版的文章（后来收录进他的《鲁特西亚》一文）中，他将詹姆斯与路易十四相比，认为他发掘他人潜质的能力高人一等："为了确保不带来冒犯，我今天要把德·罗斯柴尔德先生比为太阳。我可以做到这点，首先，这不会花费我任何代价；第二，我现在就可以很好地证明这点，因为现在所有人都向罗斯柴尔德表达了敬意，以获得他的金色光芒带来的温暖。"几个月后，海涅除了颂扬詹姆斯之外，又做了其他的"贡献"：他的出版商坎佩给他寄了一份猛烈批评罗斯柴尔德家族历史的手稿——激进共和派人士腓特烈·斯迪门的《罗斯柴尔德家族：历史与交易》一书。海涅回信说，如果手稿能够压住不出版，将会得到回报，"罗斯柴尔德先生在过去的 12 年里一直向我提供这样的回报，要这件事能够完成。"

后来的许多作家认为海涅这个时期友好地对待詹姆斯，最主要的原因就是财务。但是 1845 年之前，没有任何詹姆斯向海涅提供财务资助的记录，因为当时的海涅无须此类帮助。实际上，《鲁特西亚》一文中，紧接着詹姆斯与路易十四对比的那段文字，其主要观点就是，海涅清楚地表明，自己不愿加入围在詹姆斯身边的乞讨人群里：

> 如果我能够自信地说，这种疯狂的崇拜对可怜的太阳来说是一种苦恼，他得不到一丝喘息的机会……我真的认为金钱对他来说更像是诅咒而非祝福；如果他的心肠更硬一些，他或许能够忍受少许的不适……我建议每个急需用钱的人去找德·罗斯柴尔德先生；并不是（让他们）从他那里借钱（我怀疑他在这方面是否有过慷慨之举！），而是让他亲眼看看金钱能够带来的痛苦。

海涅认为，詹姆斯备受折磨"是因为他有太多的钱，因为世界上所有的钱全部流进了他巨大的口袋里，因为他背负着如此沉重的负担，他的周围挤满了向他伸出双手的饥民和窃贼。这些手是多么可怕，多么危险！"海涅然后讲了一个笑话，在其中，他变成了一个捧哏者，而詹姆斯则是一位智者，"'您近来怎么样？'一个德国诗人有一次问男爵先生。'我快疯了。'后者回答说。'我才不相信，'诗人说，'除非你开始往窗外扔钱。'男爵用一声叹息打断了他的话，'准确地说，那就是我发疯的事情：我有时没往窗外扔钱'。"

当海涅 10 年后把最初发表在报纸上的文章集结收录进《鲁特西亚》一文中时，他又在这个笑话里加了一些附注。

> 我曾经慷慨帮助过的那个可怜人听到我说将来自己可能钱不够用的时候，嘲笑了我。我不是与各类百万富翁都有联系吗？百万富翁中的"总司令"（罗斯柴尔德）不是称我是他的朋友吗？我一直没能让我的客户弄明白的一点就是，

> 这位伟大的“总司令”之所以称我为他的朋友，是因为我从来没跟他要过钱。如果我这样做了的话，我们的友谊早就画上句号了。所谓莫逆之交的时代已经过去了。希望得到我帮助的可怜笨蛋认为从富人那里得到东西很容易。他们从没有像我那样看到过那些钱箱上重重的枷锁。

要了解这些论述的重要性，有必要了解一点海涅当时的财务状况。在叔叔萨洛蒙·海涅1844年12月去世之前，海涅每年从他富有的亲戚那里获得4 000马克的补助。萨洛蒙·海涅的遗嘱留给海涅一笔多达8 000马克的遗产，但是他从侄子卡尔那里获得的补助比之前少了一半，这使得海涅家族陷入了持久而又尖锐的争吵当中，一直到1847年，这种状况仍未得到解决。正是在这个时候，海涅第一次需要罗斯柴尔德家族提供财力资助以及他们的友善帮助。刚开始时，他只是寻求投资建议，但当健康状况每况愈下时，他逐渐地要求得到金钱上的资助。1846年，詹姆斯让海涅一起参与投资铁路股份，他赚了2万法郎。第二年，詹姆斯又给他的“朋友”提供了新发行的法国政府债券业务中“最优先待遇”。但是，到了1852年，海涅的言语中已经透露出“乞讨者”的意味：

> 无论何时，当你巨大的业务获得收获时，你不仅让你家族最亲密的朋友，也让诗人的孩子们分享一些甜头。现在，当你再一次占据巨大企业的领导地位，从革命的风暴中以一个胜利者，更多的则是以一个百万富翁的角色出现时，我冒昧地提醒你，我还没有死，尽管我的情况很难被称为“生活”。

当他的请求得到满足后，海涅有些感伤地感谢了“你最近的仁慈……上帝很明显会祝福你，你签订的任何合约都会给你带来好运”。3年后，他再次向安塞尔姆提出了一个类似的请求，希望获得新成立的奥地利中央合作银行的股份，他的这一请求同样得到了满足，得到了100股份。海涅的感谢信——夹杂着阿谀以及尴尬——表明他发现减少“乞讨”是多么艰难。之后不到两个月，他便去世了。

在这其中，詹姆斯的妻子贝蒂扮演了一个重要的角色，海涅在19世纪30年代与贝蒂的关系或许可以描述成优雅的暧昧关系。他们在詹姆斯的布洛涅城堡中第一次相遇：海涅回首往事的时候，在写给贝蒂的一封信里说：“那是在布洛涅一个阳光明媚的日子，你出现在我的面前，整个人散发出一种神奇的魅力。”那次会面一定发生在1834年之前，当时海涅寄了一本他的新书《沙龙》给贝蒂，他在书上的署名是“你忠实的受惠人”。一年后，他向一个朋友描述贝蒂时，称她是他在“巴黎最早的资助人”。当他在信中承诺将拜访她时，他禁不住加上几句，称她“美丽的笑脸”一直

“停留在他的记忆中”。海涅也不仅仅在私人信件中表达这类赞美之情，还在19世纪30年代的一篇文章里称赞她“不仅是巴黎最漂亮的女子之一，还因为她的智慧和学识而出类拔萃”。历史学家从少量的文字资料中搜寻这种吸引力的程度以及这样一种关系的真实面貌，基本上是徒劳无功；这些言行似乎只是对一个资助者妻子的正式恭维。“我有一天偶然发现，”海涅于1840年写信给贝蒂说，“我所认为只是聪明、善良的漂亮女士，还拥有一个伟大的灵魂。詹姆斯男爵实际上是最富有的人——但不是因为他的钱……请相信我，男爵夫人，我对你们家族产生兴趣，并非如常人那样（冲着钱去），请接受我的保证，我会奉献我的余生。”但是在19世纪40年代的某个时候，两人的友谊开始褪色。他继续给她寄他的书：1847年，寄了《阿塔·特罗尔》和一首名为《天使》的诗，后者的灵感可能来自于贝蒂；1852年，寄了《论浪漫派》；两年后寄了《漫谈》，1855年寄了《诗歌与传奇》。但是，他们很少再碰面——如他所说的那样，她对他变得“疑心重重”——可能是由于海涅不断恶化的健康状况；可能是由于他不认同罗斯柴尔德家族在1848年革命中扮演的角色；最大的可能是因为，就如海涅自己预言的那样，他对于金钱的需求毁了他们的关系。

海涅与罗斯柴尔德家族的关系和巴尔扎克与罗斯柴尔德家族之间的关系对比十分明显；实际上，他们像是彼此的映照。当海涅担心詹姆斯可能迁怒于他的作品时，巴尔扎克则欢快地用嘲讽的笔调刻画了詹姆斯，而且只敷衍地表示自己不是嘲讽后者。当海涅儒雅地讨好詹姆斯的妻子时，巴尔扎克试图将自己的一个老情妇“推销”给海涅。而当海涅对于从罗斯柴尔德家族获取股权而感到备受折磨时，巴尔扎克则欣然地从詹姆斯那里借钱，并尽可能地拖着不还，越久越好。在一段著名的旁白中，巴尔扎克描述了1837年在大街上遇到海涅和詹姆斯的情形：“这就是人们所说的，犹太人全部的精神以及金钱（的化身）。”让他更感兴趣的是后者，尽管带着强烈的自大色彩，他一直坚持错误地把詹姆斯的姓拼写成“罗斯特柴尔德”(Rostchild)。

詹姆斯与巴尔扎克第一次碰面是在1832年的艾克斯。詹姆斯立刻喜欢上了这个睿智的作家，他结合了拜伦的内在品位和狄更斯的外在特性。詹姆斯立刻给巴尔扎克前往意大利的计划提供了资助，提供了一份写给卡尔的介绍信，并用他的信使送到了那不勒斯。几个月后，由于没有听到巴尔扎克的任何消息，詹姆斯写信提醒巴尔扎克自己对他的资助，并邀请他共进晚餐，并责备他回到巴黎也不拜访他们。两年后，在维也纳，巴尔扎克利用詹姆斯的这种好意，从萨洛蒙那里借了500法郎，而担保人则是他在巴黎毫无戒心的出版商。同年11月，他与另一个出版商谈判时，似乎也要求贝蒂提供过类似的担保。

两人的关系在19世纪40年代中期达到巅峰。1842年，巴尔扎克给詹姆斯提供了一些票，观赏他的话剧《奎诺拉号的消息》（描写的是一艘蒸汽船的沉没）。两年后，他又将《实业家》献给了“詹姆斯·德·罗斯柴尔德男爵先生/奥地利驻巴黎总领事和银行家”。作为回报，詹姆斯将巴尔扎克的情书转给了后者正在追求的一个波兰女伯爵，并且在她前往那不勒斯的时候，帮助她通过海关。更为重要的是，詹姆斯于 1846 年向巴尔扎克提供了北方铁路 150 股股份，支付完首期款后，巴尔扎克从詹姆斯那里又借了 1.7 万法郎，将自己的股份作为抵押。他还以未婚妻在波兰的房产作为抵押，借了另一笔钱——大约为 5 万法郎——用来在福托奈街购买一栋大房子。当他 1846 年准备前往波兰时，他甚至请求詹姆斯帮忙把他之前的女仆（也是他的情妇）安置到一个邮票店里，因为那里比较安全。值得引用巴尔扎克对一次谈判的记录，因为它彰显了詹姆斯应对粗俗玩笑的能力：

> 罗斯特柴尔德……问我“她”漂不漂亮，我是否跟她发生过关系。“发生过 121 次。”我告诉他，“但是如果你想得到她，我会把她让给你。”
>
> “她有孩子吗？”他问道。
>
> “没有，但你可以跟她生几个。”
>
> “对不起，我只保护带着孩子的女人。”这是他逃避的方法。如果她有孩子的话，他就会说他从不保护不道德的人。
>
> “您真的认为，男爵先生，你可以跟我抠字眼？我是北方铁路的股东！我将给你写张便条，你就会全心照应我的生意，仿佛它是价值 40 万股的一条铁路。”
>
> “这怎么可能？”他说，“如果你能让我这样做，我就会更加敬重你。”
>
> “你会做的。”我告诉他，“否则，我会让你的妻子任由你放纵，然后再死死地盯着你。”
>
> 他大笑了起来，倒进靠椅里说：“我笑得上气不接下气了，我认输，生意简直要杀了我。你写便条吧。”
>
> 于是我写了便条，然后去看望詹姆斯夫人。

巴尔扎克可能认为他那年寄给贝蒂的作品全集，偿还了詹姆斯之前提供给他的所有资助。

但是，我们也将看到，1847 年之后，詹姆斯难以再纵容他的债务人，不管涉及的金额有多小，也不管债务人多么幽默。1848 年 10 月，巴尔扎克——此时隐居在威尔卓尼——吃惊地从他母亲那里得知，罗斯柴尔德家族拒绝接受巴尔扎克从其他银行家那里开出的 2 500 法郎的汇票。巴尔扎克认为，这意味着詹姆斯将要讨要他所欠的 1.7 万法郎，由于担心詹姆斯会从别人寄给他的汇款里扣除所欠的债务，这位作家想出了一个蹩脚的作弊方法：他让一笔3.1万法郎的汇款不直接寄给他，而是寄给他的母亲，而且用的还是她出嫁前的名字。这一策略显然未能奏效，到1849年2月，巴尔扎克有些抓狂地试图用另一个银行家的汇票支付北方股份的下一期款项。“你不知道，”他在那年3月暴怒地写信跟母亲说，“欠罗斯柴尔德的那1.7万法郎给我造成了多大的困扰，限制了我所有的行动。”巴尔扎克并不是仅从自己的角度看待这个问题：作为一个败家老手，他经常能够洞察债主的想法。“罗斯柴尔德家族，”他承认，“就如暴雨之后的海狸，必须全身心投入到修补工作中去，1848年这一年给它的金融业务带来了巨大的灾难。”等到他1850年夏天回到巴黎时，正常的金融业务已经得以恢复：6月11日，也就在他因一连串小病去世前的两个月，巴尔扎克仍在安排与罗斯柴尔德家族一起买入100股法兰西银行的股票。他去世后，跟在他灵柩后面的，除了詹姆斯，还有维克多·雨果、大仲马和一群巴黎的文人墨客，就好像从他的《人间喜剧》当中冒出来的一样。罗斯柴尔德家族32年后还帮了巴尔扎克一个忙，他们从他的遗孀手里买下了福托奈街的房子，价格则是巴尔扎克当时所付金额的10倍。

缺乏想象力的现代学家倾向于怀疑詹姆斯是巴尔扎克笔下人物银行家纽沁根的原型。他们指出了两者明显不同的地方：纽沁根据说来自于阿尔萨斯，他是一个皈依其他教派的基督徒的儿子，他没有兄弟，相对于詹姆斯来说也太老（1829年时已经60岁），只有一个女儿等。但是，巴尔扎克于1844年告诉未来的妻子说，詹姆斯——“金融封建主义的伟大男爵”——“跟纽沁根是一个模子里刻出来的，甚至比后者更坏”。如果仔细阅读巴尔扎克巨著的相关章节，就能看出纽沁根身上闪现着詹姆斯的影子。当时，没有其他任何一个金融家能够比詹姆斯更适合当作原型，尽管增添了虚构成分，但纽沁根就是詹姆斯，至少巴尔扎克如果不认识后者的话，也不可能塑造出前者。

纽沁根第一次出现是在《高老头》一书中，当时的身份是一个商人葛朗台的女婿，他娶了葛朗台两个以自我为中心的女儿的其中一个。他是一个“出生于德国的银行家，获得了神圣罗马帝国的男爵头衔”，操着一口浓重德国口音的法语（比如，某某事的“quelque chose”在他嘴里变成了“keke chausse”），居住在拉泽尔街，“那些灯火通明房子中的一个，带有细细的柱子和狭小的门廊，典型的银行家的房子，里面摆设的全部是昂贵的装饰品，楼梯平台用大理石镶嵌而成”。在这样早期的具体刻画中——以及他第二次在《塞沙·皮罗多兴衰记》一章中露面——纽沁根的形象粗俗而且无情。当破产的香水制造商皮罗多最终获得和他面谈的机会时——还是在上述拥有“高级楼梯”和“奢华房间”的房子里——却被迫接受一次令人困惑的交谈，最终被引荐给了另一个来自蒂耶的银行家，而这个人恰恰是导致皮罗多破产的“罪魁祸首”。巴尔扎克也再一次凸显了纽沁根糟糕的法语发音：“精明的男爵为了背弃自己许下的诺言，一直保留着可怕的德国犹太人口音，那些德国犹太人总是吹嘘自己能够讲法语。”

欺诈性操作手法在《纽沁根银行》一书中得到了详细的阐述，在其中，对纽沁根的出身和发家方法也进行了说明。巴尔扎克认为，纽沁根成功的关键是制造一系列自己破产而停止还债的假象，借此迫使他的债主接受贬值的股票抵债。他在 1804 年和 1815 年要了两次这样的把戏，他准备实施第三次也是最具野心的阴谋，它的代价是牺牲一个年轻贵族以及一个阿尔萨斯银行家的遗孀和女儿，而他（纽沁根）正是从那个银行家那里赚到了第一桶金。很自然地，由于涉及犯罪，巴尔扎克小心地确保他的角色与罗斯柴尔德截然区分开：因此纽沁根被描述成“某个皈依基督教的犹太人的儿子，他的父亲毫无斗志”，而且据说“私下里非常妒忌罗斯柴尔德兄弟”。但是两者之间的共同点还是难以抹杀的。比如，他的第二个大阴谋就是在滑铁卢战役前大量买进基金。对纽沁根外形的描述也是话里有话：“像个立方体，肥胖，像一个沙袋那样沉，如一个外交官那样笨拙。纽沁根手段严厉，冷酷的脸上从没见过笑容；他的死并没有公布，反而隐瞒了起来；他是不可理喻的。”纽沁根可怕的金融影响力也具有启发性：“他的天才头脑让他拥有了一切。这个金融大亨将副手卖给大臣们，将希腊卖给了土耳其。对他来说，商业是……所有杂耍的汇聚，是各种专长的结合。”有一次，纽沁根甚至与内森一样被拿来与拿破仑相比。而且，可能最为直白的一点，纽沁根据说“通过七月革命使自己变成了一个贵族，荣誉军团的一个高级军官”——后面那项荣誉，我们已经看到，詹姆斯确实从路易·菲利普那里获得过。

当然，《纽沁根银行》并不是对詹姆斯·德·罗斯柴尔德进行了一个真实的刻画。这本书的主要目的，是讽刺 19 世纪 30 年动荡不安的金融市场，纽沁根这个人物提供了一个例证。它潜在的“寓意”是“债务人比债权人要强势”，它最让人难忘的段落总结了“我们生活在其中的这个黄金时代的真实规则”，这些规则使得我们很容易看出，为何政治“左派”人士在巴尔扎克去世以后试图将他归为自己阵营一分子的原因：“社会中存在着恣意妄为的行为，如果某个人对另一个人实施这种行为，那就是犯罪，但扩展到对无数个人实施这种行为，罪行就被清除了。就如一滴氰酸在一大桶水里消失于无形一样。”

但是这远不是巴尔扎克对纽沁根最后的评语。在《交际花盛衰记》中，他在一个完全不同的场景中出现，一个厌世的老头爱上了他在万塞讷森林里见过的妓女。实际上，她是人格卑劣、野心勃勃的吕西安的情人，吕西安本人受犯罪头子伏脱冷操纵，三人试图从陷入爱情陷阱的纽沁根身上敲诈 100 万法郎。巴尔扎克再一次抓住机会，进一步阐述了他对资本主义的浪漫批评：“所有快速积累起来的财富，要么归功于幸运的发现，要么得益于合法的盗窃……1814 年的宪法宣告了金钱的统治地位，成功地变成了无神论时代的超级准则。”但是，再次值得注意的是，文中出现了如此多罗斯柴尔德的影子。纽沁根在文中被形容成“金融界的路易十四”。实际上，巴尔扎克对于纽沁根作为资助人的描述， 与海涅在《鲁特西亚》中所用的词句几乎一模一样（如此相似，似乎有剽窃之嫌）：

> 德·纽沁根先生，一个纯粹的银行家，除了计算外没有其他任何的创造能力……他只相信确定的价值。对于艺术，他会用钱让专家们给他弄到这些东西；一旦需要建一栋房子，做一次体检，需要得到某些赝品或一处物业，他就找最好的建筑师、最好的外科医生、最杰出的书画和雕像鉴定师和最好的律师。

值得注意的是，这其中对纽沁根给予了同情，这意味着巴尔扎克与詹姆斯日益增长的友谊产生了影响。纽沁根知道自己是在愚弄自己：“在这个年纪陷入爱河，我知道没有什么比这更荒谬的事情了，但是又能如何呢？任由天命吧！”当她拒绝了他进一步的请求后，他恢复了一些尊严，用非常完美的法语给她写了一封优雅而又充满情感的信。